THOMAS MANN
HEINRICH MANN
BRIEFWECHSEL

1900–1949

S. FISCHER

Aus den Beständen der Deutschen Akademie der Künste zu Berlin, des Schiller-Nationalmuseums zu Marbach und des Thomas-Mann-Archivs der Eidgenössischen Technischen Hochschule zu Zürich herausgegeben von

HANS WYSLING

Erweiterte Neuausgabe
S. Fischer Verlag GmbH, Frankfurt am Main 1984
Alle Rechte vorbehalten
Für Thomas Mann: © Katia Mann, Kilchberg 1968
© S. Fischer Verlag GmbH, Frankfurt am Main 1984
Für Heinrich Mann: © Aufbau-Verlag Berlin und Weimar 1965, 1984
Umschlaggestaltung: Peter W. Schmidt, Frankfurt
Satz und Druck: Wagner GmbH, Nördlingen
Einband: G. Lachenmaier, Reutlingen
Printed in Germany 1984
ISBN 3-10-047806-1

»Brüder sein, das heißt: Zusammen in einem würdig provinziellen Winkel des Vaterlandes kleine Jungen sein und sich zusammen über den würdigen Winkel lustig machen; heißt: die Freiheit, Unwirklichkeit, Lebensreinheit, die absolute Boheme der Jugend teilen. Heißt dann: einzeln, aber immer in organischer Verbundenheit und im Gedanken aneinander, hineinwachsen, hineinaltern ins eben noch radikal ironisierte ›Leben‹, hineinwachsen vor allem durch das Werk, das als Erzeugnis absoluter Boheme gemeint war, aber sich als eingegeben vom Leben, als in seinem Dienste getan und damit als sittlich verwirklichend erweist. Brüder sein, wie wir es sind, das heißt aber auch: gemeinsam dem wirklichkeitsreinen Unernst von einst im tiefsten die Treue halten; es heißt: mit jener halb geistigen, halb kindheitsprovinziellen Erregung und Schüchternheit, welche die große Welt der Wirklichkeit uns einflößt, die Ironie der Frühzeit verbinden; und es heißt: in Stunden besonders pointierter und unter dem kindlichen Gesichtspunkt unglaubwürdiger Verwirklichung sich aus dem Einzeldasein wieder zueinanderfinden, sich lächelnd anblicken und, wenn nicht mit dem Munde, so doch mit den Augen zueinander sagen: ›Wer hätte es gedacht.‹«

In seiner Ansprache zu Heinrichs sechzigstem Geburtstag zeichnet Thomas Mann den gemeinsam abgeschrittenen Weg mit genauer Treue nach. Was ihn nach seinem Empfinden für immer mit dem Bruder verband, war die Erinnerung an die »wirklichkeitsreine« Jugend: die gemeinsam verlebte und verträumte Kindheit im väterlichen Haus an der Beckergrube zu Lübeck und jene Monate in Palestrina und Rom, die sie, durch nichts gebunden, durch nichts gehalten, in absoluter Freiheit verwartet und verspielt hatten.

Die ersten Berührungen mit der Wirklichkeit – der frühe Ruhm, Liebe und Ehe, das Sich-Behaupten gegenüber der Gesellschaft und der Tradition, das Sich-Bewahren und -Bewähren gegenüber dem Leben –, aber auch alle spätere »Abgebrühtheit durchs Wirkliche« vermochten der Erinnerung ans Kindlich-Lebensreine nichts anzuhaben. Selbst die Vereinzelung im Bruderzwist, jene Vereinseitigung, aus der heraus Thomas im Bruder gerade das angriff, was ihm im Innern selbst zu schaffen machte, hatte vor dem Kindheitserlebnis keinen Bestand. Unter dem »kindlichen Gesichtspunkt« war der Streit im letzten unglaubwürdig, das »kindliche Gefühl« blieb unverletzt – es mochte jahrelang verschüttet sein, doch abzutöten war es nicht.

Die Beckergrube: Das war der Ort der frühen Träume, weltabgeschiedener Märchenseligkeit und auch der ersten Versuche, sich selbst im Spiele zu erleben, dem Zauberer gleich eine Welt in die Luft zu spielen, sich in Rollen aufzuteilen und dabei »Herr der Geschichte« zu bleiben. Beide Brüder haben in ihren Lebenserinnerungen von den Märchenbüchern gesprochen, aus denen die Mutter den Kindern einst vorgelesen; Andersens Märchen waren da, die ›Kinder- und Hausmärchen‹ der Brüder Grimm, dann jenes große, braune Buch mit den Goldverzierungen und den Bildern von Doré: die raffinierten Märchen von Perrault. Und zu ihnen gehörte auch das alte Mythologiebuch von Nösselt – es trug eine Pallas Athene auf dem Deckel und hatte schon der Mutter beim Mythologieunterricht gedient. Die Märchen gewährten jenes »träumerische Sichgehenlassen«, den Zustand freien Schwebens, der Enthobenheit aus Zeit und Raum. Mochten sich draußen hart die Dinge stoßen: das alles, erinnert sich Heinrich, »schlief ein, als ich zuviel las und die Häuser der Straße nicht hersagen konnte«. Märchenbücher! Thomas Mann hat der »Ur-Einfalt des Märchens« bis ins Alter die Treue bewahrt; er glaubte ihr in Wagners Mythen wieder zu begegnen, im jungen Siegfried, in Tannhäusers Venusberg-Verlockung, aber auch im nächtlichen Wunderreich von ›Tristan und Isolde‹. Wie Heinrich, nur eindringlicher und tiefer, hat er alle seine Werke mit Märchen und Mythen verbunden, im Grunde hat er zeit seines Lebens immer nur Märchen erzählt: die Dornröschengeschichte in der ›Königlichen Hoheit‹, das Märchen vom Glückskind im ›Felix Krull‹ oder, im ›Joseph‹, die Geschichte vom Sohn, der auszog, ein Königreich zu finden. Königsträume und Götterspiele, sie füllten seine Kindheit aus, und an sie denkt der Dichter zurück, wenn er im Alter von Segensaufstieg und Erhöhung berichtet.

Dann war da Heinrichs Puppentheater – Hanno spielt damit und auch der Bajazzo. Heinrich, der gerne Maler geworden wäre, hatte einige Dekorationen selbst gefertigt, dazu kamen alle die Figuren aus Prozellan, Papiermaché und Biskuit, Möpse, Teckel und Jagdhunde, die Thomas »mit Atlasschabracken, Flicken aus den Beständen der Schwestern« zu schmücken liebte. »Zwischen Kinderspiel und Kunstübung ist in meiner Erinnerung kein Bruch, keine scharfe Grenze«, schrieb er später in einem Lebensrückblick. Künstlertum, das ist für ihn das »bewahrte Kindliche«. Gewiß, der Spieltrieb verbindet sich mit geistiger Reife, das »Infantile, das Spiel kommt zu Würden«, doch im Innersten des Künstlers bleibt das Kindlich-Kindische, das Spielerische bewahrt.

Im Spiel entdecken die Kinder auch die Freiheit des Darüberstehenden, die Überlegenheit des »Herrn der Geschichte«. Es gibt ihnen Macht und verspricht ihnen Wirkung. Sie blicken mit der Distanz des Überlegenen auf die Selbstbefangenheit der Papiermaché-Köpfe, die immer nur sich selbst spielen, die, festgebannt im Gehäuse ihrer typisierten Individualität, die Welt immer nur aus dem gleichen Blickwinkel zu sehen vermögen. Der Freie und Überlegene aber kennt alle Perspektiven. Er ist der Agile, der Vielfältige; die Figuren sind die Starren und Einseitigen. Wer verschiedene Standpunkte einnehmen, aus allen Blickwinkeln zu sehen vermag, ist der Reichere. Er erhebt sich über die individuelle Vereinzelung und verfügt über die Fülle der Möglichkeiten: er trägt »den Keim, den Ansatz, die Möglichkeit zu allen Befähigungen und Betätigungen« in sich. Bei dem träumerischen Erproben aller Standpunkte ergeht es den Brüdern wie später Krull, der sich niemals in seiner Individualität genügt, »sondern schauspielerisch ins andere hinüberstrebt«, und damit erleben sie auch schon die ersten Schauer der Verfremdung, des Identitätsverlustes – wer bin ich denn, daß ich so viele Rollen in mir weiß? Und halb zögernd, halb mit Lust übertragen sie den illusionären Charakter des Spieles auf das Leben selbst: sie empfinden, wie Krull, »das Illusionäre von Welt und Leben«.

Die Zeit der kindlich-selbstsicheren Theaterexperimente ist bald vorbei. Erste dichterische Versuche umkreisen die Halt- und Ratlosigkeit des Ichs, das sich in unablässiger Selbstbespiegelung seiner Fragwürdigkeit, aber auch der Fragwürdigkeit der Welt immer schmerzlicher bewußt wird. ›Haltlos‹ ist denn auch der Titel einer autobiographischen Novelle, die Heinrich Mann 1890 geschrieben hat: »Die schwarze Flut von Nörgelei und Verachtung, in die schon der Knabe geraten durch fortwährende Selbstbespiegelung, Zerlegung des eigenen Innern und Schlüsse auf die Außenwelt, schlug über seinem Kopf zusammen, jede Hoffnung begrabend.« Dieses Ich kennt »keinen eigenen Entschluß« mehr, kein »eigenes zielbewußtes Streben«; es hat sich nur immer tiefer »in die eigene innere Verbitterung, Welt- und Ichverachtung« hineingelebt; »mit einer nur ihm selbst bekannten, immer ängstlich verborgenen Innenwelt der gemeinen Alltäglichkeit als etwas anderes, etwas ganz Fremdes gegenüberstehen – das hatte ihm selbst geschmeichelt«. Thomas Mann folgt 1895 mit der Novelle ›Walter Weiler‹ – sie ist später, umgearbeitet, unter dem Titel ›Der Bajazzo‹ erschienen –, der Geschichte eines haltlosen Träumers und Taugenichts, der schließlich an dem »Ekel, den mir das Leben – mein Leben – den mir ›alles das‹, und ›das Ganze‹ einflößt«, zugrunde geht. Die Helden beider Novellen sind

Außenseiter, sie mißtrauen der Umwelt und verachten sie. Wie Wellkamp – aus Heinrichs Roman ›In einer Familie‹ (1894) – leiden sie beide an der »Krankheit des Willens«: »Nur außergewöhnliche Charaktere werden in unserer unfruchtbar kritischen und zu schlichten Handlungen unfähigen Zeit ganz frei von dieser seelischen Krankheit sein, welche in ihren Opfern die Empfindsamkeit gegen sich selbst, die Selbstkritik zu immer schwächlicherer Verfeinerung ausarten läßt, während zugleich die Fähigkeit, ihre Handlungen nach ihrer besseren Einsicht zu lenken und zu regeln, in ihnen immer mehr erlahmt. Bei weicheren, von vornherein zur Reflexion und zum Empfindungsdilettantismus bestimmten Naturen pflegt die Krankheit des Willens zu einem vollständigen Aufgeben der Initiative zu führen; die Selbstkritik nimmt eine so virtuose Vielseitigkeit an, daß die einfachste Entscheidung nach einer bestimmten Seite hin dem Betroffenen unmöglich wird und sein Leben sich in einer ewig schwankenden Ratlosigkeit verliert.«

Was dem Ich noch eine Art von Überlegenheit über sich selbst und die Umwelt sichert, ist die »Lust am Psychologischen« und das »Vergnügen, die Menschen zu durchschauen« – sowohl der Bajazzo wie Andreas Zumsee, der Held von ›Schlaraffenland‹, halten sich daran –, und es sind die Vergnügungen des Ausdrucks, die Ekstasen der Artistik, die später Tonio Kröger und Mario Malvolto erleben. Aber psychologische Erkenntnis verödet das lebendig-warme Gefühl, Ästhetizismus wird nur um den Preis der Teilhabe am Menschlichen erkauft: die »Macht des Geistes und Wortes, die lächelnd über dem unbewußten und stummen Leben thront«, sichert nur eine Überlegenheit im luftleeren Raum. Der Artist ist isoliert, er vermag weder mitzufühlen noch zu handeln. Zudem wendet sich sein Trieb zur Analyse auch gegen das eigene Ich. Tonio Kröger wird, so heißt es schon 1899 in einer Notiz, »von der psychologischen Erkenntnis« ganz einfach aufgerieben; Mario Malvolto (in ›Pippo Spano‹, Heinrichs Künstler-Novelle von 1905) wird zum hellsichtigen Komödianten seiner selbst und damit zum Opfer seiner »neurasthenischen Überreizbarkeit«. Was bleibt, ist zunächst nur die mit Sehnsucht gemischte Verachtung, die sich gegen die Außenwelt, gegen die Gewöhnlich-Einsträngigen, den »wohlgelungenen Typus« wendet, der von den »einsamen Verfeinerungen« der Tonio und Mario nichts weiß, und ein existentieller Ekel, der sich gegen »alles das«, »das Ganze«, wendet, auch gegen das eigene Ich und dessen ohnmächtiges Versagen in der Welt.

›Tonio Kröger‹ und ›Pippo Spano‹ entstanden erst nach dem Italienaufenthalt, der die abtrünnigen Söhne noch einmal aufs engste vereinigte. Nach der Beckergrube nun Palestrina und Rom, Via Torre Argentina 34. Beide Brüder haben jener Zeit von 1896–98 in ihren Lebenserinnerungen gedacht: »Ich reiste«, schreibt Thomas Mann, »und wir verlebten, was wenige Deutsche tun, einen langen, glutheißen italienischen Sommer zusammen in einem Landstädtchen der Sabiner Berge, Palestrina, dem Geburtsorte des großen Musikers. Den Winter, mit seinem Wechsel von schneidenden Tramontana- und schwülen Sciroccotagen, verbrachten wir in der ›ewigen‹ Stadt als Untermieter einer guten Frau, die in der Via Torre Argentina eine Wohnung mit steinernen Fußböden und Strohstühlen innehatte. Wir waren Abonnenten eines kleinen Restaurants namens ›Genzano‹, das ich später nicht wiederfand und wo es guten Wein und vorzügliche ›Croquette di Pollo‹ gab. Abends spielten wir Domino in einem Café und tranken Punsch dazu. Wir verkehrten mit keinem Menschen. Hörten wir Deutsch sprechen, so flohen wir. Wir betrachteten Rom als Berge unserer Unregelmäßigkeit, und wenigstens ich lebte dort nicht um des Südens willen, den ich im Grunde nicht liebte, sondern einfach, weil zu Hause noch kein Platz für mich war.« Der monatliche Wechsel gewährte ihnen »die soziale Freiheit, die Möglichkeit, ›abzuwarten‹. Bei bescheidenen Ansprüchen konnten wir tun, was wir wollten, und das taten wir. Mein Bruder, der ursprünglich gern Maler hätte werden wollen, zeichnete

damals viel. Ich verschlang, im Qualm unzähliger 3-Centesimi-Zigaretten, skandinavische und russische Literatur und schrieb. Erfolge, die sich allmählich einstellten, freuten mich, ohne mich zu überraschen. Meine Lebensstimmung setzte sich aus Indolenz, schlechtem bürgerlichem Gewissen und dem sicheren Gefühl latenter Fähigkeiten zusammen.« – »Ich sehe ihn«, erinnert sich Heinrich, »an meiner Seite, wir beide jung [...]: an nichts gebunden – hätte man gesagt. Man weiß nicht, wieviel unerbittliche Verpflichtung ein Gezeichneter, der sein Leben lang hervorbringen soll, als Jüngling überall hin und mit sich trägt. Es war schwerer, als ich mir heute zurückrufen kann. Später wäre der Zustand der Erwartung unerträglich gewesen. Wir bedurften der ganzen Widerstandskraft unserer Jugend.«
Sie lasen und sprachen, vor allem wohl über Nietzsche – nicht umsonst ist das Gespräch mit dem Teufel im steinernen Saal zu Palestrina angesiedelt. Und sie schrieben. Heinrich eine ganze Reihe von Novellen – ›Das Stelldichein‹, ›Ein Verbrechen‹, ›Doktor Biebers Versuchung‹ –, Thomas den ›Bajazzo‹, die Satire ›Luischen‹ – »es gehörte zu den ersten Sachen von mir, die Dir imponierten« –, dann ›Tobias Mindernickel‹, die Geschichte eines T. M., der wie der Bajazzo dem Lebensekel erliegt. In leeren Stunden zeichneten und dichteten sie an dem ›Bilderbuch für artige Kinder‹: »Fünfundsiebzig Kunstwerke von Meisterhand, worunter achtundzwanzig kolorierte Bilder und siebenundvierzig Kupfer, nebst sechzehn begleitenden Kunstgedichten und vielen Textbemerkungen sittlich belehrenden und erheiternden Inhalts mit Sorgfalt und unter besonderer Berücksichtigung des sittlichen Gedankens für die heranreifende deutsche Jugend gesammelt und herausgegeben« – Viktor Mann hat in seiner Familienchronik davon berichtet. Heinrich aber saß während vieler Wochen täglich am Tisch und strichelte mit der Zeichenfeder an einer »endlosen Bilderfolge, die wir ›Das Lebenswerk‹ nannten und deren eigentlicher Titel ›Die soziale Ordnung‹ lautete. Wirklich stellten diese Blätter, die

wir zum langen Fries und dicker Rolle zusammenklebten, die menschliche Gesellschaft in allen ihren Typen und Gruppen dar, vom Kaiser und Papst bis zum Lumpenproletarier und Bettler – es war nichts ausgelassen in diesem trionfo sozialer Stufung, wir hatten Zeit und amüsierten uns wie wir konnten.« In Stunden des Übermuts – Thomas Mann denkt noch im Brief vom 18. Februar 1905 daran zurück – planten sie gemeinsam »eine Art Gipper-Roman [...], der ursprünglich das schöne Lied ›Der Onibus fährt *durch* die Stadt‹ als Leitmotiv haben sollte. Und schließlich sollte es der Onibus sein, der Biermann ins Gefängnis fährt.« Nun, aus dem Gipper-Roman wurde nichts, aber Biermann ging als Hugo Weinschenk in die ›Buddenbrooks‹ ein. Ein Gemeinschaftswerk à la Goncourt? Tatsächlich scheinen die Brüder daran gedacht zu haben: »Noch in der ersten Hälfte unserer Tätigkeit«, schreibt Heinrich im Bericht über sein Zeitalter, »teilten mein Bruder und ich einander denselben heimlichen Gedanken mit. Wir hätten ein Buch gemeinsam schreiben wollen. Ich sprach als erster, aber er war vorbereitet.« Mit der Niederschrift des Romans begann Thomas Mann Ende Oktober 1897, in Rom. Gleichzeitig schrieb Heinrich Mann die ersten Zeilen zu seinem »Roman unter feinen Leuten«, ›Im Schlaraffenland‹: »1897 in Rom, Via Argentina 34, überfiel mich das Talent, ich wußte nicht, was ich tat. Ich glaubte einen Bleistiftentwurf zu machen, schrieb aber den beinahe fertigen Roman.«

Die ›Buddenbrooks‹ und ›Im Schlaraffenland‹. Hier zeigen sich deutlich auch schon die Verschiedenheiten des Temperaments, des Zugriffs, des Zieles. Die ›Buddenbrooks‹ umkreisen, bei allem äußeren Reichtum an Welt, persönlichste Erfahrungen ihres Dichters, Erfahrungen freilich, die er sich in seinem Drang nach Selbstbestätigung philosophisch zu untermauern suchte: Schopenhauers nihilistische Metaphysik, die Gewißheit, daß Zeit und Raum als Täuschungen der Maja zu nehmen sind, daß Welt und Leben illusionären Charakter haben; Nietzsches Entlarvungspsychologie, sein Per-

XIV

spektivismus, seine Analyse vor allem des dekadenten Künstlers, der sich neurotisch in Rollen auflöst, keine Werte mehr vertritt und keine mehr setzt. Ein nihilistischer Ästhetizismus also, der die Welt nur noch phänomenal nehmen möchte, dabei aber nicht ganz sicher ist, ob nicht auch der Nihilismus selbst als ästhetisches Phänomen genommen werden soll – Thomas Mann zitiert in einem der Briefe an Heinrich zwei Verse von Platen:

> Dem frohen Tage folgt ein trüber,
> *Und Alles hebt zuletzt sich auf.*

»Dieses allgemeine Sichaufheben«, fügt er bei, »ist ein durchdringend melancholischer aber auch radikal tröstlicher Gedanke. Die Welt ist gleich Null – – –« Gegen alles das dann Tonys Lebenswille, ihre unverwüstliche Kindlichkeit.

Heinrichs Roman ist philosophisch weit weniger befrachtet, dafür energischer in der sozialkritischen Tendenz. Während sich Thomas Mann melancholisch-ironisch in sein Ich und dessen Problematik vertieft, wendet sich sein Bruder mit satirischer Gewalt gegen das »äffische« Getue einer sich auf den Schein gründenden Großstadtgesellschaft. Die ›Comédie humaine‹ noch einmal zu erzählen, den Karneval des Menschlichen, sozial zugespitzt, bis ins Groteske und Makabre hinein zu steigern: das ist das Ziel eines kämpferischen Moralismus und eines Wahrheitsradikalismus, der sich im Zerstören zu bewähren sucht, auch wenn er nichts zu bieten hat als sich selbst und sein Rebellentum. Nietzsche auch hier. Für Heinrich war er vor allem Anarchist, sein Werk das Dynamit, das alle festgefahrenen Konventionen sprengen sollte. »Damals«, schreibt Heinrich in einem späteren Aufsatz über Nietzsche, »schien es uns selbst zu rechtfertigen, wir verstanden es nach den Neigungen unseres Geistes, mit eingeschlossen seine Ausschweifungen. Wir vertrauten mit Freuden dem Individualisten, der es bis auf das Äußerste war, dem Gegner des Staates, – noch eher wär' er ein Anarchist, als ein ergebener Bürger des ›Reiches‹. 1890 und die nächsten Jahre war dies eine Haltung der persönlichen Unabhängigkeit. Derart bereitete man sich auf die eigenen Leistungen vor, und höchst willkommen war uns dieser Philosoph. Er stellte an die Spitze seiner geforderten Gesellschaft den stolzen Geist, – warum nicht uns selbst?« Das mochten schon Heinrichs Gedanken gewesen sein, als er in Rom am ›Lebenswerk‹ kritzelte und wartete; eine ähnlich abwartende Haltung nimmt im ›Schlaraffenland‹ der Schriftsteller Köpf ein: er durchschaut das Treiben der Gesellschaft, begnügt sich aber mit der Inkognito-Haltung des Zuschauers.

Die verschiedenen Intentionen der Verfasser widerspiegeln sich in ihren Helden: Die erotisch-musikalisch-metaphysische Traumwelt des Hanno Buddenbrook erweist sich als lebensunfähig, sie ist nur im Tode gesichert. Er leistet um des Traumes willen auf die Welt Verzicht. Andreas Zumsee dagegen möchte sich opportunistisch zum Helden dieser Welt aufschwingen. Er glaubt sie manipulieren zu können. In Wirklichkeit aber beherrscht sie ihn: er ist ihr Produkt und schließlich ihr Opfer.

Thomas Mann, weich und labil, sichert sich seine träumerische Freiheit zunächst in »passivem Indertum«, seine geistige Freiheit in evasiver Ironie; rückwärts gewandt, vergangenheitsschwer, wird er über das Märchenhaft-Romantische schließlich in den Raum des Mythischen zurückdringen, im Mythos Geborgenheit und zugleich, in der Wiederholung des Mythos, eine auf das Leben bezogene und lebensfähige Freiheit entdecken. Heinrich, labil auch er, übernimmt den aktivistischen Part. Er wendet sich dialektisch-kritisch nach außen, verschwendet sich an ideologische und utopische Vorwegnahmen, treibt in ausschweifender Dynamik Psychologie und Satire ins Prophetische vor. Beide suchen sich im Werk zu befreien und glauben, der Dichter habe die Aufgabe, angesichts festgefahrener Ordnungen das unbeschränkte Reich der Möglichkeiten zu öffnen. Was Heinrich vom Erstling seines Bruders gesagt hat, gilt auch vom ›Schlaraffenland‹: »Dies war die tatkräftige Art eines neu Beginnenden, sich zu befreien von den Anfechtungen eines ungesicherten Gemütes.«

Überblickt man Kindheit und Jugend der Brüder, dann überwiegen, bei allen schon sichtbaren Unterschieden des Temperaments, die Gemeinsamkeiten. Sie suchen sich beide in der Kunst das zu bewahren, was ihnen in der Normalität bürgerlicher Ordnung verlorengehen könnte: das Spiel mit den tausend Möglichkeiten, die Ungebundenheit des Geistes. Sie empfinden sich gleichermaßen als Gezeichnete und Ausgezeichnete, als »Sorgenkinder des Lebens« und als Erwählte. Die äußeren Motive bestätigen die innere Exponiertheit: Beide haben gleichermaßen die Spannungen zwischen Deutsch und Fremd, Bürgerlich und Künstlerisch, Gesund und Krank auszuhalten. Heinrich Mann geht als Zwanzigjähriger »heim nach Italien« und führt von da an ein zarathustrisches Wanderleben; in ›Zwischen den Rassen‹, einem melancholisch-bitteren Buch, zeigt er in Lola einen Menschen, dem die Zugehörigkeit zu einem Volk und einer Rasse zum Problem wird. Thomas Mann zeigt die gleiche Spannung in Tonio Kröger und Paolo Hofmann. Heinrich gegenüber mag er als der Bürgerlich-Seßhafte erscheinen, aber kaum ein Dichter läßt seine Eisenbahnzüge und Karawanen so oft ins Abenteuerlich-Unwegsame ausfahren wie er. Außerbürgerlich sind sie beide durch ihren Beruf, und für beide hängt er geheimnisvoll mit der Krankheit zusammen. Sie »schafft einen kritischen Gegensatz zur Welt, zum Lebensdurchschnitt, stimmt aufsässig und ironisch gegen die bürgerliche Ordnung und läßt ihren Mann Schutz suchen beim freien Geist«. Was Thomas Mann die »Krankheit meiner Jugend« genannt hat, ist die Ohnmacht des wirklichkeitsreinen, wirklichkeitsscheuen Träumers, der mit einer Mischung von Haß und Neid, Verachtung und Sehnsucht auf die Welt der Selbstsicheren und Dummen blickt. Wie Heinrich erhebt er sich im Werk über die »zynische Charakterschwäche« der Zeit und sichert sich so das traumhafte Bewußtsein von Erlesenheit, das Fluch ist und Segen in einem.

2

Heinrich war der ältere. Auf einem frühen Kinderbild sitzt er, abseits von den Geschwistern, mit abweisend-hochmütiger Miene auf einem Stuhl, ein Buch auf dem Knie. So ist in der »Fürsten-Novelle« Erbprinz Albrecht gezeichnet, Klaus Heinrichs ältester Bruder: »Er schien unkindlich und von äußerster Zurückhaltung, menschenscheu aus Verlegenheit und stolz aus Mangel an Grazie.« Klaus Heinrich muß es hinnehmen, daß Albrecht einmal mehrere Jahre lang kein Wort mit ihm spricht, »ohne daß ein bestimmter Streitfall zwischen den Brüdern vorgelegen hatte«. Der Vorfall ist autobiographisch; Erika Mann hat jüngst wieder davon berichtet: Weich, verwundbar, liebebedürftig und »voll liederlichen Hohns über das Ganze«, in ständiger Notwehr gegen die Gemeinheit des Lebens, hatte Thomas keine Waffe gegen den kühlen Hochmut des Bruders, der im Grunde wohl ebenso prinzlich-lebensängstlich gestimmt war wie er. Stumm, wie Klaus Heinrich, erlitt er die manchmal bis aufs Blut verletzenden Ausfälle des Älteren – sie entsprangen der äußersten Gereiztheit derer, die früh gezeichnet sind und es schwer haben in ihrer »strengen, schwierigen, sehnsüchtigen Einsamkeit«.
Zweifellos litt der junge Thomas Mann unter der Überlegenheit seines Bruders. Das »brüderliche Welterlebnis« war ihm Schicksal, Stachel und Ansporn. Sein Werk steht zunächst im Zeichen der Selbstbehauptung. Wo er hinwollte, da schien der andere immer schon zu sein, nur die ihm eigene Zähigkeit und sein Ehrgeiz, es besser zu machen, verhinderten, daß er erdrückt wurde. Immer war er spät, immer war er langsam, aber kurz vor dem Ziel überholte er den andern, und wenn er endlich abschloß, dann war sein

XVIII

Werk das gültige. Die Folge war, daß Neid und Mißgunst den Älteren erfüllten und er sich beklagte, er sei vom Bruder geplündert worden. Als ihm, zur Zeit des Bruderzwistes, Thomas vorwarf, das »brüderliche Welterlebnis« habe ihm alles persönlich gefärbt und ihn zu Exzessen hingerissen, da weist er ihn in einem nie abgeschickten Brief mit schroffer Deutlichkeit zurück: »Du hast, nach allem was ich sehe, Deine Bedeutung in meinem Leben unterschätzt, was das natürliche Gefühl betrifft, und überschätzt hinsichtlich der geistigen Beeinflussung. Die letztere, negativ von Gestalt, ist von Dir einseitig erlitten worden, Du mußt diese Wahrheit schon hinnehmen, es ist keine bloße Schmähung, wie alle die mehr pathetischen als ethischen Wendungen Deines Briefes. Was mich betrifft, ich empfinde mich als durchaus selbständige Erscheinung, u. mein Welterlebnis ist kein brüderliches, sondern eben das meine. Du störst mich nicht.« Das hätte Thomas Mann nicht behaupten wollen; noch in seinem letzten Lebensjahr spricht er in einem Brief von dem großen Schatten, der sich durch sein ganzes Leben gezogen und ihn mit »banger Verlegenheit« erfüllt habe. »Dabei war mein inneres Verhalten zu dem Älteren und seinem abweisend geistesstolzen Werk immer das des aufblickenden kleinen Bruders, und es malt sich autobiographisch in ›Königliche Hoheit‹, wo Klaus Heinrich zu seinem Bruder, dem Großherzog, sagt: ›Ich habe immer zu dir emporgeblickt, weil ich immer gefühlt und gewußt habe, daß du der Vornehmere und Höhere bist von uns beiden und ich nur ein Plebejer bin, im Vergleich mit dir. Aber wenn du mich würdigst, an deiner Seite zu stehen und deinen Titel zu führen *und dich vorm Volk zu vertreten,* obgleich ich mich garnicht so präsentabel finde und diese Hemmung hier habe, mit meiner linken Hand, die ich immer verstecken muß, – dann danke ich dir und stehe dir zu Befehl.‹« Zum Schluß des Briefes jedoch bekennt Thomas Mann: »Unbeschreiblich aber war meine Erschütterung, und wie ein Traum erschien es mir, als Heinrich mir kurze Zeit vor seinem Tode eines seiner Bücher mit den Worten widmete: ›*Meinem großen Bruder,* der den ‹Doktor Faustus› schrieb‹. Wie? Was? Der große Bruder war doch immer er gewesen!« Da färbt noch einmal, zum letztenmal, das »brüderliche Welterlebnis« den Sinn der Worte.

Eine Betrachtung des Frühwerks ist aufschlußreich. Die ersten Jahre von Thomas Manns Schaffen stehen im Zeichen bewundernden Nacheiferns. Es dem Bruder gleichzutun, es besser zu machen als er, ist ein Hauptziel aller Bemühung. Das geht bis in die Wahl der Vorbilder. Über Heinrich Heine, den »Guten«, schreibt er schon 1893, in der Schülerzeitschrift ›Der Frühlingssturm‹, einen Aufsatz. Heines Ästhetizismus bestärkte beide Brüder in dem Gefühl »schwer bestimmbarer Überlegenheit«, das sie von der in Scheinnormen befangenen bürgerlichen Gesellschaft von Anfang an trennte. Heines Desillusionierungstechnik nahm in vielem schon Nietzsches Entlarvungspsychologie vorweg: »Es war das ›Pathos der Distanz‹ dem größten Teil unserer Mitschüler gegenüber, das jeder kennt, der mit fünfzehn Jahren Heine liest und in Tertia das Urteil über Welt und Menschen entschlossen fällt«, schreibt Thomas Mann 1896 im ›Willen zum Glück‹.

Seine erste Prosa-Skizze, ›Vision‹ (1893), ist Hermann Bahr gewidmet, dessen »nervöse Romantik« auch auf Heinrich Mann wirkte. Durch Bahr ließ sich Heinrich zu den Goncourts, zu Barbey d'Aurevilly, Huysmans, Maeterlinck und Bourget führen, und in den Novellen ›Das Wunderbare‹ (1896), ›Das Stelldichein‹ (1897) oder noch in ›Doktor Biebers Versuchung‹ (1898) ergab er sich einem Mystizismus, der deutlich an Bahrs »Mystik der Nerven« erinnert. (Bahrs Skizzenbuch ›Fin de siècle‹ war 1890 beschlagnahmt worden; der dekadente Mystizismus ist hier ins Raffiniert-Exzessive vorgetrieben.)

Der an Bahr genährte Sinn für das Unerklärliche und Rätselhafte wird an E. T. A. Hoffmann weiterentwickelt und bestimmt auch Heinrichs Novelle ›Das gestohlene Doku-

XX

ment‹ (1897). Thomas Mann folgt dicht auf mit der Erzählung ›Der Kleiderschrank‹, einer »Geschichte voller Rätsel«, die sich bis in Einzelheiten an eines der ›Phantasiestücke in Callots Manier‹ anlehnt, nämlich an ›Don Juan‹, jene »fabelhafte Begebenheit, die sich mit einem reisenden Enthusiasten zugetragen« hat – die Rupfenwand im Kleiderschrank und, bei Hoffmann, die Tapetentür vermitteln gleicherweise zwischen der grauen Nüchternheit des Fremdenzimmers und der traumhaft-todverfallenen Wunderwelt des Märchens. Von Hoffmann hat Thomas Mann wohl auch das Intoxikations- und Rauschmotiv übernommen, das von da an in allen seinen Werken die Entgrenzung des Wirklichkeitsbereichs einleitet: Albrecht van der Qualen nimmt ein Gläschen Cognac, Thomas Buddenbrook raucht seine russischen Zigaretten; Hans Castorp trinkt sich in die abgründigen Gefilde seiner Walpurgisnacht, aber auch in die mythischen Tiefen seines Schnee-Traums hinein; Krull ergibt sich bis zur Ausschweifung dem Mocca, bevor er sich von Kukkuck zu seinen panerotisch-kosmischen Visionen hinreißen läßt.

Vor Hoffmann noch hatten beide Brüder den wirkungssüchtigsten Zauberer unter den Romantikern kennengelernt: Richard Wagner. Wagner-Klänge rauschen in fast allen Frühwerken Heinrichs herauf. Schon in seinem ersten Roman, ›In einer Familie‹, borgt er sich Wagners Hörselberg-Musik, um Wellkamps Liebe ins Abenteuerlich-Ungeheure zu steigern, und in den ›Göttinnen‹ (1903) erweist er sich auf den Spuren d'Annunzios als Liebhaber Venedigs, der Tristanstadt. Während Heinrich später zu Puccini und Donizetti hinüberwechselte, blieb Thomas Mann dem Meister seiner Jugend treu: Krulls Weltentraum ist so gut von »wogendem Schwall« und »tönendem Schall« erfüllt wie Hannos frühe Träumereien. Mit neunzehn las er Nietzsches Wagner-Kritik, mit fünfundzwanzig verfiel er, allen kritischen Regungen zum Trotz, in einem aufwühlenden Anfall von Pubertätserotik, dem »Wunderreich der Nacht« aufs neue. Er hat im Brief vom 7. 3. 1901 angedeutet, wie sehr ihm damals Musik und Metaphysik, Wagner und Schopenhauer in eins gingen. (Die Einblicke in Schopenhauers »welterotische Konzeption«, die Schauer des mystischen Adepten, der hier erfährt, was ihm »zukommt«: das ist allerdings ein Erlebnis, das er nicht mit dem Bruder teilt, das ihm allein gehört. Und gerade dieses Erlebnis hat für sein Lebenswerk konstituierende Bedeutung; aus dem »süßen Schlaf« seiner schlummerherrlichen Helden läßt er alle Weltenträume aufsteigen – das geht in einem weitgespannten Bogen von Thomas Buddenbrook über Hans Castorp zu Joseph und Felix Krull.)

Ob Thomas Mann selbständig zu Nietzsche gefunden hat oder ob auch hier der Bruder der Wegbereiter war, wissen wir nicht. Heinrich kannte den ›Zarathustra‹ schon als Zwanzigjähriger, die moralkritischen Schriften las er 1894. Im selben Jahr notierte sich Thomas Mann die ersten Nietzsche-Zitate – aus ›Jenseits von Gut und Böse‹ –, und 1895 erwarb er den soeben erschienenen VIII. Band der Großoktav-Ausgabe (er enthält die Wagner-Schriften und die Dichtungen), die weiteren Bände folgten.

Auf Paul Bourget dagegen dürfte ihn mit Sicherheit der Bruder aufmerksam gemacht haben. Heinrich widmet dem französischen Beschwörer und Überwinder der Décadence seinen Erstling. Kurz darauf hält Thomas Mann in seinem Notizbuch erste Lesefrüchte aus Bourget fest. Allerdings distanzierte er sich schon bald: Als Mitarbeiter der Zeitschrift ›Das Zwanzigste Jahrhundert‹, deren Redaktion vom April 1895 bis Ende März 1896 in Heinrichs Händen liegt, kommt er gelegentlich auf Bourgets ›Cosmopolis‹ und das nationale Empfinden im allgemeinen zu sprechen; aber er hält es nicht für eine zukunftsträchtige Kraft, sondern für einen »literarischen Geschmack«. Für Heinrich mochte die Mitarbeit an dieser nationalistischen Zeitschrift ein Experiment sein; er wollte es, von Bourget beeindruckt, mit einer eindeutigen Haltung wenigstens versuchen. Für Thomas Mann war »das einfältige Blättchen«, das der Bruder schon bald »mit einigem Widerwillen« redigierte, kaum mehr als eine willkommene Gelegenheit, Geld zu verdienen und sich so einige äußere Freiheit zu verschaffen. (Daß Thomas Mann übrigens auch seine ersten Novellen in Zeitschriften veröffentlichte, die der Bruder schon erobert hatte, sei nur am Rande erwähnt. ›Gefallen‹ erschien 1894 in M. G. Conrads ›Gesellschaft‹, ›Der Wille zum Glück‹ 1896 im ›Simplicissimus‹.)

Bei alledem darf man nicht übersehen, daß Thomas Mann bei der Wahl seiner Vorbilder von Anfang an einen durchaus eigenständigen Geschmack entwickelt. Er liest die Russen – allen voran Tolstoi –, die Skandinavier, den nordischen Fritz Reuter. Heinrichs Geschmack dagegen ist einseitig auf die Franzosen ausgerichtet; auf Bourget folgen Flaubert, Balzac, Hugo, Zola.

Was Thomas Mann am Werk seines Bruders studiert, ist vor allem die Kunst des Zitierens. Heinrich Mann ist ein Meister der Anspielung. Für seinen ersten Roman wählt er die Konstellation der ›Wahlverwandtschaften‹ – Goethes Werk wird im Gespräch genannt –; die Verführungsszene taucht er in Venusberg-Musik. Auch die Novelle ›Das Wunderbare‹ ist von ›Tannhäuser‹ inspiriert; zudem beschwört Heinrich hier die untergründige Venuswelt aus Eichendorffs ›Marmorbild‹ – »Zauberberg« ist ein Wort von Eichendorff; Nietzsche, in der ›Geburt der Tragödie‹, hat es ihm nachgesprochen. In ›Doktor Biebers Versuchung‹ endlich wird auf Flauberts ›Versuchung des heiligen Antonius‹ angespielt; Antonius Bieber, der Arzt der Nervenklinik, setzt sich im entscheidenden Moment ans Klavier und spielt – aus ›Tristan und Isolde‹. Hannos Träumereien am Klavier, der verwunschene Park aus der »Fürsten-Novelle«, darin die Prinzenkinder mit ihren Spielen von Liebe und Tod, Gabriele Eckhoff als kleine Märchenkönigin am Rande des Springbrunnens, dann am Klavier – dies alles ist bei Heinrich schon da: Wagner-Kult, Jugendstil, fin de siècle. Aber Heinrichs

Erzählungen sind nicht geblieben, es fehlt ihnen jene letzte Durchdringung, Verwandlung, »Beseelung« des Stoffes, die allein den Dichter ausmacht.

Aus Heinrichs loser Anspielungstechnik entwickelt Thomas Mann eine eigentliche Kunst der Komposition. Er verweist nicht nur vorübergehend auf bekannte vorgebildete Figuren und Situationen der Weltliteratur, vielmehr stützt er ganze Erzählungen auf vorgegebene Handlungsmuster ab. Diese Muster ermöglichen zugleich auch jenes Erzählen zwischen den Sphären, jene »Kunst der Mischung«, in der Stimmen aus allen Zeiten ineinanderklingen. Im ›Kleiderschrank‹ bilden das Feenmärchen und Hoffmanns ›Don Juan‹-Version zusammen mit der Albrecht-van-der-Qualen-Handlung die Textur der Erzählung. ›Tristan‹, aber auch die »Fürsten-Novelle« und ›Wälsungenblut‹ lehnen sich an Wagnerische Mythen an. Im frühen ›Krull‹ spielen das Märchen vom Glückskind, Goethes ›Dichtung und Wahrheit‹ und Manolescus Hochstapler-Memoiren ineinander. Im ›Tod in Venedig‹ und kurz darauf im ›Zauberberg‹ verwendet Thomas Mann erstmals Motive aus antiken Mythen als konstituierende Elemente – wieweit ihn Heinrich Manns ›Göttinnen‹ oder ›Mnais‹, die Novelle von 1906, dazu angeregt haben, ist nicht bekannt; auffällig ist nur, daß er im selben Augenblick zu seinen Hadesfahrten ansetzt, da der Bruder die Novelle ›Rückkehr vom Hades‹ veröffentlicht (1911).

Inzwischen scheint er seinerseits einiges zum Raffinement von Heinrichs Kompositionskunst beigetragen zu haben: Während in ›Jagd nach Liebe‹ und in der ›Schauspielerin‹ Puccini-Klänge (aus ›La Bohème‹ und ›Madame Butterfly‹) nur zur Untermalung bestimmter Szenen dienen, sind in der ›Kleinen Stadt‹ die Einflüsterungen der Goldoni, Beaumarchais, Donizetti und Verdi aufs kunstvollste ineinanderkomponiert; zur gleichen Zeit, da Thomas Mann sein Märchen von den Königskindern dem ›Meistersinger‹-Lustspiel angleicht, Reminiszenzen aus Bangs ›Hoheit‹ und Heinrich Manns ›Contessina‹ darin verwendet und außerdem Klänge aus der ›Zauberflöte‹ und aus den Psalmen herüberwehen läßt, schafft Heinrich Mann eine commedia dell'arte, die sich neben Hofmannsthals irisierenden Kabinettspielen wohl sehen lassen darf.

In der Benützung biographischer und dokumentarischer Quellen hatten sie es sich schon lange gleich getan. Im Drange nach »Realisation« ziehen sie alles irgendwie Brauchbare heran, um der fiktiven Welt Wahrscheinlichkeitscharakter zu geben. Thomas Mann hält sich, manchmal wortgetreu, an den Bericht seiner Schwester Julia, als er in den ›Buddenbrooks‹ die Schicksale der Tony dem Lebenslauf seiner Tante Elisabeth nachbildet. 1910 exzerpiert er im Hinblick auf Krulls Südamerikareise ein Reisetagebuch seiner Schwiegermutter. (»Das Benützen der Erlebnisse ist mir Alles gewesen; das Erfinden aus der Luft war nie meine Sache: ich habe die Welt stets für genialer gehalten, als mein Genie«, vermerkt er gelegentlich in einem der frühen Notizbücher, und er ist sichtlich froh, sich hier auf Goethe berufen zu können.) Heinrich seinerseits beschreibt, von seinem Bruder fast eifersüchtig beobachtet, Lolas Kindheit nach den Erinnerungen, die seine Mutter aufgezeichnet hatte. Ähnlich wie die ›Buddenbrooks‹ müssen es sich auch seine Werke oft gefallen lassen, als Schlüsselromane gebrandmarkt zu werden.

Unzählige Anleihen bei der Wirklichkeit sollen vor allem den historisierenden Werken den Charakter des Authentischen verleihen. Um ›Fiorenza‹ mit wahrheitsgetreuen Details ausstatten zu können, studiert Thomas Mann die Burckhardt, Villari und Vasari und hält das Verwertbare in unzähligen Exzerpten fest; gleichzeitig sammelt er Bildmaterial, besucht Kunstausstellungen, und schließlich treibt ihn sein »Hunger nach dem Wirklichen« zu einer Reise nach Florenz. Und so Heinrich. Die nachgelassenen Notizenkonvolute zeigen, daß er im Hinblick auf die ›Göttinnen‹ nicht nur d'Annunzio, Henri de Régnier, E. T. A. Hoffmann und Flaubert, sondern über sie hinaus eine lange Reihe von historischen Quellen- und Bildwerken herangezogen und »produktiv« gelesen hat – selbst der Baedeker konnte da nützlich sein. Der Biographie und der Historie ließ sich, wie Tonio Kröger sagt, »das gleichgültige Material« entnehmen, »aus dem das ästhetische Gebilde in spielender und gelassener Überlegenheit zusammenzusetzen« war.

Die geistige Nähe der Brüder wird noch deutlicher sichtbar, wenn man nicht nur ihre Arbeitstechnik, sondern auch die Themen, Motive und Figuren ihrer Werke miteinander vergleicht. Es ist faszinierend, zu sehen, wie sich das Briefgespräch in den Büchern fortsetzt. In Thomas Manns Werken insbesondere wimmelt es schon in der Frühzeit von offenen und geheimen Anleihen, von Erinnerungen, Anspielungen, verhüllten Enthüllungen. Das ›Schlaraffenland‹ zum Beispiel hat ihn hundertfältig stimuliert. Einige Andeutungen mögen genügen: Wenn Tonio Kröger die nordische Gefühlsheimat gegen die »bellezza« ausspielt, tut er das mit Worten, die ähnlich schon Claire Pimbusch gesprochen hat. Türkheimer wird von Heinrich als »Renaissancemensch« bezeichnet und mit Cesare Borgia verglichen: Tonio Krögers Ausfall ist also gezielt. Von James L. Türkheimer führt eine gerade Linie sodann zu Samuel N. Spoelmann in der ›Königlichen Hoheit‹, der nach den frühesten Notizen mit ähnlich angelsächsischem Nimbus hätte Davis heißen sollen. Schillers »Drum soll der Sänger mit dem König gehen, sie beide wohnen auf der Menschheit Höhen« wird schon im ›Schlaraffenland‹ zitiert. Türkheimers Gemahlin aufersteht in Mme Houpflé, das Glückskind Andreas Zumsee erhält einen Nachfolger in Felix Krull. (Schon Zumsee wird auf seinem Weg nach oben einem »Märchenprinzen« verglichen, von seinem »glücklichen Selbstbewußtsein«, seiner »glücklichen Naivität« ist wiederholt die Rede. Das Dandy- und das Pulcinella-Motiv, die ganze Illusionsthematik sind hier vorgegeben, aber sie erscheinen bei Thomas Mann philosophisch vertieft – Schopenhauers Schleier der Maja hatte er sich ja auch zu dem Gesellschaftsroman ausborgen wollen, den er nicht lange nach dem Erscheinen des ›Schlaraffenlands‹ auszudenken begann und später an Gustav von Aschenbach abtrat.) Übrigens wird auch Zumsee mit Tannhäuser verglichen; Hans Castorps Hörselberg-Erfahrungen überhöhen und vertiefen die seinen. Aber das alles ist schon längst keine Nachahmung mehr, es ist höchstens noch Demonstration: Siehst du, was sich aus solchen Themen machen läßt? Seit den ›Buddenbrooks‹ hatte Thomas Mann das Gefühl, der größere Schriftsteller zu sein.

Heinrich seinerseits bezieht sich mehr und mehr auf Motive des Bruders: In seiner Novelle ›Der Unbekannte‹ (1906) greift er die Tonio-Kröger-Problematik auf. ›Professor Unrat‹ läßt an die satirischen Schulkapitel in den ›Buddenbrooks‹ denken. Diederich Heßlings Erfahrungen beim Militär gehen auf Thomas Manns Garnisonserlebnisse zurück – dieser hat sie um 1913 im ›Krull‹ auch selbst verwertet. Viele Figuren wiederholen sich in Variationen: Gugigl schlägt Permaneder nach; Erneste in ›Zwischen den Rassen‹ folgt auf Sesemi Weichbrodt – ihrer beider Modell ist Thérèse Bousset, die Inhaberin des Pensionats vor dem Mühlentor zu Lübeck. Nicht immer kann mit Sicherheit gesagt werden, welcher der Brüder ein Thema, ein Motiv zuerst aufgreift: vieles liegt in der Luft, ist beiden zuhanden, und was als Anleihe erscheint, erweist sich als gemeinsamer Besitz. Gemeinsam variieren sie in der Frühzeit vor allem den Typus des décadent; aber während ihm Heinrich alles Heroische nimmt – das zeigt sich bei Wellkamp, Claude Marehn, Arnold Acton –, schafft Thomas Mann den »Helden der Schwäche«, der aus dem Trotzdem lebt, über seine Hemmnisse triumphiert und so Größe gewinnt.

Spannungen ließen sich nicht vermeiden, und weil sich die Brüder zu gut kannten, saßen die Hiebe tief. Es begann zur ›Fiorenza‹-Zeit. Anlaß war Heinrich Manns Renaissance-Trilogie ›Die Göttinen‹. Der Roman kam Ende 1902 bei Langen heraus. Im März 1903 besprach Thomas Mann in der ›Freistatt‹ Toni Schwabes Roman ›Die Hochzeit der Esther Franzenius‹. Er lobte darin die Sprache der Verfasserin, »eine leise und innig bewegte Sprache von sanfter Gehobenheit, die in außerordentlichen Momenten das gehaltene Pathos der Bibel streift. Eine zarte Eindringlichkeit der Wirkungen wird erzielt, die, um es näher zu bezeichnen, ungefähr das Gegenteil ist von jener Blasebalg-Poesie, die uns seit einigen Jahren aus dem schönen Land Italien eingeführt wird. Zuweilen bei Storm kommen Stellen, wo ohne den geringsten sprachlichen Aufwand die Stimmung sich plötzlich verdichtet, wo man die Augen schließt und fühlt, wie die Wehmut einem die Kehle zusammenpreßt.« Ähnliches sagt Tonio Kröger; mit dem Ausdruck »Blasebalg-Poesie« aber wendet sich Thomas Mann gegen die von d'Annunzio (und Balzac) entfachten Lohen in Heinrich Manns Stil. »Was ich sagen wollte, ist dies: Uns armen Plebejern und Tschandalas, die wir unter dem Hohnlächeln der Renaissance-Männer ein weibliches Kultur- und Kunstideal verehren, die wir als Künstler an den Schmerz, das Erlebnis, die Tiefe, die leidende Liebe glauben und der schönen Oberflächlichkeit ein wenig ironisch gegenüberstehen: uns muß es wahrscheinlich sein, daß von der Frau *als Künstlerin* das Merkwürdigste und Interessanteste zu erwarten ist, ja, daß sie irgendwann einmal zur Führer- und Meisterschaft unter uns gelangen kann. [...] Es ist nichts mit dem, was steife und kalte Heiden ›Die Schönheit‹ nennen.«

Unterirdisch hatte es schon lange geschwelt. Im Reisejahr 1901, bei gemeinsamen Aufenthalten in Italien, hatte Thomas Mann wohl Näheres von Heinrichs Italien-Roman gehört, und damals begann er in den Notizbüchern den Charakter jenes neurasthenischen Renaissanceschwärmers zu entwerfen, der unter dem Namen Albrecht oder Eugen in die Novelle ›Die Geliebten‹, später in den ›Maja‹-Roman hätte eingehen sollen. Albrecht wird als »jener Nietzscheanische Typus« dargestellt, »der beständig für das Leben, die Schönheit, den dummen Instinkt, die Kraft eintritt«, dabei aber »mit dem Sonnenschirm zu Pferd« sitzt. In Albrecht versucht Thomas Mann all das zu karikieren, was damals – so heißt es im ›Lebensabriß‹ – zur »Mode- und Massenwirkung« von Nietzsches Philosophie gehörte: den »simplen ›Renaissancismus‹, Übermenschenkult, Cesare Borgia-Ästhetizismus«, die »Blut- und Schönheitsgroßmäuligkeit, wie sie damals bei groß und klein im Schwange war«. Nun, ›Die Geliebten‹ sind nicht geschrieben worden, auch ›Maja‹ nicht; aber das Pathos des neurasthenischen Kraftanbeters ist aus den Notizen von 1901/02 noch zweimal auferstanden, in Axel Martini zunächst, »der, während ihm die ungesunde Röte über den Wangenhöhlen glomm, beständig rief: ›Wie ist das Leben so stark und schön!‹, jedoch um zehn Uhr vorsichtig zu Bette ging«, und in Helmut Institoris, der die italienische Renaissance als eine Zeit verherrlicht, »die ›von Blut und Schönheit geraucht‹ habe«, dabei aber »zart und nervös« ist und sich meist in Sanatorien aufhält.

›Die Göttinnen‹ waren eine wahre dionysische Orgie, auch wenn sich Heinrich Mann der Faszination durch das ruchlose Leben immer wieder entzog und seinen Kult selbst als »hysterische Renaissance« entlarvte. Tonio Kröger wendet sich als erster gegen das Leben »als eine Vision von blutiger Größe und Bilderschönheit«, und mit Savonarola bezieht Thomas Mann gegenüber allem lebensgläubigen Ästhetizismus den Standpunkt des asketischen Moralisten. »Ich bin«, lautet eine Notiz von 1902, »im Vergleich mit H., dem vornehmen, kalten, ein weichmütiger Plebejer, aber mit sehr viel mehr Herrschsucht ausgestattet. Nicht umsonst ist Savonarola mein Held…« Selbst daß Heinrich in ›Pippo

Spano‹ den Künstler als neurasthenischen Schwächling und Komödianten bloßstellte, der nicht »von der Kraft, sondern vom Willen zur Kraft« lebt, konnte Thomas Mann nicht davon abhalten, in den ›Betrachtungen‹ dem »ästhetizistischen Renaissance-Nietzscheanismus« des Bruders und der »Schönheits-Großmäuligkeit des d'Annunzio« seinen pessimistischen Moralismus entgegenzustellen; er hielt sich an Heinrichs Faszination, nicht an dessen kritisches Bewußtsein. Sein Tolstoiismus wies ihn an die Seite der Pascal und Meyer – »die epische Luft, der faustische Duft, Kreuz, Tod und Gruft«: Dürers ›Ritter, Tod und Teufel‹ war seine Sphäre. Dem »Ruchlosigkeits-Ästhetizismus« des Bruders gegenüber vertrat er seit da die »nordisch-moralistisch-protestantische, id est deutsche« Welt. »Es war«, erinnert sich Thomas Mann im Institoris-Kapitel des ›Doktor Faustus‹, »der Gegensatz zwischen Ästhetik und Moral, der ja zu einem guten Teil die kulturelle Dialektik jener Epoche beherrschte und sich in diesen beiden jungen Leuten gewissermaßen personifizierte: der Widerstreit zwischen einer schulmäßigen Glorifizierung des ›Lebens‹ in seiner prangenden Unbedenklichkeit – und der pessimistischen Verehrung des Leidens mit seiner Tiefe und seinem Wissen.« Es folgt ein Satz, der das Verhältnis der Brüder zueinander wie kaum ein zweiter zu bestimmen vermag: »Man kann sagen, daß an seiner schöpferischen Quelle dieser Gegensatz eine persönliche Einheit gebildet hatte und erst in der Zeit streitbar auseinandergefallen war.«

Durch die ›Jagd nach Liebe‹ vergrößerte sich die aufgerissene Kluft. Das zeigt vor allem Thomas Manns fulminanter Brief vom 5. 12. 1903. Die Spannungen begannen sich auf den ganzen Familienkreis auszuwirken. »Wenn es noch dabei sein Bewenden hätte«, schrieb Julia Mann am 20. 11. 1904 ihrem ältesten Sohn, »daß T[homas] und L[öhr]s wie ein großer Teil des lesenden Publikums Deinen letzten Roman scharf verurteilten, – aber daß Du Dich von den Geschwistern abwendest, thut mir für Dich *sehr leid.*

XXX

Halte Dich zu ihnen, mein lieber Heinrich, schicke ihnen ab und zu einige freundliche Zeilen und Kritiken, u. zeige ihnen nicht, daß Du Dich von der litterarischen Welt nicht so anerkannt fühlst, als es T. momentan ist [...]. Ihr seid *beide* gottbegnadete Menschen, lieber Heinrich, – laß das persönliche Verhältnis zu T. und L.s nicht getrübt werden; wie konnten 1½ Jahre es so ändern blos weil Deine letzten Arbeiten nicht durchwegs gefielen. Das hat doch mit d. geschwisterl. Verhältnis *nichts* zu *thun*!« Daß Heinrich in seinem Roman bekannte Münchener Persönlichkeiten »in zu gewagter Weise« dargestellt hatte, verzieh ihm insbesondere seine Schwester Julia nicht. Durch ihre Heirat mit dem Bankier Löhr gesellschaftlich verbunden, vertrat sie immer entschiedener den bürgerlich-puritanischen Standpunkt.

Thomas Mann fühlte sich ihr schon durch die äußeren Umstände verknüpft. Seine Heirat auferlegte ihm gesellschaftliche Rücksichten und Verpflichtungen. Die Zeiten »bohemehafter Absolutheit und Beziehungslosigkeit« waren für ihn vorbei. Insgeheim, und gerade Heinrich gegenüber, empfand er seinen Entschluß als eine Art von Verrat an jener Freiheit, die ihn seit den Römer Tagen mit Heinrich verbunden hatte und ihm lange als unabdingbare Voraussetzung des Künstlertums erschienen war: »Ein Gefühl von Unfreiheit, das in hypochondrischen Stunden sehr drückend wird, werde ich freilich seither nicht los«, gesteht er ihm ein knappes Jahr nach der Vermählung, »und Du nennst mich gewiß einen feigen Bürger. Aber Du hast leicht reden. Du bist absolut. Ich dagegen habe geruht, mir eine Verfassung zu geben.« Schon in der Verlobungszeit hatte er sich seines »Glückes« wegen gewissermaßen entschuldigt: »Ich habe es mir nicht ›gewonnen‹, es ist mir nicht ›zugefallen‹, – ich habe mich ihm *unterzogen:* aus einer Art Pflichtgefühl, einer Art von Moral, einem mir eingeborenen Imperativ, den ich, da er ein Zug vom Schreibtisch *weg* ist, lange als eine Form von Liederlichkeit fürchtete, den ich aber mit der Zeit doch als etwas Sittliches anzuerkennen gelernt habe. Das ›Glück‹

ist ein Dienst – das Gegentheil davon ist ungleich bequemer; und ich betone das, nicht, weil ich irgend etwas wie Neid bei Dir voraussetzte, sondern weil ich argwöhne, daß Du im Gegentheile sogar mit etwas Geringschätzung auf mein neues Sein und Wesen blickst.« Wenn er in der ›Schweren Stunde‹ erzählt, wie Schiller »aus dem Freibeutertum des Geistes in einige Rechtlichkeit und bürgerliche Verbindung eingetreten war, Amt und Ehren trug, Weib und Kinder besaß«, spricht er aus eigener Erfahrung.

Die Fronten waren damit bezogen. Auf der einen Seite standen Thomas und Julia, die – dem Scheine nach – bürgerlichen Geschwister, auf der andern die Bohemiens, Heinrich und Carla. In der literarischen Überspitzung nehmen diese Bindungen inzestuöse Gestalt an; schon das Verhältnis zwischen Claude Marehn und Ute in der ›Jagd nach Liebe‹ weist in diese Richtung, aber auch Heinrichs Novelle von 1905, ›Schauspielerin‹, die ebenfalls Carla zur Heldin hat. Im gleichen Jahr schildert Thomas Mann in seiner Fragment gebliebenen »Fürsten-Novelle«, der Vorstufe zur ›Königlichen Hoheit‹, die Tristan-und-Isolde-Liebe der Märchenkinder Klaus Heinrich und Ditlind, macht dann aber das Inzest-Motiv zum Gegenstand einer besonderen Novelle mit neuer persönlicher Konstellation, so daß er am 17. 1. 1906 an Heinrich schreiben kann, die nähere Bekanntschaft mit der ›Schauspielerin‹ zeige, »daß ich, wie Du mir schon zarthin andeutetest, mit ›Wälsungenblut‹ gewissermaßen gethane Arbeit gethan habe«. (Wie später im ›Erwählten‹ entspringt die Liebe zwischen den exceptionellen Geschwistern auch in ›Wälsungenblut‹ der »übergroßen Heiklichkeit«; in ihrem narzißtischen Hochmut kennen Siegmund und Sieglinde wie Grigorß und Sibylla nur die Liebe zu ihresgleichen, die »Ebenbürtigkeitswonne«.) Heinrich blieb Carla bis über deren Tod hinaus aufs engste verbunden, das Drama ›Schauspielerin‹ (1911) und späte Briefe an Karl Lemke beweisen es.

Andere Spannungsursachen kamen hinzu. Daß Heinrich

sich nicht entschließen konnte, seinem Verhältnis zu Ines (Nena) Schmied, einer aus Brasilien gebürtigen Sängerin, eine eindeutigere Form zu geben, störte Thomas Mann vor allem, weil dadurch die Kluft zwischen Julia und dem älteren Bruder noch vertieft wurde. Nach seinem Gefühl war die Gemeinschaft der Geschwister seit der Beckergrube geheiligt, sie gehörte zum Traumbesitz der Kindheit. Wer dieses Traumbild zerstörte, verging sich gegen den »Familiensinn«. In seinem Brief vom 1. 4. 1909 erinnert er Heinrich an das Zusammensein im lübischen Vaterhaus. Ähnlich empfindet er ein Jahr darauf Carlas Selbstmord als Verletzung des »geschwisterlichen Solidaritätsgefühls« – noch im ›Lebensabriß‹ tadelt er ihn als »Verrat an unserer geschwisterlichen Gemeinschaft«, als Untreue gegenüber »unserer wirklichkeitsreinen Jugend«. Umgekehrt konnten ihn Beweise echten Familiensinns buchstäblich zu Tränen rühren. Als Heinrich ›Fiorenza‹ gegen Kerr in Schutz nahm, schrieb er ihm zum Beispiel (11. 11. 1913): »In meinen besten Stunden träume ich seit Langem davon, noch einmal ein großes und getreues Lebensbuch zu schreiben, eine Fortsetzung der Buddenbrooks, die Geschichte von uns fünf Geschwistern: wir sind es wert. Alle.« Und im Brief vom 15. 10. 1905 stoßen wir unvermittelt auf den Satz: »*Ich bin durchdrungen von der Nothwendigkeit, daß wir zusammenhalten.*«
Im gleichen Jahr hatte er den ›Professor Unrat‹ gelesen und sich insgeheim in einer ganzen Reihe von Vorwürfen Luft gemacht, die sich alle gegen Heinrichs »Schnellfertigkeit« wenden. »*Anti-Heinrich*« sind diese Ausfälle im 7. Notizbuch überschrieben:

Anti-Heinrich

Ich halte es für unmoralisch, aus Furcht vor den Leiden des Müßiganges ein schlechtes Buch nach dem andern zu schreiben.
»Künstlerische Unterhaltungslektüre« – Alles gut. Wenn

XXXIII

es nur zuletzt nicht doch eine contradictio in adjecto wäre!

Das alles ist das amüsanteste und leichtfertigste Zeug, das seit Langem in Deutschland geschrieben wurde.

Drüber und drunter! Der Schüler Ertzum giebt einen Aufsatz ab, nachdem er vor Beginn des Schreibens ins Kabuff geschickt wurde; Cigarrenhändler und Cafétier sind Schüler des Gymnasial-Professors: Dergleichen ist wohl kaum noch »Unbedenklichkeit des Künstlers« sondern etwas mehr, nämlich Belletristenthum, das sich ins Zeug legt. Das Buch scheint nicht auf Dauer berechnet.

In Wahrheit, Grütze essen muß sehr leichtsinnig machen – und sehr produktiv. Aber vielleicht ist Produktivität nur eine Form des Leichtsinns.

Unmöglichkeiten, daß man seinen Augen nicht traut. Unrath ruft im Concertsaal: »Ins Kabuff!«!

Eine gottverlassene Art von Impressionismus. (»Er klomm steil«.)

Von dieser Heftigkeit waren nicht einmal die Ausfälle in der ›Freistatt‹ gewesen. Schnellfertigkeit: das hieß zunächst unsorgfältige Motivation. Thomas Mann konnte sein Unbehagen an den reißenden Handlungsabläufen, den abrupten seelischen Umschwüngen, den theatralischen, ja kinomäßigen Übersteigerungen und Raffungen in Heinrichs Werke je länger, je weniger unterdrücken. Die Ironie, mit der er nach der Lektüre der ›Stürmischen Morgen‹ an Heinrich schreibt (7. 6. 1906), ist kaum mehr verhüllt: »Ein glanzvolles Buch wieder, das alle Deine Vorzüge zeigt, Dein hinreißendes Tempo, Deinen berühmten ›Schmiß‹, die entzückende Prägnanz Deines Wortes, Deine ganze erstaunliche Virtuosität, der man sich hingiebt, weil sie zweifellos direkt aus der Leidenschaft kommt.« Und im Brief vom 1. 4. 1909 rügt er die »steile und grelle Art«, die zu Heinrichs Genie gehöre.

Der Vorwurf der Schnellfertigkeit bezieht sich aber auch auf Heinrichs Produktivität ganz allgemein. ›Professor Unrat‹

war im Sommer 1904 in einem Wurf entstanden, die ›Jagd nach Liebe‹ hatte Heinrich kurz nach den ›Göttinnen‹ »in sechs Monaten hingelegt«, und Thomas Mann hatte ›Zwischen den Rassen‹ noch nicht zu Ende gelesen, da lagen schon ›Die Branzilla‹ und, fast gleichzeitig, ›Der Tyrann‹ abgeschlossen vor: »Mein Gott, Du hast schon wieder etwas fertig«, heißt es im Brief vom 7. 6. 1907. Bis 1909 hatte Heinrich an die zehn Romane geschrieben, dazu eine Unzahl von Novellen, während Thomas Mann auf zwei Romane und zwei Novellenbändchen zurückblicken konnte. »Was mich betrifft«, schreibt er 1906 für eine Zeitschrift, »so heißt es, die Zähne zusammenbeißen und langsam Fuß vor Fuß setzen, – heißt es, Geduld üben, den halben Tag müßig gehen, sich schlafen legen und abwarten, ob es nicht morgen bei ausgeruhtem Kopf doch vielleicht besser wird. Irgend etwas Größeres fertigzumachen, dem einmal Unternommenen die Treue zu halten, nicht davonzulaufen, nicht nach Neuem, in Jugendglanz Lockendem zu greifen, dazu gehört bei meiner Arbeitsart in der Tat eine Geduld – was sage ich! eine Verbissenheit, ein Starrsinn, eine Zucht und Selbstknechtung des Willens, von der man sich schwer eine Vorstellung macht und unter der die Nerven, wie man mir glauben darf, oft bis zum Schreien gespannt sind.« Dem Bruder gesteht er am 6. 2. 1908: »Meine Produktionsart macht starrsinnig und apathisch«; dem »Mühelosen« stellt er auch hier den Asketen gegenüber, der unter der Geißel des Talents lebt, sich Zeit nimmt, in aller Schaffensnot und Verzweiflung die Langsamkeit preist und so das Vollendete schafft. In einem Brief an Katja vom August 1904 stehen die Sätze, die Flaubert zum Heiligen erheben – Schiller, in der ›Schweren Stunde‹, wiederholt sie fast wörtlich: »Nur bei Damen und Dilettanten sprudelt es, bei den Schnellzufriedenen und Unwissenden, die nicht unter dem Druck und der Zucht des Talentes leben. Denn das Talent ist nichts Leichtes, nichts Tändelndes, es ist nicht ohne Weiteres ein Können. In der Wurzel ist es ein *Bedürfnis,* ein kritisches

Wissen um das Ideal, eine Ungenügsamkeit, die sich ihr Können nicht ohne Qual erst schafft und steigert.« Und Spinells Satz, daß der Schriftsteller ein Mann sei, dem das Schreiben schwerer falle als allen andern Leuten, steht gegen die Schnellfertigkeit so gut wie jene »Ungenügsamkeit«, die es Aschenbach verbietet, »sich mit einem fröhlichen Ungefähr und mit einer halben Vollkommenheit zu begnügen«.

Noch ein weiterer Konflikt zeichnet sich schon in frühen Jahren ab: der Konflikt zwischen dem artistischen Künstler und dem moralischen Literaten. Er ist komplizierter als die bisher genannten, denn Thomas Mann hat ihn nicht nur gegen den Bruder auszutragen, sondern auch gegen sich selbst. Die Spannung wird hier zum Zwiespalt.

In Nietzsches Schule hatte es sich Thomas Mann früh angewöhnt, im Künstler den Schauspieler und Scharlatan zu sehen, die morbide »Zwischen-Spezies« des Artisten, dessen sinnlich-äffisches Talent nur zur Nachahmung tauge. Nietzsche hatte in seiner Wagner-Kritik den »Charakter-Verfall« des Künstlers gegeißelt und die »Heraufkunft des Schauspielers in der Musik« prophezeit. Wagner erschien ihm als »*histrio, der größte Mime, das erstaunlichste Theater-Genie, das die Deutschen gehabt haben, unser S c e n i k e r *par excellence*«. »Das Problem des Schauspielers hat mich am längsten beschäftigt«, schrieb Nietzsche in einem Aphorismus der ›Fröhlichen Wissenschaft‹, »ich war im Ungewissen darüber (und bin es mitunter jetzt noch), ob man nicht erst von da aus dem gefährlichen Begriff ›Künstler‹ – einem mit unverzeihlicher Gutmüthigkeit bisher behandelten Begriff – beikommen wird. Die Falschheit mit gutem Gewissen; die Lust an der Verstellung als Macht herausbrechend, den sogenannten ›Charakter‹ beiseiteschiebend, überfluthend, mitunter auslöschend; das innere Verlangen in eine Rolle und Maske, in einen S c h e i n hinein; ein Überschuß von Anpassungs-Fähigkeiten aller Art, welche sich nicht mehr im Dienste des nächsten engsten Nutzens zu befriedigen wissen«: solche Instinkte, glaubte Nietzsche, hätten sich am ehesten im niederen Volke ausgebildet, das frühzeitig lernt sich anzupassen und die Mimicry zur Kunst entwickelt, bis es schließlich »den Schauspieler, den ›Künstler‹ erzeugt (den Possenreißer, Lügenerzähler, Hanswurst, Narren, Clown zunächst, auch den classischen Bedienten, den Gil Blas: denn in solchen Typen hat man die Vorgeschichte des Künstlers und oft genug sogar den des ›Genie's‹)«.

Umgekehrt hatte Nietzsche den Künstler auch als Erkennenden dargestellt. Die morbid-neurotische Verfassung des Artisten hatte dessen Sinne verfeinert und geschärft. Er war Psychologe und als solcher mit einem Wahrheitswillen, einem Radikalismus begabt, der bis ins Gehässig-Selbstzerstörerische führen konnte. Noch zur ›Tonio-Kröger‹-Zeit spricht Thomas Mann von der alles zugrunde richtenden »psychologischen Hellsicht«, vom »Erkenntnisekel« des Literaten, und er wiederholt jenen Fluch auf die Literatur, den er schon im Brief vom 13. 2. 1901 an Heinrich ausgestoßen hatte: »Ach, die Litteratur ist der Tod! [...] Mir graut vor dem Tage, und er ist ja nicht fern, wo ich wieder allein mit ihr eingeschlossen sein werde, und ich fürchte, daß die egoistische Verödung und Verkünstelung dann rasche Fortschritte machen wird ...« Immerhin nimmt Lisaweta die Literatur in Schutz: »Wie also: Die reinigende, heiligende Wirkung der Literatur, die Zerstörung der Leidenschaften durch die Erkenntnis und das Wort, die Literatur als Weg zum Verstehen, zum Vergeben und zur Liebe, die erlösende Macht der Sprache, der literarische Geist als die edelste Erscheinung des Menschengeistes überhaupt, der Literat als vollkommener Mensch, als Heiliger, – die Dinge so betrachten, hieße sie nicht genau genug betrachten?« In den Notizen zum »Litteratur-Essay« von 1909 scheint diese Ansicht gesiegt zu haben. Mit aufklärerischer Leidenschaft spricht Thomas Mann jetzt selbst von der »spinozistischen Wirkung der Literatur«, von der »Erlösung der Leidenschaften durch ihre Analyse« und sieht die vornehmste Entwicklungsstufe des Literaten in Schopenhauers Typus des Heiligen: »Der Literat«, schreibt er in seinem Aufsatz ›Der Künstler und der Literat‹, »ist anständig bis zur Absurdität, er ist ehrenhaft bis zur Heiligkeit, ja, als Wissender und Richtender den Propheten des Alten Bundes verbündet, stellt er in der Tat auf seiner vornehmsten Entwicklungsstufe den Typus des Heiligen vollkommener dar als irgendein Anachoret einfacherer Zeiten.«

Immer wieder hat Thomas Mann in seinen Werken den bajazzohaften Künstlertyp gegen den des asketischen, zur Selbstkasteiung neigenden Moralisten ausgespielt. Christian Buddenbrook mit seinen Eulenspiegeleien und Dandyposen steht gegen Thomas, der mit eiserner Disziplin an der Rolle des Bürgers festhält. (Rollenträger sind sie beide, und beider Rollen sind einander zugewiesen; nicht umsonst hält Thomas Mann in einer Notiz fest, daß »Thomas = griechisch didymos«, Zwilling, bedeutet.) Savonarola kämpft mit mönchischem Eifer gegen den heidnischen Hedonismus des Lorenzo an – für das komödiantische »Künstlervölkchen« hat er nur Verachtung übrig. In Krull tritt wieder der Künstler als Komödiant und Proteus-Natur auf, in Aschenbach, seinem Gegenspieler, der Literat als Heiliger. Allerdings repräsentiert keiner von beiden seinen Typus rein: Krull ist bei allem erotischen Abenteurertum Soldat und Moralist, Aschenbach erlebt den Absturz aus der Höhe moralischen Wollens in die tiefste Entwürdigung.

Seinem Bruder gegenüber hat Thomas Mann, der doch selbst so viel des Komödiantischen, der Libertinage und des Bohemetums in sich wußte, immer die Position des Bürgers und Moralisten bezogen. Er scheut sich nicht, dem Bruder vorzuwerfen, es fehle seiner Kunst an Würde, an jener Zucht, Selbstbeherrschung, Langsamkeit, die das Werk der van der Qualen und von Aschenbach auszeichnet; ja, bisweilen hat es den Anschein, als wolle er die Rolle des Künstler-Komödianten ganz auf Heinrich abschieben. »Du weißt«, schreibt er ihm am 18. 2. 1905 (er hat soeben ›Fiorenza‹ vollendet), »ich glaube, daß Du Dich ins andere Extrem verloren hast, indem Du nachgerade nichts weiter mehr, als nur Künstler bist, – während ein Künstler, Gott helfe mir, *mehr zu sein hat*, als bloß ein Künstler.« Ähnlich stellt er ein Jahr später, im Brief vom 17. 1. 1906, seinen ›Friedrich‹ gegen das ›Schlaraffenland‹ und ›Die Jagd nach Liebe‹: »Das Entscheidende ist, daß ein Stoff, mit dem ich es Jahre lang aushalten soll, an sich, als Gegenstand, eine gewisse *Würde* besitzen muß. Ich habe für einen modernen Großstadt-Roman in den letzten Jahren eine Menge merkwürdigen Materials gesammelt, habe so viel erlebt und erlitten, daß es schon ein beträchtliches Buch werden könnte. Aber ich traue mir nicht mehr die Geduld und (Verzeihung!) die Bescheidenheit zu, zwei, drei Jahre die Bürde *irgend eines* modernen Romanes zu schleppen.«

Wieder werden in den Werken die Vorwürfe variiert. Tonio Kröger, »haltlos zwischen krassen Extremen, zwischen eisiger Geistigkeit und verzehrender Sinnenglut hin und her geworfen«, wird dem fahrenden Volk, den »Zigeunern im grünen Wagen«, zugerechnet. (»Der Litterat als Abenteurer«, heißt es in einer Notiz zur Novelle; »Typus Henry. Man ist als Litterat innerlich Abenteurer genug. Aeußerlich soll man sich gut anziehen, zum Teufel, und sich benehmen wie ein anständiger Mensch!«) Heinrich hat die »Zigeuner« prompt auf sich bezogen – er nahm sie wohl als Rückzahlung für Siebelind, den schwächlichen Dichter in den ›Göttinnen‹ –, und schon in der ›Jagd nach Liebe‹ läßt er selbst Akrobaten in einem »grünen Wagen« auffahren, und Ute, die Schauspielerin, fragt den überheblichsten der gaffenden Bürger, ob er denn glaube, eine wertvollere Existenz zu sein als die Leute im Wagen: »Sie würden sich irren.« Damit nicht genug. In seinem Essay von 1905 läßt er Flaubert sagen: »wenn vor dem Tor meiner Stadt Zigeuner aus ihrem grünen Wagen lugen, regt sich in mir etwas Brüderliches.« Aschenbach fühlt sich seinerseits zu parieren bemüßigt: »Nur ewiges Zigeunertum findet es langweilig und ist zu

Spotte geneigt, wenn ein großes Talent dem libertinischen Puppenstande entwächst, die Würde des Geistes ausdrucksvoll wahrzunehmen sich gewöhnt und die Hofsitten« der »Einsamkeit annimmt«.

Tatsächlich waren weder Heinrichs Lebenswandel noch seine Werke dazu angetan, Thomas Manns bürgerliche Bedenken zu zerstreuen. Fast alle Frauen, die in Heinrichs Leben eine Rolle spielten, waren Schauspielerinnen oder Demimondäne, oft beides, das geht in einer langen Reihe von Carla über Ines Schmied, Tilla Durieux, Ida Roland, Maria Kanova zu Trude Hesterberg und Nelly Kröger. Seine Freunde, Wedekind, Steinrück und alle anderen, waren Theatermenschen, seine Vorbilder, von Heine bis zu Wagner, Theatraliker. »Beim Theater« ist ein langes Kapitel in Heinrichs Lebensrückblick überschrieben. Auch seine Gestalten sind Komödianten, ob sie sich nun auf der Bühne bewegen oder im Leben. Was Mario Malvolto von sich sagt, kann man im ›Henri Quatre‹ wieder lesen: »Totus mundus exercet histrionem«: »Jeder macht seinen Komödianten. Totus mundus –.« Komödianten bewegen sich so gut in der ›Kleinen Stadt‹ wie in der Wilhelminischen Ära. Als Thomas Mann daranging, im ›Hochstapler‹-Roman den schauspielerischen Typus des Künstlers, den Dandy à la Barbey d'Aurevilly zu zeichnen – noch wußte er nicht, daß er ihm in Aschenbach einen Gegenspieler geben würde –, da fixierte er Krulls Geburt in den Notizen auf 1871; offenbar war das Werk zunächst als eine Art »Anti-Heinrich« gedacht. Erst später setzte er statt Heinrichs Geburtsjahr sein eigenes ein: die Selbsterforschung zeigte ihm, wie viel Histrionisches in seinem eigenen Blute mitpulsierte.

Daß Heinrich im Bajazzo-Typus so wenig aufging wie er in dem des »Heiligen«, hatte er natürlich nicht übersehen. Das gesellschaftskritische, das soziale: das politische Element in Heinrichs Dichtungen sprach deutlich genug dagegen. Die Aversionen, die sich gerade auf diesem Gebiet schon früh herausgebildet hatten, verschärften sich in den Jahren des

XL

Ersten Weltkrieges dermaßen, daß alle artistischen und privat-menschlichen Spannungen hinter sie zurückzutreten hatten.

4

Thomas Mann stand im Banne Nietzsches und einer großen deutsch-romantischen Tradition, wenn er anfänglich die Apolitie des Geistes statuierte. Wie Burckhardt hatte auch Nietzsche Staat und Kultur als Antagonisten gesehen. Politik: das bedeutete fast schon so viel wie Verrat am Geist. Künstler und Intellektuelle hatten sich über alle gesellschaftlichen Ordnungen und Zwänge zu erheben und so dem Geist seine absolute Freiheit zu sichern. Das Ergebnis war im Falle Thomas Manns ein Ästhetizismus, der mit Verachtung auf alle bürgerlichen Macht- und Interessenkämpfe herabsah und die Überlegenheit des Geistes dadurch behauptete, daß er das »Leben« radikal ironisierte.

Die ›Buddenbrooks‹ waren kein gesellschaftskritisches Buch, sie waren, wie alle frühen Werke Thomas Manns, »Bemühungen um ein problematisches Ich«. Die industrielle Revolution, die Heraufkunft des vierten Standes spielen darin kaum eine Rolle; der » Verfall einer Familie« wird nicht als Beispiel historischer Dialektik genommen – es geht nicht um Sozialisierung der Gesellschaft, sondern um jenes von Schopenhauer beschriebene Gesetz, daß Vergeistigung immer auch einen Schwund der vitalen Kräfte mit sich bringe, daß nur – so folgert Thomas Mann – der Gewöhnliche gesund sei, das Genie aber mit Notwendigkeit krank. Im Mittelpunkt steht das Individuum, das Soziale wird an den Rand gedrängt. Was Thomas Mann am 23. 4. 1925 über den ›Zauberberg‹ an Julius Bab schreibt, hätte er schon von den ›Buddenbrooks‹ sagen können: »Daß das Soziale meine schwache Seite ist –, ich bin mir dessen voll bewußt und weiß auch, daß ich mich damit in einem gewissen Widerspruch zu meiner Kunstform selbst, dem Roman befinde, der das Soziale fordert und mit sich bringt. Aber der *Reiz* – ich drücke es ganz frivol aus – des Individuellen, Metaphysischen ist für mich nun einmal unvergleichlich größer. Sicher, Roman, das heißt Gesellschaftsroman, und ein solcher ist der Zbg. bis zu einem Grad auch ganz von selbst geworden. Einige Kritik des vorkriegerischen Kapitalismus läuft mit unter. Aber freilich, das ›Andere‹, das Sinngeflecht von Leben und Tod, die Musik, war mir viel, viel wichtiger. Ich bin deutsch, – glauben Sie nicht, daß ich das Wort im Sinn unbedingten Selbstlobes und ohne nationale Selbstbezweifelung gebrauche. Das Zolaeske ist schwach in mir, und daß ich auf den 8 Stunden-Tag hätte kommen müssen, mutet mich fast wie eine Parodie des sozialen Gesichtspunktes an.« Das gleiche gilt, trotz allen späteren Bemühungen, auch von der ›Königlichen Hoheit‹ und dem ›Felix Krull‹. Ein »sozialkritisches Buch« im strengen Sinne des Wortes hat Thomas Mann nie geschrieben. Er kam von Nietzsche her, nicht von Marx. Seine »Anlagen und Bildungsüberlieferungen« – er hat es im ›Lebensabriß‹ selbst gesagt – waren »moralisch-metaphysischer, nicht politisch-gesellschaftlicher Art«.

Anders Heinrich. Er holte sich bei Nietzsche den Freipaß zu schrankenlosem Experimentieren. Nach seiner Begegnung mit Bourget versucht er es mit dem nationalistischen Standpunkt, ergibt sich in den Novellen des fin de siècle einem ungehemmt-romantischen Mystizismus, geißelt im ›Schlaraffenland‹ die spätkapitalistische Gesellschaft und huldigt alsbald, in den ›Göttinnen‹, bis zur Ausschweifung einem nietzscheanischen Renaissancismus und Schönheitskult. Aber Politisches und Artistisches folgen so dicht aufeinander, daß man geneigt ist, beides aus einem im Grunde haltlosen, aber agil und dynamisch sich gebärdenden Ästhetizismus abzuleiten. Die frühe Hinwendung zur Sozialkritik ist unverkennbar, doch bei aller Energie des Zugriffs scheint das l'art pour l'art auch die politische Satire zu bestimmen. In der Folge aber tritt eine Wendung ein, die sich in allen

XLII

Schriften von 1905 abzeichnet: Hochmut, Einsamkeitsbewußtsein, Lebenshaß sollen um der Teilnahme am Menschlichen willen überwunden werden. »Dieser Bürgerhasser«, erkennt er im Essay über ›Gustave Flaubert und George Sand‹ (1905), »ist selbst ein Bürger. Merkwürdiger wäre es, wenn er keiner wäre. Gute Satiren schrieb nie jemand, er hätte denn irgendeine Zugehörigkeit gehabt zu dem, was er dem Gelächter preisgab: ein Apostat oder ein Nichteingelassener. In Satiren ist Neid oder Ekel, aber immer ein gehässiges Gemeinschaftsgefühl.« Das hatte nicht nur Flaubert, sondern auch Tonio Kröger erkannt. George Sand, in ihrer Warmblütigkeit, wirkt befreiend und lösend auf den verkrampften Ästheten-Hochmut des mönchischen Artisten. Die »Macht ihrer Menschlichkeit« vermag für Augenblicke die »fixe Idee der Kunst« aus Flauberts Bewußtsein zu drängen. »Sie will, daß er sich endlich in die eigene Güte und Zärtlichkeit füge, sich zu ihr bekenne, an der Liebe der Einfachen teilnehme, etwas von seinem Herzen zu Papier bringe.« Und wie Flaubert eines ihrer Stücke liest, erkennt er, daß die Kunst, die ihm »Absehen und Enthaltung vom Leben ist, kalte Herrschaft über das Leben, unerbittlich gegen die Menschheit«, auch anders sein kann, nämlich »verbündet mit dem Leben, gütig gegen alle, leicht für den, der sie übt«. Erlösung von der dekadenten Lebensfremdheit: Was sich bei Thomas Mann in den Briefen an Katja kundtut, offenbart sich in Heinrichs Briefen an Nena. Am 13. 7. 1905 versucht er ihr gegenüber seine frühen Werke damit zu verteidigen, »daß es bei einem gewissen Nerven- und Geisteszustande lügnerisch wäre, wollte man die Natur einfach und schlicht wiedergeben. Daß Fieberhaftigkeiten, Grotesken, Gewaltsamkeiten unter Umständen das einzig Echte und Redliche sind«. Und er fährt fort: »Es war mir keine Liebe beschieden und nichts, was mir geliebt zu werden wert schien. Aus Mangel an Zärtlichkeit behauptete ich, nur auf Sinnlichkeit komme es an; und behauptete es um so lauter, je weniger ich es innerlich glaubte.«

Auch bei ihm beginnt im Privatesten, was sich sehr bald ins Allgemeine auswirken wird: Der isolierte Geist soll gesellschaftsfähig, ja gesellschaftbestimmend werden. Während sich Thomas Mann nur sehr zögernd auf das Gesellschaftlich-Politische einläßt, wendet sich Heinrich immer entschiedener von dem Flaubertschen Ästhetizismus ab, Maupassant, Balzac, Hugo, Zola werden seine Meister, und in den programmatischen Aufsätzen von 1910 – es ist, »als spräche ein Mensch von 1789« – bekennt er sich zu den Menschenrechten: »Freiheit: das ist die Gesamtheit aller Ziele des Geistigen, aller menschlichen Ideale. Freiheit ist [...] Fortschritt und Menschlichkeit. Frei sein heißt, gerecht und wahr sein, heißt, es bis zu dem Grade sein, daß man Ungleichheit nicht mehr erkennt. Ja, Freiheit ist Gleichheit.«

Thomas Mann hatte diese Entwicklung mit nervösem Gespür schon früh vorausgeahnt. Am 27. 2. 1904, er hat gerade Heinrichs Novelle ›Fulvia‹ gelesen, schreibt er dem Bruder: »Viel merkwürdiger, seltsam interessant, für mich noch immer ein bischen unwahrscheinlich ist die Entwicklung Deiner Weltanschauung zum Liberalismus hin [...]. Du mußt Dich wohl ganz ungeahnt jung und stark damit fühlen? Wirklich, ich würde Deinen Liberalismus als eine Art bewußt eroberte Jugendlichkeit auffassen, wenn er nicht, wahrscheinlich, ganz einfach ›Reife des Mannes‹ bedeutete. Reife des Mannes! Ob ich's auch soweit bringen werde? Fürs Erste verstehe ich wenig von ›Freiheit‹. Sie ist für mich ein rein moralisch-geistiger Begriff, gleichbedeutend mit ›Ehrlichkeit‹. (Einige Kritiker nennen es bei mir ›Herzenskälte‹.) Aber für politische Freiheit habe ich gar kein Interesse. Die gewaltige russische Literatur ist doch unter einem ungeheuren Druck entstanden? Wäre vielleicht ohne diesen Druck garnicht entstanden? Was mindestens bewiese, daß der Kampf für die ›Freiheit‹ besser ist, als die Freiheit selbst. Was ist überhaupt ›Freiheit‹? Schon weil für den Begriff so viel Blut geflossen ist, hat er für mich etwas unheimlich Unfreies, etwas direkt Mittelalterliches ... Aber ich kann da wohl garnicht mitreden.« Entsprechend hielt er ›Zwischen den Rassen‹ für das »gerechteste, erfahrenste, mildeste, *freieste*« Werk von Heinrich, weil es »keine Tendenz« habe – »keine Beschränktheit, keine Verherrlichung und Verhöhnung, kein Trumpfen auf irgend etwas und keine Verachtung, keine Parteinahme in geistigen, moralischen, aesthetischen Dingen, – sondern Allseitigkeit, Erkenntnis und Kunst.« Dies ausgerechnet von einem Roman, in dem Heinrich die »ungeheure Güte der Demokratie« zeigen wollte, ihre Kraft, »Würde zu wecken, Menschlichkeit zu reifen, Frieden zu verbreiten«.

Vollends nicht mehr mitreden konnte er, als gleichzeitig mit der ›Königlichen Hoheit‹ die ›Kleine Stadt‹ erschien, das Hohelied der Demokratie, in dem das Volk die Hauptfigur ist, die Piazza der Schauplatz: hier spielt sich »das öffentliche Leben«, der Kampf der Fortschrittlichen gegen die Rückständigen ab. »›Menschen, Menschen sind wir alle‹«, rügt gleichzeitig Klaus Heinrichs Lehrer, Dr. Überbein – ein »faules Lied«, ein »ordinäres Lied«. Er liebt den »Sonderfall«, die »Würde der Ausnahme«, und über alle Menschlichkeit und Gemütlichkeit geht ihm das Pathos der Distanz, die Forderung nach Größe und Sendung. Einerseits hat sich Thomas Mann darüber beklagt, daß die Rezensenten die politischen, sozialkritischen Elemente seines Romans über Gebühr betont hätten, so daß die geistig-dichterischen, bekenntnishaften zu kurz gekommen seien; umgekehrt spricht er von der »Aussöhnung des aristokratisch-melancholischen Bewußtseins mit *neuen* Forderungen, die man schon damals auf die Formel der ›Demokratie‹ hätte bringen können«. Bahr hatte in dem Roman geradezu ein »Fanal der Demokratie« erblickt – »mein Bruder«, schreibt Thomas Mann am 11. 1. 1910 an Kurt Martens, »ein leidenschaftlicher Demokrat der neuesten Prägung (sein letzter Roman ist äußerst interessant als Zeitprodukt) *war entzückt* über Bahrs Ausdeutung von ›Königliche Hoheit‹.« In den ›Betrachtungen‹

gesteht er offen, »daß ein tiefes Zögern jene Wendung zum Demokratischen, zur Gemeinsamkeit und Menschlichkeit begleitet« habe; er wolle nicht »leugnen, daß das Buch, ungeachtet seiner demokratischen Lehrhaftigkeit, eine wahre Orgie des Individualismus« darstelle. Seine eigentliche Liebe gehöre nun einmal den »aristokratischen Monstren«.

Inzwischen hatte Heinrich Mann bereits seinen ›Untertan‹ zu schreiben begonnen, die »Geschichte der öffentlichen Seele unter Wilhelm II.«, wie im Manuskript der Untertitel hieß. Schon seit 1906 hatte Heinrich sie dokumentiert. Es war der Versuch, eine »ganz naheliegende Zeit, wenigstens all ihr Politisch-Moralisches, in ein Buch zu bringen«, und rückblickend durfte Heinrich mit Recht sagen, daß er stofflich, stilistisch, besonders in seiner »Anschauung der Zeitgenossen« um einiges vorgegriffen habe. Die Forderung nach Zeitnähe machte auch Thomas Mann zu schaffen; aber er vermochte den Übergang »aus dem Metaphysisch-Individuellen ins Soziale« noch lange nicht zu finden. Während er 1909, in den Notizen zu ›Geist und Kunst‹, in einer Anspielung auf Heinrich festhält, daß Literatentum »bei politischer Teilnahme zu einem fast trivialen, fast kindlichen Radicalismus führen kann«, gesteht er dem Bruder im Brief vom 8. 11. 1913 »die Unfähigkeit, mich geistig und politisch eigentlich zu orientieren, wie Du es gekonnt hast«; sein Teil sei »eine wachsende Sympathie mit dem Tode, mir tief eingeboren: mein ganzes Interesse galt immer dem Verfall, und das ist es wohl eigentlich, was mich hindert, mich für Fortschritt zu interessieren. Aber was ist das für ein Geschwätz. Es ist schlimm, wenn die ganze Misere der Zeit und des Vaterlandes auf einem liegt, ohne daß man die Kräfte hat, sie zu gestalten. [...] Oder wird sie im ›Unterthan‹ gestaltet sein? Ich freue mich mehr auf Deine Werke als auf meine. Du bist seelisch besser dran, und das ist eben doch das Entscheidende. Ich bin ausgedient, glaube ich, und hätte wahrscheinlich nie Schriftsteller werden dürfen. ›Buddenbrooks‹ waren ein Bürgerbuch und sind nichts mehr fürs 20. Jahrhundert.

›Tonio Kröger‹ war bloß larmoyant, ›Königliche Hoheit‹ eitel, der ›Tod in Venedig‹ halb gebildet und falsch.« (Der ›Zauberberg‹, an dem er seit dem September 1913 schrieb, vermochte ihn vor solchem Unmut nicht zu bewahren.)

»Sache derer, die früh vertrocknen sollen, ist es, schon zu Anfang ihrer zwanzig Jahre bewußt und weltgerecht hinzutreten«, konnte er zwei Jahre später im ›Zola‹-Essay seines Bruders lesen. Er hatte es inzwischen an Zeitnähe nicht fehlen lassen: In den ersten Kriegsjahren verfaßte er seine drei Aufsätze zum Zeitgeschehen, ›Gedanken im Kriege‹, ›Friedrich und die große Koalition‹ und den Brief ›An die Redaktion des ‹Svenska Dagbladet›, Stockholm‹. Noch einmal nahm er dann den ›Zauberberg‹ vor, der ja auch im politischen Sinne ein »Zeit-Roman« sein sollte. Aber das zu verarbeitende Material war noch nicht »spiel- und kompositionsreif«. So zwang er sich denn – es war Ende Oktober 1915 – zu jener Generalrevision seiner Grundlagen, »dem mühsamen Gewissenswerk der ›Betrachtungen eines Unpolitischen‹«, durch welches er dem Roman »das Schlimmste an grüblerischer Beschwerung« abzunehmen hoffte.

Schon der Titel zeigt, daß es sich auch hier noch um einen Versuch handelt, den apolitischen Romantizismus zu retten, den Thomas Mann von Nietzsche übernommen hatte. Wenn das Buch zur Einseitigkeit drängte, oft mehr Polemik war als Selbsterforschung und Rechenschaft, so ist das zunächst als Reaktion auf die Entente-Propaganda zu verstehen, die auch von westlich gesinnten deutschen Literaten unterstützt wurde: »der Pazifismus der politischen Literaten, Expressionisten, Aktivisten von damals ging mir ebenso auf die Nerven, wie die jakobinisch-puritanische Tugendpropaganda der Ententemächte, und ich verteidigte dagegen ein protestantisch-romantisches, un- und antipolitisches Deutschtum, das ich als meine Lebensgrundlage empfand«, wird er am 8. 2. 1947 an Hermann Hesse schreiben. Was er verteidigen wollte, war auch jetzt noch die geistige Freiheit, eine apolitisch-ästhetizistische Unparteilichkeit; aber unter dem Druck von außen und im Blick auf das Ganze glaubte er sie nur durch Einseitigkeit und Parteinahme erhalten zu können. »[...] ich war immer zu sehr Ironiker, um eigentlich selbstbewußt zu sein...«, heißt es im Brief vom 1. 10. 1915 an Paul Amann. In einem späteren Brief an den gleichen Empfänger spielt er auf Lessing an: »Wer die Wahrheit zu besitzen glaubt, der kann kein Wahrheitsliebender sein. [...] Ich bin so weit entfernt, mich durch meine écrits geistig festzulegen, daß die schriftstellerische Erledigung meiner Gedanken vielmehr das einzige und sichere Mittel ist, sie loszuwerden, über sie hinaus zu andern, neuen, bessern und womöglich ganz gegenteiligen zu gelangen – sans remords!«

Neben dem Gedanken des Fortschreitens jener des Ausgleichs: »[...] ich stehe auf jede Weise dazwischen, in der Mitte, – gerade darin, scheint mir zuweilen, bin ich deutsch, daß ich völlig ein Mensch der Mitte, ein mittlerer Mensch bin.« So steht es im Brief vom 8. 6. 1916 an Ernst Bertram. Jahrzehnte später wird er schreiben: »Ich bin ein Mensch des Gleichgewichts. Ich lehne mich instinktiv nach links, wenn der Kahn rechts zu kentern droht, – und umgekehrt.« So hielt er sich denn an die Treitschke und Troeltsch, übernahm die Rolle des Reaktionärs, und seine Schriften erwecken bisweilen den Eindruck, als vertrete er aus ganzem Herzen einen hanebüchen-chauvinistischen Patriotismus. Daß er in einer tieferen Schicht seine erasmische Versatilität nicht aufgegeben hatte, zeigt ein Brief vom 4. 11. 1915 an Oskar A. H. Schmitz, der soeben sein Buch über ›Das wirkliche Deutschland‹ veröffentlicht hatte: »Liberalismus«, schreibt Thomas Mann da im Settembrini-Ton, »Liberalismus als Herzenssache ist ganz mein Fall.«

Ein persönlicher Anlaß zur Versteifung und Vereinseitigung war sodann der ›Zola‹-Essay seines Bruders, ein sorgfältig getarntes Bekenntniswerk, in dem Heinrich das Wilhelminische Reich unter der Maske von Louis Bonapartes Frankreich, sich selbst aber unter der Maske Zolas darstellte. Der

XLVIII

›Zola‹-Essay war in vielem eine direkte Erwiderung auf die ›Gedanken im Kriege‹. Heinrich begnügte sich nicht mit sachlich-politischen Erörterungen, sondern diesmal führte er den Angriff mit jener an Nietzsche geschärften psychologischen Reizbarkeit und Gehässigkeit, die ja dem Bruder nicht unbekannt war.

Der Essay erschien Ende 1915 in den ›Weißen Blättern‹. Da ihn Thomas Mann von Heinrich nicht zugestellt erhielt, wandte er sich am 31. 12. 1915 an Maximilian Brantl; ungeduldig schrieb er am 5. 1. 1916 auch noch an Bertram. Wenig später hält er endlich Brantls Exemplar in Händen, und wie er es am 18. 6. 1916 zurückschickt, bittet er »tausend mal um Entschuldigung wegen der Bleistiftstriche. Ich habe angefangen, zu radieren, fürchtete aber, die Sache dadurch zu verschlimmern. Übrigens gehören Bleistiftstriche beinahe zu diesem Artikel; es scheint, daß die trefflichsten Doppelsinnigkeiten von den meisten Lesern nicht bemerkt werden.« (Das Heft mit den Anstrichen und Randglossen ist uns aus Brantls Nachlaß erhalten; die Radierspuren neben dem zweiten Satz, den Thomas Mann noch im Brief vom 31. 12. 1917 einen »unmenschlichen Exzeß« nennt, sind deutlich sichtbar.)

Thomas Mann fühlte sich durch den Essay aufs empfindlichste getroffen. Am 15. 1. 1916 schreibt er an Bertram: »Ich habe gelesen u. bin selbst dadurch überrascht, daß das ja fast noch mehr gegen mich, als gegen Deutschland geht.« Von da an sind die ›Betrachtungen‹ eine Stellungnahme vor allem gegen den Bruder. »Was mich empört«, verzeichnet Thomas Mann im 10. Notizbuch, »was mich anwidert, ist die gefestigte Tugend, die doktrinäre, selbstgerechte und tyrannische Hartstirnigkeit des Civilisationsliteraten, der [...] verkündigt, daß jedes Talent verkümmern müsse, das sich nicht der Demokratie verschwört. Dann will ich lieber in Freiheit u. Melancholie verdorren, als durch politische Borniertheiten blühen u. selig werden.« Und: »Hingabe an eine Doktrin mag mit 20 Jahren ein schönes Zeichen sein. Mit 45 ist es das Philisterium, die Unterkunft.« Wieder geht es zuerst und zuletzt um den Freiheitsbegriff. »›Freiheit‹«, notiert er sich, »ist ein bis zum Nihilismus geistiges Prinzip und kann daher auf die Dauer – länger als 100 Jahre – kein *politisches* Prinzip sein. Um so weniger kann es den Anspruch auf absolute, ewige politische Geltung erheben in einem Augenblick, wo der Geist selbst in eine Periode neuen *Bindungs-* und nicht Auflösungsbedürfnisses tritt.«

Heinrich hatte in seinem Essay die gegenseitige Durchdringung von Politik und Literatur gefordert. »In seinen Anfängen«, schreibt er von Zola – wieder ist es verhüllte Autobiographie –, »hatte er das politische Handwerk verachtet, wie nur je ein Literat. Jetzt sah er wohl, was die Politik in Wirklichkeit war: ›das leidenschaftlich bewegte Feld, auf dem das Leben der Völker ringt, und wo Geschichte gesät wird für künftige Ernten von Wahrheit und Gerechtigkeit‹. Literatur und Politik hatten denselben Gegenstand, dasselbe Ziel und mußten einander durchdringen, um nicht beide zu entarten.« Und hier kommt er zu seinem Kernsatz: »Geist ist Tat, die für den Menschen geschieht; – und so sei der Politiker Geist, und der Geistige handle!« – »Nein, der Geistige handle *nicht* [...]«, hält ihm Thomas Mann in einer Notiz entgegen. »Die Kluft zwischen Gedanke und That, Dichtung u. Wirklichkeit wird immer breit und offen bleiben. [...] Der Geistige hat zu wirken, nicht zu handeln. Verkennt er dies, reißt seine Leidenschaft ihn ins Wirkliche, so gerät er in ein falsches Element, wo er sich schlecht, dilettantisch u. ungeschickt ausnimmt, menschlich Schaden leidet u. sich in ein falsches und unnötiges Märtyrertum kleiden muß, um noch eine leidliche Figur zu machen. Wirke Künstler, handle nicht.«

Sowohl Goethe wie Nietzsche bestärkten ihn in dieser Haltung. Von Goethe notiert er sich den Satz, daß ein gutes Kunstwerk zwar moralische Folgen haben könne, »aber moralische Zwecke vom Künstler fordern, heißt ihm sein Handwerk verderben«. Die Politisierung Nietzsches nennt

L

er eine »Verhunzung«, denn »dieser war künstlerischer Individualist und liebte deutsches Wesen nur, sofern es un- und überpolitisch war«. Nicht daß es Thomas Mann an einer Au-dessus-de-la-mêlée-Haltung gelegen hätte, aber sowohl der Tendenzschriftsteller wie der politische Aktivist schienen ihm gegen das Wesen der Kunst: gegen die Freiheit, zu verstoßen.

Wie früher, glaubte er auch jetzt noch, Heinrichs aktivistische Haltung als literatenhaften Ästhetizismus beschreiben zu können. »Die inneren Dinge sind nicht einfach«, lautet eine Notiz: »Ich, der Bürger, bin im Geistigen mehr Zigeuner, als der geistige Politiker, und dieser aesthetizistischer als ich, der Aesthet, – wie denn Heinrichs ›Untertan‹ ein eminent aesthetizistisches Werk ist, wenn auch auf eine negative Art.« Und in den ›Betrachtungen‹, im Kapitel über ›Ästhetizistische Politik‹, gibt er Heinrich zu bedenken, daß man auch »als ›dienender‹ Sozial-Moralist und Verkünder entschlossener Menschenliebe ein Erz-Ästhet geblieben sein kann«. In einer vorausgehenden Notiz bezeichnet er den politisierenden und moralisierenden Ästhetizismus kurzerhand als »Unzucht mit der Tugend«.

Die angeführten Zitate zeigen mit genügender Deutlichkeit, daß ihn die Psychologie des Romancier-Politikers fast noch mehr beschäftigte als dessen politische Wirksamkeit. Am tiefsten betroffen fühlte er sich dort, wo sich Heinrichs Invektiven auf seine künstlerische Existenz bezogen, wo er des Schmarotzertums, der »politischen Streberei« und des Ehrgeizes ganz allgemein bezichtigt wurde. Gegen den »unanständigen Psychologismus der Zeit« hatte er sich schon in der Novelle ›Ein Elender‹ wenden wollen. Damals, in den Auseinandersetzungen mit Theodor Lessing und Kerr, hatte er »Anständigkeit als Velleität« gefordert und Aschenbachs Künstlertum aus dieser Velleität abgeleitet. Jetzt, im Kapitel ›Gegen Recht und Wahrheit‹, wehrt er sich gegen die »psychologischen Erbärmlichkeiten« seines eigenen Bruders: »Aber Psychologie ist ja das Billigste und Gemeinste. Es gibt nichts Irdisches, worin sich nicht durch ›psychologische Analyse‹ Erdenschmutz entdecken und isolieren ließe, keine Tat oder Meinung, kein Gefühl, keine Leidenschaft. Man sage mir doch, welchen Nutzen Psychologie je auf Erden gestiftet hat! Hat sie der Kunst genützt? Dem Leben? Der ›Würde des Menschen‹? Nie. Nützlich sein kann sie einzig dem Haß, der außerordentlich ›psychologische Kommentare‹ liebt, weil durch solche schlechterdings alles kompromittiert werden kann. Wer gerade nicht haßt, dem muß ›Psychologie‹ als die überflüssigste Errungenschaft der Neuzeit erscheinen. – Und wenn ich dem Zivilisationsliteraten mit gleicher Münze heimzahlte? Wenn ich ihm ›psychologisch‹ begegnete? Wenn ich ihn anhielte, die Art von Erkenntnis, mit der er mich traktiert, gegen sich selbst zu wenden und sich zu fragen, ob Politik nicht ein Vorwand sein kann? Neigte er im mindesten zu sittlicher Hypochondrie, er müßte erbleichen und verstummen. Aber er neigt nicht zu sittlicher Hypochondrie, – ach, nein.« Längst schon hatte sich ihm Nietzsches psychologische Reizbarkeit zu »Überreiztheit«, die Gehässigkeit der Erkenntnis zu »Unverschämtheit« verzerrt, und erneut wandte er das, wogegen er in sich selbst ankämpfte, nach außen, gegen den Bruder.

Es sind nicht nur die psychologischen »Infamien«, die ihn 1918 – in seinem Brief vom 3. Januar – daran hindern, dem Bruder die Hand zu reichen. Er *brauchte* den Streit mit Heinrich, um die ›Betrachtungen‹ fertig schreiben zu können. Im übrigen war er schon während der Niederschrift selbst geneigt, sie für ein »Rückzugsgefecht romantischer Bürgerlichkeit« zu halten. Die sachlichen Aspekte der Auseinandersetzung vermochte er bereits in dem Brief vom 18. 4. 1919 an Karl Strecker durchaus ruhig und gerecht zu beschreiben: »Ich glaube, ehrlich gesprochen, nicht an meinen überlegenen Rang und Wert, ich glaube nur an Unterschiede des Temperaments, des Gemüts, der Moralität, des Welterlebnisses, die zu einer im Goethe'schen Sinne ›bedeutenden‹ Feindschaft und repräsentativen Gegensätzlichkeit geführt haben – auf der Grundlage sehr stark empfundener Brüderlichkeit. Bei mir überwiegt das nordisch-protestantische Element, bei meinem Bruder das romanisch-katholische. Bei mir ist also mehr Gewissen, bei ihm mehr aktivistischer Wille. Ich bin ethischer Individualist, er Sozialist – und wie sich der Gegensatz weiter umschreiben und benennen ließe, der sich im Geistigen, Künstlerischen, Politischen, kurz in jeder Beziehung offenbart.«

Mit dem »Bruderhaß« hingegen wurde er nicht fertig, und auch nach der Versöhnung von 1922 dauerte es noch lange, bis die Wunden einigermaßen vernarbten. »Freudig bewegt, ja abenteuerlich erschüttert, wie ich bin«, schreibt er am 2. 2. 1922 an Ernst Bertram, »mache ich mir doch keine Illusionen über die Zartheit und Schwierigkeit des neu belebten Verhältnisses. Ein modus vivendi menschlich-anständiger Art wird alles sein, worauf es hinauslaufen kann. Eigentliche Freundschaft ist kaum denkbar. Die Denkmale unseres Zwistes bestehen fort [...].« 1922 gab er die ›Betrachtungen‹ in gekürzter Form heraus; auf den extremsten Äußerungen wollte er nicht beharren. Heinrich seinerseits ließ sich herbei, in der Neuausgabe des ›Zola‹-Essays von 1931 die ausfälligsten Stellen zu tilgen. In seinem Erinnerungswerk, 1945, schreibt er im Rückblick auf die Kriegszeit, es sei seines Bruders Natur gewesen, zu repräsentieren, nicht, zu verwerfen. »Sein Gewissen hatte einen schweren Weg, bis es gegen sein Land entschied. Um so höher wird ihm sein Entschluß vergolten, hier mit Liebe, dort mit Haß. Er ist ein Zeuge außerhalb der Reihe. Und er ist nicht lau.« Er zitiert dabei die Prinzessin von Orange: »Niemals irren, bei unserem Herrn im Himmel heißt das Lauheit.«

Opportunismus hatten sich die Brüder gegenseitig vorgeworfen. Heinrich rügte Thomas Manns Hang, mit der deutschen Tagesstimmung zu gehen; dieser hielt seinen Bruder für einen Mitläufer und Wortführer der westlichen Zivilisationsliteraten. In der Folge relativierten sich ihre Positionen, und die Versöhnung vermochte vielleicht zu zeigen –

jedenfalls sprach Thomas Mann es aus –, daß Brüder nach Stunden »besonders pointierter und unter dem kindlichen Gesichtspunkt unglaubwürdiger Verwirklichung sich aus dem Einzeldasein wieder zueinander finden« konnten.

5

Die zwanziger Jahre standen im Zeichen des »modus vivendi«, von dem Thomas Mann in seinem Brief an Bertram spricht. Daß sich der Briefwechsel dieser Jahre auf ein paar Reisegrüße beschränkt, hat nicht nur den äußeren Grund, daß die Brüder nahe beisammen wohnten und sich besuchen konnten, wann sie wollten – sie taten es auch –; der Hauptgrund liegt darin, daß die kindlich-brüderliche Vertrauensseligkeit von einst weitgehend verschüttet war. Auch waren beide Persönlichkeiten des öffentlichen Lebens geworden. Heinrich Manns Werke erlebten nach dem Krieg ungeahnte Auflagezahlen, allein vom ›Untertan‹ wurden in vier Wochen 100 000 Exemplare abgesetzt. Kurt Wolff gab die Gesammelten Werke heraus: auch Heinrichs frühere Werke wurden jetzt entdeckt. Die Trilogie ›Das Kaiserreich‹ – ›Der Untertan‹, ›Die Armen‹, ›Der Kopf‹ – machte ihn zum Dichter der Weimarer Republik; es gab Deutsche, die in ihm den kommenden Reichspräsidenten sahen. Politik umschäumte ihn. 1923 wohnte er als erster deutscher Gast den Entretiens de Pontigny bei, er wurde 1924 von Masaryk, 1931 von Aristide Briand empfangen.
Während er schon lange ein »öffentlicher Mann« war, bemühte sich Thomas Mann in zermürbenden Gedankengängen um ein neues Verhältnis zur Politik. Die kühnen Zugriffe des Bruders waren seine Sache nicht. »Vielleicht kann von einer gewissen Entwicklung zueinander hin doch die Rede sein: Mir ist so zu Mute, wenn ich mich erinnere, daß der mich zur Zeit eigentlich beherrschende Gedanke der einer neuen, persönlichen Erfüllung des Humanitätsgedan-

kens ist«, schreibt er am 2. 2. 1922 an Bertram. Im Juli dieses Jahres begann er mit der Niederschrift seiner Rede ›Von deutscher Republik‹ – er las sie im Herbst des gleichen Jahres seinem Bruder und einigen Freunden erstmals vor. Die ›Betrachtungen‹ waren ihm aus dieser Perspektive ein »Kriegsprodukt, an dem mir selbst heute manches Periphere unhaltbar scheint, dessen apolitische Humanität aber nur großes Mißverstehen ins politisch Reaktionäre umdeuten konnte. Eine gewisse anti-liberale Tendenz dieser Bekenntnisschrift erklärt sich aus meinem Verhältnis zu Goethe und Nietzsche, in denen ich meine höchsten Meister erblicke [...]. Über meine Idee der Humanität«, fährt er im Brief vom 1. 3. 1923 an Félix Bertaux fort, »versuchte ich Auskunft zu geben in der Schrift ›Von deutscher Republik‹, die mir als Abfall vom Deutschtum und Widerspruch zu den ›Betrachtungen‹ verübelt worden ist, während sie innerlich ihre gerade Fortsetzung bildet.« Wieder ist seine Langsamkeit evident: Während sich Heinrich in seinem politisch-utopischen Drang bereits der sozialen Demokratie zugewendet hat, versucht sich Thomas Mann an ihrer bürgerlich-humanistischen Form. Äußere Erfolge waren indes auch ihm nicht versagt: 1926 war er, drei Jahre nach dem Bruder, in Paris; 1929 erhielt er – nicht für den ›Zauberberg‹, sondern für die ›Buddenbrooks‹ – den Nobelpreis.

Die inneren Rivalitäten blieben bestehen. Das zeigen die Briefe, in denen die Brüder zu den Problemen der neugegründeten Sektion für Dichtkunst der Preußischen Akademie der Künste Stellung beziehen. Obwohl ihm der Bruder Zurückhaltung empfiehlt, übernimmt Heinrich 1931 deren Vorsitz und erhält so den inoffiziellen Titel eines »Präsidenten der Dichterakademie«. Und wie Thomas kurz darauf als Nachfolger Liebermanns zum Präsidenten der Gesamtakademie vorgeschlagen werden soll, da ist es Heinrich, der ihm dringend davon abrät – übrigens mit Erfolg, denn Thomas Mann ist der Betriebsamkeit im Grunde abgeneigt.

Die Nachwehen des Bruderzwists sind am deutlichsten in

Heinrichs Schlüsselroman ›Der Kopf‹ (1925) zu spüren. Das »brüderliche Welterlebnis« bestimmt auch die Freunde Terra und Mangolf, die hier für Heinrich und Thomas stehen. »Uns trennt«, heißt es gleich zu Beginn des Romans, »ein einziges Wort, das er anbetet: Erfolg.« Und später wird Terra sagen: »›Dein Leiden liegt auf der Hand. Es rührt daher, daß Du wider Dein besseres Wissen ein großer Streber bist. [...] Du verachtest zuviel, es wird Dir schaden. Ich hasse lieber. [...] Ich hasse die Erfolge, zu denen Du Dein Gewissen erst überreden mußt.‹« Die Szene ist grell beleuchtet: »Sie sahen einander glühend an, prophetisch jeder erfüllt von der ganzen Wahrheit seines Lebens, und tödlich gespannt, zu kämpfen für seine Wahrheit.« Mangolf kommt zum Erfolg, indem er sich in die bestehende Gesellschaftsordnung fügt. Terra dagegen ist der Rebell, der sich im Kampf gegen die träge Konvention aufreibt. Schuldig gesprochen werden Terra wie Mangolf: »Wir haben beide durch Stolz gesündigt.« Der Hochmut, die superbia, ist ihrer beider Teil. Er habe den ›Kopf‹ noch nicht gelesen, schreibt Thomas Mann am 23. 4. 1925 an Julius Bab; »Ich [...] vermute aber im Voraus, daß das Prinzip der Arbeitsteilung zwischen uns Brüdern gewahrt bleibt.«
Auch Thomas Manns innere Vorbehalte blieben bestehen. Wie er 1930 ›Die große Sache‹ bespricht, sind alle früheren Einwände wieder da: Der Roman ist, schreibt er, »in einem Grade reizgeladen und reizüberladen, daß die Lust, die er bereitet, jeden Augenblick im Begriffe ist, zur Pein zu werden«. Er vermißt an diesem »überwahrheitsgetreuen Hexensabbath« die »epische Güte«: »Schon das Tempo des Romans ist erbarmungslos und läßt nicht zu Atem kommen; [...] gereizt und gebannt von einem Stil, der an edler Schmissigkeit nicht seines gleichen hat, einer Mischung aus Saloppheit und Glanz, Tages-Argot und intellektueller Hochspannung, wird man von Wirbel zu Wirbel gerissen und landet betäubt vom Drunter und Drüber leidenschaftlich-burlesker Abenteuer und krasser Travestieen, erschöpft

vor Lachen über ihre vornehme Unwahrscheinlichkeit und zu Tränen ergriffen von Geistesgüte.« Das sind die Vorwürfe, die er schon in der ›Freistatt‹ und im »Anti-Heinrich« vorgebracht hatte. Aber auch jene aus der Zeit der ›Betrachtungen‹ fehlen nicht: »Dieser Gesellschaftsphantast, der zugleich ein Gesellschaftsprophet ist, hat es erlebt, daß die Zeit sich seinem durchaus sozial und politisch orientierten Talent fügte. [...] Krisis, Umschichtung, soziales Abenteuer, Politisierung bis ins Mark – es fehlt nicht an Leben in der Bude, der Gesellschaftsromancier ist in seinem Element.« Das Problem der Freiheit wird erneut angeschnitten: »Was die republikanische Gesellschaft betrifft, so könnte kein Todfeind der Freiheit mehr Hohn über sie ausschütten und sie klamaukhafter darstellen, als es in diesem Roman geschieht.« Die Wirklichkeit werde »zur Farce gesteigert durch einen Ästhetizismus, der der Gemeinheit nur vorzuwerfen hat, daß sie nicht gemeiner ist und sie ins Überwirkliche hebt. [...] das alles ist streng, noch im Jux und noch in der Güte, streng und schmerzhaft, einsam in seiner Gesellschaftlichkeit, wissend und ahnungslos, faszinierend und schwer erträglich, rührend und beleidigend wie was? Wie das Genie.« Das war deutlich genug, und Heinrich war wohl damals noch nicht so weit, daß er sich, wie im ›Zeitalter‹, hätte eingestehen können: »Ich habe, um oft vollkommen zu sein, oft improvisiert; ich widerstand dem Abenteuer nicht genug, im Leben oder Schreiben, die eins sind.«
Was die Brüder in der Folgezeit zusammenschloß, war der gemeinsame Feind. Heinrich Mann wurde früher ausgebürgert als sein Bruder. Bald war er einer der Leiter der Volksfront in Frankreich. Thomas Mann ließ es erst 1936 zum endgültigen Bruch mit Deutschland kommen; aber nachdem er Stellung bezogen hatte, wurde *er* zum geistigen Führer der Emigranten. In den dreißiger Jahren vollzog sich in Thomas Mann, was er die »Politisierung des Geistes« nannte. »Wir haben alle«, schreibt er am 8. 4. 1945 an Hermann Hesse, »unter argem Druck, eine Art Vereinfachung

erfahren. Wir haben das Böse in seiner ganzen Scheußlichkeit erlebt und dabei – es ist ein verschämtes Geständnis – unsere Liebe zum Guten entdeckt. Ist ›Geist‹ das Prinzip, die Macht, die das *Gute* will, die sorgende Achtsamkeit auf Veränderungen im Bilde der Wahrheit, ›Gottessorge‹ mit einem Wort, die auf die Annäherung an das zeitlich Rechte, Befohlene, Fällige dringt, dann ist er politisch, ob er den Titel nun hübsch findet oder nicht. Ich glaube, nichts Lebendes kommt heute ums Politische herum. Die Weigerung ist auch Politik, man treibt damit die Politik der bösen Sache.« Da klingt nach, was er 1941 in seiner Ansprache zu Heinrich Manns siebzigstem Geburtstag gesagt hatte: Daß die »Totalität des Menschlichen« das Politische einschließe, daß sie es gewesen, wovon der bürgerliche Geist in Deutschland nichts gewußt habe. »Es war der verhängnisvolle Fehler dieser gebildeten deutschen Mittelklasse, zwischen Geist und Leben, Denken und Wirklichkeit, einen scharfen Trennungsstrich zu ziehen und von der Höhe einer absoluten Kultur verachtungsvoll auf die Sphäre des Sozialen und Politischen herabzublicken.« Es habe an jenem Pragmatismus gefehlt, der »Lebensfreundlichkeit, Lebensverbundenheit« sei: Verantwortungsgefühl des Geistes für das Leben. Heinrich gesteht er in dieser Ansprache zu, daß er die neue Situation des Geistes früher geschaut und erfaßt habe als die meisten: »du hast das Wort ›Demokratie‹ gesprochen, als wir alle noch wenig damit anzufangen wußten.«

Heinrich war auch in den ersten Jahren des Exils die treibende Kraft. Er verfaßte Hunderte von Artikeln zum Tage – in der ›Neuen Weltbühne‹, in der ›Dépêche de Toulouse‹, im ›Pariser Tageblatt‹ und in der ›Internationalen Literatur‹. »Mein Ziel ist bei allem das Deine«, schreibt er am 25. 5. 1939 dem Bruder: »die deutsche Erhebung muss dem Krieg zuvorkommen. [...] Zum Jahreswechsel muss Hitler am Boden liegen«. Thomas Mann folgte mit unzähligen Aufsätzen und Reden: ›Achtung Europa!‹, ›Das Problem der Freiheit‹, ›Dieser Krieg‹. Die Radiosendungen ›Deutsche

Hörer!‹ schlossen sich an. Die geschichtlichen Ursachen endlich, die Deutschland in den Krieg geführt hatten, versuchte er im ›Doktor Faustus‹ zu analysieren.

Heinrichs dramatische Flucht nach Amerika führte die Brüder wieder zusammen. Politische Differenzen gab es jetzt kaum mehr. »Mit Deinem Vater verstehe ich mich politisch jetzt wirklich recht gut«, soll Heinrich einmal zu Erika gesagt haben. »Nur etwas radikaler ist er als ich.« – »Das klang unendlich komisch«, kommentiert Thomas Mann, »aber was er meinte, das war unser Verhältnis zu Deutschland [...], auf das er weniger zornig ist als ich, aus dem einfachen Grunde, weil er früher Bescheid wußte und keinen Enttäuschungen ausgesetzt war.« Auch innerlich waren sich die Brüder inzwischen um einiges nähergekommen. 1938, als Heinrich sein Meisterwerk, den ›Henri Quatre‹, vollendet hatte, widmete er es dem Bruder mit den Worten: »Dem Einzigen, der mir nahe ist.« In ein anderes Werk trug er die Widmung ein: »Meinem grossen Bruder, der den ›Doktor Faustus‹ schrieb.« Zum ›Joseph‹ und zur ›Lotte‹ fand er kluge, gute Worte.

In Amerika Fuß zu fassen, wie der Bruder es getan, versuchte Heinrich Mann nicht mehr. In tiefer Einsamkeit, mehr und mehr in die Vergangenheit eingesponnen, vollendete er seine Alterswerke. »Mag sein, daß zuletzt die persönliche Gegenwart zurücktritt hinter die Erinnerung. Ohne Ursache und kaum dass ich weiss warum, habe ich plötzlich angefangen, ›Buddenbrooks‹ zu lesen«, gesteht er Thomas Mann am 15. 4. 1942. Der Bruder tat alles, um die durch den ungleichen Erfolg entstandene Entfernung zu verringern, aber er konnte nicht verhindern, daß sich Heinrichs Einsamkeit zu einer eigentlichen Menschenscheu steigerte. Thomas Mann hat im ›Bericht über meinen Bruder‹ Heinrichs damaliges Leben geschildert: »Am Morgen, wenn er seinen starken Kaffee gehabt, früh sieben Uhr wohl bis Mittag, schreibt er, produziert unbeirrbar in alter Kühnheit und Selbstgewißheit, getragen von jenem Glauben an die Sendung der Literatur, den er so oft in Worten von stolzer Schönheit bekannt hat, – fördert das aktuelle Werk, indem er, immer noch mit eingetauchter Stahlfeder, Blatt auf Blatt mit seiner überaus klaren und deutlich ausgeformten Lateinschrift bedeckt, – gewiß nicht mühelos, denn das Gute ist schwer, aber doch mit der trainierten Fazilität des großen Arbeiters.« Im letzten Abschnitt kommt er auf Heinrichs Werke zu sprechen: »Da entstehen denn die unermüdeten, von seines Geistes Siegel unverwechselbar geprägten Neuigkeiten, von denen man bald hören wird: die in eigentümlichem Emaille-Glanz historischen Kolorits leuchtenden episch-dramatischen Szenen, die, überraschende Stoffwahl, dialogisch das Leben des preußischen Friedrich erzählen; der Roman ›Empfang bei der Welt‹, gespenstische Gesellschaftssatire, deren Schauplatz überall und nirgends; ein neuer Roman schon wieder, ich weiß noch nicht welchen Gegenstandes; vor allem (ich finde: vor allem) das faszinierende Memoiren-Buch ›Ein Zeitalter wird besichtigt‹, von dem große Teile in der Moskauer ›Internationalen Literatur‹ zu lesen waren und dessen englische Übersetzung abgeschlossen ist: eine Autobiographie als Kritik des erlebten Zeitalters von unbeschreiblich strengem und heiterem Glanz, naiver Weisheit und moralischer Würde, geschrieben in einer Prosa, deren intellektuell federnde Simplizität sie mir als die Sprache der Zukunft erscheinen läßt.«

An eine Rückkehr nach Deutschland vermochten beide nicht zu glauben. Als man Heinrich als Präsidenten der Akademie der Künste nach Ostberlin berief, konnte er sein Mißtrauen nicht verhehlen: »Mag sein, man will mich herumzeigen und verkünden, daß wieder einer zurückgekehrt.« Er starb, bevor er die Reise antreten konnte. »Mein Bruder hat nach menschlichem Ermessen einen milden Abschied gehabt«, berichtet Thomas Mann am 30. 3. 1950 an Eva Lips: »eine Gehirnblutung im Schlaf, ohne einen Laut und eine Regung von seiner Seite. Am Morgen war er einfach nicht mehr zu erwecken. Das Herz arbeitete noch einen Tag lang weiter bei längst unstörbarer Bewußtlosigkeit. Es ist im Grunde eine gnädige Lösung. Denn an seine Übersiedlung nach Berlin wollte er glauben und glaubte im tiefsten doch nicht daran, daß er dem Unternehmen noch gewachsen sein werde. Er ruhe in Frieden, nach einem tatenreichen Leben, dessen Spur nicht so bald vergehen wird.«

In seinem letzten Roman, ›Der Atem‹ (1949), hat Heinrich Mann noch einmal zu seinem Bruder gesprochen. Die sterbende Maria Theresia von Traun, Baronin Kowalski, sagt zu ihrer Schwester, der erfolgreicheren Marie-Louise, Duchesse de Vigne: »›Marie-Lou, hasse mich nicht, weil ich lebte, oder weil ich sterbe. Ich weiß, du haßtest mich nur mit Selbstverleugnung, wir waren doch Schwestern. [...] Wir kränkten uns mit unserer Unabänderlichkeit, gleichwohl habe ich dich geliebt, Marie-Lou, am meisten, wenn wir verfeindet waren. Du weißt es. Weißt du es nicht?‹« Aus dem Traum spricht sie weiter: »›Sehr jung war ich, als du mir schon ansahest, daß ich es bis zu dem Rang einer Sternkreuzordensdame niemals bringen werde. Es verstimmte dich, obwohl du schon damals vorgehabt hast, mich zu überholen. [...] Dich verstimmte, daß ich den Wettbewerb ausschlug, anstatt trotz Widerstand besiegt zu werden. Dies währte bis du für endgültig hinnahmest, deine, nicht meine Natur sei der Erfolg.‹« Der Wirklichkeit schon entrückt, fügt sie bei: »›Marie-Louise, ma sœur bien aimée, tu m'as vaincue et bien vaincue, est-ce là une raison pour me haïr? [...] Mußt du allein sein, dann wärest du es gern mit mir, bevor es endet. Wir dürfen uns wieder lieben. War es doch von Haus aus, mit allem, was uns bevorstand, daß wir uns liebten so gut wie haßten.‹«

Von Haus aus: Da schwingt noch einmal, zum letztenmal, die Erinnerung an die Kindheit mit, in der begann, was ihrer beider Leben bestimmte: Brüderlichkeit, Brüderlichkeit als Schicksal.

Hans Wysling

BRIEFWECHSEL

Garnisons-Lazaret, München.

Mittwoch d. 24. x. 1900

Lieber Heinrich:

Dies ist ein Gratulationsbrief. Es ist also wahr, man kann Erfolg haben! Mir wird eine zweite Auflage (und wer weiß, was in der Zeiten Hintergrunde schlummert) wohl niemals blühen, aber erquickend ist der Gedanke doch. Ich bekam wahrhaft eine Art von Schreck, als ich die Kunde vernahm. In 1¹/₂ oder 2 Wochen 2000 Exemplare! Herzlichen Glückwunsch und möge es so weiter gehen. Alle 14 Tage 600 M, das wäre doch eine ganz hübsche Leibrente. Ich beginne auch an das grüne Häuschen zu glauben.

Ich bin in diesen Tagen ebenfalls ein wenig berühmt; aber nicht *so* arg. Piepsam hat allseitig Erschütterung hervorgerufen. Ich habe Lobschreiben und Bekanntschaftsanträge in Händen und höre, daß in der Redaktion sogar Büchersendungen begeisterter Schriftsteller meiner warten. Das Bewußtsein, gewirkt zu haben ist doch süß; aber das Bedürfnis, einen etwas größeren Styl in diese Wirksamkeit zu bringen, wird nur immer stärker dadurch.

Wie Du siehst, bin ich bereits invalid und zwar so gründlich, daß ich, nachdem ich 8 Tage in der Kaserne revierkrank gelegen, am Sonntag hierher geschafft worden bin. Es handelt sich um meinen rechten Fuß, der, was ich niemals geahnt, ein Plattfuß ist und durch die Parademarsch-Exercitien sehr schlimm geworden ist. Im Übrigen sei er viel tausendmal gesegnet, denn wie die jungen Ärzte mir sagen, wird er wahrscheinlich Herrn Dr. von Staat nötigen, mich nach ungefähr 8 Wochen wieder zu entlassen. Ich müsse nur, fügen sie mit vertraulicher List hinzu, immer wieder Schmerzen darin bekommen. Es sind zwei liebenswürdige junge Leute, die täglich im Gefolge des Oberarztes 2mal zu Besuch kommen, meine Werke kennen und stets sehr artig sind.

3

Überhaupt bin ich hier entschieden lieber, als in der Kaserne. Es ist ja langweilig, und ich bin matt vom vielen Liegen; aber durch Grautoff, der in diesen schlechten Tagen den Liebesboten zwischen mir und der Freiheit macht, bin ich mit Lektüre wohl versorgt und studire sogar meinen Savonarola als ob ich zu Hause wäre. Die Verpflegung ist ein bischen derb, aber solid und gut.

Man wird wohl Alles thun, um mich der Armée zu erhalten. Ich soll zunächst einige Tage ruhen und dann eine Art von Druck-Verband bekommen, der die Stellung des Fusses corrigiren soll. Wer weiss, ob das gelingt und wie lange es dauert. Wäre ich gesund, so könnte ich von heute an schon zu Hause wohnen. Ich muss mich gelegentlich vorsichtig umhören, wie es aufgenommen würde, wenn ich Privatbehandlung beantragte.

Wie ist es mit Dir? Ich schreibe aufs Gerathewohl nach Riva, ohne zu wissen, ob Du noch dort bist. Mama schrieb mir neulich, Du hättest Lust, gleich wieder nach München zu kommen. Warum auch nicht? Es ist kühl hier, aber sonst nicht übel. Mein leeres Zimmer steht Dir zur Arbeit frei.

Ich bin sehr neugierig, wie meine Angelegenheit sich abwickeln wird. Der dumme Herr, der mich für tauglich erklärte, hat den Fuss einfach übersehen. Mit dem nachträglichen Freispruch sind die Leute deshalb immer sehr schwerfällig, weil sie sich fürchten, Schadenersatz zahlen zu müssen. Man muss, glaube ich, schriftlich auf Alles derartige verzichten. Mein Schaden würde immerhin ungefähr 500 Mark betragen. Aber hübsch wäre es doch, wenn ich schon *dieses* Frühjahr meine Studienfahrt nach Florenz machen könnte!

Holitscher lässt Dich grüssen. Er hat mir seinen »Vergifteten Brunnen« dedicirt und mir sehr dankbar über den »Weg zum Friedhof« geschrieben. Ich habe ihn beauftragt, ein Exemplar des betr. Simplicissimus an Fischer zu schicken und gleichzeitig um Nachricht über »Buddenbrooks« zu bitten.

Ich weiß noch immer nichts über das Schicksal dieser ehrenwerthen Familie. Gute Kunde würde mir gerade augenblicklich sehr wohlthun. Fischer sollte das Buch nur nehmen wie es ist. Des litterarischen Erfolges bin ich sicher; der buchhändlerische wird wohl gleich Null sein und der pekuniäre für mich ebenfalls, obgleich Mama mir neulich strenge Weisung gegeben hat, 1000 Mark zu verlangen.

Herzlichen Gruss und schreibe mir mal hierher.   Dein T.

Garnisonslazaret, München
Freitag d. 2. XI. 1900 (Allerseelen)

Lieber Heinrich:

Besten Dank für Deine Briefe, die ich, trotzdem Dr. von Staat es längere Zeit zu verhindern suchte, schliesslich beide richtig erhalten habe, sowie für die Ferrarenser Karte mit dem Denkmal, die mich ganz besonders erfreut hat. Die Figur ist sehr anregend. Könntest Du nicht eine größere Photographie davon ausfindig machen und sie mir als Rolle schicken – in die Herzogstrasse, denn für dies Mal werde ich nun doch wohl nicht mehr lange hier sein.

Mit meinen Füssen steht es im Prinzip noch unverändert. Die Wasserglas-Verbände (ein Ersatz für Gips) sind ihnen abgenommen, und sie werden, da die Entzündung noch nicht ganz gewichen ist, nun wieder mit nassen Umschlägen behandelt. Aber sie sind verbaut und werden es bleiben; und darum möchte ich nun bald wieder zum Dienst entlassen werden, damit sie nach den ersten Übungen prompt wieder versagen. Man will zwar, dass ich mir, für schweres Geld, federnde Plattfuss-Einlagen oder gar besonders construirtes Schuhzeug anschaffen soll; aber wenn man mich nicht unmittelbar dazu zwingt, so werde ich das nicht thun, denn ich bin der Meinung, dass der nicht felddienstfähig ist, der durch irgend einen Apparat seine Gliedmassen corrigiren muss, und ich denke, diese Ansicht werde ich zur Geltung

5

bringen können. Wann? Das kann ich natürlich nicht sagen; aber es wäre sehr hübsch, wenn ich schon zu Weihnachten frei würde, und ich würde dann wahrhaftig gern bald nach Florenz übersiedeln, um das Nöthige an Ort und Stelle zu lesen. Aber leider sind wir ja noch nicht so weit, und es fragt sich auch noch, was ich mit meiner Wohnung, resp. mit meinen Möbeln anfangen würde. Doch das findet sich leicht, wenn ich, erst wieder im schlichten Rock des freien Mannes einhergehe.

Das, was Du über unser Verhältnis zum Publikum und unsere Erfolgsarten schriebst, stimmte mich sonderbar wehmüthig. Es ist wahr, alle Wirkungen sind im Grunde verfehlt, und befriedigen können Einen Erfolge eigentlich nur, wenn man eitel ist, was ich zum Glück ein bischen bin. Aber so wie Du den Erfolg des »Schlaraffenl.« schilderst, ist es nun sicher doch nicht beschaffen. Wissbegierige Schüler und Commis sind natürlich auch unter Deinen Lesern; aber der Hauptreiz für das Publikum besteht doch, glaube ich, nicht so sehr im Erotischen als in dem Satyrischen und Sozial-Kritischen, wofür man ja jetzt in Deutschland merkwürdig empfänglich ist. Die rein artistischen Bemühungen natürlich gehen verloren, aber das Gesellschaftlich-Satyrische ist doch eine bedeutend edlere Wirkung, als das Geschlechtliche.

Ich bin jetzt übel daran, denn die Sorgen, die »Buddenbrooks« mir machen, scheinen jetzt, da sie fertig sind, erst recht zu beginnen. Fischer schrieb mir, nachdem er die erste Hälfte gelesen und also noch keine Ahnung hatte. Nach einigen Elogen und Einwänden kommt er zu dem Schluss, dass er, wenn ich das Buch auf die Hälfte zusammenstreichen wollte, sehr geneigt sei, es zu verlegen. Über dieses Bubenstück von einer Zumuthung ist er selbst gleich darauf so erschrocken, dass er es »ungeheuerlich« nennt und beinah um Verzeihung bittet; aber als Verleger könne er nicht anders sprechen. Die traurige Sache ist ja die, dass der Roman über 1000 Seiten bekommen wird, nur in 2 Bänden erscheinen kann, 8 bis 10 Mark kosten und also unter den heutigen Umständen recht, recht unverkäuflich sein wird. Dennoch klammere ich mich daran, dass das Buch erscheint, wie es ist, denn, vom künstlerischen Gewissen nicht zu reden, fühle ich einfach nicht die Kraft, noch einmal die Feder daran zu setzen. Ich habe es mit äusserster Anstrengung zu Ende geschrieben und will nun endlich Ruhe davor haben, um mich mit anderen Dingen beschäftigen zu können. In meinem ausführlichen Antwortschreiben an Fischer, habe ich mich denn auch entschieden geweigert, das Buch zusammenzustreichen, mich aber im Übrigen sehr nachgiebig und resignirt gezeigt. Ich bin, wie die Dinge liegen, bereit, jeden Contract zu unterschreiben, der auch nur den Anschein wahrt, alsob ich die Arbeit dreier Jahre nicht einfach verschenkte. Er soll einen componiren, der ihn einigermassen sicher stellt, der die Honorirung beschränkt, bedingt, verschiebt, der z. B. bestimmt, dass mir ein eventueller Verlust seinerseits von späteren Honoraren abgezogen werden soll. Aber er soll das Buch bringen, wie es ist. Zwischen langwierig und langweilig ist doch noch ein Unterschied! Ein zweibändiger Roman ist doch auch heute noch keine unbedingte Unmöglichkeit! Und dann habe ich ihm gesagt, dass der Roman ja keineswegs das letzte Buch ist, das ich ihm geben werde, und dass schliesslich Alles darauf ankommt, ob er – auch als Kaufmann – ein bischen an mein Talent glaubt und ein für alle Mal dafür eintreten will oder nicht. Ich muss nun wieder geduldig warten, bis er die Geschichte zu Ende gelesen hat und abermals schreibt. Aber die Sache ist schwierig, schwierig und droht einen schlechten Gang zu nehmen. Es wäre sehr traurig, wenn ich mit dem Buche sitzen bliebe; ich fühle schon jetzt, wie mich das am Weiterproduziren hindern würde. – Übrigens: Auch Schmähkarten bekommst nicht Du allein. Ich habe eine gereimte über Piepsam, des Inhalts, dass ich selbst augenscheinlich das Saufen nicht lassen könne und darum das »Geschreibsel« lieber »bleiben« lassen solle. Wie graziös! Dr. Geheeb schickte mir zum Trost ein ganzes Packet Verlags-Novitäten nebst der Bitte, recht bald wieder so netten Anstoss zu erregen.

Über die Frage, ob Fünftel oder Sechstel habe ich der Mutter schon sehr eindringlich geschrieben, und Dein Brief wird wohl das Übrige thun. Ich bin so ziemlich sicher dass wir das Fünftel bekommen. Es wäre ja sinnlos, unter 5 Personen mit Sechsteln zu wirtschaften, und Mama hat das Prinzip der gleichen Theilung ja selbst gewünscht und eingeführt.

Ich mache Dir noch Mittheilung, wenn ich meine Adresse wieder wechsele. Die nächste Zeit wird wahrscheinlich sehr unangenehm für mich, da ich in der Ausbildung zurück bin, viel nachexerziren und anfangs noch in der Kaserne schlafen müssen werde. Dabei bin ich vom langen Liegen so matt, dass ich nicht weiss, wie ich den Dienst leisten soll. Wollte man sich doch kurz fassen und mich hinauswerfen!

Herzlichen Gruss

Dein   T.

München, den 25. XI. 1900 Sonntag

Lieber Heinrich,

heute komme ich endlich dazu, von mir hören zu lassen, wenn auch nur kurz und vorläufig, denn ich bin todmüde.

Deinen letzten Brief bekam ich in der Herzogstraße, als ich gerade einmal vorübergehend auf den Beinen war. Aus dem Lazareth entlassen, kam ich nämlich alsbald wieder ins Revier, weil mein Fuß durch die ersten Schritte rückfällig wurde. Nach einer Woche weiteren Liegens unter den widerwärtigsten Umständen exercirte ich ein paar Tage und meldete mich dann wieder krank, theils, weil ich es wirklich war, theils, um die Leute zu bewegen, mich frei zu lassen. Es geschah aber nichts, und seit Mittwoch bin ich wieder im Dienst. Das ist in sofern erfreulich, als ich heute endlich einmal einen Sonntag außerhalb des Revier-Krankenzimmers verbringen kann, des ungesündesten und ekelhaftesten Aufenthaltsortes, den ich in meinem Leben zu sehen bekommen habe. Was mir die nächste Zeit bringen wird, ist ungewiß. Ich habe, durch Mama's Vermittlung, ihren Arzt, Hofrath May, zu Rathe gezogen. Er hat meinen Fuß untersucht und glaubt nicht, daß ich den Dienst werde leisten können. Auch kennt er sowohl meinen Hauptmann wie den Ober-Stabs-Arzt persönlich und wird, wenn ich mich wieder krank melden muß, was doch wohl über Kurz oder Lang, vielleicht schon nächste Woche geschehen wird, für mich arbeiten. Ich glaube und bin fast überzeugt, daß ich das Jahr nicht zu Ende dienen werde; aber wie lange sich die Sache noch hinziehen kann, weiß Niemand. Vielleicht werde ich nächste Woche frei, vielleicht Neujahr, vielleicht später. Du siehst, ich kann Dir in Betreff meiner Fahrt nach Florenz beim besten Willen nichts annähernd Sicheres sagen. Auch wäre mir, glaube ich, nach dem Freiwerden eine Beruhigungs- und Erholungsfrist vor der Reise unbedingt nöthig. So, wie ich mich jetzt fühle, möchte ich nicht in den Schnellzug steigen. Ich würde Dir gern angenehme Versprechungen machen und Dir bestimmter und tröstlicher antworten. Aber die Dinge sind dunkel und ungewiß, und sie erfreulicher zu arrangiren, fehlt es an Zeit und Kraft. Du mußt zusehen, wie Du es mit Florenz, Riva und Deiner Kasse machst; ich kann Dir nichts versprechen. Aber natürlich erhältst Du augenblicklich Nachricht, wenn irgend eine Wendung eintritt.

Für das »Schlaraffenland« wird wahrhaftig eine Reklame großen Stils gemacht. Grautoff erzählte mir von einem neuen Waschzettel, der an *Sternberg* anknüpft.

Schaukal ist ein kurioser Kauz. Mir hat er ebenfalls seine Werke geschickt und sein Porträt dazu: wahrscheinlich infolge seiner Bekanntschaft mit Lobgott Piepsam. Weißkirchen liegt in Mähren, und S., reich verheirathet, bekleidet dort, wie ich höre, ein staatliches Amt. Gott weiß, was er an mir findet, denn daß er Dir viel näher steht, ist ja sicher. Ich habe bei flüchtigem Durchblättern seiner Bücher manches Ansprechende gefunden; aber ich lese Verse überhaupt sehr schlecht, und mein Tolstojismus läßt mich beinahe schon Reim und Rhythmus als ruchlos empfinden.

Von »Buddenbrooks« noch nichts Neues. Der »König von Florenz« ruht natürlich; aber die »Cultur der Renaissance« habe ich bekommen und sehe, daß die beiden Bände ein großartiges Material enthalten. Wie geht es Deiner »Herzogin«?

Hoffentlich kann ich Dir bald über alle schwebenden Fragen gute Kunde geben.

Herzlich   Dein T.

München, den 17. XII. 1900

Lieber Heinrich:

Siehe, es ist Alles gut worden – wenigstens für den Augenblick, und so problematische Existenzen wie ich sind gewöhnt, sich an den Augenblick zu halten.

Es bedurfte natürlich nur der Herstellung eines privaten und gesellschaftlichen Verhältnisses zu den ärztlichen Machthabern, damit sich Alles wende; diese verdanke ich dem Arzte Mama's, den Du kennst. Er ist mit dem Oberstabsarzt befreundet, hat ihn bearbeitet, und nun bin ich für untauglich zum Infanterie-Dienst erklärt worden, habe vorläufig, in Erwartung der Bestätigung meiner Zurückstellung durch die höchste Instanz, Urlaub erhalten, darf Civilkleider tragen und muß mich, bis zu meinem offiziellen Ausscheiden aus dem Regiment, nur noch hie und da in der Kaserne sehen lassen, um meine Gegenwart in München zu bekunden und meinen Urlaub verlängern zu lassen. Es handelt sich, wie gesagt, nur um Untauglichkeit für den Infanterie-Dienst und um Zurückstellung. Was nächstes Jahr werden wird, ob ich dann auf der Trainkarre oder dem Protzkasten das frische, fröhliche Soldatenleben fortsetzen werde, das steht bei Gott. Ich denke immer, es muß sich auf eine oder die andere Art vermeiden lassen. Könnte ich mich nicht im gegebenen Augenblick in eine Wasserheilanstalt oder ein ähnliches Asyl zurückziehen? Darüber wird noch zu berathschlagen sein. Denn ich habe an den Kasernen- und Lazareth-Sensationen dieser 2½ Monate wirklich genug.

Vollkommen kann das Glück ja niemals sein, und so mußte denn jetzt grade die schmerzliche Geschichte mit dem Steuerzahlen kommen, die mich vorübergehend um meine Florenzfahrt ernstlich besorgt gemacht hat. Aber es muß ja gehen und wird auch. (Fontane.) Wann, das weiß ich noch nicht genau. Meine Zurückstellung kann bis Neujahr perfect sein, sie kann sich aber auch bis Mitte, ja Ende Januar verzögern. Vielleicht werde ich also erst Anfang Februar reisen, und ich denke, daß mir zwei Monate, Februar und März, für Florenz ganz wohl genügen werden.

Also Du willst später noch etwas Schlaraffenlandartiges machen? Über Sternberg klärt Grautoff Dich, soviel ich weiß, gründlich auf. Ich weiß beinahe nichts von ihm, nur, daß er sehr kinderlieb ist und Anlaß zu einem der immer zahlreicheren Corruptionsprozesse gegeben hat, auf die Berlin so stolz ist. Ewers' Artikel »Ein neuer sozialer Roman« habe ich bekommen. Äußerlich ein bischen lodderig, hat er dem Buch doch sicher Käufer gewonnen. Überhaupt glaube ich, daß der Erfolg noch größer ist, als wir wissen. In seiner Weihnachtsbücherliste zählte neulich Engels in der »Münchener Zeitung« den Roman unter den Büchern auf, die jeder anständige Mensch besitzen müsse. Jedenfalls sind der »Herzogin« die Pfade aufs Beste geebnet.

Wüßte ich nur erst, was mit »Buddenbrooks« werden wird! Ich weiß so sicher, daß Kapitel darin sind, wie sie heute nicht Jeder schreiben kann, und doch muß ich fürchten, damit sitzen zu bleiben. Vom »König von Florenz« sind eigentlich bis jetzt nur die psychologischen Pointen und ein gestaltloser Traum vorhanden; alles Übrige muß noch kommen. Der Doppelsinn des Titels ist ja beabsichtigt. Christus und Fra Girolamo sind Eins: nämlich die Genie gewordene Schwäche zur Herrschaft über das Leben gelangt. Höchster Moment: Das bruciamento delle vanità. – Übrigens drängen jetzt Novellenstoffe herzu, sodaß es sehr möglich ist, daß vor dem ersehnten Theaterstück noch ein Band Erzählungen fertig wird.

Ich vergaß noch zweierlei: Erstens: Die Broschüre über Sternberg, die Grautoff Dir versprochen hat, ist *vielleicht* vergriffen oder verboten, soll ich Dir sagen. Sonst bekommst Du sie. Zweitens: Mein Burckhardt ist siebente, durchgearbeitete Auflage und hat, elegant ausgestattet, 12 Mark gekostet. »Durchgearbeitet« heißt ja kaum »vermehrt«, und 6 lire ist jedenfalls verlockend billig. –

Ich genieße meine Freiheit mit Zärtlichkeit und Hingebung. Es könnte ja noch schöner sein, nämlich, wenn ich ganz und endgültig frei geworden wäre. Aber man muß dankbar sein, und in diesem Sinne: Der liebe Gott hurrah, hurrah, hurrah.

Hast Du die 100 Mark bekommen? Ich habe noch nichts davon gehört.

Dein T.

München, den 29. XII. 1900

Lieber Heinrich:

Herzlichen Dank für die beiden Bilder, das interessante Napoléon-Kupfer und den wunderschönen Murillo. Beides soll nett gerahmt werden und die Madonna sogar als Staffeleibild auf meinen Tisch kommen. Mir ist es gegangen, wie, glaub' ich, auch voriges Jahr: ich habe es schließlich aufgegeben, Dir was zu schicken. Denn was auch wohl? Von Italien aus ist gut Geschenke machen; aber die Frauentürme als Tinte- und Streusandfaß oder Ähnliches – das geht doch nicht gut.

Hast Du heil Weihnachten mit Hartungens verlebt? Bei uns war es ganz friedlich und hübsch; die Löhr'schen Herrschaften waren da, es gab gut zu essen, und daß ich aus dem fürchterlichen Handel mit Dr. von Staat so glimpflich davongekommen, stimmte mich weich und glücklich. Heute habe ich noch einmal Uniform getragen und bin »als zur Zeit dienstuntauglich[«] zur Disposition der Ersatzbehörde entlassen worden. Das bedeutet mutmaßlich, daß ich nächstes Jahr noch einmal vor der Ober-Ersatz-Commission zu erscheinen habe, was hoffentlich nicht viel mehr als eine Formalität ist, denn erstens bin ich ja schon ein ziemlich alter Herr und zweitens kann ich ja so viele Atteste »beibringen« wie die Herren nur wünschen.

Meine Florenzfahrt ist nun also gottlob nur noch eine Geldfrage, womit sie ja leider noch immer eine Frage ist. Die 200 und soundso viel Mark Steuern, die die Mutter mir vom nächsten Quartalsgeld abzuziehen unerbittlich gewillt ist, machen mich ja einfach zur Kirchenmaus, und ich weiß nicht, wie es werden soll. Dir, mit Deinen Schlaraffen-Einnahmen, macht es nichts; aber ich breche darunter zusammen. Gott sei Dank arbeite ich nun wieder, wenn auch noch nicht am »Savonarola«, um den ich nur immer so auf Sammetpfoten herumschleiche, sondern an einer neuen Novelle bitter-wehmütigen Charakters, und hoffentlich habe ich auf diese Weise noch ein paar kleine Einkünfte. Auch hält man das Sich erholen ja doch vor Gewissensunruhe nicht lange aus, denn das Arbeiten ohne Feder und Tinte wagt man ja kaum sichselbst gegenüber »Arbeit« zu nennen.

In der Secession ist jetzt wieder eine Copieen-Ausstellung nach florentinischen Renaissance-Plastikern (della Quercia, Pisano, della Robbia, Fiesole etc.): für mich äußerst interessant, weil man durch die Porträtbüsten den Typus der Leute von damals auf so angenehme Art kennen lernt. Was muß es in Florenz nicht Alles zu lernen geben! Käme ich nur hin, damit der Traum meiner Seele zustande kommt. Ich hätte so Manches in dem Stücke auszudrücken, aber ich beherrsche das Äußerliche der Sache noch lange nicht genug; aus ein paar Büchern ist das nöthige Material nicht zu entnehmen.

Fast hätte ich es vergessen: Ich werde ja wohl demnächst meinen ersten Prozeß erleben. Herr Tesdorpf nämlich hatte in einem Schreiben an Mama der Ansicht Ausdruck gegeben, daß ich mich durch das Simuliren eines Gebrechens vom Militärdienst frei gemacht hätte, worauf ich ihm (endlich! es war mir eine Wohlthat!) einen stark gewürzten Brief, den boshaftesten meines Lebens, verabfolgt habe, der so gut getroffen hat (oh, man hat doch Talent!), daß der alte Esel nun droht, mich zu verklagen. Kann ich das nicht in Ruhe abwarten?

Laß wieder einmal von Dir hören.

Herzlich   Dein T.

München, den 8. Jan. 1901

Lieber Heinrich:

Ich finde nichts von Ewers. Wenn das B[erliner] T[ageblatt] sein Manuskript verbimst hat, so hat er doch jedenfalls Anspruch auf Schadenersatz? Aber *das* ist es ja nicht, sondern wir müssen nun über meine Florentiner Angelegenheit zum Schlusse kommen, und so habe ich mich denn hingesetzt, um zwischen zwei Kerzen zu rechnen und bin noch ganz blaß davon. Hier in München sind Zahlen ja eigentlich ziemlich bedeutungslos für mich, und so war es möglich, daß ich mich bislang leichtfertig und hoffnungsvoll über die Verhältnisse hinwegtäuschte. Gezwungen, sie fest ins Auge zu fassen, muß ich mit Vicco sagen: »Ich zitter ganz!« Die Wahrheit in ihrer scheußlichen Nacktheit ist die, daß ich nach Einkassierung der Fünftel-Trümmer, (abgesehen von meinen Civil-Schneiderschulden, abgesehen vom Miethszins und selbst abgesehen von der Pension für Mama, wovon ich gar nicht absehen dürfte,) im Besitze von rund zweihundertundvierzig Mark sein werde. »Du fragst – o frage mich nicht, warum!« Genug, es ist so. Das Papier mit den unwiderleglichen Zahlen liegt neben mir. Mich ekelt's, sie hier noch einmal zu wiederholen. Zuflüsse sind für die nächste Zeit nicht zu erhoffen. Was ich jetzt schreibe, wird für den Simplicissimus zu lang, wird auch von heute auf morgen nicht fertig, und Fischer schweigt über »Buddenbrooks«. Es bleibt bei den 240 M für ein Vierteljahr, und damit die Reise anzutreten, wäre Aberwitz. Ich kann nicht nur nicht am 15ten oder 20ten, ich kann auch nicht vorm April nach Florenz fahren, davon habe ich mich in diesen Tagen überzeugen müssen, und es thut mir nur leid, daß ich Dich mit mir so lange in einer angenehmen Hoffnung erhalten habe, die so sehr der soliden Grundlage entbehrte. Denn schließlich: lägen nicht die Dinge so ungeschickt, daß Du gerade zum Frühling wieder heraufkommen willst, – den Aufschub an sich könnte ich am Ende verwinden. Ich bin im Winter recht gern in München und würde Manches versäumen, wenn ich jetzt reiste. Es giebt allerhand Premièren, Richard Strauß kommt, Wüllner kommt, die Aufführungen der Litterarischen Gesellschaft kommen; ich kann Novellen schreiben und vorderhand Burckhardt und Villari lesen. Ich bringe den Winter schon herum. Und steht es denn fest, daß Du schon Anfang April hierher kommst? Ich sehe nicht ein, was Du hier dann schon willst und warum Du nicht wenigstens bis zum Mai dort unten bleiben kannst. Wenn ich nach Deiner Abreise noch 14 Tage allein in Florenz sein müßte, so wäre ich auch damit einverstanden. In dem Augenblick, wo Du mir sagst: Den Monat April können wir in Florenz zusammen sein, bin *ich* getröstet, und Du wirst schließlich, in Gesellschaft der Hartungens und der »Herzogin«, die Zeit bis dahin schon auch zu verbringen wissen. Übrigens sehe ich ein, daß ich Dir nähere Aufklärungen über meine Geldverhältnisse schuldig wäre, aber die Auseinandersetzung wäre beschämend und zwecklos. Äußere Dich nur, bitte, über den April.

Jawohl, in der M[ün]ch[e]ner Z[ei]t[un]g ist das »Schlaraffenland« zusammen mit Holitschers Jüngstem durch Leo Greiner sehr rühmend besprochen worden. Bekommst Du die Ausschnitte denn nicht durch Langen? Dr. F. Grautoff läßt Dich grüßen; Dein Buch habe ihm *sehr* gefallen, der Verleger der Leipz[iger] N[euesten] N[achrichten] erlaube aber nicht, daß etwas darüber gebracht werde. – Übrigens ist die Reklame großartig. Ich hörte neulich, daß auf den Programmen der Variété's Annoncen stehen. – Will Langen Dich in Paris studiren *lassen*? Das kannst Du sicher sehr wohl erreichen, wenn Du willst. Wie gut Du aufgehoben bist und wie hell Dein Stern zu leuchten beginnt! Fischer schweigt, wie gesagt, und wenn ich mahne, so bekomme ich wahrscheinlich den Wechselbalg sofort wieder ins Haus. Wenn nun Niemand das Buch haben will? Ich glaube, ich würde Bankbeamter. Ich habe manchmal solche Anwandlungen.

Herzlich   Dein T.

München, den 21. 1. 1901

Lieber Heinrich:

Für heute nur die beiden beifolgenden Zeitungsausschnitte, die Du mir bei Gelegenheit – es eilt nicht – zurückschicken könntest. Der irre Hymnus in den Neuesten ist natürlich von Grautoff. Aber wahr ist, daß Piepsam beinahe mit jedem Satze lebhafte Heiterkeit erregte und anhaltend beklatscht wurde. Daß ich gut gelesen habe, macht mir besonderen Spaß, und am stolzesten bin ich darauf, daß Direktor Stollberg (vom Schauspielhaus), der erschienen war, sich außerordentlich zu amüsiren schien, mir demonstrativ applaudirte und eine besondere Verbeugung entgegennahm. So ein Theaterdirektor ist eine so wichtige Macht!

Ich habe die Zeitungsnotizen auch an Fischer geschickt. In Betreff »Buddenbrooks« beginne ich, Hoffnung zu fassen. Holm, der mir ja schon wiederholt empfohlen hat, doch zu Langen überzugehen, versicherte mir neulich in einer Gesellschaft, die er gab, ausdrücklich, daß Langen im Prinzip gegen einen zweibändigen Roman nichts einzuwenden hätte. Auch sprach er sehr freundschaftlich und verlockend darüber, wie er mir in pekuniären Fragen Langen gegenüber zur Seite stehen würde etc. Daraufhin habe ich Fischer nun gemahnt und kann etwas getroster, als bisher, die Entscheidung abwarten, ob er mich fallen lassen will oder nicht.

Für dies Mal nichts weiter. Über Capus und die Bücher in den allernächsten Tagen.

Herzlich   Dein T.

München, den 25. 1. 1901

Lieber Heinrich:

Falls kein Vorabdruck von Capus in einer Zeitung erzielt wird, kann das Buch etwa im März oder April erscheinen, anderenfalls erst im Herbst.

Die Yriarte'schen Bücher konnte Rieger in seinen Katalogen nicht ausfindig machen; ich habe ihn beauftragt, sich danach zu erkundigen; das wird aber wohl noch ein paar Tage dauern.

Die beiliegende Besprechung des »Schlaraffenlandes« hatte Martens für die »Zeit« geschrieben. Sie war schon gesetzt, hat dann aber einer anderen, ich weiß nicht von wem und welcher Art, weichen müssen. Abgesehen von der kühnen Behauptung, daß der dichterische Werth mit dem *Ernst* steigt und fällt, ist es wohl das Vernünftigste, was über das Buch bemerkt worden ist.

Ich will es nun also so machen, daß ich, wenn ich Geld habe und mir sonst nichts, z. B. von militärischer Seite, in den Weg gelegt wird, um den 15ten März herum reise. Bis dahin bin ich hier sicher in jeder Weise beschäftigt. Wir sind dann noch einen halben Monat in Florenz zusammen, und zu Anfang April kann ich Grautoff dort erwarten, der auch, wenn er irgend die Mittel auftreibt, eine Studienfahrt dorthin machen will. Wenn wir nachher in Venedig zusammentreffen könnten, so wäre das *sehr* schön. Wenn irgend möglich möchte ich auch Ferrara und Bologna sehen; vielleicht auf der Hinreise? Hoffentlich macht sich das Alles nach Wunsch.

Holitscher läßt Dich bestens grüßen; ich bekomme demnächst das Buch über englische Kunst von ihm und schicke es Dir dann.

Verzeih meine Knappheit. Wenn ich in Briefen nicht von vornherein einen rapid geschäftsmäßigen Ton anschlage, so mähre ich drei Stunden daran; und der Tag ist hin. Dabei werde ich sowieso mit meinen Sachen immer erst fertig, wenn mir das Fertigwerden schon gar keinen Spaß mehr macht. Man hat viel Ärger und wenig Freude an sich, als Mensch und als Künstler. Schluß. Sonst gebe ich noch mehr solche Joachim Pamps-Sprüche von mir.

Herzlichen Gruß und auf Wiedersehn.   Dein T.

München, den 13. II. 1901

Lieber Heinrich:

Das Kunstbuch hast Du hoffentlich bekommen; Holitscher schickt es Dir mit seinem Gruß und den besten Wünschen für das Werden der »Herzogin«.

Leider kann ich Dir über die französischen Bücher noch immer keine Auskunft geben, und zwar, weil ich mich vorläufig in Riegers Buchhandlung nicht blicken lassen darf. Ich habe dort nämlich damals für mich, aufs Geratewohl und koste es wem es wolle, die deutsche Ausgabe des Vasari bestellt und erst dann von Grautoff erfahren, daß das ein Werk von so und so viel Bänden im Preise von gut und gern hundert Mark und obendrein furchtbar langweilig ist. Darauf habe ich mich natürlich bei Rieger nicht wieder vorgestellt. Du erfährst hoffentlich, was Dir nothtut, auch auf anderem Wege, und ich muß mir Vasari auf der Staatsbibliothek ansehen, wenn ich das Bedürfnis habe.

Geht es Dir gut? Mir sehr verschieden. Wenn der Frühling kommt, werde ich einen innerlich unerhört bewegten Winter hinter mir haben. Depressionen wirklich arger Art mit vollkommen ernst gemeinten Selbstabschaffungsplänen haben mit einem unbeschreiblichen, reinen und unverhofften Herzensglück gewechselt, mit Erlebnissen die sich nicht erzählen lassen, und deren Andeutung natürlich wie Renommage wirkt. Sie haben mir aber Eines bewiesen, diese sehr unlitterarischen, sehr schlichten und lebendigen Erlebnisse: nämlich, daß es in mir doch noch etwas Ehrliches, Warmes und Gutes giebt und nicht bloß »Ironie«, daß in mir doch noch nicht Alles von der verfluchten Litteratur verödet, verkünstelt und zerfressen ist. Ach, die Litteratur ist der Tod! Ich werde niemals begreifen, wie man von ihr beherrscht sein kann, *ohne* sie bitterlich zu hassen! Das Letzte und Beste, was sie mich zu lehren vermag, ist dies: den Tod als eine Möglichkeit aufzufassen, zu ihrem Gegentheil, zum *Leben* zu gelangen. Mir graut vor dem Tage, und er ist ja nicht fern, wo ich wieder allein mit ihr eingeschlossen sein werde, und ich fürchte, daß die egoistische Verödung und Verkünstelung dann rasche Fortschritte machen wird ... Genug! in alle diese Wechselfälle von Glut und Frost, von lebensvoller Gehobenheit und Sterbensekel platzte neulich ein Brief von S. Fischer hinein, in dem er mir mittheilte, daß er zum Frühjahr zunächst einen zweiten kleinen Novellenband von mir bringen und zum Oktober »Buddenbrooks« unverkürzt, wahrscheinlich in drei Bänden herausgeben wolle. Ich werde mich photographiren lassen, die Rechte in der Frackweste und die Linke auf die drei Bände gestützt; dann kann ich eigentlich getrost in die Grube fahren. – Nein, es ist wirklich gut, daß das Buch nun doch ans Licht kommen wird. Es ist so viel persönlich Demonstratives darin, daß ich, namentlich für die werthe Collegenschaft, eigentlich erst damit ein Profil bekommen werde. Übrigens weiß ich von Fischers Bedingungen noch nichts, die wohl auf vorsichtige Clauseln in Betreff der Honorirung hinauslaufen werden. – Was den Novellenband angeht, so wird er ja ein schmales Ding, das mir nur eine vorläufige kleine Namensauffrischung und etwas Taschengeld eintragen soll. Der

Inhalt wird sein: 1.) »Der Weg zum Friedhof« (als Titel-stück). 2.) »Luischen«. 3.) »Der Kleiderschrank«. 4.) »Ge-rächt«. 5.) Eine Burleske, die ich in Arbeit habe, und die wahrscheinlich »Tristan« heißen wird. (*Das* ist echt! Eine Burleske, die »Tristan« heißt!) Und vielleicht noch 6.) Eine längst geplante Novelle mit dem unschönen aber spannen-den Titel »Litteratur«. (*Illae* lacrimae!)
Bis heute weiß ich es noch nicht anders, als daß ich am 15ten März nach Florenz fahren werde. Es kommt darauf an, ob ich mit dem, was ich zuvor erledigen muß, bis dahin fertig werde, denn das nöthigste Geld kann ich mir wohl sicher verschaffen, besonders seit ich Fischers ausdrückliche Versi-cherung in Händen habe, daß er »durchaus nicht gesonnen« ist, mich »fallen zu lassen«. Du bekommst natürlich noch Nachricht. Laß auch Du mal wieder von Dir hören.
Herzlich   Dein T.

[München, 28. II. 1901]

Lieber Heinrich: Ich glaube nun allerdings mehr und mehr, daß es auch am 15ten noch nichts mit mir wird, sondern daß ich erst Anfang April, wenn auch Grautoff nach Fl[orenz] fährt, aufbrechen werde, obgleich ich sehr wohl weiß, daß das höchst unweise gehandelt ist, und daß gerade Dein Ein-fluß augenblicklich das einzig richtige für mich wäre. *Ich kann mir nicht denken, daß Du mir meine Unzuverlässigkeit übel-nimmst?* Die versprochenen Confessionen unterlasse ich oder vertage sie doch, erstens aus Unruhe und zweitens, weil Du jetzt wohl kaum in der Stimmung bist, dergleichen anzuhö-ren. Herzlichen Glückwunsch zur Übersetzung des Schla-raffenlandes ins Französische! Was für ein Spaß muß das für Dich sein! Mit einem Wort, Du erblühst, während ich zur Zeit innerlich arg in die Brüche gegangen bin. Ich wünsche mir im Grunde nichts Besseres, als einen soliden Typhus mit befriedigendem Ausgang, – obgleich es ziemlich tactlos ist,

Dich mit solchen Äußerungen nervös zu machen. – Also: Es ist nicht vollständig ausgeschlossen, aber Du kannst nicht damit rechnen, daß ich vor Anfang April zum Reisen komme.

Dein T.

München, den 7. III. 1901

Lieber Heinrich:

Ich hätte Deinen Brief natürlich sofort beantwortet, aber seit ungefähr 8 Tagen hat sich die ganze für mich einlaufende Post oben in meinem Briefkasten festgestaut, sodaß ich, wenn ich durchs Gitter sah, nie etwas erblickte. Wie ich heute den Kasten zufällig öffne, fällt mir ein ganzer Wust von Zuschriften, zum Theil wichtigen, entgegen, darunter auch die Deine.

Nein, Du kannst ganz ruhig sein und getrost nach Italien fahren; ich mache vorderhand keine »Dummheiten«. In »Buddenbrooks« ist eine gute Stelle: da, wo die Nachricht kommt, daß der ruinirte adelige Gutsbesitzer sich erschossen hat, und Thomas Buddenbrook mit einem Gemisch von Nachdenklichkeit, Spott, Neid und Verachtung vor sich hin sagt: »Ja, ja, *so ein Rittersmann!*« Das ist sehr charakteristisch, nicht nur für Thomas Buddenbrook, und mag Dich bis auf Weiteres durchaus beruhigen. Auch von dem Typhus will ich zur Stunde garnichts wissen. Das Ganze ist Metaphysik, Musik und Pubertätserotik: – ich komme nie aus der Pubertät heraus. Auch Grautoff hatte schon große Angst; aber die Sache ist so wenig akut, sie schlägt so langsam Wurzeln, und es liegt augenblicklich so wenig praktischer Grund dafür vor, Ernst zu machen, daß Ihr unbesorgt sein könnt. Freilich, was einmal wird, dafür kann ich nicht einstehen, und ob ich zum Beispiel, die fixe Idee vom »Wunderreich der Nacht« im Herzen, die Wiederholung des Militärdienstes aushalten werde, ist eine Frage, die michselbst beunruhigt. Aber vorher strömt ja noch viel Wasser zum Meere, und vorher sind wir ja noch hier zusammen. – Ausführlichere Confessionen erlasse ich mir, weil Schreiben und Auseinanderklauben die Dinge nur vertieft und übertreibt. Und es sind Dinge, die nicht übertrieben werden dürfen. Es handelt sich um keine Liebesgeschichte, wenigstens nicht im gewöhnlichen Sinne, sondern um eine Freundschaft, eine – o Staunen! – verstandene, erwiderte, gelohnte Freundschaft, die, wie ich ohne Ziererei zugebe, in gewissen Stunden, besonders in solchen der Depression und Einsamkeit, einen etwas zu leidenden Charakter annimmt: Grautoff behauptet sogar, ich sei ganz einfach verliebt wie ein Secundaner, aber das ist gesprochen wie ers versteht. Meine nervöse Constitution und philosophische Richtung hat die Sache unglaublich complicirt; sie hat hundert Seiten, die simpelsten und die geistig abenteuerlichsten. Aber in der Hauptsache herrscht ein tief freudiges Erstaunen vor über ein in diesem Leben nicht mehr erwartetes Entgegenkommen. Damit genug. Vielleicht lasse ich mir mündlich einmal mehr entschlüpfen.

Eben bekam ich auch Deine Karte. Das mit Genua ist ein guter Einfall. Sollte ich, bevor Du nach dem Süden gehst, nach Florenz gelangen, so kommst Du doch auch noch ein bischen dorthin?

Wegen des Märchenbuches schreibe ich.

Herzlichen Gruß! Dein T.

München, den 25. III. 1901

Lieber Heinrich:

Herzlichen Glückwunsch zum Geburtstage! Hoffentlich verlebst Du ihn wohlgemuth und mit Frühlingskribbeln im Rücken. Wir sind noch weit vom Lenze. Es war allerdings schon einmal beinahe sommerlich, aber seit ein paar Tagen ist es wieder gründlich Winter geworden, mit Frost und fußhohem Schnee. Ich habe ja eigentlich garnichts dawider, denn selbst im Wechsel der Jahreszeiten und den Veränderungen, die sie bringen, erkenne ich jedes Mal den Mangel

an Treue und Dauer wieder, den ich am Läben mehr fürchte und hasse, als alles Übrige; aber es hat zur Folge gehabt, daß mein altes Geck zur offenen Meuterei übergegangen ist, sodaß ich mich nun auf allgemeines Verlangen entschlossen habe, ihm den Prozeß zu machen. Ich habe mich schon bei einem als schneidig bekannten Dentisten gemeldet und werde mir eine nachhaltige Narkose ausbitten, während der dann alles irgendwie zweifelhafte heraus»gegraben« werden mag. Die Execution muß in den nächsten Tagen vor sich gehen. Hoffentlich hat sich der Fall durch die Verschleppung nicht allzu sehr complicirt, und hoffentlich geht die Chloroformirung einigermaßen glatt vonstatten. Auch ist zu wünschen, daß die Geschichte nicht zu viel Zeit in Anspruch nimmt, erstens wegen der fertig zu stellenden Poesieen, und dann, weil man mich augenblicklich in Oel malt und das Bild bis zu meiner Abreise fertig werden muß. Es soll für Mama eine Überraschung sein; laß also nichts verlauten.
Im Übrigen ist, vielleicht grade wegen des physischen Ernstfalles, meine Stimmung entschieden gesünder, als um die Zeit, da ich Dir zum letzten Male schrieb; abgesehen natürlich von den unvermeidlichen Schwankungen.

> »Dem frohen Tage folgt ein trüber,
> *Und Alles hebt zuletzt sich auf«.*
> (Platen)

Dieses allgemeine Sichaufheben ist ein durchdringend melancholischer aber auch radikal tröstlicher Gedanke. Die Welt ist gleich Null – – –

d. 27. III.

Nun konnte ich aber garnicht mehr, das Geck that allzu weh. Es thut mir sehr leid, daß Du auf diese Weise den Brief zu spät bekommst. Ich will auch nicht zu philosophiren fortfahren, damit er wenigstens heute noch abgehen kann.
Seit vier Stunden habe ich die Operation hinter mir, die

überraschend angenehm vonstatten gegangen ist. Ich wurde nicht mit Chloroform sondern mit Brom-Äthyl narkotisirt, was dem Magen garnichts anhat, dafür aber sehr schnell verfliegt. Die ersten zwei oder drei Athemzüge waren recht peinlich, aber dann kam prompt eine vollkommene, tiefe Bewußtlosigkeit von ungefähr zwei Minuten, während derer man mir mit Muße 4 oder 5 Wurzeln herausgezogen hat. Ich habe noch ein bischen mit den Wunden zu schaffen, bin aber sonst ganz vergnügt. Das Geck wird mir nun weder Kummer noch Freude mehr bereiten. Schade um ihn! Aber er wollte es nicht anders.

Gestern bekam ich wieder äußerst schmeichelhafte Briefe von Fischer und seinem Lector, sowie den *Contract,* der garnicht so ganz übel ist. Der Kernpunkt ist: *20% Honorar vom Ladenpreis jedes abgesetzten Exemplares.* An sich beinahe glänzend. Dafür aber gehört auf 6 Jahre hinaus Alles, was ich schreibe, *unter den selben Bedingungen* ihm, ausgenommen Dramen, für die besonderes Abkommen zu treffen sein würde – (Lyrik und Kritik kommt für mich nicht in Betracht.) Reducirt er die 6 auf 3 oder 4 Jahre, so unterschreibe ich. Thut er es nicht, so – unterschreibe ich schließlich auch. Denn wenn ich das Risico bedenke, das er aus scheinbar echtem Enthusiasmus mit den (wie es nun heißt: 4bändigen) Buddenbrooks übernimmt, wird mir ganz gerührt zu Sinn. Die Satzarbeiten sollen nächsten Monat beginnen; sie werden mich weidlich schwitzen machen. Aber es scheint nun doch die Zeit zu kommen, wo dies Werk dreijähriger Qual anfängt, mir ein wenig Genugthuung, Behagen und Freude zu bereiten. Dr. Heimann schreibt mir: »Es ist eine hervorragende Arbeit, redlich, positiv und reich. Ich bewundere es, daß der Zug zum Satirischen und Grottesken *die große epische Form nicht nur nicht stört, sondern sogar unterstützt.*« Dies Letzte ist mein besonderer Stolz. Also Größe trotz der Gipprigkeit! Auf Größe war nämlich während der Arbeit fortwährend mein heimlicher und schmerzlicher Ehrgeiz gerichtet. Mit dem quantitativen ins Kraut Schießen des Buches wuchs beständig mein Respekt davor, sodaß ich einen immer höheren Stil von mir verlangte. Es ist gut, daß es so bescheiden anhebt und sich zum Schluß durchaus nicht als irgend ein Roman sondern als etwas ganz Anderes und vielleicht garnicht Häufiges entpuppt. Manchmal habe ich direkt Herzklopfen bei diesem Gedanken. Hoffentlich folgt kein Kater.

Grautoff wird seine Florenzfahrt wohl verschieben müssen; dagegen fährt Holitscher jetzt hin, sodaß ich auf jeden Fall Gesellschaft haben werde. Ich denke, so zwischen dem 10ten und 20sten n. M. zu reisen. Hoffentlich kommst Du nicht zu zeitig wieder herauf. Es wäre sehr nett, wenn wir in Venedig zusammentreffen könnten.

Schluß für heute. Damit der Brief endlich fort kann.

Herzl. Gruß! T.

München, den 1. IV. 1901

Lieber Heinrich:

Nein, jetzt kommen kann ich schlechterdings nicht, obgleich die cinque lire-Pension ja sehr verlockend ist. Aber erstens habe ich keinen Pfennig Geld, zweitens müssen meine neue Novelle und mein Porträt erst fertig werden, und drittens fühle ich mich hier augenblicklich viel zu wohl. Ich verneine und ironisire eigentlich nur noch aus alter Gewohnheit am Schreibtisch, im Übrigen aber lobe, liebe und lebe ich, und da es nun obendrein Frühling geworden ist, so ist das Ganze einfach ein Fest. Reise ich, so ist es fürs Erste vorbei und kommt *so* nicht wieder; das kennt man. Ich will es festhalten bis zum letzten Augenblick. – Es malt mich natürlich ebender gute Junge, dem ich (gesetzt, daß man nicht immer vom Fatum sprechen muß, sondern Personen dankbar sein darf) so unberechenbar viel Dank schulde, und zwar thut er es, weil es uns beiden Spaß macht. Mündlich, wenn ich mal in Stimmung bin, sollst Du ausführlicher von ihm hören. Übrigens werde ich ihm den Novellenband oder auch einen Abschnitt von »Buddenbrooks« widmen, den er kennt und liebt: – was nun zuerst erscheint. Meine Erkenntlichkeit kennt keine Grenzen. Mein sentimentales Bedürfnis, mein Bedürfnis nach Enthusiasmus, Hingebung, Vertrauen, Händedruck, Treue, das so lange bis zur Auszehrung und Verkümmerung hat fasten müssen, es schwelgt nunmehr – – –

Aber mußt Du denn jetzt durchaus nach Neapel? Kannst du nicht noch ein paar Wochen damit warten *oder es fürs Erste ganz fahren lassen,* zumal Du nicht einmal Lust dazu hast?! Es wäre so nett, wenn ich Dich kurz nach Mitte d. M. in Florenz vorfände und wir dort noch ein Weilchen zusammen sein könnten. Schreibe mir doch noch einmal, ob Du nicht vorderhand ganz einfach dort bleiben kannst, wo Du es gut hast. Mit der Sendung des Bädecker warte ich bis dahin.

Was Fischers Bedingungen betrifft, so mußt Du bedenken, daß Du ja auch sofort eine ganze Menge Baargeld bekommen hast, während ich bis September 1902 überhaupt nichts zu sehen bekommen werde; erst dann (ein Jahr nach Erscheinen) erfolgt die erste Abrechnung. Ist die Auflage verkauft, so bekomme ich ja allerdings 2 Mille, denn der Ladenpreis muß doch wohl 10 Mark betragen. Aber wer sagt mir, daß auch nur 100 Exemplare verkauft sein werden? – Übrigens habe ich es nicht besser und nicht einmal so gut erwartet.

Meine Karte in Betreff des Märchenbuches ist Dir wohl aus Levanto zugegangen.

Heute bekam ich wieder ein neues Buch von Schaukal. Du auch? Das Geld besorge ich.

Also nochmals: Meine Bitte geht dahin, daß Du einfach auf unbestimmte Zeit geruhig in Florenz bleibst. Um den Zwanzigsten komme ich hin. Du kennst ja Neapel und kannst, wenn Du es als Milieu gebrauchst, Deine Erinnerung leicht durch Photographieen etc. auffrischen. Erlasse Dir die Fahrt und schreibe mir, daß Du mein Kommen in Florenz erwarten willst.

Herzlichen Gruß! Dein T.

Florenz, den 7ten Mai 1901
Via Cavour 11 II

Lieber Heinrich:

Ich habe eben noch einmal, so gut ich konnte, mit der Lehrerin gesprochen. Der Verleger ist auf einige Tage verreist, wird aber nach seiner Rückkehr Papyria besuchen. Es ist sicher ratsam, daß Du selbst mit ihm conferirst und ihm das Buch preist. P. weiß doch natürlich nicht recht, um was es sich handelt, obgleich sie den besten Willen an den Tag legt.

Ich bin überhaupt dafür und bitte geradezu darum, daß Du Deinen Aufenthalt dort unten abkürzest und möglichst bald hierher oder nach Venedig (am besten hierher) kommst. Ich bin schon wieder fertig. Meine letzten Münchener Erlebnisse und der Luftwechsel fangen an, die Wirkung zu versagen, und ich habe schon wieder schwer erträgliche Stunden. Auch besitze ich nur noch ca 175 Lire, die Venezianer Tage werden ziemlich kostspielig werden, und wenn ich die Heimreise hinzurechne, so wird mir flau.

An die Casa Kirsch, die im Bädeker als Pension bezeichnet ist, habe ich geschrieben: Zwei gute Zimmer mit je einem Bett zum 15ten, *vielleicht schon früher.* – Auch an Grautoff.

Miß Edith und Miß Mary lassen grüßen. Erstere möchte Dein Schlaraffenland lesen. Sie hat damals, unbegreiflicher Weise, darauf gewartet, daß Du es ihr anbötest. Miß Mary, deren Geburtstag vorgestern war und der ich ein Körbchen Zuckerfrüchte geschenkt habe, hat mir viel Freude gemacht. Aber nun werde ich ihr, glaube ich, zu melancholisch. She is so very clever, und ich bin so dumm, immer die zu lieben, die clever sind, obgleich ich doch auf die Dauer nicht mitkann. Seit gestern ist Regenwetter.

Schreibe also nur, bitte gleich, wann ich Dich erwarten kann. Dein T.

Vielen Dank für das Autogramm, das mich ganz paff machte. Es ist doch wohl Photographie oder dergl.? Echt wäre es ja unschätzbar!

27

München, den 15. 9. 1903
Konradstraße 11 pt.

Lieber Heinrich:

Hier die beiden Billets. Die 6 Mark-Plätze waren schon heute bis auf die der letzten Reihe vergriffen, und auch von denen zu 8 sind dies schon ziemlich die letzten. Ich habe für mich nur für »Hedda Gabler« Billet genommen, weil ich außerdem in diesen Tagen noch zwei Erstaufführungen im Schauspielhaus mitmachen möchte.

Noch Eins. Richard Schaukal hat in der »Rheinisch-Westfälischen Zeitung« einen Artikel über mich veröffentlicht und ist so taktfest gewesen, darin (übrigens Deine »Begabung« betonend) einen Angriff auf die »Göttinnen« einzuflechten. Da ich nicht wissen kann, ob Dir das Blättchen nicht irgend einmal zu Gesichte kommt, so möchte ich Dir ausdrücklich versichern, daß ich dem Verfasser niemals Veranlassung gegeben habe, sich einzubilden, ich könnte, besonders wenn von mir die Rede ist, an einer Herabsetzung Deiner Leistungen Wohlgefallen haben oder sie irgend billigen. Da er sich vorher, gelegentlich einer nahezu verliebten Personal-Schilderung (er spricht sogar von meiner »feinen, nervösen Nase«!) meinen »Freund« nennt, so habe ich der Mitwelt gegenüber, soweit sie die »Rh. W. Z.« liest, theil an der Verantwortung für diese Dummheit und bin sehr versucht, der Redaktion meinen Unwillen zur Veröffentlichung kund zu thun. Jedenfalls hat Schaukal sich für diesen Freundschaftsdienst von mir keines sehr warmen Dankes zu versehen.

Mit herzlichem Gruß   T.

München, den [5. 12. 1903]
Konradstraße 11 pt.

Lieber Heinrich!

Ich bin jetzt wieder »mein König auch«, wie der Bärenhäuter zu sagen pflegte, und kann Dir den versprochenen Brief

schreiben, nachdem ich in letzter Zeit wieder einmal die
Noth und Drangsal einer Terminarbeit durchgekostet habe.
Ich sollte mich nicht wieder darauf einlassen; es ist zu
scheußlich. Es handelte sich, wie ich Dir, glaub' ich, schon
erzählte, um einen Beitrag für das erste Heft der Neuen
Rundschau, bisher Neue Deutsche R., die unter dem neuen
Namen vom Januar an in »künstlerischer« Ausstattung erscheint. Fischer und Bie hatten mir in Berlin das Versprechen
abgenommen, bis zum 20ten ein Manuskript zu liefern, und
das schien mir wieder, trotz gegentheiliger Erfahrungen, ein
Leichtes zu sein. In München war ich zunächst ruhebedürf-
tig; dann beschäftigte ich mich, sehr angenehm und aufregend, mit Möbelanschaffungen, und schließlich im letzten
Augenblick, machte ich mich, wie am Montag Morgen über
den Aufsatz, über die Studie her, die ich im Kopfe hatte, und
kratzte sie bei niedrigem Barometerstand, gehetzt und ohne
jede Stimmung in acht Tagen aufs Papier. Als sie »fertig«
war, hatte ich das deutliche Bewußtsein, daß sie mir vollständig ausgerutscht sei und schickte sie bösen Gewissens
ab, in der bestimmten Erwartung, sie mit Hohn und
Schande als untauglich zurückzubekommen. Nun habe ich
schon die Correctur gehabt und einen Dankesbrief von Fischer: er habe die Arbeit mit großem Genuß gelesen, ich
hätte mich darin nun auch als ein Meister der Skizze bewährt, und übrigens werde zur Stunde das 11–13te Tausend
von »Buddenbrooks« gedruckt. So geht es immer. Ich arbeite mit Ekel und ohne die geringste Genugthuung, ich
gebe den Dreck in tiefster Verzweiflung weg, und dann
kommen die Briefe, das Geld, die Lobsprüche, die Hände-
drücke, die »Verehrung«. Alle haben Genuß daran, nur ich
nicht. Und das ist doch gemein. Aber vielleicht ist es in der
Ordnung so.
Du fragtest nach meiner Königsberger Reise. Sie ist schlecht
und recht verlaufen. Bei der Vorlesung, in einem sehr großen und sehr vollen Saal, war ich nervöser als sonst und
infolge dessen heiser. Aber der Beifall war freundlich und

die Zeitungsberichte sehr respektvoll. Ida wiederzusehen, war ein wunderlicher Eindruck. Sie erwartete mich mit den Leuten, bei denen sie, wie sie mit ihrer Ach Gott, Kindchen-Miene betonte, seit 15 Jahren im Hause ist, nach der Vorlesung auf dem Korridor. Sie war nicht viel grauer, als früher, aber ohne Zähne, sprach mit ihrer alten heulenden Stimme und benahm sich gegen mich ungefähr wie früher gegen Großmama: mit kleinen Augen knixend. – Bei Ewers, den ich gleich auf der Redaktion besuchte, war ich am folgenden Tage zu Tische. Die Frau, ein bißchen dürftig, klappsch und gewöhnlich, gefiel mir nicht sonderlich. Sie sind hübsch, fast reich eingerichtet und schienen sich in K. recht glücklich zu fühlen, während sie über Leipzig und besonders F. Grautoff nicht genug klagen konnten. Ewers selbst fand ich ziemlich unverändert, nur voller und mit längerem Schnurrbart. Unglaublich, wie er das Lübische conservirt hat! Er erzählte, er plane einen »phantastischen Roman«, – mit einer beinahe parodistischen Breite-Straßen-Aussprache. Übrigens war er nett, freundschaftlich und herzlich, auf Grund alter Erinnerungen. Er bedauerte, daß ich keine Verse mehr mache, wie damals, als ich ihm meine Gedichte an das »Meer« und den Wallnußbaum immer zum Recensiren brachte, und betonte nochmals, er hätte mich nicht wiedererkannt, so sehr verändert hätte ich mich seit damals. Tjaja! – Das Haupterlebnis und -Ergebnis der Reise war dann das Zusammentreffen mit Gerhart Hauptmann gelegentlich eines Diners bei Fischer in Grunewald. Ich war mir von seiner Persönlichkeit einen solchen Zauber, wie sie thatsächlich ausübt, bei Weitem nicht vermuthend gewesen. Ein lichter Kopf, durchgearbeitet, tief und doch klar; ein Wesen, würdevoll und sanft, weich und doch stark. Er ist ganz eigentlich mein Ideal. So hätte man auch werden können, wenn man nicht einen »Schaden« hätte, wie das kleine Üz bei Ibsen sagt ... Sein Altruismus, seine wundervolle Menschlichkeit, von der auch sein letztes Stück »Rose Bernd« wieder voll ist, umgiebt thatsächlich seine Person wie ein

Schimmer und macht sie ehrwürdig. – Es gab auch viel Schlaraffenland-Komik. Brahm vom Deutschen Theater sagte wörtlich: »Nu, Herr Mann, wie is' mit'n Schtiek? Schicken Se's mir! Wer brauchen junge Talente!« Die gute Seele! Die wird sich hüten, meine Dialoge aufzuführen! Denkt wahrscheinlich, daß es nun so weiter geht mit der Wirkung auf die breiteren Schichten – und irrt sich. Der Erfolg von »Buddenbrooks« ist zuletzt ein Mißverständnis. Und damit zur Hauptsache, zu Deinem Roman!

Meine Eindrücke? Sie sind nicht grade sehr angenehm, – was Eindrücke ja aber auch durchaus nicht zu sein brauchen. Es ging nicht gerade behaglich zu bei der Lektüre, – was ja aber auch durchaus nicht nöthig ist. Ich habe mich mit dem Buche herumgezaust, es fortgeworfen und wieder aufgenommen, geächzt, geschimpft und dann auch wieder Thränen in den Augen gehabt ... Tage lang bin ich, bei dem tiefsten Barometerstand seit hundert Jahren (laut Erklärung der meteorologischen Warte), mit der Pein umhergegangen, die es mir erweckt hat. Nun weiß ich ungefähr, was ich Dir zu sagen habe.

Daß ich mit Deiner litterarischen Entwicklung nicht einverstanden bin, – muß einmal ausgesprochen werden; am besten jetzt, wo Du, soviel ich weiß, nichts Eigenes vorhast, – und auch sonst könnte es Dich wohl kaum beirren. Das Vortreffliche in diesem neuen Roman entgeht mir gewiß nicht. Die Schilderung von Nymphenburg, die Automobilfahrt, die Novelle vom Kupferstecher, Claude's Meditation auf der Piazzale mit jenem Wort alleräußerster Hoffnungslosigkeit: »Das Leiden selbst interessirt zuletzt nicht mehr« – das sind Dinge, die Dir in Deutschland niemand, ganz einfach überhaupt niemand nachmacht. Ich stelle dies voran, dick unterstrichen. Und doch: Solche Bücher, wie »Die Jagd nach Liebe«, liegen meiner Überzeugung nach (die vielleicht nur mein Wunsch ist) nicht allein außerhalb der deutschen Entwicklung – das wäre kein Einwand – sondern auch außerhalb Deiner eigenen.

Wenn ich zehn, acht, fünf Jahre zurückdenke! Wie erschienst Du mir? Wie warst Du? Eine vornehme Liebhabernatur, neben der ich mir mein Lebtag plebejisch, barbarisch und spaßmacherhaft vorgekommen bin, voller Discretion und Cultur, voller Reserve der »Modernität« gegenüber und in voller Linie historisch begabt, ledig jedes Applausbedürfnisses, eine delicate und hochmüthige Persönlichkeit, für deren litterarische Äußerungen jetzt in Deutschland sehr wohl ein empfängliches erlesenes Publicum vorhanden wäre … Und nun, statt dessen? Statt dessen nun diese verrenkten Scherze, diese wüsten, grellen, hektischen, krampfigen Lästerungen der Wahrheit und Menschlichkeit, diese unwürdigen Grimassen und Purzelbäume, diese verzweifelten Attacken auf des Lesers Interesse! Die Operation der Zank, der angekettete Kellner, Paniers Verlobung, das Kartenduell, Frau von Traxi, alle diese sinnlosen und unanständigen Lügengeschichten, – ich lese sie und kenne Dich nicht mehr. Der seelische Gehalt des Werkes, die Sehnsucht aus schwacher Künstlichkeit nach dem Leben, diese Sehnsucht, die sich dem einsamen und sinnlichen Künstler gern als Liebessehnsucht darstellt, – wie soll sie rühren, wie überzeugend wirken, da auch nicht ein Versuch gemacht ist, dem Leben nahe zu kommen, auch nur eine Miene und Regung dieses simplen Wildfangs zu belauschen und festzuhalten? Alles ist verzerrt, schreiend, übertrieben, »Blasebalg«, »buffo«, romantisch also im üblen Sinne, die falschen Gesten der Repräsentanten des Christenthums aus den »Göttinnen« sind wieder da und die dazu gehörige dick aufgetragene Colportage-Psychologie, selbst Ute, die eine unsterbliche Figur hätte werden können, ist durch Maßlosigkeit verdorben, und schließlich fragt man sich, wie Du eigentlich dazu kamest, den fernhinwirkenden Possart zu verspotten, in einem Buch, dessen Titel lieber lauten sollte: »Die Jagd nach *Wirkung*«.

Lieber Heinrich, ich rede aufrichtig und sage Dinge, die ich längst auf dem Herzen habe. Es ist, meiner Einsicht nach, die Begierde nach Wirkung, die Dich corrumpirt, wenn anders nach diesem Buche wirklich von Verderbnis gesprochen werden muß. Du hast mir zuviel von Wirkung und Erfolg geredet in letzter Zeit. Du hast mir gegenüber den Schluß von »Salome« an »Wirksamkeit« dem der – Cavalleria verglichen, hast, als ich Dir von »Königliche Hoheit« erzählte, vor Allem betont, der Titel werde sich gut im Schaufenster ausnehmen, während ich, ohne heilig thun zu wollen, bis dahin noch nicht ans »Schaufenster« gedacht hatte, Du hast den Unterschied zwischen uns beiden dahin formulirt, daß ich dem deutschen Volksempfinden näher stände, Du dagegen »es mit der Sensation machen müßtest« ... Was da – machen! Wer »macht« denn irgend etwas! Die Auflagen von »Buddenbrooks« sind ein Mißverständnis, ich sage es noch einmal, und nach Allem, was ich hege und plane, wird außer den paar Hundert innerlich Interessirten kein Hahn krähen. Auch weiß ich wohl: nicht der Erfolg von »Buddenbrooks« hat es Dir angethan – es wäre dumm und lächerlich, das anzunehmen –, sondern, früher schon, das Buch als Leistung, als Quantität. Deine Besorgnis, infolge Deiner Nervenkrankheit hinter mir, der ich doch auch nicht gerade unter zärtlichen Bedingungen arbeite, an Leistung zurückzubleiben, wurde zum Ehrgeiz. Mit einer hygienischen Disciplin, von der ich niemals recht wußte, ob ich sie bewundern oder verachten sollte, hast Du Dich weit über mich hinaus zur Arbeitsfähigkeit trainirt, die quantitative Leistung Deines letzten Jahres stellt einen Record dar, der meines Wissens noch von keinem ernsthaften Schriftsteller erreicht ist, – aber (verzeih' die Trivialität!) nicht die Menge thut es, und das »Wunderbare« ist viel, viel mehr, als die »Jagd nach Liebe«; Du hast Dich so gesund gemacht, daß Du sechs Stunden am Tage arbeiten kannst, aber was Du machst, ist krank, nicht weil es »krankhaft« wäre, sondern weil es das Resultat einer schiefen und unnatürlichen Entwicklung ist und einer Wirkungssucht, die Dir unaussprechlich schlecht zu Gesichte steht.

Stünde sie Dir besser zu Gesicht, fühltest Du Dich eigentlich wohl und daheim in dieser Fratzenwelt der krassen Effecte, – Du würdest selbstständiger, stolzer, abgeschlossener erscheinen. Es wirkt als Schwäche und Armuth, daß Du Grautoffs unmögliche Flunkerei, Possart habe bei einer Trauerbotschaft das Zimmer verlassen und sei weiß geschminkt wieder herein gekommen, widerstandslos in Dein Buch aufnimmst. »Pferdezähne«, als Wort und Beobachtung, ist nicht von Dir. Der skurrile Gebrauch von »leicht« (»leicht widerlich«, »leicht albern«) ist nicht von Dir. Lappalien, die man kaum unter vier Augen erwähnen darf, gewiß. Aber es geht weiter. In Riva, im Ruderboot, haben wir schon einmal einen Anlauf zu einer Auseinandersetzung über diesen unangenehmen Gegenstand genommen. Im Laufe von allerlei philosophisch-psychologischen Disputen, in denen wir unsere entgegengesetzten Standpunkte vertraten, hatte ich Dir von meinem Plane erzählt, einen Roman »Die Geliebten« zu schreiben. In den »Göttinnen« fand ich den psychologischen Inhalt dieser Gespräche in oberflächlicher und grottesker Weise verwerthet, vor Allem aber den Gegensatz »Die Geliebten – die Ungeliebten« wie etwas Gegebenes und allgemein Gebräuchliches wiederholt wörtlich benützt. Auf meinen Vorhalt, daß damit mein Titel unmöglich sei, hast Du, wie es scheint, »Die Geliebten« gestrichen; aber mit einer Art später Naivetät, die Dich ebenfalls nicht sonderlich kleidet, hast Du »Die Ungeliebten« – stehen lassen! Weiter. In »Tonio Kröger« sind als Gegensatz des Künstlers, wie ich ihn verstehe, »die Gewöhnlichen« genannt. Es ist von den »liebenswürdig Gewöhnlichen«, von den »Wonnen der Gewöhnlichkeit« die Rede. Und in der »Jagd nach Liebe« finde ich den Ausdruck »die Gewöhnlichen« als Bezeichnung für das Gegentheil des Künstlers wiederholt benützt. Kleinlicher Geiz, nicht mehr, der vor seinen kümmerlichen Schätzen eifersüchtig Wache hält. Sehr gut! Aber dann könntest Du an die Geschichte von dem reichen Manne denken, der dem Armen sein einziges Schaf wegnahm; und ich von meiner Seite wäre zu stolz und zu skrupulös, um Schlagwörter eines Anderen, in denen sich eine ganze Anschauung, ein ganzes Pathos und Erlebnis ausspricht, ohne Weiteres als Gemeingut zu behandeln. Du hast mich bereits versichert, daß Du den Stoff »Königliche Hoheit« natürlich genau so vollkommen in Dir trügest, wie ich. Und was soll ich thun, wenn Du nun eines Tages in einem neuen Werk ganz beiläufig und gelegentlich einmal von der »Königlichen Hoheit« des Künstlers sprichst? Es wäre pedantisch, die Sache dann noch weiter ausführen zu wollen.

Dies Alles spielt in den Styl hinüber. Er ist wahllos, schillernd, international. Ich sehe ab von Schnellfertigkeiten wie der adjectivische Gebrauch von »theilweise«. Aber ich vermisse jede Strenge, jede Geschlossenheit, jede sprachliche Haltung. Neben Gallicismen stehen oesterreichisch-bayrische Mundartlichkeiten. Neben einem preziösen »Ach! Ach!« steht etwas gänzlich Unstilisirtes wie »Hast du 'ne Ahnung!« Alles, was wirken kann, ist herangezogen, ohne Rücksicht auf Angemessenheit. Das Kunstmittel des Leitmotivs paßt nicht hinein. Die vorgestellten Genetive, skandinavischen Ursprungs, passen nicht hinein. Das schlicht epische »Aber« ohne starken logischen Gegensatz am Anfang des Satzes, ebenfalls skandinavischen Ursprungs, – es paßt nicht hinein. Und schließlich wirken auch die medicinisch genauen Krankheitsbeschreibungen, die in einem realistischen Roman am Platze sind, in diesem Buche styllos. Wolltest Du consequent sein, so hättest Du Krankheiten schildern müssen, die zwar unmöglich sind, die niemand kennt, die aber durch wilde Scheußlichkeit erregen und »es mit der Sensation machen«.

Ehrgeiz, Naivetät, Skrupellosigkeit – das sind ja wohl Eigenschaften des »Künstlers«, des »reinen Künstlers«, dessen Rolle Du übernommen hast, und ich würde Dir diese Eigenschaften nicht zum Vorwurf machen, wenn ich nicht wüßte, daß sie Deinem ursprünglichen Sein und Wesen so vollständig fremd sind. Mein Gedächtnis bewahrt ein Wort von Dir, das Du einmal sprachst, als von Fielitz und seinem Verhältnis zu seiner Frau die Rede war. »Wenn *das* Künstlerthum ist«, sagtest Du, »so bin ich jedenfalls kein Künstler.« Nein, Du warst keiner; sondern etwas Besseres, Höheres, Reineres. Nun ist es anders. »Ich war nervenkrank«, hast Du Dir gesagt; »ich will gesund, künstlerisch, wirksam sein. Auch der Geist ist eine Nervenkrankheit, ich will ganz sinnlich, ganz körperlich, ganz Scene sein.« Und Du schriebst in sechs Monaten die Jagd nach Liebe, ohne zu bedenken (oder bedachtest Du's?), daß unter Deinen Händen nur ein neues Genre von Unterhaltungs- oder Zeitvertreib-Lektüre entstand, nämlich eine Unterhaltungslektüre mit allen Errungenschaften der Neuzeit.

Auch mit dem Historischen willst Du wohl fertig sein. Auch die Überwindung des Historischen gehört wohl zu Deinem Künstlerthum. Ich habe von Dir gehört, daß Du des Historischen müde seist, daß nun doch das ganz Moderne, Gegenwärtige und – o mein Gott! – Lebendige Dich interessire; während meiner Überzeugung nach die historische Novelle Dein eigentliches Gebiet ist. Die »Göttinnen«, die neben gellenden Geschmacklosigkeiten ganz wundervolle Schönheiten enthielten, habe ich nicht nur gegen Schaukal vertheidigt. Ich habe auf den großartigen äußeren Reichthum und die sinnliche Schönheit dieses Werks, vor Allem aber auf seine historische Tiefe hingewiesen, die wie ein kunstvoller Gobelin den grotesken Ereignissen als Folie dient. Da aber in der »Jagd nach Liebe« von der Schönheit nicht viel, vom Historischen garnichts übrig ist, – was bleibt?

Es bleibt die Erotik, will sagen: das Sexuelle. Denn Sexualismus ist nicht Erotik. Erotik ist Poesie, ist das, was aus der Tiefe redet, ist das Ungenannte, was Allem seinen Schauer, seinen süßen Reiz und sein Geheimnis gibt. Sexualismus ist das Nackte, das Unvergeistigte, das einfach bei Namen Genannte. Es wird ein wenig oft bei Namen genannt in der »Jagd nach Liebe«. Wedekind, wohl der frechste Sexualist der modernen deutschen Litteratur, wirkt sympathisch im Vergleich mit diesem Buch. Warum? Weil er dämonischer ist. Man spürt das Unheimliche, das Tiefe, das ewig Zweifelhafte des Geschlechtlichen, man spürt ein Leiden am Geschlechtlichen, mit einem Worte, man spürt Leidenschaft. Aber die vollständige sittliche Nonchalance, mit der Deine Leute, haben sich nur ihre Hände berührt, mit einander umfallen und l'amore machen, kann keinen besseren Menschen ansprechen. Diese schlaffe Brunst in Permanenz, dieser fortwährende Fleischgeruch ermüden, widern an. Es ist zu viel, zu viel »Schenkel«, »Brüste«, »Lende«, »Wade«, »Fleisch«, und man begreift nicht, wie Du jeden Vormittag wieder davon anfangen mochtest, nachdem doch gestern bereits ein normaler, ein tribadischer und ein Päderasten-Aktus stattgefunden hatte. Selbst in der rührenden Scene zwischen Ute und Claude an des Letzteren Sterbebett, dieser Scene, bei der ich weich wurde, bei der ich gern vergessen hätte, – selbst da muß unvermeidlich Ute's »Schenkel« in Action treten, und ein Schluß war nicht möglich, ohne daß Ute nackt in der Stube umherging! Ich spiele nicht Frà Girolamo, indem ich dies schreibe. Ein Moralist ist das Gegentheil von einem Moralprediger: ich bin ganz Nietzscheaner in diesem Punkte. Aber nur Affen und andere Südländer können die Moral überhaupt ignoriren, und wo sie noch nicht einmal Problem, noch nicht Leidenschaft geworden ist, liegt das Land langweiliger Gemeinheit. Ich habe mehr und mehr die Identität von Moral und *Geist* begriffen und verehre ein Wort Börne's, das mir eine unsterbliche Wahrheit zu enthalten scheint: »Die Menschen«, sagt er, »wären geistreicher, wenn sie sittlicher wären« ...

Ich bin zu Ende. Manches ist härter herausgekommen, als es beabsichtigt war, und ich würde den Brief wohl mildernd copiren, wenn mich nicht fortwährend eine Art Schreibkrampf belästigte. Magst Du die Epistel also lesen wie sie ist. Du wirst mich, denke ich, nicht mißverstehen. Ich bin, weiß Gott, von Geburt kein Pamphletist und muß *gelitten* haben, um ein paar Seiten zu schreiben wie auch nur diese hier. Auch sollst Du mir nicht naives Vertrauen in die Richtigkeit des eigenen Urtheils vorwerfen, wie dem guten Schaukal. Ich bin durchaus nicht ohne Zweifel. Vielleicht, wenn Du diesen Brief aufbewahrst und er kommt dereinst ans Tageslicht, vielleicht werden sich spätere Leute einmal über den Löffel von einem jüngeren Bruder amüsiren, der Deine Größe so garnicht zu schätzen wußte – vielleicht. Ich habe mir unterdessen nach meinen geringen Kräften eine historische Parallele zurechtgemacht, mit deren Hülfe ich der »Jagd nach Liebe« einen gewissen Rang zuweisen kann. Durch mein Naschen am Studium der italienischen Renaissance bin ich indirekt mit den Epikern des Quattro- und Cinquecento, mit Bojardo, Luigi Pulci, dem Autor des »Morgante«, und ihresgleichen bekannt geworden; ich denke mir, daß es Dir nicht einmal unangenehm ist, wenn man Dich zu ihnen stellt. Es waren skurrile Köpfe, sehr groß im Erfinden an Zoten, Fratzen und Possen. Sie haben nie »die Schmerzen gelindert je des Beladenen«, haben nie »die Thränen gestillet je der Geängsteten«. Sie waren keine Dichter, keine Seher und Verkünder. Sie waren Künstler, und was sie schrieben, war eine künstlerische Unterhaltungslektüre, eine tolle und bunte Flucht abenteuerlicher, unmöglicher und obscöner Diversionen. Sie will ich nennen, wenn ich Dein Werk vertheidige gegen Leute, die kommen und glauben werden, es einfach geringschätzen zu dürfen.

Ein angenehmes Weihnachtsfest und ein fruchtbares neues Jahr!   Dein T.

d. 5. XII. 1903.

Auf die Rückseite des letzten Briefblattes hat Heinrich Mann mit Tintenstift kaum leserliche Notizen zu einer Antwort gekritzelt. Die einzelnen Abschnitte hat er nach ihrer Verwertung vertikal durchgestrichen. Wir geben diesen Entwurf zeilengetreu wieder. Die Zeichen bedeuten:

[...]   vom Autor getilgt
˙.˙.˙   vom Autor nachträglich eingefügt
⟨...⟩   vom Herausgeber ergänzt

Obere Blatthälfte

zu 1) *Etwas* tiefere Gründe hat das Skurrile doch. Schlusssscene mit von Eisenmann. Claude *sieht* es so. *Verachtung* des Lebens.

II Das *Sexuelle* eine grauenhaft einfache Sache. Matthacker. Nur romantisch, verstehe das Dämonische nicht. Nana. Grösse. bei mir *fehlt* die Grösse: der Held ist zu schwach, die Weiber sind auch keine Nanas, sie bedeuten auch nichts, sie verkörpern nicht die Corruption eines Kaiserreichs.

Geheimnisserei mit körperl. Vorgängen. »Bescheissen«

Moral – Geist, wozu so viel Geist: bis man nur noch Essais schreibt?
I Über das Innerliche liest man scheint es weg. Und doch stellt sich mir, wenn ich an das Buch denke, *nur das Innerliche* vor Augen: als seien darin nur Claude und Ute. Nichts anderes hat mich daran interessiert, alles Übrige ist die Flucht der Erscheinungen, [halb unwirklich,] possenhaft, roh, schmutzig, halb unwirklich, ganz unzulänglich: [wie dem einsamen Menschen] [so] wie Cl. ⟨aude⟩ sie sieht, wie ich sie sehe. Wüst und unwirklich sind die ·er verzettelt an sie sein Gefühl·
anderen, nicht er, *auch nicht seine Krankheit*. Wie oft ist seine Einsamkeit betont und

Wir tragen ganz dieselben Ideale in uns. Du sehnst Dich nach der Gesundheit des Nordens, ich mich nach der des Südens. Ich habe Dir schon bei T. Kröger zu bedenken gegeben, dass es nicht nur eine blauäugige Gewöhnlichkeit giebt. Die Wiederholung des Wortes Gewöhnlichkeit in der J.⟨agd⟩ n.⟨ach⟩ L.⟨iebe⟩ war möglichenfalls eine Art Antwort? [Aber das weiss ich nicht mehr. Thatsache ist nur, dass ich ein Croniqueur bin.]

Untere Blatthälfte

Es sind zwischen uns Gradunterschiede. Ich habe von dem zigeunerhaften Künstler-
                                          Und ich bin so viel kränker.
thum soviel mehr, dass ich nicht widerstehen kann. Ich bin mehr Romane, fremder und
                                               haltloser.

Mir gebricht es so vielmehr an Ruhe, an Zeit zum Abwägen.
Ich habe die Angst: höre ich auf, ist es aus mit mir. *Dann das Geld. Ich denke, wenn ich von Wirkung spreche, *ausschliesslich* an das Geld. Ich [habe ein] behaupte mein volles Recht, mich über die [bloss] Eitlen lustig zu machen, denen am Beifall um seiner selbst etwas liegt. Mir ist das unbestimmte Geräusch des Volkes dahinten, ([Miss] Mrs Browning) gleichgültig. Ich weiss zu gut, dass der Ruhm nur ein weithin verbreiteter Irrthum über meine Person wäre; dass man klatschen würde, ohne zu wissen wem. Alles was Cl.⟨aude⟩ u. M.⟨atthacker⟩ darüber von sich geben, ist mir Ernst! Ich weiss, ich bin allein, u wäre es auch noch auf einer

---

2 die Gleichgültigkeit von allem, ausser von Ute! Es wäre stillos gewesen, das übrige mit Theilnahme, Sachlichkeit u Ernst zu behandeln. Ich halte also den Stil des Buches trotz allem für richtig. Das schliesst aber nicht aus, dass das Buch ·selbst· [überhaupt] unberechtigt sein kann. Ein Charakter wie Claude *darf* vielleicht gar nicht Medium eines Weltbilds sein. Das Bild wird zu krank, wüst, unerträglich. Das hiesse mit anderen Worten, ich hörte überhaupt auf, zu schreiben.

                  *Hygien⟨ische⟩ Disciplin schon *vor* Erscheinen Buddenbrooks.

München d. 23. XII. 1903
Konradstr. II pt.

Lieber Heinrich:

Herzlichen Dank für Deinen Brief! Es ließe sich wiederum
eine Menge darauf erwidern, aber hol' es der Teufel! Uns
beiden ist am wohlsten, wenn wir Freunde sind, – mir gewiß. Es sind meine übelsten Stunden, wenn ich Dir feindlich
gesinnt bin. Gewisse Spitzen in meiner kleinen Buchbesprechung in der »Freistatt« waren sachlich bewußt gegen Dich
gerichtet; dies muß ich der Wahrheit zu Ehren feststellen.
Aber ich möchte nun auch wissen, wer Dir das mit dem
Fanatismus und dem Weihrauch geschrieben hat. Wenn ich
ihn (oder sie) auch nur von Weitem kenne, so verpflichte ich
Dich, mir zu sagen, wer es ist. Ich muß wissen, wer wider
mich ist.

Nächstens schicke ich Dir zwei kleine Studien, die ich ohne
Scham auf Bestellung des Geldes wegen angefertigt
habe.

Herzlich   T.

München, den 8. I. 1904
Konradstraße II pt.

Lieber Heinrich:

Meine kurz abschließenden Zeilen von neulich waren aufrichtig gut gemeint, denn sie stellten den Entschluß dar, *Dir,*
den ich an menschlicher Vornehmheit, an seelischer Reinheit und
Klarheit mir so weit überlegen weiß, über alle Irrungen und Wir-
rungen hinweg energisch die Hand zu reichen. Aber Du mußtest
die ein bißchen komisch biedermännische Geste, mit der ich
es that, wohl mißverstehen, *mußtest sie oberflächlich und frivol*
finden, weil Du nicht wissen konntest, daß sie nur das Losreißen
von einem langen Nachdenken, Grübeln, Bohren und Brüten
war, diesem ungesunden und entkräftenden Zustand, in den
ich nur zu leicht verfalle und den ich so hasse, weil er unfruchtbar ist. Du weißt doch, daß mit mir nicht zu disputi-

41

ren ist; es geht schriftlich so wenig wie mündlich. Ich bin nicht imstande, eine Gedankenreihe zu isoliren, ein Gespräch künstlerisch durchzuführen. Ich gerate innerlich vom Hundertsten ins Tausend[st]e, mein ganzes psychologisches Wissen wird aufgewirbelt, steigt mir zu Kopfe, die Complicirtheit der Welt überwältigt mich, die Erkenntnis, daß alle Gedanken nur Kunstwerth aber keinen Wahrheitswerth haben, würgt mich physisch an der Kehle, ich gerate ins Zittern, ich habe Magenklopfen (eine Eigenheit von mir, anstelle des üblichen Herzklopfens), das Gehirn dreht sich mir herum, und wenn ich nicht auf der Stelle verrückt werden will, muß ich mich zusammennehmen und »Hol's der Teufel!« sagen. Das mag egoistisch sein, aber wenn Du wüßtest, was ich um Deinet- und unseres Verhältnisses willen schon für Gedankenqual ausgestanden, wenn Du wüßtest, welche Zucht und Kasteiung für mich, dessen »Geistigkeit« ja wahrscheinlich nur ein Correctiv seines ursprünglich vorwiegenden trüben und trägen Musikantenthums ist, ein Brief wie mein vier Bogen langer über Dein Buch bedeutet, so würdest Du weniger streng mit mir reden. Das erste Gefühl, das Dein letzter Brief mir erweckte, war eine naive Entrüstung, ähnlich wie damals, als Du mir egoistische Gleichgültigkeit Mama *und Vicco gegenüber vorwarfst, während ich mich um Mama bereits gegrämt und krank gegrübelt hatte zu einer Zeit, wo Du in Italien Bilder besahst, und zu einer Zeit, wo ichselbst* mir in einem noch weit entsetzlicheren Maße zu schaffen machte, als ich es heute thue. Neulich bekam ich plötzlich eine Karte von Onkel Friedel, eine Ansichtskarte von einem Nordsee-Dampfer, auf der mit etwas entstellter Schrift zu lesen stand: »Dein Buch ›Die Buddenbrooks‹ haben mir viele Leiden bereitet. Ein trauriger Vogel, der sein eigenes Nest beschmutzt! Dein Onkel Friedrich Mann.« Zuerst empfand ich eine Art von komischem Stich. Dann dachte ich: »Du Thor! Er begreift also nicht, daß ich mich besser, länger, leidenschaftlicher mit ihm beschäftigt habe, als sonst irgend jemand.« Ein ähnliches Mißverständnis steht zwischen uns, und ich sage nicht, daß das Deine Schuld ist. Meine besten Briefe an Dich sind nicht geschrieben worden, – aus Egoismus, freilich! Denn meine organisirenden Kräfte stehen leider in gar keinem Verhältnis zu meiner Erlebnis- und Erkenntnisfähigkeit, und bei meiner schmerzlichen Langsamkeit würden, wenn ich alle diese guten Briefe schreiben wollte, meine eigenen Sieben Sachen, die so wie so hinter meinem Erlebnis zum Verzweifeln im Rückstande sind, überhaupt nicht mehr vorwärts kommen, – während doch vielleicht etwas daran gelegen ist, daß sie vorwärts kommen.

Du bist zu streng und zu schwermüthig. Was bedeutet zuletzt das Urtheil eines Künstlers über den anderen! Gestern schickte mir Schaukal einen Brief, den ein junger Dichter in Brünn, Hans Müller, ihm geschrieben hat, Verfasser eines Gedichtbuches, das sehr gut sein soll und, glaube ich, »Die lockende Geige« heißt. In dem Briefe (er ist zehn Seiten lang, am Weihnachtsabend *wunderhübsch hingeplauscht) steht folgende Passage: »Es ist eine Schändung Th. Mann und Knoop in einer Zeile zu nennen. Th. M. ist der christliche Journalist, nicht so weit, als Sie meinen,* von Wasserclosets ›Renate‹ entfernt, nur ist der Jude Wassermann raffinirt ›gescheit‹ und darum degoûtant. Mann dagegen in seiner ›Kühle‹ fast ein wenig komisch. Die Buddenbrooks sind sicherlich ein langweiliges, aber darum doch miserables Buch (denken Sie jetzt eine Secunde an Goethe!) und von den Novellen Tristan schreibe ich alle – mit Ausnahme des Tonio Kröger –« (also doch! die christliche Red.) »in 48 Stunden. Dieses Gefühl aber darf ich nicht haben, sonst ist es mit dem ›Beugen‹ vorbei. Mein Novellenbuch ›Die Rosen des heiligen Antonius‹ wird's übrigens – hoff' ich – beweisen. « – Ein Prachtjunge! Und ich wollte, Du fändest meine Sachen ebenfalls langweilig, miserabel und journalistenhaft: wir könnten dabei die besten Freunde sein, – in den guten Stunden wenigstens, wo man sich vom Geiste ausruht und mit einem Hol's der Teufel zum Lübeckisch-Familiär-Menschlichen zurückkehrt. Nur in dieser gesunden Fähigkeit, auszuspannen und, wie Wagner, sächsische Witze zu machen, liegt die Möglichkeit, das außerordentliche Dasein des Künstlers auszuhalten.

»Alle harmlosen Beziehungen aufgehoben«! Melancholie und nichts weiter! Und gar das »Nichtgeltenlassenwollen« Deiner Persönlichkeit! Ich glaube nicht, daß Du Dich hervorragend glücklich und harmonisch entwickelt hast (aber wer thut das heute? Ich vielleicht?), glaube, daß Du weniger, als Du Dir einredest, berufen bist, *auf Erden die trübe und zweifelhafte Mischung aus Lucifer und Clown darzustellen, die man »Künstler« nennt, daß Du weniger oft peinlich, ja peinigend wirken würdest, wenn Dir diese Rolle zu Gesichte stünde, daß Du eigentlich zu gut, zu* vornehm, rein, schamhaft, heikel und anständig dazu bist, daß Du Dich wahrscheinlich im Inselverlag unter exklusiven ästhetischen Liebhabern und hochmüthig historischen Gourmands besser, würdiger, wohlthuender ausnehmen würdest, (zu Deinen wohlklingendsten künstlerischen Äußerungen gehört der »Gang vors Thor« in der »Insel«) daß schließlich Deine eigene Auffassung und Darstellung Deines Seins und Wesens, wie Du sie mir in Deinem großen Briefe gabst, nicht ebenso objektiv wahr zu sein braucht als sie plausibel und logisch unanfechtbar ist (Du selbst nanntest sie, recht skeptisch, »die mir geläufige Rechtfertigung meines Selbst«): – aber abgesehen davon, daß das alles ganz falsch sein kann, – bedeutet es denn ein »Nicht gelten lassen wollen« Deiner »Persönlichkeit«?! Deiner Persönlichkeit! Oft kommt jetzt das Gespräch auf Dich bei Löhrs, wo ich zweimal die Woche zu Mittag esse. Wir sitzen dann und machen alle drei sehr ernste, fast leidende Gesichter. Jeder sagt ein halbwegs gescheites Sprüchlein über Dich, *Für und Wider, und dann tritt stummes Grübeln ein. Endlich sage ich: »Der Fall Heinrich ist nämlich ein Fall, über den ich stundenlang nachdenken kann.« »Ich auch«, sagt Lula. »Ich auch«, sagt Löhr. Und wiederum nach einer Pause sage ich mit orakelhafter Betonung: »Daß er uns allen so viel zu schaffen macht, beweist, daß er mehr ist, als wir Alle.«* Dies ist wortgetreu wiedergegeben und zeigt meine »Überheblichkeit« im frechsten Lichte. Du weißt nicht, wie hoch ich Dich halte, weißt nicht, daß, wenn ich auf Dich schimpfe, ich es doch immer nur unter der stillschweigenden Voraussetzung thue, daß neben Dir so leicht nichts Anderes in Betracht kommt! Es ist ein altes Lübecker Senatorssohnsvorurtheil von mir, ein hochmüthiger Hanseateninstinkt, *mit dem ich mich, glaub' ich, schon manchmal komisch gemacht habe, daß im Vergleich mit uns eigentlich alles Übrige minderwerthig ist.*

Überheblich? Nein, mag ich's der gesamten Collegenschaft gegenüber sein: Dir gegenüber bin ich's gewiß nicht. Aber freilich bist Du wieder zu streng, wenn Du »Würde und Bescheidenheit« von mir verlangst. Ich habe weder das Eine noch das Andere, – bin zu pathologisch und zu kindisch, zu sehr »Künstler«, um es zu haben. Du bist anders. Du würdest niemals, wie Wagner, die Partitur eines Nebenbuhlers vom Flügel *schmeißen, sondern bist der heilige Litterat, der zwischen Leistungen und Handlungen unterscheidet und niemals einer Handlung wie der von mir in der* »Freistatt« *begangenen fähig* wäre. Du bezeichnest Sie [sic], in äußerst eleganter Umschreibung, als eine Gemeinheit – nun! Ich könnte mich vertheidigen, könnte von einer geistigen Leidenschaft reden, die, wenn irgend echt, von »Weihrauch« nicht betäubt werden kann; aber ich will meine That nicht im Stiche lassen, sondern sie auf mich nehmen, – ich habe Schlimmeres zu vergessen. Nur fragen will ich, ob Du beim Abschätzen des Grades meiner Schlechtigkeit die Offenheit, mit der ich Dir ganz ohne Noth und gegen Deinen Glauben die »Handlung« eingestand, nicht hättest *ein bißchen in Betracht ziehen können und ob ich für diese Offenheit nicht verdient hätte, den Namen des Ehrenmannes zu erfahren, der mich Dir angab und dem* ich vielleicht ahnungslos zuweilen die Hand drücken muß.

Wollen wir nun schließen? Ich denke, wir thäten gut, unserem Verhältnisse Zeit zu lassen, sich auszureifen; es ist ja so, wie es ist, gewiß nichts Definitives. Wir stehen knapp diesseits und jenseits der Dreißig, in einem Alter also, wo man leicht für Ethos hält, was bloß Pathos ist, und immer geneigt ist, an die Ewigkeit seines Zustandes zu glauben. Trotzdem fühle ich in meinen besseren Stunden die Fähigkeit zu den überraschendsten Schwenkungen und *Reaktionen in mir. Du lobtest, als ich euch den ersten Akt meiner Fiorenza-Dialoge vorlas, die Gestalt des Pico: nun, wer diesen Pico hinlegt, kann doch wohl kein ganz dumpfer und verstockter Nazarener sein, sondern muß eine* gewiße Souveränität besitzen. Sie ist vorhanden, glaube mir! Sie ist vorhanden in Gestalt meiner Ironie, die ich gegen mich selbst fleißiger verwende, als gegen die ganze übrige Welt, *und die zuweilen in eine zugleich eitle und überlegene Freude an meiner eigenen zweifelhaften Persönlichkeit* übergeht. Ich lese jetzt, eigentlich zum ersten Mal, Heine's Buch über Börne und stieß neulich auf folgende Zeilen: »Psychologisch merkwürdig ist die Untersuchung, wie in Börnes Seele allmählich das eingeborene Christenthum emporstieg, nachdem es lange niedergehalten worden von seinem scharfen Verstand und seiner Lustigkeit. Ich sage Lustigkeit, gaité, nicht Freude, joie; die Nazarener haben zuweilen eine gewisse springende gute Laune, eine witzige, eichkätzchenhafte Munterkeit, gar lieblich kapriciös, gar süß, auch glänzend, worauf aber bald eine starre Gemüthsvertrübung folgt: es fehlt ihnen die Majestät der Genußseligkeit, die nur bei bewußten Göttern gefunden wird.« Du glaubst nicht, welchen Genuß mir dergleichen bereitet, obgleich es mich doch eigentlich ärgern sollte. Ich strich es dick an, schrieb Ecce ego! an den Rand und war ganz selig.

Lies mit diesem Citat als Motto mein »Wunderkind«, das mir ein gutes Beispiel für die nazarenische gaité zu sein scheint. Ich schicke Dir die beiden anspruchslosen Gelegenheitsarbeiten gleichzeitig mit diesem Brief. Die N. Fr. Pr. hat mir lange die Belege vorenthalten, und mein Exemplar der Neuen Rundschau, die pro Heft M 2,50 kostet, ist in den Händen der Mutter. Ich schicke Dir »Ein Glück« darum

jetzt in der Correctur. Nun muß ich noch für den »Tag«
einen Aufsatz über Gabr. Reuters neuen Roman schreiben;
aber dann soll es wirklich ein Ende mit der Verzettelung
haben, und ich will wieder zu ernsthaften Dingen übergehen. Was hast Du vor?
Herzlichen Gruß!   Dein   T.

München d. 27. II. 1904
Konradstraße II pt.

Lieber Heinrich:
Herzlichen Dank für die Novelle! Ich habe sie zwei mal mit
freudiger Theilnahme gelesen, werde sie morgen zu Löhrs
bringen und demnächst, wenn ich nach Polling fahre, selbst
der Mutter überreichen. Es ist eine glänzende kleine Sache,
fest, edel, meisterhaft und von jener romanischen Gedrun-
genheit des Styls, die so ganz Dein eigen ist. Ich habe mir
wieder gedacht, daß Du heute eigentlich der Einzige bist,
der noch Geschichten, Abenteuer, richtige »Novellen« erzählen kann, dem noch »was einfällt«. Und den Vorzug, den
Du selbst mit großem Recht der »Jagd nach Liebe« zu-
sprichst: daß nämlich Jeder, der einmal etwas von Dir
gelesen, Dich nach den ersten zwei Seiten wiedererkennen
müsse, besitzt auch »Fulvia« ganz ausgeprägt; es ist ein äch-
ter und vollkommener H. M. Was ich hauptsächlich bewundere, ist, daß Du den naiven Ton der Erzählung (auch des
Dialogs) mit so viel sprachlicher Vornehmheit zu vereinen
gewußt hast. Und das Beste vom Ganzen ist für mich, der
ich momentan fürs Charakteristische schwärme, die treu-
herzige Erzählung von der Beschießung Vicenza's. Eine sehr
gute Einzelheit ist auch, daß Raminga sich immer von ihrem
Hündchen das Gesicht lecken läßt; und ganz wundervoll die
Stelle: »... bis wir auch unsere Augen sahen. Wie vieles
Stürmische mußte in ihnen geschehen sein in dieser Nacht,
ohne daß wir's gesehen hatten. Jetzt waren sie still wie Gei-

ster.« – Eine Antipathie habe ich gegen die Inversion nach »wie«, die Du gern gebrauchst. Ich kann es nicht recht erklären, warum mir die Wendung »Wie bist Du lächerlich!« zugleich preziös und platt, also häßlich erscheint. »Wie Du lächerlich bist!« ginge hier allerdings auch nicht. Es ist auch nur eine ganz persönliche Geschmacksempfindung von mir. Viel merkwürdiger, seltsam interessant, für mich immer noch ein bischen unwahrscheinlich ist die Entwicklung Deiner Weltanschauung zum Liberalismus hin, die sich auch in dieser Arbeit ausspricht. Seltsam, wie gesagt, und interessant! Du mußt Dich wohl ganz ungeahnt jung und stark damit fühlen? Wirklich, ich würde Deinen Liberalismus als eine Art bewußt eroberte Jugendlichkeit auffassen, wenn er nicht, wahrscheinlicher, ganz einfach »Reife des Mannes« bedeutete. Reife des Mannes! Ob ich's auch soweit bringen werde? Fürs Erste verstehe ich wenig von »Freiheit«. Sie ist für mich ein rein moralisch-geistiger Begriff, gleichbedeutend mit »Ehrlichkeit«. (Einige Kritiker nennen es bei mir »Herzenskälte«.) Aber für politische Freiheit habe ich gar kein Interesse. Die gewaltige russische Litteratur ist doch unter einem ungeheuren Druck entstanden? Wäre vielleicht ohne diesen Druck garnicht entstanden? Was mindestens bewiese, daß der Kampf für die »Freiheit« besser ist, als die Freiheit selbst. Was ist überhaupt »Freiheit«? Schon weil für den Begriff so viel Blut geflossen ist, hat er für mich etwas unheimlich *Un*freies, etwas direkt Mittelalterliches ... Aber ich kann da wohl garnicht mitreden.

Ich habe in letzter Zeit nicht viel gethan und ein sehr böses Gewissen dabei, denn ich hätte so viel zu thun! Im »Tag« ist ein längerer Essay von mir erschienen, angeblich über Gabriele Reuter, aber sehr allgemein und persönlich gehalten. (Ich habe augenblicklich kein Exemplar davon.) Das ist eigentlich Alles, denn mit »Fiorenza« stecke ich noch immer im 2ten Akt. (Die Dialoge sollen in der Neuen Rundschau erscheinen) Es ist eine neue und erregte Zeit für mich, zu stiller Arbeit wenig geeignet. Buddenbrooks haben das 18te

Tausend, und auch die Novellen stehen nun vor dem 3ten. Ich muß mich erst in die neue Rolle als berühmter Mann einleben; es erhitzt doch sehr. Die Zeitungen beunruhigen mich mit ihrer Gier nach Beiträgen. Die Neue Fr[eie] Presse schickte mir nach vergeblichen Telegrammen ihren Agenten auf den Leib und bot 300 M für noch so was wie das »Wunderkind«. Meine Post ist sonderbar buntscheckig geworden. An einem Tage habe ich neulich nach Amsterdam, Malaga und New York geschrieben. Kürzlich eröffnete ich den »Neuen Verein« mit einer Vorlesung (Kunstgespräch aus Tonio Kröger und »Wunderkind«) und wurde sehr gefeiert. Einladungen nach Breslau und Lübeck habe ich vorläufig abgelehnt. Ich bin gesellschaftlich eingeführt, bei Bernsteins, bei Pringsheims. Pringsheims sind ein Erlebnis, das mich ausfüllt. Tiergarten mit echter Kultur. Der Vater Universitätsprofessor mit goldener Cigarettendose, die Mutter eine Lenbach-Schönheit, der jüngste Sohn Musiker, seine Zwillingsschwester Katja (sie heißt Katja) ein Wunder, etwas unbeschreiblich Seltenes und Kostbares, ein Geschöpf, das durch sein bloßes Dasein die kulturelle Thätigkeit von 15 Schriftstellern oder 30 Malern aufwiegt ... Dies spricht der Rausch; aber es ist diesmal einer, der, wenn ich in ihm handle, unermeßliche Folgen der verschiedensten Art haben kann. Eines Tages fand ich mich in dem italienischen Renaissance-Salon mit den Gobelins, den Lenbachs, der Thürumrahmung aus giallo antico und nahm eine Einladung zum großen Hausball entgegen. Er war am nächsten Abend. 150 Leute, Litteratur und Kunst. Im Tanzsaal ein unsäglich schöner Fries von Hans Thoma. Ich hatte Frau Justizrath Bernstein (Ernst Rosmer) zu Tisch. Zum ersten Mal seit den 18 Auflagen war ich in großer Gesellschaft und hatte in der anstrengendsten Weise zu repräsentiren. Leute gingen um mich herum, beguckten mich, ließen sich mir vorstellen, horchten auf das, was ich sagte. Ich glaube, ich habe mich nicht übel gehalten. Ich habe im Grunde ein gewisses fürstliches Talent zum Repräsentiren, wenn ich einigermaßen frisch bin ... An diesem Abend lernte ich die Tochter des Hauses kennen, nachdem ich sie früher nur gesehen, oft, lange und unersättlich gesehen und sie nur einmal bei der Antrittsvisite flüchtig begrüßt hatte. Nach acht Tagen war ich wieder dort, zum Thee, »um« der Mutter ein Buch wieder zu bringen, das sie mir geliehen. Ich traf sie allein. Sie ... sie rief Katja herunter, und wir plauderten zu dritt eine Stunde. Ich durfte noch einmal in Ruhe den Thoma'schen Fries betrachten. Eine Einladung zum Mittagessen wurde mir in Aussicht gestellt. Hatte ich mich getäuscht, wenn ich ein Entgegenkommen gespürt hatte? Nein! Zwei Tage darauf saß der jüngste Sohn bei mir, Klaus, der Musiker, in Erwiderung meines Besuches. Er überbrachte mir eine Karte seines Vaters, der leider zu beschäftigt sei, um mich selbst aufzusuchen. Ich hatte ihn schon auf dem Balle flüchtig kennen gelernt: ein höchst erfreulicher junger Mensch, soignirt, unterrichtet, liebenswürdig, mit norddeutschen Formen. Kein Gedanke an Judenthum kommt auf, diesen Leuten gegenüber; man spürt nichts als Kultur. Wir schwatzten allerlei über Kunst, über seine Musik, seine Schwester ... Das ist 6 Tage her. Seitdem ist nichts geschehen. Es ist ja überhaupt nichts geschehen. Alles lebt nur in meiner Phantasie, aber es ist zu kühn, zu neu, zu bunt, zu herrlich abenteuerlich, als daß ich es schon jetzt daraus vertreiben möchte. Die *Möglichkeit* ist mir aufgegangen und macht mich fiebern. Ich kann nichts Anderes denken. Klumpe-Dumpe fiel die Treppe hinunter und erhielt dennoch eine Prinzessin zur Frau. Und ich bin, Brust heraus, ich bin mehr, denn Klumpe-Dumpe! Die Sache ist so furchtbar complicirt, daß ich Vieles darum geben würde, wenn ich sie mündlich in irgend einem stillen Winkel mit Dir durchsprechen könnte. Das sage ich gleich: Es ist müßig, zu fragen, ob es mein »Glück« sein würde. Trachte ich nach dem Glück? Ich trachte nach dem Leben; und *damit* wahrscheinlich »nach meinem Werke«. Ferner: Ich fürchte mich nicht vor dem Reichthum. Ich habe niemals aus Hunger gearbeitet, habe mir schon in den letzten Jahren nichts abgehen lassen und habe schon jetzt mehr Geld, als ich im Augenblick zu verwenden weiß. Auch ist alles Vergängliche mir nur ein Gleichnis. Ob ich meine Füße des Abends an einem Petroleumofen oder an einem Marmor-Kamin wärme, kommt für den Grad meines Behagens nicht in Betracht ... Aber das Alles greift viel zu weit vor. Es gilt, die Ereignisse abzuwarten, und es hat wohl nicht einmal Sinn, um Rath zu bitten, denn ich lasse mich doch von ihnen tragen. Frau Prof. Pr. besucht jetzt auf 14 Tage ihre Familie in Berlin. Nach ihrer Rückkehr wird wohl die Diner-Einladung kommen. Katja hoffe ich vorher bei Bernsteins zu treffen, wo ich nächstens vorlesen soll. Was wird geschehen? Ganz praktisch gedacht, habe ich, wie gesagt, den Eindruck, daß ich der Familie willkommen wäre. Ich bin Christ, aus guter Familie, habe Verdienste, die gerade diese Leute zu würdigen wissen ... Was wird geschehen? Wahrscheinlich nichts. Aber ist nicht die Möglichkeit schon ein verwirrendes Erlebnis?

Noch etwas, was Dich angeht. Verzeih, daß ich es bis jetzt vergaß! Auf dem Balle bei P.s lernte ich Albert Langen kennen. Er ließ sich mir vorstellen, der ich früher in seinem Bureau gearbeitet habe, und benahm sich fast unterwürfig. Wir sprachen von Dir. »Wenn ich mir« sagte ich »erlauben darf, Ihnen einen Rath zu geben, so ist es der: Halten Sie fest an meinem Bruder und lassen Sie ihn niemals fallen! *Einmal hat* er einen großen Erfolg.« – »Ich denke nicht daran!« sagte er. »Ich weiß, warum Sie das sagen. Ich habe in dieser Hinsicht große Fehler begangen, ich weiß es. Ich denke nicht daran, Ihren Bruder fallen zu lassen!« Es klang sehr eifrig und überzeugend, und ich berichte es Dir, weil Du einmal Befürchtungen äußertest. Du kannst ganz ruhig sein.

Herzlichen Gruß!   T.

München, d. 27. III. 1904

Lieber Heinrich:

Mein Glückwunsch wird Dich einen Tag zu spät erreichen, aber ich schreibe ihn doch an Deinem Geburtstage nieder, was ich eigentlich viel richtiger finde. Also gute Gesundheit und glückliches Gelingen dessen, was Du beginnst! Du willst Anfang Mai hierher kommen? Ich dachte, Mitte April nach Riva zu gehen, sodaß wir noch 14 Tage dort zusammensein und eine Welt von Dingen besprechen könnten. Aber ich weiß garnichts Bestimmtes, und eigentlich·wird es mir immer unwahrscheinlicher. Wenn sich meine große Lebensangelegenheit bis Mitte April *nicht* entscheidet (sie kann sich jeden Tag entscheiden) so muß ich doch hier bleiben, um sie weiter zu betreiben, und hat sie sich entschieden, so werde ich mich wohl erst recht nicht trennen können. Augenblicklich ist Katja krank in der Chirurgischen Klinik, wohin ich ihr heute Morgen ein paar schöne Blumen geschickt habe, mit Erlaubnis der schönen Lenbach-Mama, die immer ermuthigend lächelt, wenn ich ihr gegenüber bereits einfach von »Katja« rede. Die Sache steht, nach allerlei Schwankungen, bei denen ich nicht ganz wenig ausgestanden habe, zur Zeit so gut, daß sie vielleicht nicht besser stehen könnte. Ich, der ich sonst von einer wahrhaft indischen Passivität bin, habe in Wort und That eine unglaubliche Initiative an den Tag gelegt und bin in guten Stunden voller Zuversicht. Manchmal fürchte ich freilich auch, daß meine Phantasie der Wirklichkeit weit voraus ist. Natürlich bin ich vollkommen dérangirt, und zur Arbeit fehlt jede Ruhe und jene egoistische Eingezogenheit, die dazu nöthig ist. Ach, das Leben! das Leben!

Herzlichen Gruß!

T.

München d. 23. XII. 1904
Ainmillerstraße 31 III

Lieber Heinrich:

Jetzt zu Weihnachten muß denn doch irgend etwas geschehen, das sehe ich wohl; ich bedarf Deiner Nachsicht und Einsicht ohnedies nur zu sehr. Du wirst begreifen: diese Zeitläufte sind dem Briefschreiben so ungünstig, sie führen für mich so viel Erregung und Verwirrung und Anspannung und Abspannung mit sich, daß ich Dich nicht hindern konnte, in der Ferne den Eindruck zu gewinnen, als hätte ich es überhaupt aufgegeben, mich um das nicht ganz simple Problem unseres Verhältnisses noch weiter zu grämen und als lebte ich skrupellos meinem »Glücke« ... Nun, das ist natürlich Unsinn. Das »Glück« selbst müßte etwas minder Problematisches sein, damit es sich so verhalten könnte – und mein Mißtrauen dagegen geringer. Das Glück ist ganz und gar etwas Anderes, als diejenigen, die es nicht kennen, sich darunter vorstellen. Es ist schlechterdings nicht geeignet, Ruhe und Behagen und Skrupellosigkeit ins Leben zu bringen, und ich bestreite ausdrücklich, daß es zur Erleichterung und Erheiterung beizutragen vermag. Ich habe das gewußt. Nie habe ich das Glück für etwas Leichtes und Heiteres gehalten, sondern stets für etwas so Ernstes, Schweres und Strenges wie das Leben selbst – und vielleicht *meine* ich das Leben selbst. Ich habe es mir nicht »gewonnen«, es ist mir nicht »zugefallen«, – ich habe mich ihm *unterzogen*: aus einer Art Pflichtgefühl, einer Art von Moral, einem mir eingeborenen Imperativ, den ich, da er ein Zug vom Schreibtische *weg* ist, lange als eine Form von Liederlichkeit fürchtete, den ich aber mit der Zeit doch als etwas Sittliches anzuerkennen gelernt habe. Das »Glück« ist ein Dienst – das Gegentheil davon ist ungleich bequemer; und ich betone das, nicht, weil ich irgend etwas wie Neid bei Dir voraussetzte, sondern weil ich argwöhne, daß Du im Gegentheile sogar mit etwas Geringschätzung auf mein neues Sein und Wesen blickst. Thu das nicht. Ich habe es mir nicht leichter gemacht. Das Glück, *mein* Glück ist in zu hohem Grade Erlebnis, Bewegung, Erkenntnis, Qual, es ist zu wenig dem Frieden und zu nahe dem Leide verwandt, als daß es meinem Künstlerthume dauernd gefährlich werden könnte ... Das Leben, das Leben! Es bleibt eine Drangsal. Und so wird es mich denn wohl auch mit der Zeit noch zu ein paar guten Büchern veranlassen.

Um aber ein wenig gegenständlicher zu werden – so weiß ich nicht, ob Du Dich völlig in meine Lage versetzen kannst. Es gilt, sich, mit nicht immer ganz frischen Kräften, in eine ganz neue Daseinsform einzuarbeiten, in einem nie gewohnten Grade aktiv zu sein, überhaupt zu »sein«, während man früher nur repräsentirte. Ich mache meine Sache nicht schlecht, wie es scheint. Man versichert mir daß ich viel weltlicher geworden bin; und zum Frack trage ich eine hellgraue Velvet-Weste mit Silberknöpfen. Dies sei als symbolische Pointe hergesetzt, damit ich nicht zu weitläufig zu werden brauche. Sonst bekommst Du den Brief noch nicht einmal am ersten Feiertage ... Nochmals, es gilt andauernd, sich menschlich stramm zu halten, und oft genug läuft das ganze »Glück« auf ein Zähne zusammenbeißen hinaus. Die letzte Hälfte der Werbezeit – nichts als eine große seelische Strapaze. Die Verlobung – auch kein Spaß, Du wirst das glauben. Die absorbirenden Bemühungen, mich in die neue Familie einzuleben, einzupassen (soweit es geht). Gesellschaftliche Verpflichtungen, hundert neue Menschen, sich zeigen, sich benehmen. Berlin – ein üppiges Abenteuer. Lübeck – ein skurriler und rührender Traum. Und zwischendurch tagtäglich die fruchtlosen und enervirenden Extasen, die dieser absurden Verlobungszeit eigenthümlich sind: dies Alles aufgezählt noch immer als Entschuldigung für mein Schweigen. Du wirst verstehen; ich konnte nicht anders. Selbst mit dem Alleinsein war nichts anzufangen. Es giebt ein oberflächliches Alleinsein wie es einen oberflächlichen Schlaf giebt. Erst jetzt wird es langsam ein bischen besser, ruhiger, gewohnter, wurschtiger. Aber ich bin so kaput, daß ich ernstlich mit dem Gedanken umgehe, nach Neujahr noch auf 8 bis 10 Tage zu verschwinden, mich nach Polling zurückzuziehen und nichts zu thun, als arbeiten und erotinfreie(?) Winterluft athmen.

Nun, vorher kommt noch Weihnachten, und es ist jammerschade, daß Du nicht dabei sein kannst. Es wird völlig neuartig und amüsant dies Jahr. Am zweiten Feiertage sind die Mutter, Löhrs, Vicco und Grautoff mit mir bei Pringsheims. Doch eine wunderliche Constellation, die ich da bewerkstelligt habe!

Aber zur Hochzeit kommst Du doch sicher! Es soll garnicht strapaziös werden. Nicht einmal kirchliche Trauung (Katja mag nicht) und das Diner im allerengsten Familienkreise, in dem aber Du keinesfalls fehlen darfst. Ich freue mich schon längst darauf, Dich in der Arcisstraße einzuführen; auch ist man dort sehr gespannt, Deine Bekanntschaft zu machen. Deine Kunstleistung weiß man sehr zu schätzen, und ich zweifle keinen Augenblick, daß auch Dir die neue Familie durchaus angenehm sein wird. Bislang verträgt sich Alles vorzüglich. Die Mutter wird von Katja schon »Mama« und »Du« genannt, und Lula ist mit Katja schon so weit, daß sie neulich auf der Straße zu ihr gesagt hat: »Guten Tag, Du Löweneckerchen!« Und dabei weiß man nicht einmal, was ein Löweneckerchen eigentlich ist.

Also nochmals, zur Hochzeit mußt Du unbedingt kommen. Es wird Ende Januar werden bis die Einrichtung fertig ist – Du wirst also, hoffe ich, schon vor der Zeit hier sein. Und wenn Du ein Übriges thun willst, so schreibst Du vorher noch an Katja ein paar freundliche Zeilen, in denen Du sie als zukünftige Schwägerin begrüßt. Das ist, glaube ich, Sitte, und eigentlich ist es schon ein bischen spät. Aber Du kannst es ja als Weihnachts- oder Neujahrsgruß oder Zusage zur Hochzeit einkleiden, oder so. Jedenfalls würde es angenehm berühren.

Ja, das ist nun der Brief. Viel ist nicht daraus geworden; aber ich durfte weder zu ausführlich noch zu difficil werden, da ich wieder erst im allerletzten Augenblick angefangen hatte.

Grüße Doctor von Hartungen, den ich ebenfalls in schamloser Weise vernachlässigt habe. Auf Wiedersehn!

Dein Tommy.

Baur au Lac
Zürich den 18. II. 1905.

Lieber Heinrich:

Heute finde ich endlich eine ruhige Abendstunde, um Dir für die schöne Gabe zu danken, die Du meiner Frau (das schreibt sich so hübsch) und mir, zusammen mit Carla, zur Hochzeit gespendet hast. Du kennst das Geschenk ja selbst noch nicht, wirst es aber hoffentlich recht bald bei uns sehen und kannst im Voraus versichert sein, daß es wunderhübsch ist: geschmackvoll, ganz unmittelbar brauchbar und darum eigentlich erfreulicher, als das Prunkgeräth aus der Tiergartenstraße, das daneben stand, auf der Tafel. Hat Dir Mama von unserer Hochzeit berichtet? Sie wenigstens war ja dabei und vertrat mit Löhrs und Vicco in guter Haltung unsere Familie. Das Ganze war ein sonderbarer und sinnverwirrender Vorgang, und ich wunderte mich den ganzen Tag, was ich da im wirklichen Leben angerichtet hatte, ordentlich wie ein Mann. Kannst Du Dir denken, daß Du einem weinenden Elternpaar die Tochter vom Herzen reißt und sie als Dein Weib ins Weite entführst? Ich habe es mir, weiß Gott, auch nicht denken können. Und alles das ist doch eigentlich noch immer die Folge davon, daß wir uns damals in Palestrina eine Art Gipper-Roman ausdachten, der ursprünglich das schöne Lied »Der Onibus fährt *durch* die Stadt« als Leitmotiv haben sollte. Und schließlich sollte es der Onibus sein, der Biermann ins Gefängnis fährt. Aber nun ist es wahrhaftig dahin gekommen, daß ich von einem »Roman meines Lebens« sprechen kann, wie ich es in Lübeck, nach der Vorlesung, bei Tische that, als ich mit ganz aufrichtig bewegter

Stimme sagte: »Einige von Ihnen wissen, daß ich an einem bedeutsamen Wendepunkte meines äußeren und menschlichen Lebens stehe. Bis Berlin hat mich das Mädchen begleitet, das eingewilligt hat, meine Frau zu sein, und ein ganz neues Kapitel in dem Roman meines Lebens soll beginnen, ein Kapitel, das in schönem Rausch concipirt ward und das nun mit Liebe, Kunst und Treue aufgebaut sein will ...« Und der Onibus ist nun am Ende derjenige des Hôtels Baur au lac, wo ich zur Zeit mit Katja auf größtem Fuß lebe, mit »Lunch« und »Diner« und abends Smoking und Livree-Kellnern, die vor einem her laufen und die Thüren oeffnen ... Übrigens keine Glücksrenommistereien! Ich habe, trotz der Versicherungen von allen Seiten über die hygienische Förderlichkeit der Ehe, nicht immer einen guten Magen und darum auch nicht immer ein gutes Gewissen bei diesem Schlaraffenleben und sehne mich nicht selten nach ein bischen mehr Klosterfrieden und ... Geistigkeit. Wenn ich nicht unmittelbar vor der Hochzeit etwas fertig gemacht hätte, nämlich »Fiorenza«, so wäre mir wohl sehr schlecht zu Muth. Es war wieder eine ganz unerhörte Qual damit, und trotz aller Präcedenzfälle war ich diesmal zum Sterben von der Berechtigung der Verzweiflung überzeugt, mit der ich das dicke (viel zu dicke) Manuskript nach Berlin absandte. Dann, der täglichen Plage ledig, resignirte ich mich. Es war eine schwere Niederlage, aber sie sollte mir lehrreich sein. Schon seit dem »Tonio Kröger« waren mir die Begriffe »Geist« und »Kunst« zu sehr in einandergelaufen. Ich hatte sie verwechselt und sie, in diesem Stück, doch feindlich gegen einander gestellt. Das hatte zu diesem Solneß-Absturz geführt, diesem Fiasko in dem Bemühen eine geistige Construction mit Leben zu erfüllen. Umkehr! Zurück zur Buddenbrook-Naivetät! – Nun scheint sich auch hier wieder, soweit das möglich ist, ein äußerer Erfolg entwickeln zu wollen. Fischer schrieb mir, daß Bie ihm das Stück als »etwas ganz Erlesenes« bezeichnet habe. Das hat mich kindisch froh gemacht, aber gleichviel, ich will mich diesmal tapfer gegen die oeffentliche Meinung stemmen und nicht aufhören, die Arbeit als künstlerisch durchaus verfehlt zu betrachten. Psychologisch wird wohl ein paar mal an Äußerstes gerührt, und als Stilist glaube ich damit zu bestehen. Aber es bleibt ein Zwitter. Nun, Du wirst sehen. Und Du selbst? Es scheint zu strömen bei Dir. Du scheinst Dich ganz gefunden zu haben und solche Irrungen und inneren Niederlagen überhaupt nicht zu kennen ... Du weißt, ich glaube, daß Du Dich ins andere Extrem verloren hast, indem Du nachgerade nichts weiter mehr, als nur Künstler bist, – während ein Dichter, Gott helfe mir, *mehr* zu sein hat, als bloß ein Künstler. Wir müssen wohl beide, als Neurastheniker vielleicht, eine fatale Neigung zum Extrem haben, – was aber auch wieder unsere Stärke sein mag. Bahr, noch immer vortrefflich, hat neulich das »Talent« ganz einfach als die Eigenschaft definirt, »extrem zu empfinden und dies noch extremer auszudrücken«. – Ich bin sehr gespannt auf Deine »Schauspielerin«, die doch wohl nächstens als Buch erscheinen muß. Weißt Du übrigens, daß Du in dem letzten Buch der Preuschen eine Rolle spielst?

Ende des Monats beziehen wir unsere Münchener Wohnung (Franz Joseph-Straße 2 III). Sie wird wunderhübsch. Und hoffentlich gerathe ich dort bald wieder ins Arbeiten.

Katja sagt Dir schönsten Gruß und Dank. Auf Wiedersehen im Frühling!

Dein T.

München d. 15. x. 1905
Franz Joseph-Str. 2.

Lieber Heinrich:

Ich benutze den Sonntag-Nachmittag, den ich immer ganz still und allein in der Wohnung verbringe, dazu, Dir zu den Documenten, die ich für Dich in Bereitschaft habe, den Geleitbrief zu schreiben.

Um mit dem Anfange anzufangen, so sind mir Deine Abschiedszeilen, am 3ten d. Ms. hier aufgegeben, am 9ten in aller

Morgenfrühe zu Händen gelangt. Nun, das ist München! Und die Vorlesung des jungen Herrn Schmied sollte auch erst ein paar Tage darauf stattfinden, sodaß ich noch rechtzeitig darauf aufmerksam gemacht wurde. Ich bin hin gegangen und habe es nicht bereut. Du hast gewiß recht, ihm eine schöne Begabung zuzusprechen. Die Proben, die er las – Du kennst sie, nehme ich an – waren allerliebst, von einer Sicherheit des Humors, wie sie in so zarten Jahren gewiß selten ist. Ich bin begierig, was er machen wird. Man sagte mir, daß er in Berlin um 6 Uhr abends aufzustehen und die Nacht durch zu sumpfen pflegte, auch die Arbeit im Ganzen nicht liebe. Da er Neurastheniker ist, so könnte man das bedenklich finden. Aber andererseits hat es sein Gutes, Leichtes, sich nicht zu ernst zu nehmen. Hoffen wir das Beste, für ihn und von ihm. Ich ließ mich mit ihm bekannt machen und habe ihm mein aufrichtiges Vergnügen ausgedrückt. Nun ist er, soviel ich weiß, schon bei Dir in Riva und wird Dir längst Alles erzählt haben. Den Bericht Gumppenbergs, überraschend freundlich, lege ich Dir immerhin bei.

Der andere Zeitungsausschnitt, ein Aufsatz von Salten über »Götz Krafft« (weißt Du überhaupt, was das ist?), ist mir zugeschickt worden und hat mir, witzig wie er ist, solchen Spaß gemacht, daß ich Dir die Lektüre ebenfalls gönne. Die Citate sind unbezahlbar. Aber steht er allein damit, der Zauberer? Schreibt Ompteda vielleicht anders? Ich mache mich anheischig, über zehn andere Lieblinge einen ebenso komischen Artikel zu schreiben. Gott Lob! ich bin kein Liebling mehr. Ich bin frei. Die Meisten, die »Buddenbrooks« preisen, finden Götz Krafft nun doch viel inniger. Und was ich seitdem geschrieben, was ich schreibe und schreiben werde, wird's nie über das 3te Tausend bringen. Wie ich aufathme! Wie die Luft frischer wird um mich!

Drittes Document: das Concept meines Scheidebriefes an Richard Schaukal. Er hat nun auch meine Geduld erschöpft. Wie ers gemacht hat, wirst Du Dir denken können und Ein-

zelheiten dem Schriftstück entnehmen. Lies es, bitte, und
schicke es mir gelegentlich zurück, bei welcher Gelegenheit
ich gern ein Wort der Billigung von Dir hören würde. Ich
hatte keine Lust mehr, einen so albernen Freund mit mir zu
schleppen.

d. 17. x.

Hier wurde ich Sonntag nun doch unterbrochen und
komme erst heute dazu, den Brief zu beenden, was den Vortheil hat, daß ich gleich noch zwei weitere Documente
anfügen kann: die Verlobungsanzeige des kleinen Ehrenberg, die ich separat an Dich weiter reiche, und ein Exemplar der Buchausgabe von »Fiorenza«. Ich möchte wohl, Du
läsest es einmal im Zusammenhange und sagtest mir Deinen
Eindruck. Ich kann an den *vollständigen* Unwerth des kleinen
Werkes nicht glauben. Auf dramatisch-technische Fehler,
die zu vermeiden ich nicht einmal den Versuch gemacht
habe, sollte man mich nicht mit der Nase stoßen. Und die
culturfeindliche Tendenz ist zum Lachen. Ein Buch, wie gesagt, das *geschrieben* ist, alsob es von Einem aus Lorenzo's
Kreise stammte, ist niemals culturfeindlich; und zum Überfluß ist es an allen entscheidenden Stellen ganz objectiv-
untendenziös.
Aber ich rede von mir ... Wie warst Du mit dem Aufsatz der
Frau Wassermann-Speyer zufrieden? Ich fand ihn nicht
dumm, wenn auch ein bischen verworren und wider-
spruchsvoll. Jedenfalls einmal Jemand, der sich ein bischen
auf Deine Art und Herkunft versteht und also unterrichtend
wirken kann.
Soll ich noch zwei Worte über Deinen eigenen letzten Zukunft-Beitrag sagen? Nun, er war offenbar eine Nebensa-
che, ohne viel Leidenschaft gemacht und ein Erzeugnis des
Arbeitsbedürfnisses, das Dich so ehrt; trug auch wohl als
sprachliches Gebilde (für mich) das Zeichen der Schnellfer-

tigkeit ein bischen zu sichtbar. Im Übrigen aber natürlich sehr gut, die beiden kleinen Mädchen (ich kenne sie) rührend, Herr Schumann, trotz seinem conventionellen Typus in der Beleuchtung Deines Styles neu wirkend. Wenn eben Einer etwas *ist* ...

Ich werde, da das Wetter sich aufgeklärt hat, in den nächsten Tagen mit meiner Tiergarten-Novelle fertig, die zuerst im Januar-Heft der Neuen Rundschau erscheinen soll und dann dem Kgl. Hoheit-Band nicht zur Unehre gereichen wird. Gott Lob, ich werde allmählich wieder zum Künstler. Mein letztes Jahr, das Jahr meiner Verlobung und Hochzeit war quälend unproduktiv. Nun bin ich eingelebt und arbeite regelmäßig. Ablenkungen (»Versuchungen«: ich lese den St. Antoine – ich las nie dergleichen!) wird es genug geben: die Geburt des Kindes, die Kunstreise etc. Aber ich hoffe mich gut zu halten, zumal Gesundheit und Stimmung seit der Massage-Kur (die ich dann und wann wieder aufnehme) weit weniger bleiern sind, als Jahre lang. Nun, das ist übergenug! Du wirst um Stoff verlegen sein, mir 6 Seiten zu antworten. Ich würde gern hören, was Dich beschäftigt, was Du schreibst. *Ich bin durchdrungen von der Nothwendigkeit, daß wir zusammenhalten.*
In diesem Sinne   Dein T.

München d. 22. x. 1905
Franz Joseph-Str. 2
Lieber Heinrich:
Nimm herzlichen Dank für Deinen Brief! Ich habe mich über dies Werk zu sehr gegrämt, als daß ein solcher Brief nicht wunderbar lösend, – *Thränen* lösend auf mich wirken müßte. In der That, er hat mir mehr als einmal Thränen der Freude in die Augen getrieben. Ich habe ihn Katja vorgelesen, habe ihn ihre Mutter lesen lassen, habe ihn bei Löhrs von Jof vorlesen lassen. Er meinte: »Dieser Brief müßte veröffentlicht werden, zu Deiner und Heinrichs Ehre«. Lula

sagte: »Verwahr' ihn gut, denn *einmal wird* er veröffentlicht werden. Übrigens habe ich immer gewußt, daß Fiorenza euch einander wieder nähern würde«. – Mit einem Worte, ich bin glücklich. Nun mögen die Anderen salbadern, was sie wollen. Ein Feuilleton ist schon da, das es als »kalte Verstandesarbeit des Norddeutschen T. M.« bezeichnet. Es wird sicher noch viel besser kommen. Leb' wohl, nochmals Dank!

T.

München d. 20. XI. 1905
Franz Joseph-Str. 2

Lieber Heinrich:

Ich habe mich sehr über Deinen Brief gefreut, besonders über die angekündigte Widmung. Eigentlich schuldest Du mir ja eine, seit ich Dir den Abschnitt in »Buddenbrooks« zueignete. Ich bin gewaltig neugierig auf die »guten Gründe«, die Dich zur Widmung bewogen, und damit (aber nicht nur darum) auf die Novelle selbst.

Über das Familienereignis wirst Du unterdessen des Näheren unterrichtet worden sein, durch Mama oder Lula. Es ist also ein Mädchen: eine Enttäuschung für mich, wie ich unter uns zugeben will, denn ich hatte mir sehr einen Sohn gewünscht und höre nicht auf, es zu thun. Warum? ist schwer zu sagen. Ich empfinde einen Sohn als poesievoller, mehr als Fortsetzung und Wiederbeginn meinerselbst unter neuen Bedingungen. Oder so. Nun, er braucht ja nicht auszubleiben. Und vielleicht bringt mich die Tochter innerlich in ein näheres Verhältnis zum »anderen« Geschlecht, von dem ich eigentlich, obgleich nun Ehemann, noch immer nichts weiß.

Die Geburt war wider Erwarten ganz schrecklich schwer, und meine arme Katja hat so grausam leiden müssen, daß es ein Gräuel war und kaum auszustehen. Ich werde den Tag all meiner übrigen Lebtage nicht vergessen. Ich hatte einen Begriff vom Leben und einen vom Tode, aber was das ist: die Geburt, das wußte ich noch nicht. Nun weiß ich, daß es eine ebenso tiefe Angelegenheit ist, wie die beiden anderen. Gleich danach war dann alles Idyll und Frieden (das Gegenstück zum Frieden nach dem Todeskampf), und das Kind an der Brust der Mutter zu sehen, die selbst noch wie ein holdes Kind wirkte, war ein Anblick, der die Foltergräuel der Geburt (die im Ganzen fast vierzig Stunden gedauert hatte) nachträglich verklärte und heilig sprach. Die Kleine, die auf Wunsch der Mutter Erika heißen soll, verspricht, sehr hübsch zu werden. Momentweise glaube ich, ein klein bischen Judenthum durchblicken zu sehen, was mich jedesmal sehr heiter stimmt.

Nun, und von dem »Judenthum« lasse ich mich auf den Hauptpunkt dieses Briefes bringen, welcher Hauptpunkt eine Bitte ist. Die Bitte aber betrifft das Manuskript, das in Begleitung dieser Zeilen an Dich abgeht: »Wälsungenblut«, eine Judengeschichte, und für das ich um einen Rathschlag von Dir, geradezu um Deine Hülfe bitte. Die Novelle soll im Januarheft der Neuen Rundschau erscheinen und ist schon im Satz. Professor Bie aber beanstandet den Schluß, den allerletzten Satz mit den Fremdwörtern, von dem er fürchtet, daß der Durchschnittsleser ihn als roh empfinden würde, und bittet mich himmelhoch, die Sache, seiner Gala-Nummer zu Liebe, auch am Schluß noch so discret einzuhüllen, wie ich es im ganzen Verlaufe gethan. Er hat gewiß recht. Der äußerste Schluß hat mirselbst gleich nicht gefallen. Aber ich mochte mit dem Gedankenstrich (Du wirst sehen, mit welchem) nicht schließen, sondern hatte das Bedürfnis, das Ganze danach noch einmal mit einer Replik auf die Spitze zu stellen – und weiß nun beim besten Willen nichts Besseres. Daß es nicht angeht, die jüdischen Ausdrücke einfach durch deutsche zu ersetzen, ist klar. Das wäre garnichts. Aber was thun!? Wie würdest Du schließen? Wenn Du irgend einen Einfall hast, – enthalte ihn mir nicht vor! Aber es eilt. – Die Schreibfehler im Manuskript sind, glaub ich, nicht sinnstörend, und Du wirst sie Dir leicht verbessern können. Ich bin überhaupt begierig, zu hören, was Du zu der Geschichte meinst. Sie gehört in den Band »Königliche Hoheit«.

Hast Du gelesen, daß G. Frenssen für seinen neuen Roman sofort 200 000 Mark Honorar erhalten hat? Ich schenke ihn mir. Was ist Frenssen? Nichts, als ein Zeichen, daß die litterarische Cultur in Deutschland allgemach soweit vorgeschritten ist, daß sogar holsteinische Landpastoren ganz leidliche Bücher schreiben können. Eine Erscheinung ohne jeden Persönlichkeitswerth. Ein gutmüthig-poetischer Mensch, der sogar, wie man aus dem »Jörn Uhl« ersieht, einmal von der »Umwerthung aller Werthe« gehört hat. Von ernsthaftem Künstlerthum, Schicksal, Strenge, Leidenschaft, kann garnicht die Rede sein. – Aber man nennt mich mit ihm zusammen ...

Adieu. Schreibe bald. T.

München d. 5. XII. 1905
Franz Joseph-Str. 2

Lieber Heinrich:

Ich möchte vor meiner Reise (die ich am 9ten antrete) nochmal von mir hören lassen und Dir vor Allem für Deine guten Worte über »Wälsungenblut« danken. Was Du über den Schluß sagst, hat mich sehr in dem Glauben an diesen Schluß befestigt: an seine Möglichkeit und innere Berechtigung. Und ich bin denn auch entschlossen, ihn in der Buchausgabe beizubehalten. Für die Rundschau will ich meinetwegen, Bie zu gefallen, einen anderen einsetzen, der kein schlechter Compromiß zu sein braucht, denn es ist ja nicht unbedingt nöthig, den Schluß auf die »Rache« zu stellen. Vielmehr ist ja vorher so reichlich motivirt, daß sich noch vier, fünf andere Schlußpointen denken ließen. Ich könnte z. B. sagen: »Und Beckerath?« – »Nun, dankbar soll er uns sein. Er wird ein minder triviales Dasein führen, von

nun an.« Das wäre die »Königliche Hoheit«. – Bie hat inso-
fern recht, als die jüdischen Ausdrücke ein bischen aus dem
Style fallen, was für einen Schlußtrumpf sich gewiß nicht
ohne Weiteres verbietet, aber ebenso gut auch vermieden
werden kann. Du sagst: Das Charakteristische der Wohlan-
ständigkeit opfern ist Kitsch. Aber man kann auch sagen:
Die Kunst ist gerade, äußerst charakteristisch zu sein, ohne
irgend eine stilistische Empfindlichkeit zu verletzen. Und
»beganeft« durchbricht den Styl, das muß man zugeben.
Vorher ist all dergleichen vermieden, umschrieben, verhüllt.
Das Wort »Jude, jüdisch« kommt nicht vor. Der jüdische
Tonfall ist nur ganz discret ein paar mal angedeutet. Von
Herrn Aarenhold ist gesagt, er sei »im Osten an entlegener
Stätte geboren«. Zu dieser Art ironischer Discretion paßt
»beganeft« nicht, obgleich es psychologisch durchaus begründet ist. Und der Styl ist mir, unmoralischer Weise,
beinahe noch wichtiger, als die Psychologie ... Ich sage das
Alles nur, um zu rechtfertigen, daß ich Bie für die Rundschau nachgebe. Im Buche soll der von Dir so gut befürwor-
teten Fassung wieder ihr Recht werden.
Was treibst Du? Ich höre von Mama, daß Dich ein neuer
Roman beschäftigt, dessen Anfang aus Mama's Memoiren
gemacht ist. Darf ich wissen, um was es sich handelt? Und
wie steht es mit Deiner Gesundheit? Ich habe neulich mal
wieder einen scharfen Anfall meiner nervösen Dyspepsie gehabt und einen Tag sehr übel zu Bett gelegen. Aber diese
Anfälle kommen jetzt doch immer seltener, und die Kur bei
meinem Spezialisten (Massage, Elektrizität; zuletzt wurde
der Mastdarm direkt durch einen weit eingeführten Gum-
mischlauch electrisirt) hat mir sehr merklich geholfen.
Katja ist wieder auf, wenigstens einen guten Theil des Tages.
Sie nährt die Kleine selbst, der das gut anschlägt. Zuweilen,
wenn ich morgens mit weich massirtem Leib und leidlich
kräftigem Magen erwache, das Kind schreien höre und Ar-
beitslust spüre, habe ich ein durchdringendes Gefühl von
Glück, wie ich es seit zwanzig Jahren nicht mehr kannte.

Ich schreibe zur Zeit an einem Artikel für die M[ünchner] Neuesten Nachrichten, über »Erfindung« und »Beseelung« ... Wie hat Dir übrigens meine Replik in den Lübekker Anzeigen gefallen – wenn Du das Blatt bekommen hast? Harden, der sie irgendwo abgedruckt gelesen hatte, schrieb sehr lobend dafür an meine Schwiegermutter (er liest mich, seit Wedekind ihn auf mich aufmerksam gemacht) und schloß: »Il ira loin, – wenn er sich nicht verweichlicht.« Sehr gut. Das Deutsche noch besser, als das Französische.

Was dieses »loin« wohl sein wird, – wenn das »wenn« (und es ist nicht das einzige) sich als unbegründet erweisen sollte? Zuweilen hege ich ehrgeizige Pläne. Was sagst Du z. B. zu diesem: einen historischen Roman namens »*Friedrich*« zu schreiben? Seit ich zweimal in Potsdam und Sanssouci war, ist die Gestalt mir aufregend nahegekommen. Und mein letztes litterarisches Erlebnis ist Carlyle's »Friedrich der Große«, der kürzlich in einer ausgezeichneten deutschen Ausgabe erschienen ist. Ein herrliches Buch – wenn auch sein Begriff vom Heldenthum sich von meinem, wie ich schon in »Fiorenza« andeutete, wesentlich unterscheidet. Einen Helden menschlich-*allzu*menschlich darstellen, mit Skepsis, mit *Gehässigkeit,* mit psychologischem Radicalismus und dennoch positiv, lyrisch, aus eigenem Erleben: mir scheint, das ist überhaupt noch nicht geschehen ... Die Gegenfigur würde sein Bruder *(das Bruderproblem reizt mich immer)* der Prinz von Preußen, der die Voss liebte, ein Träumer, der am »Gefühl« zu Grunde ging ... Ob ich zu dieser Aufgabe berufen bin? Ich bin nun dreißig. Es ist Zeit, auf ein Meisterstück zu sinnen. Es ist nicht unmöglich, daß ich nach »Kgl. Hoheit« (das ein Kinderspiel ist im Vergleich [zu] dem neuen Plan) alles andere vom Tische streiche und mich über Friedrich hermache. Was sagst Du dazu? Hältst Du's für möglich? –

– Das letzte Münchener Ereignis ist die Ernennung Hermann Bahrs zum Ober-Regisseur (d. h. Direktor) des K.

Schauspiels. Eine interessante Sache! Er verspricht, das Hoftheater zu einem Burgtheater und noch besser zu machen
und stellt ein köstliches Programm auf, mit Euripides, Plau-
tus, Kleist, Hebbel und – »Fiorenza«. In der That, ich habe
das gehört. Er sei inflammirt von Fiorenza, und es solle eine
seiner ersten Premièren werden. Nun, es wird nichts so heiß
gegessen. Und vorläufig ist es nur eine private Nachricht;
von Bahr direkt hörte ich noch nichts. Vorläufig reist er
umher und sucht neue Kräfte, – die Fiorenza freilich nöthig
hätte. Ich glaube nicht an die Kunde; aber sie hat mich doch
sehr erschüttert. Und die Tatsache allein, daß das Stück Bahr
so gefällt, freut mich. Kein Wunder übrigens. Ich habe früher sehr viel von ihm gelernt.
So das ist Alles, was ich zu erzählen hatte. Und nun Du.
Herzlich   Dein T.

München d. 17. I. 1906
Franz Joseph-Str. 2.

Lieber Heinrich:
Ich habe Dir noch für Dein Weihnachtsgeschenk zu danken:
für die »Schauspielerin«, – auf deren Umschlag ich mit er-
hobenen Augenbrauen »6tes bis 10tes Tausend« las. Genießen
alle Stücke dieser Bibliothek solchen Großvertrieb, oder
hat's gerade die »Schauspielerin« getroffen? Das sollte mich
nicht wundern, denn es ist ein hinreißend unterhaltendes
Buch, das für die Vielen ebenso gut wie für uns Andere ist.
Ich bewundere es sehr, virtuos im Tempo wie es ist und bei
den schwierigen, psychologisch entscheidenden Stellen
doch auch sorgsam verweilend. Ich hatte es damals in Zeitungsausschnitten nur unvollkommen gelesen; nun zeigt
mir die nähere Bekanntschaft, daß ich, wie Du mir schon
zarthin andeutetest, mit »Wälsungenblut« gewissermaßen
gethane Arbeit gethan habe – und zwar sehr gut und vollständig gethane. Weniger schade also, daß die Geschichte
nicht erscheint. Das schrieb ich Dir wohl nicht? Also kurz und

kühl: Von meiner Dezember-Reise zurückkehrend, fand ich hier bereits das Gerücht vor, ich hätte eine heftig »antisemitische« (!) Novelle geschrieben, in der ich die Familie meiner Frau fürchterlich compromittirte. Was hätte ich thun sollen? Ich sah meine Novelle im Geiste an und fand, daß sie in ihrer Unschuld und Unabhängigkeit nicht gerade geeignet sei, das Gerücht niederzuschlagen. Und ich muß anerkennen, daß ich menschlich-gesellschaftlich nicht mehr frei bin. Ich sandte also ein paar herrische Telegramme nach Berlin und erreichte, daß die Januar-Nummer der »Rundschau«, die schon fix und fertig gewesen war, *ohne* »Wälsungenblut« erschien. Fischer übernahm (aus Furcht vor Langen) die Kosten des Neudrucks, die garnicht bitter gewesen sein mögen. Genug, die Leute waren um ihren Skandal, und ich, der ich anfangs einigermaßen ins Gebiß geschäumt hatte, bin nun ziemlich gleichmüthig. *So* gut war die Sache ja nicht, und das daran, was Werth hat, nämlich die Milieu-Schilderung, die ich wirklich für sehr neu halte, läßt sich wohl einmal anderweitig verwerthen. Ein Gefühl von Unfreiheit, das in hypochondrischen Stunden sehr drückend wird, werde ich freilich seither nicht los, und Du nennst mich gewiß einen feigen Bürger. Aber Du hast leicht reden. Du bist absolut. Ich dagegen habe geruht, mir eine Verfassung zu geben.

Schlimm ist hauptsächlich, daß ich, der ich ohnehin so wenig fertig bringe, auch noch die skrupulöse Arbeit langer Wochen aus Rücksichten unterdrücken muß. Nun, in Ermanglung von ganz frischem Ruhm freue ich mich daran, daß »Fiorenza« langsam durchdringt, wahrhaftig, es kommt zu Ehren. Die zweite Auflage ist erschienen, was, wie Fischer wohl richtig bemerkte, für ein Drama soviel bedeutet wie für einen Roman zehn Auflagen. Auch wird es jetzt, was anfangs garnicht der Fall war, viel und ausführlich besprochen, fast immer mit dem Hinweis, daß eine reich bemittelte Bühne die Aufführung wagen müsse. Das ist nun freilich eine fragwürdige Frage, die ich am liebsten ganz umginge.

Sollte Bahr Ernst machen wollen, so weiß ich nicht, ob ich nicht einfach Nein sage. Er ist bei einem großen Theil der Presse so verhaßt, so sehr zur politischen Person geworden, daß ich voller Bedenken bin. Ist »Wälsungenblut« antisemitisch, so ist »Fiorenza« anticlerical, und ins Parteigezänk gerissen zu werden, das zu vertragen ist es viel zu zart. Ich denke aber, die Lust zu solchen Experimenten wird meinem alten Meister schon im Voraus ausgetrieben werden, wenn er überhaupt seinen Posten antritt.

In Basel, wohin ich Ende dieses Monats auf zwei Vortragsabende gehe, will ich den Leuten einmal (was ich noch nie versuchte) den ersten Akt selbst vorlesen. Für diesen ersten reichen zur Noth meine Stimmmittel. Du moquirst Dich wahrscheinlich über die viele Reiserei; aber ich kann mir nicht helfen, das Repräsentiren macht mir Spaß und die Luftveränderung reißt mich jedesmal aus der geistigen Stagnation, zu der ich neige. Die Tournée Prag, Dresden, Breslau verlief durchaus erfreulich und ehrenvoll. Mir scheint manchmal, daß ich, wenn ich es darauf anlegte, aus mir eine Art Wüllner des Lesepultes machen könnte, einen Besieger schwacher Mittel vermöge nervöser Elastizität. Ich habe diesmal wieder gesehen, was die Übung macht. In Prag schwitzte ich noch und machte wahrscheinlich keine gute Figur. In Dresden (wo ich zweimal sehr herzlich bei Tante Elisabeth zu Mittag aß und in der Hofoper Straußens »Salome« hörte – eine tolle Zauberei! aber das interessirt Dich nicht) in Dresden beherrschte ich den Saal schon besser. Und in Breslau, wo ich doch eigentlich schon müde war, hatte ich einen lächerlichen Erfolg. Die Zeitungen brachten verliebte Personal-Beschreibungen, so keck und podiumsicher war ich gewesen. Aber in den Pausen verlernt man es jedesmal wieder, und in Basel werde ich wohl wieder schwitzen.

Prag ist über alles Erwarten schön, wenigstens das prachtvolle Palastviertel jenseits der Moldau; und da die Reise dorthin durchs Terrain des Siebenjährigen Krieges geht, so machte ich sie am Tage und sah mich aufmerksam um. »Friedrich ...« Mir zappelt das Herz, wenn ich nur daran denke. Ja, ja, es ist nun so gut wie sicher, daß es mein nächster Roman werden soll. Ich bin noch nicht frei dafür. »Kgl. Hoheit« will noch gemacht sein. Aber schon seit einiger Zeit habe ich angefangen, Nahrung, Studienmaterial für den Friedrich-Roman an mich zu ziehen, und ich habe Stunden eines excitirten Glaubens daran. Was mich auf den Stoff hinweist, ist gewiß Ehrgeiz, aber kaum in Hinsicht auf Volksthümlichkeit. Das Entscheidende ist, daß ein Stoff, mit dem ich es Jahre lang aushalten soll, an sich, als Gegenstand, eine gewisse *Würde* besitzen muß. Ich habe für einen modernen Großstadt-Roman in den letzten Jahren eine Menge merkwürdigen Materials gesammelt, habe so viel erlebt und erlitten, daß es schon ein beträchtliches Buch werden könnte. Aber ich traue mir nicht mehr die Geduld und (Verzeihung!) die Bescheidenheit zu, zwei, drei Jahre die Bürde *irgend eines* modernen Romanes zu schleppen »Mein ›Friedrich‹« – das ist was Anderes. Das giebt Stolz im Tragen, giebt Halt, läßt aushalten ... Was Du in Deinem Briefe zur Sache sagst, habe ich mit Begierde gelesen und viel darüber nachgedacht. Wohl wahr, daß mein »historischer Instinkt« nicht sehr hoch entwickelt ist (– obschon ich glaube, daß Du die Richtigkeit meines »Schiller« unterschätzest. Ich kann mich nicht überzeugen, daß Einer an Form zunehmen könne ohne zugleich auch an Skepsis zuzunehmen. Ein Formalist ist fast schon ein Symbolist, und das mit der »Freiheit« will ich vertreten. Ich bin sehr auf Schiller zurückgekommen, habe ihn sehr studirt. Er war zuletzt *nur* noch Künstler und also garnicht mehr sachlich, wenigstens im Innersten nicht, so wenig wie Wagner, der auch allerlei Sachlichkeit vorgab und doch nur ein großer Künstler war – und den Schiller's Bedürfnis in der erstaunlichsten Weise anticipirte. Wenn Du seine Briefe an Goethe zur Hand hast, so lies gleich den vom 29. December 1797 über das Symbolische in der Kunst und die Zukunft der Oper. Man traut seinen Augen nicht.) Was

ich in historischer Hinsicht vermag, ist, wie ich in »Fio-renza« gezeigt zu haben glaube, der *Ton*. (Hier verwundern sich die Kunsthistoriker wie ich ihn so aus dem Handgelenk, bei einem Minimum von Studien getroffen habe.) Aber der Ton ist fast schon der Geist und jedenfalls die Atmosphäre. Er macht die Musik, er macht, künstlerisch gesprochen, auch die Geschichte, und objektiv-historische Psychologie ohne subjektive Beseelung ist, scheint mir, ein ledernes Un-ding, – besonders, wenn es sich um einen großen Mann handelt, bei dem die Hauptsache eben seine – zeitlose – *Größe* ist. Das eigentlich Anmaßende meines Unterfangens scheint mir denn auch weniger darin zu liegen, daß ich, der unhistorisch Subjektive, einen historischen Roman schrei-ben will, als vielmehr darin, daß ich, der Lyriker, die *Größe* darzustellen unternehme. Denn dazu gehört Wissen um die Größe, Erfahrung, Erlebnis in der Größe ... Habe ich sie? – Ich bin mir bewußt, daß, ohne Absicht und Plan, diesem Unternehmen viel Studium und Gedankenarbeit vorange-gangen ist. Meine Lektüre, die längst nicht mehr aus »Bel-letristik« sondern aus Biographieen, Memoiren, Briefwech-seln bestand, zielte darauf. Vom Studium des Künstlerthums gelangte ich unversehens zum Studium der Größe. Mein »Schiller« ist ein kleiner, »Fiorenza« ein größerer vorläufiger Ausweis über den Erfolg dieser Studien auf dem Gebiete des Heldenthums ... Nein, gewiß, mein Verdienst, wenn das Werk einmal gethan ist, wird nicht auf dem Gebiet des Hi-storischen liegen. Aber wenn mir im Großen gelingt, was, wie ich höre, mir im Kleinen gelungen ist: Größe fühlbar zu machen, intim und lebendig darzustellen, – so soll mein Stolz keine Grenze kennen. – Verzeih dies Gerede! Ich bin die-ser Tage in einer fieberhaften Stimmung und Exaltation.
Dir geht es doch gut? Es war mir eine Freude, zu hören, daß jetzt Freundschaft und Familienverkehr Dein Leben erwär-men. Sicher wird das auch in Deinen neuen Produktionen zu spüren sein (nach denen ich sehr verlange). Und eines Tages, paß auf, giebst Du Dir auch die »Verfassung«.

Wie ist es eigentlich zur Zeit mit Deiner Gesundheit. Bei mir hat sich die ganze Neurasthenie mehr und mehr auf den Magen concentrirt, der sich bei wachsender Vorsicht meinerseits auch immer mimosenhafter beträgt. Warum ißt man also nicht Marzipan?

Den Artikel, der aber wenig bedeutend ist, schicke ich Dir, sobald er erschienen.

Dein T.

München d. 22. i. 1906.
Franz Joseph-Str. 2.

Lieber Heinrich:

Heute kam der Simplicissimus mit Deiner Novelle, die ich unverzüglich und begierig gelesen habe. Ich will Dir gleich meinen Eindruck mittheilen. Dies seltsam seltsame, tiefe Ding, das in höchster Abgeschlossenheit und Concentration, in raschen, starken, bedeutenden Pointen die perverse Tragödie des Genies als Schulknabengeschichte giebt, ist in meinen Augen das Innigste und Außerordentlichste, was Du geschrieben hast. Dies ist freilich das Urtheil eines Interessirten, den mit diesem Gebilde all das verbindet, was für die Welt in der Widmung seinen sichtbaren Ausdruck gefunden hat. Die Arbeit steht mir so nahe, daß ich sie fast als von mir empfinde und sie ist *als* Arbeit so schnell und leicht mein eigen geworden, daß ich nach einmaliger Lektüre und einem zweiten Überfliegen aus dem Kopf die Reihenfolge der Absätze angeben könnte. Mit einem Worte: ich nehme nicht Theil, ich *habe* Theil daran, und wo man Theil hat, da hat man wohl eigentlich kein Urtheil. Dennoch glaube ich meiner Sache sicher zu sein.

Dies gilt nicht als Brief; Du sollst nur schnell meinen Glückwunsch und Dank haben. Nach Basel schreibe ich wieder.

Das Klösterlein hat sich noch nichts merken lassen. Bei der Rundschau bin ich schon ziemlich compromittirt, weil ich mehrmals aus Gutmüthigkeit unmögliche Stümpereien empfohlen habe. Ich müßte es also diesmal schon wirklich mit Glauben thun.

Adieu. Ich suche wieder Fühlung mit »Kgl. Hoheit« zu gewinnen, das mir schon ganz entfremdet war. Und für den »Friedrich« fange ich wirklich schon an, zu notiren. Wenn ich nur fleißiger sein könnte und ein wenig sichtlicher von der Stelle rückte. Aber meine Arbeitstaktik, die ein fortwährendes Zögern ist, wird sich nicht mehr ändern lassen.

Katja erwidert herzlichst Deinen Gruß. Sie erholt sich zu langsam. Wenn wir des Kindes wegen abkömmlich sind, wollen wir im frühen Sommer zur Stärkung die Küstenfahrt Bremen-Genua machen. Das soll das Kräftigste sein, was es giebt, und ich kann's auch brauchen.

Dein T.

München d. 13. III. 1906
Franz Joseph-Str. 2.

Lieber Heinrich:

Vielen Dank für Deinen Brief. Er hat mir sehr wohl gethan. Ich habe in letzter Zeit so viel Widriges erlebt und fange erst langsam an, es unter mich zu bekommen. Schaukal angehend, so intriguirt es mich freilich, daß er das einfach so gethan haben soll, ohne in dem Glauben erschüttert zu werden, es sei gut und recht gethan. Aber ich kann ihm, aus mehr als einem Grunde nicht antworten. Erstens bin ich jetzt, um solche Sache durchzufechten, nicht gesund genug. Der Artikel würde so viel Mühe machen, mich so viel Nervenkraft kosten. Du weißt nicht, wie qualvoll ich mich beim Ausdenken einer Polemik aufrege und in innerem Zank verzehre. Dann aber würde S[chaukal] natürlich antworten und sagen, daß wir uns ja gerade erst gelegentlich »Fiorenza's« erzürnt haben (während ich in Wahrheit erst ungeduldig wurde, als er mir ein dickes Manuskript schickte, damit ich es bei Fischer unterbrächte und mir dazu schrieb, die ersten

73

zwei Akte von »F[iorenza]« hätten ihm »nicht gefallen« und den 3. habe er nicht gelesen.) Und dann würde er (ich kenne ihn) meine liebenswürdigen und unermüdlich dankenden und anerkennenden Briefe an ihn produciren. Nein, ich kann nichts thun, so sehr, vielleicht, der Artikel im B[erliner] T[ageblatt] mir schaden mag. Aber daß keiner sich findet, von allen »Freunden« und »Verehrern« keiner, der sich alarmirt genug fühlte, diesem beschränkten und selbstgerechten Gecken oeffentlich oder wenigstens privat über den Mund zu fahren, das kränkt mich. Du kannst es nicht thun, denn dann heißt es: es ist sein Bruder. Genug, man wird ihn laufen lassen müssen. Übrigens glaube ich, daß er den Racheakt vor sichselbst leugnen wird. Er wird sich einbilden bona fide gehandelt zu haben; während es natürlich ganz klar ist, daß er ohne meinen Brief von damals den Aufsatz ganz anders oder überhaupt nicht geschrieben haben würde. Wassermann (der nachgerade ein Meister ist) nennt er einen jüdischen Journalisten; aber er hat es noch nie oeffentlich gesagt. Und über Deine Bücher, die er für freche Mache hält hat er oeffentlich auch geschwiegen. Daß »Fiorenza« Mache und zwar schlechte Mache ist, brachte er ins Berliner Tageblatt. Und die *Roheit* dabei ist, daß er *weiß* wieviel Schmerzen mir das Buch gemacht hat. Wirklich, er verdiente, gezüchtigt zu werden. Aber ich kann und mag nicht.

Ich höre, Du gehst auch nach Dresden? Wieso? Wir freuen uns auf Deinen Münchener Aufenthalt. Anfang Mai gehen wir auf 14 Tage nach Venedig. Und werden dann wohl den ganzen Sommer mit dem Baby und der Wirtschaft irgendwo auf dem Lande verbringen. Das wird uns allen Dreien gut thun. Ich thue zur Zeit nichts, als den Friedrich-Plan mit Studien nähren. Ich muß dazu eine Menge Neues an mich ziehen: allein das Militärische, den *Krieg*. Aber ich werde mir schon eine Anschauung machen.

Hier war auch schon Frühling, aber heute 2 Grad Kälte. Gruß!   T.

München d. 21. III. 1906
Franz Joseph-Str. 2.

Lieber Heinrich:

Herzlichen Dank! Dein Artikel hat mich sehr erquickt, gerührt, erheitert. Es ist wie unter Jungen: Einer hat mir was
gethan, und der ältere Bruder kommt und rächt mich.

Also, ich finde den Artikel vorzüglich. Was ich taktisch an
ihm auszusetzen hätte, wäre nur, daß Du ihn ganz auf das
Wort »Mache« (in Anf[ührungs]Strichen) stelltest, – welches
doch in der Schaukal'schen Kritik nicht vorkommt. Wenn er
replicirt, so kann er hier einsetzen und wird vielleicht leugnen, mir den Vorwurf gemacht zu haben, den Du zurück-
weist. Er ist dann zwar leicht zu überführen, denn sein
Aufsatz lief thatsächlich auf den Vorwurf der Mache hinaus;
nur wirkt das Wort bei Dir unrichtiger Weise als Citat. Ich
habe mir vorläufig erlaubt, die Anführungsstriche des Titels
zu tilgen und im ersten Satz ein »›Literatur‹ und« einzufü-
gen, nämlich: »... hat im ›Zeitgeist‹ die ›F[iorenza]‹ von
T. M. für ›Literatur‹ und Mache erklärt«. Dann habe ich den
Artikel, damit wir mit dem Zeitgeist keine Zeit verlieren, an
Harden geschickt. Wie wir beide zu ihm stehen, Du litterarisch und ich persönlich, wird er nicht gut Nein sagen
können. Ich denke mir, daß er den Artikel vielleicht im Notizbuch als Brief bringt. Die Correctur habe ich gebeten,
eventuell an mich zu senden. Vielleicht bist Du schon hier,
wenn sie kommt. –

Mama schreibt, Du wirst in Berlin lesen? Vielleicht auch in
Dresden? Gestern besuchte mich der Berliner Kritiker Lublinski und erzählte, Du habest in Berlin unter der »herauf-
kommenden Generation« eine fanatische Gemeinde. Wann
liest Du dort? Ich soll hier in der ersten April-Woche auftreten. Es wäre hübsch, wenn Du dazu noch hier wärst.

Nächsten Dienstag ist Dein Geburtstag. Da Du an dem Tage
wohl unterwegs sein wirst, so sei schon heute beglückwünscht.

Herzlichen Gruß! T.

Lieber Heinrich:

Rechts von mir liegt ein ganzes Stößchen schriftlicher Angelegenheiten, daß sich in den letzten 14 Tagen angesammelt hat. Von Dir ist nichts dabei; und doch bekommt das Stößchen Schuld erst durch die Schuld an Dich ihr rechtes Gewicht. Ich will sie schleunig zuerst abtragen; das Stößchen und mein Gewissen werden dann auf einmal sehr erleichtert sein.

Die ersten Tage nach meiner Rückkehr vom Weißen Hirsch (und Berlin) war ich totmüde und schlief den halben Tag. Dann kamen wirklich vier, fünf Tage voll Erneuerungsgefühl und Arbeitsstimmung, deren Frische ich nicht zum Briefschreiben benutzen wollte. Und dann bereitete sich ein Magen-Anfall vor, der gestern, pünktlich an meinem Geburtstage, seinen Ausbruch und Höhepunkt erreichte. Ungefähr eine Woche lang gehe ich in solchen Fällen in tiefer Verdüsterung, geistiger Oede und neurasthenischer Menschenscheu umher, unfähig, auch nur zu lesen und unwissend, was aus mir werden soll. Es will aber nichts weiter werden, als eine Nacht, die ich vollständig schlaflos verbringe, indem ich vor Darm-Nervenschmerzen ächze, würge, mich erbreche, ganz grausam leide. Das war die Nacht auf gestern. Den Tag darauf bin ich dann sehr schwach und milde, gewissermaßen verklärt; und dann komme ich langsam wieder in Gang. So heute. Und nun will ich Dir also für Deine »Stürmischen Morgen« danken, die ich schon auf dem Weißen Hirsch – so begierig und in einem Zuge wie sonst kaum noch ein Buch – gelesen und mit denen ich mich auch hier noch wiederholt beschäftigt habe.

Ein glanzvolles Buch wieder, das alle Deine Vorzüge zeigt, Dein hinreißendes Tempo, Deinen berühmten »Schmiß«, die entzückende Prägnanz Deines Wortes, Deine ganze erstaunliche Virtuosität, der man sich hingiebt, weil sie zweifellos direkt aus der Leidenschaft kommt. Die vier guten Dinge werden Deinen Ruhm mehren. Daß mir das mir gewidmete auch heute noch das liebste ist, ist wohl in der Ordnung. Ich bestätigte Dir schon, wie nahe mir diese Geschichte steht. Aber dann kommt gleich »Der Unbekannte«.

d. 8.

Siehst Du, es ging nicht weiter. Mir wurde so schwindelig und übel vom Gebücktsitzen, daß ich abbrechen mußte. – Also: den »Unbekannten« bewundere ich sehr und bilde mir ein, daß Wenige das Stück so zu schätzen wissen werden, wie ich, der seine persönlichste Symbolik sieht und fühlt. Von dem Empfindungsgehalt abgesehen, ist es ausgezeichnet gemacht, höchst geschickt vorbereitet und wahrscheinlich gemacht. Das war nöthig; denn daß der Junge bis zum Aeußersten nichts merkt, nicht begreift, ist eigentlich ein bischen unwahrscheinlich. Aber was liegt zuletzt an der Wahrscheinlichkeit. Die größten Sachen sind unwahrscheinlich. (Siehe Björnson über Ibsen in der letzten »Zukunft«.) Und durch das wiederholte »Auf das Einfachste verfalle ich nie« ist viel gegen die Unwahrscheinlichkeit gethan. Übrigens – wie rührend und echt ist das Ganze! Das Verhältnis des Schuljungen (dieses Schuljungen) zur Welt, zu dem Treiben im Elternhaus! Du mußtest das einmal machen – auch das. Die Einzelheiten, die mir am meisten Vergnügen gemacht haben, kennst Du selbst; es sind sicher die, die auch Dir am meisten Vergnügen gemacht haben. Kurzum – herzlichen Glückwunsch! – Hast Du Langens »März«-Prospect bekommen? Da ist Absatz und Erstabdruck für Alles, was Du schreibst! Mir geht es miserabel. Die Wirkung vom Weißen Hirsch ist eher negativ. Ich sage es niemandem von meiner Umgebung, wie schlecht und erschöpft und abgenutzt und tot und fertig ich mich fühle. Ohne Frau und Kind und Anhang wäre mir wohler und wurstiger. Mich quält der Gedanke, daß ich mich nicht hätte menschlich attachiren und binden dürfen. Ich hatte schon damals den Verdacht, daß es ein *Rest* von Kraft sei, mit dem ich mir das aeußere Glück eroberte. Genug! Ich glaube, Du hörst dergleichen nicht gern und hast auch ein Recht, es abzulehnen. Du hast Deinem Künstlerthum strenger und treuer gedient, und Dein schöpferischer Egoismus braucht nicht zu wissen, daß ich, der scheinbar Glücklichere, es längst unvergleichlich schwerer habe, als Du. Genug, die dunklen Redensarten des Kummers ekeln mich. Man will mit solchem Gerede nur stören und auf sich aufmerksam machen. Ich hoffe auf den Sommer in Oberammergau.

Brieger-Wasservogel hat mir nochmals geschrieben. Hast Du endgültig abgelehnt? Er sagt, daß, unter dem gleichen Vorbehalt wie ich, Wassermann, Du, Hirschfeld, Salus, R[icarda] Huch, Tony Schwabe etc. ihm zugesagt hätten. Wollen wir ihm nicht vielleicht doch erlauben, irgend was abzudrucken? Ich habe ihm noch garnicht wieder geantwortet.

Wir gehen am 15ten aufs Land.

Herzl. Gruß   T.

München d. 11. VI. 1906
Franz Joseph-Str. 2.

Lieber Heinrich:

Deine Theilnahme thut mir unendlich wohl und mehr noch fast Dein Vertrauen, mit dem Du mich nun in Deine Lebensangelegenheiten einführst. Ich wußte davon, war gleich, als man mir die erste Andeutung machte, sehr bewegt und bin es nun aufs Neue, indem ich mich unter den seelischen Wirklichkeiten, die hinter Deinen Worten stehen, zu orientiren suche. Es scheint ein ganz ähnliches Verhältnis wie damals zwischen mir und Katja zu sein, bei aller Verschiedenheit der beiden Frauen und der äußeren Umstände. Ihr seid einig, seid eurer sicher (gegenseitig und eurerselbst) – das ist eigentlich schon eine günstigere Sachlage, als die unsrige von damals. Und aeußere Hindernisse von Dauer scheinen nicht vorhanden. Ich sehe hier viel Glücksmöglichkeit – auch für mich; denn es wäre doch nicht ausgeschlossen, daß Du wenigstens einen Theil des Jahres mit Deiner Frau in München lebtest, und das könnte dann ein schönes und behaglich anregendes Zusammenleben ergeben, wie ich es mir träume, wenn ich die Eindrücke vonseiten der Familie meiner Frau wieder einmal fremd, grässlich, demüthigend, entnervend, entkräftend finde. Aber Deine Verlobte ist Sängerin? Oeffentlich? Wird es ein Wanderleben werden? Ich weiss nicht, ob ich Dir das wünschen soll? Denn so sehr ich eine gewisse Bewegtheit, Freiheit, Rastlosigkeit, Unsicherheit wünschenswerth finde und für mich selbst Fäulnis und Stagnation und Verweichlichung durch ein bequemes Luxus-Bourgeois-Dasein fürchte: ich glaube doch von früher her zu wissen, dass auch Du eine ganze Portion Sesshaftigkeit und Bedürfnis nach bürgerlichem Behagen in Dir hast; – ich denke noch der heiteren Wollust, mit der Du damals Deine Wohnung, Deine Bibliothek, Deine comfortable und sichere Installirtheit in der Zieblandstrasse genossest. – Nun, das muss sich finden. Ich bin jedenfalls gebunden und habe eine goldene Kugel an jedem Bein, – das mag nun gut oder schlecht für mich sein. (Grautoff hat erklärt, dass er hier nicht vorwärts kommt, geht Oktober definitiv nach Paris, um dort als freier Kunstschreiber zu leben und nothfalls Stiefel zu putzen. Das ist vielleicht eine grosse Dummheit, und doch werde ich ihm mit einer gewissen Sehnsucht nachblikken.) An Eckerthal kann ich also, der ich eben vom Kuraufenthalt zurückkomme, unter keinen Umständen denken, – es sei denn dass ein *körperlicher* Zusammenbruch erfolgte, was nicht wahrscheinlich ist, denn ich schlafe und esse gut, und nur die liebe Seele ist matt bis auf den Tod. Dagegen begrüsse ich mit Freuden Deinen Gedanken, im Sommer nach Ober-Ammergau zu kommen. Thu das ja! Wir können dann über die Zukunft sprechen und uns überhaupt das Leben ein bischen zurechtlegen. – Ich baue sehr auf den Landaufenthalt; er muss mich wieder zu Kräften bringen. Wie wenig mit der »Conception« gethan ist, das fühlt man erst, wenn die Kräfte, der Muth, die Lustigkeit fehlen, um (bei hoch entwickeltem Talent, grosser Ungenügsamkeit und Gewissenhaftigkeit!) zu *arbeiten*, die Mühe, die Widerwärtigkeiten der Periode, die Strapazen des Rhythmus auf sich zu nehmen. Der »Friedrich«, die »Maja«, die Novellen, die ich schreiben möchte, könnten vielleicht Meisterwerke werden, aber man verzehrt sich in Plänen und verzagt im Anfangen. Kleist hat seinen Robert Guiscard nicht gemacht und Hartleben nicht seinen Diogenes. Schrecklich, schrecklich! Nun, hoffen wir! Nochmals Dank für Deine Theilnahme und herzlichen Gruss.

T.

München d. 27. Mai 1907
Franz Joseph-Str. 2

Lieber Heinrich:

Dank für Deine Karte. Ich bin froh, daß Du einen sympathischen Aufenthalt gefunden hast. Freilich, das Gr. Hôtel war Schwindel, – eine anspruchsvolle Spelunke. Was ein wirkliches »Grand Hôtel« ist, habe ich erst jetzt in Frankfurt wieder gesehen, im »Frankfurter Hof«: Da weiß man doch, wofür man zahlt und thut's mit einer Art Freudigkeit. – Also, wir waren dort und haben uns die sechste und vorläufig wohl letzte Aufführung von »Fiorenza« angesehen. Wir fuhren Donnerstag Abend und waren Samstag Abend wieder hier. Das ganze Abenteuer ging so schnell, daß es jetzt hinter mir liegt, wie ein sonderbarer Traum, von dem ich noch ein bischen wirr im Kopfe bin. Die Aufführung, so unzulänglich sie großen Theils war, hat mir doch gezeigt, daß das Stück als Stück bei Weitem nicht so unmöglich ist, wie fast Alle geglaubt haben, und daß, was lebendig ange-

schaut ist, eben auch auf dem Theater lebt, es sei nun »dramatisch« oder nicht. Von den Darstellern war wirklich gut nur der Cardinal, dieser aber geradezu unübertrefflich, eine überaus verschmitzte, pikante und seltsame Figur. Der Lorenzo – miserabel, wodurch der III. Akt, an sich eine harte Geduldsprobe, arg beeinträchtigt wurde. Aber die Andacht des Publikums war rührend. Nach dem II. Akt mußte ich zweimal und nach dem III. dreimal auf der Bühne für den anhaltenden Beifall danken, zuletzt ohne die Darsteller. Auch sonst ging es uns gut. Eine Dame aus der Familie Rothschild fuhr uns in ihrer Equipage spaziren, und nach dem Theater soupirten wir in ihrem luxuriösen Haus. Auf der Rückreise hatten wir blödsinnige Hitze. Nun bin ich müde, sehnsüchtig nach Arbeit und weise alle Triumphe, Vorlesungen, alles persönliche Hervortreten von der Hand. – Ich habe auf der Reise mit »Zwischen den Rassen« begonnen, das Langen mir schickte, und habe gestern fast den ganzen Tag gelesen, sodaß ich schon zu zwei Dritteln fertig bin. Das Schönste war bisjetzt die Gugigl-Episode, mit Arnold. Wenn ich fertig bin, Näheres. Mein Gott, wenn ich *vergleiche** mit dem, was sonst heute bei uns an Romanen gemacht wird! – so fühlt sich mein Familien-Ehrgeiz sehr befriedigt. Was nun die Busse, Hesse und Simpel wohl wieder sagen werden!
(* und nicht nur dann! Aber will man sich seines Werthes freuen, so muß man schließlich vergleichen.)
Herzlichen Gruß!   T.

München d. 7. 6. 1907
Franz Joseph-Str. 2.

Lieber Heinrich:

Großer Gott, Du hast wieder etwas fertig, – und ich bin noch nicht einmal mit Deinem Letzten fertig, – das heißt, ich habe es längst zu Ende gelesen, aber es hat darum nicht aufgehört, mich zu beschäftigen und wächst mit der Distanz

– als Kunstwerk, denn gelesen habe ich es entschuldbarer Weise vorwiegend als persönliches Dokument und Bekenntnis, – reißend schnell gelesen oder besser gesagt: hingerissen schnell und oft in tiefer Bewegung. Ich kann nicht sehr essayistisch sein (unser Haushalt löst sich auf, stellt eigentlich nur noch einen Haufen Holzwolle dar, und ich schreibe mit einer noch ungewohnten Füllfeder). Aber ich möchte Dir doch kurz meine Eindrücke mittheilen. Sie lassen sich dahin zusammenfassen, daß »Zwischen den Rassen« mir – wenigstens im Augenblick – das liebste und nächste Deiner Werke ist – warum? Zunächst, wie gesagt, als Bekenntnis. Du hast nie soviel Hingabe *gezeigt,* und bei aller Strenge seiner Schönheit hat dies Buch dadurch etwas Weiches, Menschliches, Hingegebenes, das mich ganze Abschnitte lang in einer unwiderstehlichen Rührung festgehalten hat. Aber der eigentliche Grund seiner besonderen Wirkung liegt doch wohl tiefer. Sie beruht, meine ich, darin, daß dies Buch das gerechteste, erfahrenste, mildeste, *freieste* Deiner Werke ist. Hier ist keine Tendenz, keine Beschränktheit, keine Verherrlichung und Verhöhnung, kein Trumpfen auf irgend etwas und keine Verachtung, keine Parteinahme in geistigen, moralischen, aesthetischen Dingen, – sondern Allseitigkeit, Erkenntnis und Kunst. Das liegt im Stoff; aber der Stoff warst Du. »Zwischen den Rassen«, das ist soviel wie »*Über* den Rassen«, und da die »Rasse« schließlich nur ein Symbol und Darstellungsmittel ist, so läuft es hinaus auf ein »Über der *Welt*«. In diesem Sinne, scheint mir, ist dies Buch, – Dein menschlichstes, weichstes Buch, – zugleich Dein souveränstes und künstlerischstes, und dieses Zugleich ist gewiß der Ursprung meiner großen Ergriffenheit.

Dank für Deine Geburtstagskarte. Der Tag hat sich mir sehr freundlich und festlich gestaltet. Montag oder Dienstag ziehen wir um: Seeshaupt, Villa Hirth. Ob ich diesen Sommer mit »Kgl. Hoheit« einigermaßen zu Rande komme? Frankfurt hat mich wieder sehr abgelenkt, demoralisirt und ermüdet. Aber am See will ich mein Möglichstes thun.

Besuchst Du uns mal, vielleicht von Polling aus, wohin Du
ja zunächst gehst?
Herzlichen Gruß, auch von Katja!   T.

                      Seeshaupt, d. 19. VI. 07

Lieber Heinrich:

Den beifolgenden Geschäftsbrief an Dich machte ich auf,
weil er »Seeshaupt, Villa Hirth« adressirt war. Entschuldige.

Ich denke, daß auch Du jetzt besseres Wetter hast. Willst Du
uns nicht mal besuchen? Es ist ein gutes Gasthaus nicht weit
von uns. Ich bin möglichst fleißig und arbeite hier wenigstens wieder *regelmäßig,* wenn auch die tägliche Kraft nicht
weit reicht.

Mama hatte Dir ein Zimmer bereitet; sie war wirklich betrübt. Ich habe ihr auch meinerseits geschrieben, daß ihre
Zusage verloren gegangen sei. Sie wird übrigens nur auf
einen Tag nach München fahren, um Lula zu besuchen,
wenn ich recht verstanden habe.

Auch von Katja herzlichen Gruß!   T.

                      Seeshaupt, d. 22. VI. 07

Lieber Heinrich:

Dank für Deine Karte. Den Löwen habe ich bekommen (vor
Kurzem), aber für Fracht und Zoll fast ebenso viel zahlen
müssen wie der ganze Kerl gekostet hat.

Seit Grautoff fort ist, habe ich eigentlich gar keine Verbindung mehr mit den »Neuesten«, zumal auch Busching
abgegangen ist. Nur den Feuilletonisten Grimm kenne ich
noch flüchtig, und an ihn werde ich denn schreiben und
Ewers die Antwort selbst mittheilen. Ich schulde ihm so wie
so einen Brief. – »Sehr, sehr schwer«? Ich habe »Zw[ischen]
d[en] Rassen« in drei, vier Sitzungen gelesen: für meine Verhältnisse rapide. Und dabei langweilen mich jetzt alle neuen

Romane, – allerdings wohl nicht wegen ihrer »Schwere«. Ich finde das Buch, unter anderem, so unterhaltend wie nur eins von Dir.

Ich arbeite nach Kräften. Aber was für kleine Schritte! Eine *Geduld* ist nöthig! Ein *Starrsinn!* – »Nord u[nd] Süd« hat den Versuch ü[ber] d[as] Theater für 400 M acceptirt. Er soll auch als Separat-Druck vertrieben werden. – Ist Harden nicht köstlich?

T.

Seeshaupt, d. 5. VII. 07.

Lieber Heinrich:

Ich habe mich noch wegen Luftkurorten erkundigt: Über 1000 m sind ja sämtliche Brenner-Orte, die von Kuffstein keine Reise sind, also Gossensass, Brennerbad, Mattrai(?), Steinach. Sonst käme vielleicht noch Kohlgrub (vor Ammergau) in Betracht, das aber bloß 900 oder 950 hoch ist. Hast Du Dich unterdessen entschlossen?

Eine Frage meinerseits: Katja fehlt es ein bischen an geistiger Beschäftigung, woran sie doch von früher her gewöhnt ist. Im Winter muß man sie anhalten, wieder Collegien zu hören. Für jetzt bin ich auf folgenden Einfall gekommen. Du giebst doch den deutschen Flaubert bei Müller heraus. Ist die Übersetzung aller Bände schon vergeben? Würdest Du vielleicht einen der von Dir übernommenen an Katja abtreten? Sie hat Lust und würde es aller Voraussicht nach so gut, ja besser machen, als der Durchschnitt. Ist etwas zu machen?

Die besten Wünsche für Deine Gesundheit!

T.

München d. 2. X. 1907

Lieber Heinrich:

Ich habe dem Otto Eisenschitz schon aus Mangel an Material abgesagt. Sein Unternehmen scheint eine Art Cabaret, und persönliches Auftreten dort wäre wohl nicht recht würdig. Ich würde Dir jedenfalls rathen, abzuwarten, wie die Sache sich macht und wer sonst dabei ist.

Ja, kurze Zeit nach Deiner Abreise setzte das dauerhafte Wetter ein, mit abendlichen Nebeln, die der Moorlandschaft ein phantastisches Aussehen gaben. Zuletzt wurde es sehr warm, und der Umzug neulich war recht gräßlich. Nun leben wir seit einigen Tagen hier in der Arcisstraße bei halb ausgepackten Koffern, bis unsere Wohnung in Stand gesetzt ist, was hoffentlich morgen der Fall sein wird. Ich habe den Kopf voll Aufführungssorgen, denn Fiorenza *soll* noch in diesem Monat in Scene gehen – und zwar, wenn Alles gut geht in einer vorzüglichen Besetzung, unter dem künstlerischen Beirath des Professors Hierl-Deronko, eines hiesigen großen Tieres. Heine hat den Prior übernommen, Lützenkirchen den Lorenzo. Ich bemühe mich, den Frankfurter Giovanni, der mustergültig war, herzubekommen. Aber das Künstlerhaus soll weder Akustik noch Optik haben, und vor Falkenbergs Gobelin-Regie habe ich ebenfalls ein bischen Angst. Außerdem vor der *Dauer* des Abends. Jedenfalls würde ich mich ungeheuer freuen, wenn Du kommen könntest. Vielleicht wird doch noch bis November verschoben, – fast wahrscheinlich.

Arbeitsstimmung unter den obwaltenden Umständen minimal. In der Franz Joseph-Straße, bei einer eingezogenen Lebensführung muß es besser werden.

Katja grüßt herzlich.   T.

München den 16. x. 1907
Franz Joseph-Str. 2

Lieber Heinrich:

Ich habe neulich eine Karte nach Riva adressirt: wegen Carla, – daß sie ja doch bestimmt nicht kommen könnte und daß ich mich auch scheue, bei dem experimentellen Charakter des Ganzen noch Experimente im Einzelnen zu machen.

Die Aufführung ist, wie ich voraussah, auf November verschoben. Es zeigt sich natürlich, daß es Zeit kostet, sie auf die Beine zu bringen. Du wirst bis dahin wohl so wie so schon hier sein. – Wir hatten vorgestern interessanten Besuch: von S. Fischer, Verlag, der express herbeieilte, um die Honorarfrage betr. »K. H.« (was sowohl »Klaus Heinrich« wie »Kgl. Hoheit« heißt) zu ordnen. Ich las ihm ein Kapitel vor und bekam recht stolze Bedingungen zugestanden: 6000 für den Vorabdruck und 10 Tausend gleich honorirt. Mir ist nicht ganz geheuer bei diesem Optimismus. – Meinen Glückwunsch zu dem herzstärkenden demokratischen Erlebnis. Ich gönne es Dr. von Staat.

Herzlich   T.

München d. 15. Jan. 1908
Franz Joseph-Str.

Lieber Heinrich:

Vielen Dank für Deine Karte und die Zeitung. Das mit d'Annunzio hat ja seine schöne Seite, aber man hat doch den Eindruck, daß die Liebe der Nation zur Begeisterung von diesem schlechten kleinen Wagner-Imitator in recht eitler Weise ausgenützt wird. Oder findest Du nicht? – Neulich waren wir bei Bernstein, der mir viel vom Prozeß erzählte. Nach der ersten halben Stunde hat Harden zu ihm gesagt: »Na, da können wir ja aufhören!« So frech ist die Tendenz von Anfang an hervorgetreten. Außerdem soll das ganze Bildungsniveau unglaublich gewesen sein. Bernstein hält die Revision für aussichtslos. – Hier friert es immer noch Stein und Bein. In »K[önigliche] H[oheit]« bin ich nun, Gott Lob, bei der Liebesgeschichte angelangt. Aber es hat noch große Compositionsschwierigkeiten. Herzlichen Gruß von uns beiden.

T.

Polling d. 6. Febr. 08

Lieber Heinrich:

Hier und heute endlich mache ich mich daran, Dir für Deinen stimmungsvollen römischen Brief zu danken. In München hatte ich in der letzten Zeit soviel um die Ohren, daß ich nicht dazu kam. Nun bin ich auf fünf, sechs Tage hier. Dann kommt Katja auf einen, und wir fahren zusammen zurück. Es ist starker Frost, und die Schreibbedingungen sind, auch abgesehen von der Tinte, nicht sehr günstig. Aber ich halte mich doch jeden Vormittag zwei Stunden am Schreibtisch fest und erzähle ein Stückchen weiter. Wie lange noch? Alles nimmt immer viel mehr Raum und Zeit in Anspruch, als ich dachte. Aber es muß wohl so sein. Es ist eine Sache, bei der das Erzählen in hohem Grade Selbstzweck ist. Auch glaube ich, daß es niemals eigentlich langweilig wird. Aber kurzweilig ist es auch nicht gerade.

Deinen Brief habe ich mehrmals mit großer Theilnahme gelesen. Ja, Rom. Ich möchte wissen, wie mir zu Muthe wäre, wenn ich die Stätten wiedersähe. Vielleicht garnicht. Ich komme mir oft recht stumpf vor. Meine Produktionsart macht starrsinnig und apathisch. Frisch erhalten kann wohl nur das Gegentheil davon: die Improvisation und Gelegenheitslyrik. – Es ist so schön, was Du über die Spanische Treppe schreibst. Ich bin sicher, daß ich nie eine Treppe in dieser Weise werde bewundern können. Diese Fähigkeit zum freien Genuß schöner Sichtbarkeiten ist es gewiß hauptsächlich, was Du Deiner »mühelosen Jugend« verdankst. Ich habe sie nicht; stak in den Jahren, wo man dergleichen entwickelt wohl zu tief in schwierigen Innerlichkeiten. – Nie hätte ich gedacht, daß Herr Dräge noch da sein würde. Warst Du auch im Genzano, wo wir abonniert dazu waren? An dem Brunnen in der Villa B. schrieb ich theilweise »Luischen«; es gehörte zu den ersten Sachen von mir, die Dir imponirten. – Ich träume oft davon, einmal mit Katja nach Rom zu fahren. Ich glaube doch, daß ich den Wandel der Zeiten mit Genugthuung empfinden würde. Man hat es

87

schließlich »zu was gebracht«. Hoffentlich geht es mir nach weiteren zehn Jahren wiederum entsprechend besser. Manchmal glaube ich, daß, wenn mein Körper aushält, es mir so zwischen 50 und 60 am besten gehen wird. –

Die Prozeß-Einzelheiten, die Bernstein mir erzählte, habe ich schon jetzt nicht mehr so recht beisammen. Es waren so »Imponderabilien«. Jedenfalls war die Tendenz des Ganzen schamlos. Jede zweite Frage Bernsteins wurde vom Vorsitzenden als »Suggestiv-Frage« zurückgewiesen. Dabei schüchterten er selbst und der Staatsanwalt die Zeugen mit allen Mitteln ein. Auf die Elbe soll rücksichtslos gedrückt worden sein (mit allerlei Enthüllungs- und Skandaldrohungen), und dem Dr. Hirschfeld (der selbst homosexuell ist) drohte der Staatsanwalt mit »sehr unangenehmen« Fragen für den Fall, daß etc. Hardens Schlußrede, die ausgezeichnet gewesen sein soll, ist von der Presse verstümmelt; besonders ist einmütig ein glänzender Ausfall gegen die Presse weggelassen (er hat in direkter Anrede, mit glühender Verachtung zu den Journalisten hinübergesprochen und bei dieser Gelegenheit selbst den Gerichtshof erschüttert.) Grautoff, der kürzlich in Berlin war, hat Harden besucht. Er mache einen sehr gebrochenen Eindruck, sei aber doch wohl schon wieder gesund genug, um zu schreiben und *finde nur den Ton nicht.* Siegfr. Jakobsohn habe versichert, »nach Stilkes(?) Schätzung« sei die Abonnentenzahl der »Z[ukunft]« von 18 000 auf 2000 gesunken. Das Publicum habe hinter H[arden]'s Kulissen gesehen, das sei das Schlimme. Ich weiß nicht, wieviel davon zutreffend ist. Aber ich fürchte, Hardens *Macht* (sein ganzer Stolz) ist durch den Prozeß gebrochen – und vielleicht nicht wiederherzustellen. Das fühlt er, und darum »findet er den Ton nicht«. Es ist ein Jammer. Dagegen hat sich jetzt in Berlin der »Werdandi-Bund« konstituiert, und das ist, wie Oncle Friedl sagen würde, »das Allerschlimmste«. Geheimrath Thode, Wagners Schwiegersohn leider Gottes, sitzt ihm vor, und in einem ersten Aufruf tritt der Bund mit Bieremphase und in unglaublichem

Deutsch für Gesundheit und deutsches Gemüth in der Kunst ein. Es ist das Ekelhafteste, was man sich denken kann, und Nordhausen hat es [in] den Neuesten schon freudig begrüßt. Daß durch diesen Esel von Thode Wagners Name mit der Sache verquickt ist, könnte einen grämen, aber es ist schließlich ganz recht. Mir wird immer wohl, wenn ich merke auf welchem lächerlichen Mißverständnis Wagners bürgerliche Popularität beruht. Gott Lob, den wahren Wagner hat man schließlich doch für sich.

Hast Du in der »Neuen Revue« den Aufsatz über Dich gelesen? Ein Schüler. Das »gotische Zackenwerk, das in schwere Meeresluft stößt« und die [»]graue Herrlichkeit, die trotzig und traumhaft in den Azur greift«, sind ganz »der Meister«. Über mich dagegen hat, sonderbarer Weise, plötzlich ein Florentiner Blatt: »Nuova antologia« eine ausführliche Besprechung gebracht, worin ich als »ingegno acuto ed anima sensibile e raffinata« bezeichnet werde. Ich werde also lieber nicht in den Werdandi-Bund eintreten.

Eben kommt Deine Karte. Sobald ich wieder in München bin, werde ich das Papier besorgen. – Ja, es ist ein guter Witz, daß das selbe Heft Arams Kritik und Deinen Aufsatz enthält. Von mir bekommt diese Redaktion nichts mehr zu sehen. Der einfachste Takt hätte geboten, dann auch gleich den Anfang meiner Sache fürs Februarheft zu lassen. Ich habe übrigens das Februarheft heute (d. 6.) noch nicht bekommen. Auch das Honorar nicht. Nie wieder.

Unsere erste Gesellschaft neulich (14 Pers.) ist würdig verlaufen.

Auf Wiedersehn. T.

München, den 29. April 1908
Franz Josephstr. 2.

Lieber Heinrich:

Das Wetter ist regnerisch aber warm. Kalt wird es nun jedenfalls nicht mehr werden, und so lüpfen wir denn die

Flügel. Wir denken, am 2ten abends zu reisen, einen Tag in Verona (oder Vicenza) zu bleiben und am 4ten in Venedig einzutreffen. Mit dem Treffen in Bozen ist es also wohl nichts Rechtes; wir bevorzugen beide die erleichternde Nachtreise. Es wäre sehr nett, wenn Ines mitkäme. Mit ihr und Carla werden wir dann ja auch eine mächtige Gesellschaft sein. Aber ich glaube doch, daß es besser ist, wenn jeder seine Zimmer selbst bestellt, da Carla's Kommen unsicher ist, Ines nur auf einige Tage kommt und ich nicht recht weiß, wie Ihr die Zimmer gelegen wünscht. Kurzum, die Bestellung ist mir zu kompliziert. Wir werden vielleicht gar nicht bestellen. Man bekommt schon was.

Mit Langen habe ich neulich im Theater gesprochen. Der Plan ist da, aber die Ausführung ist ungewiß und steht jedenfalls noch in weitem Felde. Ich habe Ewers nach Kräften empfohlen, und L[angen] versprach mir, wenn es je ernst werden sollte, sich seiner erinnern zu wollen.

Also von Dir ist die »Kiste Gemälde«, deren Absendung im Auftrage des H[errn] Gustav Wolff mir vor 14 Tagen durch den römischen Spediteur angezeigt wurde. Sie liegt bei Wetsch und soll 31,50 Mark Transport kosten. Ich habe den Spediteur um Aufklärung ersucht, aber keine Antwort bekommen. Wir werden sie nun also abholen lassen und aufbewahren.

Von Harden mündlich. Er war sehr gehoben durch den Ausgang des hiesigen Prozesses, trotz andauernder Schlaflosigkeit. Er meint, daß Eulenburg überhaupt nicht mehr vor Gericht erscheinen wird. Die Sache werde vermittelst Krankheit etc. ins Unendliche hingezogen werden oder man werde E[ulenburg] entfliehen lassen. Isenbiel sitzt nun jedenfalls schön in der Tinte. Möge es ihm so recht schlecht ergehen. Die Münchener Verhandlung soll sehr dramatisch gewesen sein und der bon juge Meyer das Gegenteil von dem Berliner Vorsitzenden. Ja, das Bayernland. Leider hatte ich Bernsteins nicht habhaft werden können, sonst wäre ich dabei gewesen.

Der Insel-Verlag hat noch nicht geschickt. Hoffentlich thut ers bald.

Mögen Deine Zahnleiden bald ein Ende nehmen. Schwere Erinnerungen befähigen mich zum Mitgefühl.

Die herzlichsten Grüße an Ines und Dich von uns beiden.

T.

München d. 10. Juni 1908
Franz Joseph-Str.

Lieber Heinrich:

Ich hatte wirklich ganz vergessen, daß der Brief von Löhr zu Anfang Geburtstagswünsche enthielt. Ich schickte ihn Dir der Bequemlichkeit halber und ausschließlich deshalb. Verzeih, wenn es einen anderen Anschein hatte.

Die Nachricht von Deiner Krankheit hat mich recht bekümmert. Nur gut, daß Du Hartungen bei Dir hast. Ich hoffe von Herzen, daß Deine Wiederherstellung schneller von statten gehen wird, als Du glaubst. Bitte, laß Weiteres hören.

Mit dem Fontane bin ich wohl zu ungeduldig gewesen. Ich bin es leicht in Betreff verliehener Bücher. Hoffentlich ist Ines nicht gekränkt. Ich tröste mich damit, daß sie sich schließlich ein gutes Buch gekauft hat.

Katja hat Dir die Pantoffeln besorgt, von Tiez. Sie sollen nicht sehr schön sein, sind aber auch nicht teuer, sodaß Du Dir mit gutem Gewissen bald schönere kaufen kannst. Es waren im Augenblick keine besseren zu finden.

Bevor wir nach Tölz übersiedeln wollen wir noch Lula in Starnberg besuchen. Sie soll erschöpft und gealtert sein, woran zu einem großen Teil, wie ich jetzt erst sehe, ihr mesquines Männchen schuld, dessen Lieblingsthema bekanntlich Krieg, Krebs und Hungertuch sind. Kurz, Lula verdient viel Mitleid. – Ich arbeite regelmäßig und langweile mich tötlich. Gute Besserung!

T.

[München] den 30. IX. 1908
Franz Joseph-Str. 2.

Lieber Heinrich:

Hier hast Du Bie's Antwort. Sie ist ziemlich unvollständig. Vor Allem antwortet er nicht auf meine Frage, ob er Deinen Roman *gleich* nach meinem, also spätestens im Juniheft beginnen lassen kann. Du mußt Dir nun überlegen, ob Du ihm Dein Manuskript zur Prüfung schicken willst.

Kommst Du nicht einmal abends? Donnerstag sind Loehrs bei uns, und Samstag gehen wir in »Antonius und Kleopatra«. Rufe uns an! Man könnte bei dem schönen Wetter einmal nachmittags auf die Wiese gehen.

Herzlichen Gruß   T.

München den 10. XI. 1908

Lieber Heinrich:

Ist denn die Luft nun wirklich so trocken in Nizza wie Nietzsche immer behauptete? Ich freue mich, daß Du mal hingekommen bist und darüber urteilen kannst. – Dein M[anuskrip]t will ich schon aufheben, kann aber nicht anders denken, als daß Bie zugreifen wird. – Heute war die Interpellation im Reichstag. Aber viel verspreche ich mir nicht, nachdem die Adresse bereits abgelehnt ist. Ein erstes Telegramm besagt, daß Bülow »ernst *aber frisch*« ausgesehen haben soll. – »K[önigliche] H[oheit]« geht mir augenblicklich von der Hand und nähert sich seinem opernhaften Ende. – Herzliche Grüße auch von Katja.

                                                                   T.

München, den 7. XII. 1908
Franz Joseph-Str. 2.

Lieber Heinrich:

Ich hatte heute einen Brief von Fischer: Er, Bie und Heimann sind übereingekommen, daß »Die kleine Stadt« für

92

den fortsetzungsweisen Abdruck in der Rundschau nicht geeignet ist. Wenn es Dir von Wert sei, solle Heimann Dir das eingehender begründen. Darauf verzichtest Du wohl, und ich werde Fischer in diesem Sinne schreiben. Er fügt aber seiner Absage Folgendes hinzu: »Für mich liegt die Sache so, daß ich sehr gern die Werke Ihres Bruders in meinen Verlag aufnehmen würde, wenn er den Wunsch hat, mir seine zukünftige Produktion zu übertragen. Ich würde dann natürlich auch den vorliegenden Roman als Buch bringen.« Das mußt Du Dir nun überlegen.

Wie Katja Dir schon schrieb: ich bin nicht in Briefschreibe-Zustand. Für die N[eue] Fr[eie] Pr[esse] habe ich einen Schmarren gemacht, der 300 M wegen, die ich für Weihnachtsgeschenke brauche. Er fängt an:

»Etwas erzählen? Aber ich weiß nichts. Gut, also ich werde etwas erzählen.« Und so geht es weiter.

Der Wiener Ausflug war wirklich so hübsch wie möglich, wenn man mir auch thatsächlich ins Gesicht sagte, daß man sich auf Dich viel mehr gespitzt habe. Das Haupterlebnis war wohl ein halber Tag bei Hofmannsthal in Rodaun, von dem ich noch heute ganz entzückt bin. Als er mir aus seinem Lustspiel vorlas, setzte er eine Brille auf, gerade wie Du.

Es bessert meine Müdigkeit und Zittrigkeit nicht, zu hören, daß es Dir auch nicht gut geht. Hofmannsthal war ebenfalls gerade vollständig kaput und arbeitsunfähig, als ich in Wien war. Es ist merkwürdig wie gerade die Besten Alle am Rande der Erschöpfung arbeiten. Hoffentlich kannst Du bald Deinen Roman fertig schreiben, an dessen Bedeutung und Werth ich *fest glaube*. Ich wollte, ich könnte halb so fest an »K[önigliche] H[oheit]« glauben, von dem ich mir ein kläglickes Fiasko erwarte. Nun, ich habe noch allerlei in Petto.

Herzlichen Gruß, auch von Katja, und gute Besserung.

Heute waren wir mit Inez bei Mama zum Thee.

Bitte, grüße Herzog und sage ihm meinen Glückwunsch

zum Schillerpreis. Die Ausgabe ist sehr, sehr schön. Ich freue mich schon auf den nächsten Band.

T.

Harden spricht hier nächstens über »die politische Lage«.

München den 22. XII. 1908

Lieber Heinrich:

Unterm Heutigen lassen wir eine kleine Weihnachtsgabe an Dich abgehen, die Dir hoffentlich willkommen ist und Dir – namentlich – *paßt*. Wenn nicht, so wird sie anstandslos zurückgenommen.

Laß es Dir gut gehen und sei herzlich gegrüßt von Katja und

T.

München den 27. XII. 08
Franz Joseph-Str. 2.

Lieber Heinrich:

Deine Bonbonière ist köstlich. Nimm in Katja's und meinem Namen schönen Dank dafür!

Hoffentlich geht es Dir besser. Ich wollte, die Festzeit mit ihren Unregelmäßigkeiten wäre vorüber. Die Kinder waren reizend, recht wie es im Buche steht, bei unserer Bescherung; aber nun sind sie doppelt so ungezogen wie sonst. Hofmannsthal schickte mir seine Gedichte mit einer Widmung zu Weihnacht, das hat mich beinahe am meisten gefreut.

Ein gutes neues Jahr! T.

München, den 25. III. 1909.
Franz Joseph-Str. 2.

Lieber Heinrich:

Herzlichen Glückwunsch zu Deinem Geburtstag!

Da ich Dir »K[önigliche] H[oheit]« noch nicht schicken kann, so nimm vorlieb mit der Neuausgabe des »Kl[einen] Herrn Friedemann«, die etwas vermehrt ist. »Die Hungernden« sind eine Art Vorstudie zum Tonio Kröger und standen mal in der »Zukunft«. »Das Eisenbahnunglück« machte ich kürzlich für die »Neue Freie Presse«.

Ich hoffe, es geht Dir leidlich. Ist die kleine Stadt fertig?

Ich habe mich meines Darmes wegen wieder einer lästigen Massagekur unterziehen müssen. Im Übrigen halte ich mich so ungefähr und bereite Mehreres vor: einen Essay, der allerhand Zeitkritisches enthalten soll, und eine Novelle, die sich ideell an »K[önigliche] H[oheit]« anschließen wird, aber doch eine andere Atmosphäre haben und, glaube ich, sozusagen schon etwas »18. Jahrhundert« enthalten wird. Überhaupt ist mir immer, als begänne nun eine neue »Periode«, wie Schaukal sagen würde.

Wir erwarten täglich und stündlich Katja's Niederkunft. Gott gebe, daß sie glatt vonstatten gehe. Katja grüßt und beglückwünscht Dich herzlich.

Dein T.

München den 1. IV. 1909
Franz Joseph-Str. 2.

Lieber Heinrich:

Dein Brief hat mir großen Kummer gemacht und mich sehr erschüttert, – zumal ich im Augenblick wenig widerstandsfähig bin. Die siebzehn Stunden mit Katja haben mir tüchtig mitgespielt, und noch heute bin ich ganz unfähig, mich schriftlich in die Ines-Lula-Sache zu vertiefen, so sehr ich es, seit der Lektüre Deines Briefes innerlich gethan habe. Laß mich Dir hauptsächlich das Eine sagen, daß Du die Sache in der steilen und grellen Art behandelst, die zu Deinem Genie gehört, die aber für den kleinen, menschlichen Wirklichkeitsfall »Lula« viel zu streng, zu geistreich, zu leidenschaftlich ist. Um Deiner eigenen Gesundheit und Nervenkraft willen die wahrhaftig zu wertvoll ist, als daß sie sich solcher Lappalien wegen verzehren dürfte, bitte ich Dich herzlich, die Angelegenheit ruhiger, viel ruhiger anzusehen! Wenn Lula und Ines einander nicht leiden können, so ist das schließlich nicht so erstaunlich, denn es sind sehr verschiedene Wesen, und kluge Leute brauchten sich ob solcher Damen-Antipathie keine grauen Haare wachsen zu lassen. Lula kann sagen, daß sie, als sie die Einladung ablehnte, Ines nicht mehr als Deine Braut zu betrachten brauchte. Sie hatte gehört, es werde nichts aus der Verbindung und so sagte sie: »Entweder – oder. Wenn sie nicht seine Braut ist, so ist sie eine Fremde und geht mich nichts an.« Zwischendinge versteht sie nicht. Und was den Besuch in der Pension bei Ines betrifft, so kann Lula sich, vollkommen mit Recht, darauf berufen, daß Katja Ines ja auch nicht besucht hat. Offenbar ist das wirklich nicht Sitte, und niemand hat daran gedacht, ich auch nicht. Wer wird denn überhaupt so genau sein! Fange bei Dir an und frage Dich, ob Du in gesellschaftlichen Dingen – z. B. meinen Schwiegereltern gegenüber – nicht immer nur genau das gethan hast, wozu Du Lust hattest! Und Ines selbst! Lula ist voller Schwächen und Nücken, aber daß sie immer noch fünfmal disziplinierter ist, als Ines, darüber kann doch – ich bitte tausend mal um Verzeihung! – kein Zweifel walten! Niemand hat Anstoß an Ines' Verhalten in Venedig, in München, in Tölz genommen; Katja und ich wenigstens haben sie immer acceptiert, wie sie ist. Aber daß sie das Recht verwirkt hat, ihrerseits besonders kritisch zu sein, das finde ich denn doch.* Sei gerecht und sieh Licht und Schatten richtig verteilt! Woher weißt Du überhaupt, daß Lula damals nicht zu Mama kommen wollte? Du hättest das nie zu erfahren brauchen und nie erfahren dürfen. Hat

Ines Lula bei Dir verklagt (wie sie mich bei Mama verklagt hat; ich sei in Venedig häßlich zu ihr gewesen!)? Das fände ich fast so ungehörig wie Lula's Absage. Zumal, wenn sie Deine Verlobte nicht mehr ist, hat sie kein Recht, Dich mit Deiner Schwester an einander zu bringen. Oder glaubte sie, daß da nichts mehr zu zerstören sei? Ich habe den Eindruck, daß sie auf Lula ungünstig vorbereitet war, daß Du ihr von vornherein allzu viel von Bürgerlichkeit und Enge in den Kopf gesetzt hattest. Viel Schuld trägt die arme, thörichte Mama, die sich in der ganzen Sache so hahnebüchen wie möglich benommen hat. Ihr Verdienst ist es nicht, wenn es zwischen Ines und uns nicht gerade so steht wie zwischen Ines und Lula. Daß das Geburtstagsgeschenk von ihr war, wirst Du unterdessen erfahren haben, und hoffentlich hast Du eine gelinde Neigung zur Heiterkeit verspürt angesichts des Mißverständnisses. Erfährt Mama nun von der Rücksendung, so ist der Jammer groß, und es giebt Weinkrämpfe und täglich zwei wirre Briefe an Dich und uns. Bedenke, daß sie von Jahr zu Jahr kümmerlicher und schwächer wird! An Deiner Stelle würde ich ihr recht beruhigend schreiben!

Mir ist nicht wohl bei der Nachricht, daß Du »K[önigliche] H[oheit]« in der Rundschau liest. Ich fürchte, Du bist nicht in der Verfassung, das Spiel, das ich dort, im Sinne meines Buches, mit unserem geschwisterlichen Verhältnis treibe, zu nehmen, wie es genommen werden muß. Wenn der Ton nur nicht gar zu gut getroffen wäre. Wie, wenn Du nun damals zu Lula gesagt hättest: »Höre mal, Ines erwartet, daß Du ihren Besuch erwiderst, Du mußt hingehen.«? Meinst Du nicht, daß sie gegangen wäre? Etwas weniger Fremdheit und Steifheit! Etwas mehr Derbheit und Geschwisterlichkeit! Ich finde immer, Geschwister sollten sich garnicht

---

* Katja's Mutter hat Ines dreimal aufgefordert, sie doch zu besuchen. Sie kam nicht. Das war, wenn man will, ein arger Verstoß. Also man will nicht.

überwerfen können. Sie lachen sich aus oder schreien sich an, aber sie nehmen nicht schaudernd von einander Abschied. Denke doch an die Beckergrube N⁰· 52! Alles Übrige ist sekundär! – Das ist nun wohl ein allzu gutmütiges Geschwätz; aber etwas Wahres ist daran, glaube mir! Katja hatte gestern Fieber, was mir einen schönen Schrecken einjagte. Aber es ist nichts und heute wieder Alles in Ordnung.

Heute Morgen, als ich in mein Zimmer trat, manövrierte das Zeppelin'sche Luftschiff gerade vor meinen Fenstern. Die Dächer schwarz von Menschen, die ganze Stadt auf den Beinen, große Begeisterung. Immerhin imposant.

Lebe wohl, lieber Heinrich, ich hoffe, bald wieder freundlich von Dir zu hören: auch über die Kleine Stadt. Ich denke, daß Nord und Süd anbeißen wird. Dr. Osborn, der neue Redakteur, ist ein gebildeter Mann.

Herzlich   Dein T.

Katja's Niederkunft war sehr schwer und qualvoll. Es fehlte nicht viel, so hätte zur Zange gegriffen werden müssen, da die Herztöne des Kindes schon schwach wurden. Das Kind ist wieder mehr der Typus Mucki, schlank und etwas chinesenhaft. Es soll Angelus, Gottfried, Thomas heißen.

                              München den 5. IV. 1909

Lieber Heinrich:

Dein Brief hat mich sehr erleichtert. Besten Dank dafür und für die schönen Blumen, über die Katja sich herzlich gefreut hat. – Die »Zukunft« ist doch ein gutes Blatt. Taine von Sänger und Mereschkowski über Gogol. Auch den netten kleinen Artikel von Scheffler über G. Hirth hinten in der Rundschau empfehle ich Dir. Wie etwas, was hier Nummer Eins ist, sich trottelhaft erweist, an berlinisch anspruchsvollem, großem, europäischem Maß gemessen. Vorgestern war ich in illustrer Gesellschaft: Mottl, Kaulbach, Knorr, Maffei, Speidl (mit Kammerherrnknöpfen und Stern). Aber mein Gott, wie enttäuscht wird bei solchen Gelegenheiten die Provinzialen-Ehrfurcht! Wenn ich die Gesellschaft, den Salon zu schildern hätte, so würde immer diese Provinzialen-Enttäuschung daraus sprechen.

Herzlichen Gruß. T.

München den 10. V. 1909
Franz Joseph-Str. 2.

Lieber Heinrich:

Mit mir steht es auch nicht zum besten, und darum habe ich mich entschlossen auf 3 bis 4 Wochen der Welt und allem Wohlleben Valet zu sagen und zu Bircher-Benner nach Zürich zu gehen, einem hygienischen Zuchthause, dessen Erfolge jetzt sehr gerühmt werden. Ich reise morgen Abend.

Die Beilagen soll ich Dir von Grautoff überreichen. Hoffentlich läßt Du Dich durch seine Flatterien bestricken.

Dank für Deine Karte und herzlichen Gruß. Die Meinen sind wohl.

T.

Zürich den 3. VI. 1909
Bircher-Benner.

Lieber Heinrich:

Vielen Dank für Deinen Brief. Mit der Martini-Scene hast Du vollkommen recht; ich hatte von Anfang an das selbe Gefühl, und doch konnte ich es nicht lassen, mag auch jetzt nicht streichen. Innerlich berief ich mich immer auf Ibsen, der in den Kronprätendenten seinem Skule auch eine solche Scene mit einem Dichter giebt (»Die Gabe des Schmerzes«). Die Gefahr, die darin liegt, auf den Unterschied zwischen conventioneller und wirklicher Hoheit aufmerksam zu machen, fürchte ich weniger. Dieser Unterschied wird in dem Buch überhaupt nicht gemacht, und ich glaube nicht, daß ein Leser die Hoheit Axel Martinis wirklicher finden wird, als die Klaus Heinrichs. Es ist nur eine andere Form. Aber das Schlimme ist, daß es *die* Form ist, die durch all die anderen Hoheitsformen symbolisiert wird und nun auf einmal selber auftritt, wenn auch geistig eingekleidet in die selbe Ironie, die Alles durchdringt. Des Dichters Neid auf den jungen Weber halte ich nicht für falsch. Diese Art von Neid und Sehnsucht gehört ja innerhalb dieses (intellektuell sehr – abgeschlossenen) Buches geradezu zur Hoheit. Man muß bedenken, daß die Tendenz des Buches, wenn auch mit einer etwas hinterhältigen Didaktik, auf das *Leben* weist oder doch auf einen Compromiß von Hoheit und Leben. Der junge Weber als Vertreter des Lebens ist eine solche Hinterhältigkeit, und der Neid auf ihn gehört unbedingt zum Humor des Ganzen. Einerlei: Die Scene ist fehlerhaft. Den Durchschnittsleser werden ein paar lebhafte Détails darüber wegtäuschen. Wir anderen lernen etwas dabei; und so mag der Fehler stehen bleiben. –

Ich reise am 5ten von hier ab, direkt nach Hause, in der Hoffnung auf eine gute Nachwirkung. Es liegt so viel Arbeit vor mir, daß ich nicht weiß, wo ich anfangen soll. Hoffentlich bringt Tölz Ruhe und Entschluß.

Auf Wiedersehn!   T.

Bad Tölz, den 30. IX. 1909
Landhaus Thomas Mann.

Lieber Heinrich:

Heute ist Deine Vorlesung bei den Buchhändlern. Ich habe sehr daran gedacht, dazu nach München zu kommen; aber erstens wird wohl Ines dabei sein, der eine Begegnung mit mir vermutlich nicht angenehm wäre, und dann bin ich auch nicht wohl, sitze mit meiner Arbeit fest, bin vergrämt und müde.

Die Messe im Dom hat mich gestern sehr bewegt. Heute erheiterte mich die Rückholung des Advokaten. Das Ganze liest sich wie ein hohes Lied der Demokratie, und man gewinnt den Eindruck, daß eigentlich nur in einer Demokratie große Männer möglich sind. Das ist nicht wahr, aber unter dem Eindruck Deiner Dichtung glaubt man es. Auch an die »Gerechtigkeit des Volkes« ist man unter diesem Eindruck zu glauben geneigt, obgleich sie wohl noch weniger wahr ist, – es sei denn, daß man für »Volk« »Zeit« oder »Geschichte« setzt. Ich zweifle zum Beispiel, ob das »Volk« diesem Buch bei seinem Erscheinen gerecht werden wird; aber ich glaube bestimmt, daß sich eines Tages viele Blicke darauf richten werden. Übrigens wer weiß. Vielleicht kommt es schon jetzt zur Zeit. Es enthält viel in hohem und vorgeschrittenem Sinne Zeitgemäßes. Ich bin sehr neugierig auf seine Wirkung, – eigentlich viel neugieriger, als auf die von »K[önigliche] H[oheit]«.
Herzlichen Gruß.   T.

München den 23. X. 1909
Arcisstraße 12.

Lieber Heinrich:
Wir werden also nach menschlicher Voraussicht Mittwoch Abend reisen und Donnerstag in Mailand sein. Bitte, zwei einbettige Zimmer zu belegen (eventuell auch ein zweibettiges, wenn günstiger.) – Katja läßt Dir vorläufig durch mich tausend mal für das wunderhübsche Bilderbuch danken.
Herzlichst   T.

München den 12. XII. 09
Franz Joseph-Str. 2.

Lieber Heinrich:
Wir sind nun glücklich wieder eingelaufen, nach bewegten Wochen. In Berlin hatte ich noch unerwartet viele Aufre-

gungen und zwar wegen »Fiorenza«, die plötzlich von der
»Akademischen Bühne« aufgeführt werden sollte, während
ich doch seit dem Sommer mit Reinhardt so gut wie einig
war. Da gab es nun ein Protestieren und Prozessieren und
Conferieren, und schließlich hielt ich für die Studenten, die
sich in Unkosten gestürzt hatten, im Kroll'schen Opern-
hause eine Vorlesung vor fast leerem Hause, denn man hatte
in der Eile die Preise nicht herabgesetzt, und alle Leute hatten natürlich ihre 6 bis 12 Mark-Billets zurückgegeben. Eine
ganz tolle Geschichte in ihren Einzelheiten.
Anbei zwei Ausschnitte. Das »Echo«, damit Du siehst, wie
Servaes sich verändert hat, und den mit Spannung erwarteten Busse. Er läßt ja keine Hoffnung, aber innerhalb dieser
Hoffnungslosigkeit ist er doch fast sympathisch, ernst und
traurig. Du wirst ihn schon mehr reizen. Sonst ist nichts
Lesenswertes mehr gekommen. Wie findest Du Bahr? Was-
sermann, den ich in Berlin traf, verspricht zum Frühjahr
einen *langen* Aufsatz, in Fortsetzungen, politisch, aesthetisch
und unter allen Gesichtspunkten. – Bitte, schicke die beiden
Ausschnitte *an Mama*.
Ewers über Dich ist eigentlich überraschend hübsch, mit
offenbarer Empfindung für die Größe der Sache. Ich will die
»Kl[eine] St[adt]« jetzt noch einmal in Ruhe lesen.
Wie geht es Dir?
Herzliche Grüße auch von Katja.   T.

                                   München den 18. XII. 1909
                                   Franz Joseph-Str. 2.
Lieber Heinrich:
Ich schicke Dir als Drucksache einen italienischen Artikel
über K[önigliche] H[oheit] zur Lektüre. Ich habe nicht viel
davon verstanden, nicht mal die Überschrift. Vielleicht er-
klärst Du mir so ungefähr den Gesichtspunkt.
Bei dieser Gelegenheit möchte ich Dich noch Folgendes fragen. In Nizza sprachen wir über Deine augenblickliche

Vermögenslage und über das Hemmende, was sie gerade in Deinem jetzigen Zustande für Dich hat. Wenn Du Dich langweilst und Dir das Nizza'er Klima nicht bekommt und Geldmangel Dich hindert, weiterzureisen, etwa nach Palermo oder Afrika und zwar unter angemessenen Umständen, kurz, wenn Dir nur ein paar tausend Mark fehlen, um über diese Arbeitspause angenehmer hinwegzukommen, so kann ich dem nicht gut zusehen, ohne Dich zu bitten, an den wirtschaftlichen Früchten von »K[önigliche] H[oheit]« doch unbedenklich ein bischen teilzunehmen. Ich hatte diesen Vorschlag schon in Nizza auf der Zunge, dachte aber, daß die »Kleine Stadt« Dir schon helfen würde. Nun scheint die Ungeschicklichkeit des Verlegers da ja wirklich Vieles vereitelt zu haben. Es hätte für dies zeitgemäße, im höchsten Sinne aktuelle Buch eine viel ernstere, auch politische, Propaganda gemacht werden müssen. Andererseits habe ich dieses Jahr so gute Geschäfte gemacht, daß ich ein paar tausend Mark schmerzlos entbehren kann. Du könntest sie zu Deiner Bequemlichkeit ausgeben, ohne Dir wegen der Rückzahlung Sorgen zu machen. Bitte, wenn Dir damit gedient ist, laß mich's gleich wissen.
Herzlichen Gruß.   T.

[München, den] 21. XII. 1909

Lieber Heinrich, der Kragenbeutel kommt von uns und ist hoffentlich willkommen. Die besten Wünsche und Grüße von uns beiden,

T. u. K.

München den 30. XII. 1909
Lieber Heinrich:
Vielen Dank für den »Pester Lloyd«, den ich nebst dem Vorigen *und* einer Kritik aus der B. Z. am Mittag (heute

erhalten) an Mama weitergebe. Der Lloyd ist wirklich sehr annehmbar, ja erfreulich. Überhaupt irrst Du sicher, wenn Du von »Fiasko« sprichst. Es *kann* sich nur um ein rein geschäftliches, ganz scheinbares handeln. Dergleichen fällt niemals unter den Tisch, das ist unmöglich. Es steht zu fest und zu hoch. Neulich sprach ich Heymel, kein Licht, aber man hört einen ganzen Kreis, wenn man ihn hört. Er redete von Dir wie man in seiner Sphäre eigentlich nur von George redet – (oder früher redete, denn in letzter Zeit wird G. ganz stark kritisiert, was ihm hoffentlich gut bekommt.) Das Aeußere ist ja ein Accidenz. Ich muß hoffen, daß man es haben kann, ohne ein Trottel zu sein und bin überzeugt daß Du es auch jeden Tag haben kannst. Aber sein Fehlen darf Dich über die wahre Wirkung nicht täuschen.

T.

München den 10. 1. 1910.
Franz Joseph-Str. 2.

Lieber Heinrich:

Anbei zwei Drucksachen, deren Rücksendung nicht nötig ist. Auf den Leitartikel in der Frankfurter [Zeitung] bin ich recht stolz. Wenn es mit der Schickele'schen Aktion Ernst ist, solltest Du Dich unbedingt beteiligen, damit man politisch direkt von Dir hört. Die »Kl[eine] St[adt]« gehört viel eher über den Strich, als »K[önigliche] H[oheit]«. – Übrigens sagte mir Jaffe, daß er mit der Kl[einen] St[adt] zu Weihnachten ein gutes Geschäft gemacht hat.

Ich sammle, notiere und studiere für die Bekenntnisse des Hochstaplers, die wohl mein Sonderbarstes werden. Ich bin manchmal überrascht, was ich dabei aus mir heraushole. Es ist aber eine ungesunde Arbeit und für die Nerven nicht gut. Vielleicht ist dies der Grund, weshalb es Kerr jetzt wirklich gelungen ist, mich zu enervieren und in meiner Arbeit zu stören. Im »Tag« hatte er ja schon ein paar mal nach mir gespuckt. Jetzt hat er gelegentlich eines Aufsatzes über Shaw

folgenden Satz in die [Neue] Rundschau eingeschmuggelt:
»Er prahlt nicht wie etwa *mittlere Romanboßler. Jeder komisch
neurasthenische Commis und alter Sanatoriumskunde, der eines
Tages Romane schreibt, wird sich in hoher sozialer Stellung schildern und die Achillesverse* [sic] *novellig vertuschen* etc.« Wie
gefällt das? Es merkt es natürlich kein Mensch außer mir
selbst, aber das ist gerade das Feine daran. Schon wenn er
nur das Wort »sozial« weggelassen und nur »in hoher Stellung« geschrieben hätte, hätte Bie was gemerkt und ihm den
Satz gestrichen. Ich muß gestehen, daß mir Tage lang sehr
übel davon war. Ich kann Feinde und nun gar eine so ekel-
hafte Art Feindschaft innerlich nicht brauchen, ich bin darauf nicht eingerichtet. Aber wenn er sich einmal stellt, mich
allgemeinverständlich angreift, so soll ihm die Polemik mit
mir schlechter bekommen, als die mit dem armen Sudermann.
Herzliche Grüße! T.

München den 26. I. 1910
Franz Joseph-Str. 2.
Lieber Heinrich:
Das B[erliner] T[ageblatt] ist doch ein braves Blättchen.
Monty Jacobs ist der Sache ja nicht ganz gewachsen, aber
manches ist ihm doch *nicht* entgangen, und es bleibt merkwürdig, daß gerade dies Blatt etwas Warmes, Lobendes
bringen mußte. Die politische Gesinnung muß doch wohl
zum Verständnis gewisser Dinge oder doch zur Sympathie
damit prädisponieren. – Den Aufsatz der Sauer habe ich
Mama ebenfalls zu lesen gegeben. Du hast ihn doch bekommen? Er ist sehr fein, wenn sie auch die beiden Bücher allzu
ausschließlich vom artistischen Standpunkt betrachtet. Ungefähr das Gegenteil von Bahr. Ebenso gab ich Mama den
Artikel der Frost in der »Zukunft«. Bei aller Genugthuung
findet sie ihn »etwas schwülstig«, mit gewissem Recht wie
mir scheint. Das Bedeutendste ist wohl die Passage, wo sie

Dich als Darsteller der Zeit, der Modernität feiert. Aehnliches habe ich auch empfunden und Dir gesagt, als ich auf jene gewisse Verwandtschaft mit Reinhardt anspielte. Als Thatsache ist der Aufsatz in der Zukunft jedenfalls sehr, sehr erfreulich.

Über »K[önigliche] H[oheit]« habe ich seit Bahr nicht viel Ermutigendes zu sehen bekommen. Das Buch wird von der Kritik entschieden nicht recht für voll, nicht recht ernst genommen, und ich habe den Eindruck, daß der Erfolg des Deinen – im höheren Sinne – viel größer ist. Auch die Wohlwollendsten bezweifeln den Lustspielschluß; Jemanden hat das »strenge Glück« an Sudermann erinnert. Das Ganze, oder doch die zweite Hälfte gilt als Faschingsspaß, und ich bin an dieser Auffassung wohl etwas schuldig, da ich das Buch im ersten Waschzettel als »epischen Scherz« bezeichnete. Wirklich rührend ist das Referat der Litterarhistorischen Gesellschaft Bonn; aber auch dieser sanfte, gescheidte Gelehrte glaubt nicht an die »Lösung des Nichtzulösenden«. Nachgerade glaube ich selbst nicht mehr daran. Der Schluß ist wohl ein bischen populär verlogen – wie zuletzt auch der Schluß von Zwischen den Rassen. Im Grunde hat natürlich Überbein recht; und wer schon vor K[önigliche] H[oheit] einen »Friedrich« plante, hat wohl nie so ganz innerlich an ein »strenges Eheglück« geglaubt. Was nicht hindert, daß man praktisch daran glauben kann.

Dein Brief über Kerr hat mir sehr wohlgethan und die Verdauung des unbekömmlichen Bissens sehr gefördert. Die Sache ist vergessen.

Herzliche Grüße auch von Katja.   T.

München den 17. 11. 1910.

Lieber Heinrich:

Mögen die zwei Mille Dir wohl anschlagen. Die »größeren Ausgaben« hat wohl Le Gâté [?] verschlungen? Was Du vom Insel-Verlag erzählst imponiert mir sehr. Das zeigt doch, daß er auf Dich hält und an Dich glaubt. Ich höre über die Kleine Stadt nur begeisterte Aeußerungen. Jeder erklärt es für Dein bestes Buch, – und ist das letzte, das Du schriebst. Bald, gehörig ausgeruht, fängst Du wieder an. – Ich kann wieder mal nicht anfangen und finde hundert Ausflüchte. Was da ist, ist das psychologische Material, aber es hapert mit der Fabel, dem Hergang. Auch muß ich aufpassen, daß der Kuchen nicht wieder so auseinander geht und daß nicht wieder aus einem Novellenstoff ein Roman wird. Ich lese Kleists Prosa, um mich so recht in die Hand zu bekommen, und war nach dem Kohlhaas wütend auf Goethe, der ihn wegen seiner »Hypochondrie« und seines »Widerspruchs-geistes« abgelehnt hat. Die »Verlobung in St. Domingo«, ein Prachtstück von Erzählungskunst, schwieg er tot, während er das Drama »Toni«, das *Körner* daraus machte, freundlich aufnahm, es bei Hofe vorlas und eine Dekoration dazu entwarf. Dies zu Deinem Goethe-Voltaire-Kapitel. Viele Grüße, auch von Katja   T.

München den 20. II. 1910.

Lieber Heinrich, zu Deinem starken, schönen Brief in der Zukunft muß ich Dir herzlich gratulieren. Die Adresse, an die er sich richtet... ist meiner Überzeugung nach seiner nicht ganz würdig und unfähig an Deinem Glauben, Dei-nem Schwunge teilzunehmen. Aber desto nötiger waren ja Deine Worte und sie werden der Wirkung des Buches aufs glücklichste nachhelfen. Machst Du Dich nicht allmählich wieder an Deinen großen Essay? Es sieht ganz so aus. Die besten Wünsche u. Grüße!

T.

München, den 16. III. 1910.
Franz Joseph-Straße 2.

Lieber Heinrich:

Anbei die Trophäen, die mir große Freude gemacht haben. Herzlichen Glückwunsch! So ist es. Sobald man den »Tyrannen« aufs Theater gestellt hatte, war es der Mühe wert, Artikel darüber zu schreiben; vorher nicht. Hoffentlich folgt nun Reinhardt nach.

Infolge einer gerechten Wallung ganz unegoistischer Art bin ich mit einem niederträchtigen Narren (Carla's früherer Kritiker Lessing) in oeffentliche Polemik geraten, die noch nicht zu Ende ist und meine Nerven im Handumdrehen völlig auf den Hund gebracht hat.

Auch sonst hatte ich kleine Freuden. Ein Bruder Katja's ist den Geschwistern Schmied in Berlin auf dem Ball der Reinhardt'schen Theaterschule begegnet. Ines' Bruder hat sich ihm als »intimer Freund« und Verehrer von Dir präsentiert und bei dieser Gelegenheit den Auftrag an mich hinzugefügt, ich hätte ja unter dem Titel »K[öni]gl[iche] Hoheit« einen außerordentlich hohlen und schlechten Roman geschrieben. Antwort: »Das sagen Sie ihm nur selber. Ich lehne den Auftrag ab.« Es ist mir aber durch einen Dritten dann doch mitgeteilt worden. Wenn der junge Schmied betrunken war, so entschuldigt das die Aeußerung, aber nicht die Meinung, – die also wohl auch die Deiner Verlobten und überhaupt derer um Dich ist. Unsere Freunde waren nie das Beste an uns.

Herzlich   T.

München, den 20. III. 1910.
Franz Joseph-Straße 2.

Lieber Heinrich:

Es sollte mir leid thun, wenn ich Dich durch meine recht kleinen Geschichten auch nur vorübergehend beunruhigt habe, – wie ich mich schäme, daß ich mich davon beunruhigen lasse. Von meinen beiden »Feinden« ist der Eine ein erbärmlicher Tropf, der andere gar nur ein thörichter Sprudler. Daß ich mich mit dem Ersteren überhaupt einließ, war letzten Grundes ratloser Thätigkeitsdrang. Das Geheimnis ist, daß ich mit dem »Hochstapler« nicht anfangen konnte; aus gequälter Unthätigkeit schlug ich los, dessen bin ich mir innerlich wohl bewußt, und habe damit meine Kräfte natürlich nur weiter heruntergebracht. Nun muß ich sehen, wie ich wieder zu einiger Frische komme. Das Material sollst Du haben, wenn das »Liter[arische] Echo« vom 1. April vorliegt. Der Hergang wäre Dir sonst nicht verständlich.

Die Sache mit Reinhardt ist sehr problematisch. Ich habe es erst vor ein paar Wochen erreicht, daß er endlich den Fiorenza-Kontrakt mit Fischer unterschrieb, der 1000 Mark Conventionalstrafe vorsieht. Ich argwöhne fast, daß der Fuchs den »Tyrannen« nur heranzieht, um seiner Verpflichtung gegen mich und Fischer auf gute Art wieder ledig zu werden, indem er nämlich hofft, daß ich wegen übermäßiger Kürzung der »Fiorenza« protestieren und zurücktreten werde. »Fiorenza« muß, wenn ein leidlich normaler Theaterabend daraus gemacht werden soll, buchstäblich um die Hälfte gekürzt werden. Das ist in Frankfurt und hier geschehen. Striche man es also soweit, daß noch ein Akt folgen kann, so könnte überhaupt nicht mehr von einer Aufführung des Stückes die Rede sein, sondern das Programm des Abends würde etwa lauten: »Scenen aus Fiorenza und Der Tyrann«. Das wäre ja denn auch ganz hübsch, nur wäre es etwas Anderes, als ursprünglich beabsichtigt war, und ich weiß nicht, ob »Scenen aus Fiorenza« die Absichten des Stückes deutlich werden lassen würden. Der Gedanke, die beiden Sachen zusammen spielen zu lassen, gefällt mir dabei eigentlich immer besser*; ich frage mich nur, ob es nicht beiden schaden würde und muß mir sagen, daß Reinhardts Behauptung, er könne den »Tyrannen« sonst nicht placieren, eine leere Redensart ist. Irgend ein paar Einakter von Strindberg würden zur Abendfüllung genügen. – Mit R.

über solche Fragen zu korrespondieren, ist unmöglich. Ich spreche ihn aber jedenfalls im Sommer, wenn er hier spielt und will dann Alles mit ihm verabreden. Womöglich bist Du auch dabei. »Fiorenza« ist erst für die nächste Saison vorgesehen.

Herzliche Grüße!   T.

Schicke mir, bitte, Deine Novelle!

*   Die Verantwortung wäre geringer, die Veranstaltung außerordentlicher.

                              [München, den 25. III. 1910]

Herzliche Glückwünsche zum Geburtstag

                                  von T. und K.

                                den 16. Juni 1910

                                Franz Joseph-Str. 2.

Lieber Heinrich:

Herzlichen Glückwunsch! Denn es ist doch wohl ein freudiges Ereignis. Wie hoch beläuft sich die Rente denn nun? Die Herstellung zweier Bände in 5 Jahren wird Dir, glaube ich, keine Schwierigkeiten machen, da ja auch Novellensammlungen gelten. Übrigens entstehen unter solchen Umständen die besten Sachen.

Fischer antwortet mir: »Die Frankfurter Tantiemen betrugen 10%, meine Vertriebsgebühren davon gleichfalls 10%.« Das ist freilich erheblich weniger als in Deinem Fall. Aber es ist wohl eben alles mit Rücksicht auf die Rente festgesetzt worden.

Für die schnelle Rückzahlung von 1000 M bin ich sehr dankbar. Wenn die Rente hoch genug ist, entschließt Du Dich doch vielleicht, das Übrige in viertel- oder halbjährigen Raten abzutragen. Mir wäre das, glaube ich, der liebste Modus.

Übrigens betone ich, daß die Rückzahlung der ersten 2000 überhaupt nicht eilt. Die hatte ich Dir ja in meinem Brief nach Nizza auf beliebig lange Zeit angeboten. Es handelt sich also eigentlich nur noch um 3000.

Katja läßt bestens grüßen. Es geht ihr gut.

Herzlich   T.

Tölz, den 4. August 1910.

Lieber Heinrich:

Eben kamen die Photographien von Carla's Leiche an, und Mama unterlag einem neuen Schmerzensausbruch, der sehr schwer zu beruhigen war. Das Schlimme ist, daß Mama an dem Mißtrauen krankt, daß sie uns mit ihrer Trauer zur Last fällt, – eine unsinnige und, da keine Beteuerungen helfen, auf die Dauer kränkende Einbildung. Mama strebt fortwährend weg, weiß freilich selbst nicht, wohin. Ich will froh sein, wenn Du hier bist. Am Sonnabend kommen Katja's Mutter und Cousine auf einen Tag zu Besuch. Mama will, was ich verstehe, niemanden sehen und fährt an diesem Tage mit Tante E[lisabeth], die abreist, nach München. Sie will auch nach Polling, um einiges zu holen. Am Sonntag oder Montag erwarten wir Dich dann. Du wirst wohl am besten thun, wenn Du Mama nach Polling begleitest und mit ihr hierher fährst.

Wir sind Alle übel daran. Es ist das Bitterste, was mir geschehen konnte. Mein geschwisterliches Solidaritätsgefühl läßt es mir so erscheinen, daß durch Carla's That unsere Existenz mit in Frage gestellt, unsere Verankerung gelockert ist. Anfangs sagte ich immer vor mich hin: »Einer von uns!« Was ich damit meinte, verstehe ich erst jetzt. Carla hat an niemanden gedacht, und Du sagst: »Das fehlte auch noch!« Und doch kann ich nicht anders, als es so empfinden, daß sie sich nicht hätte von uns trennen dürfen. Sie hatte bei ihrer That kein Solidaritätsgefühl, nicht das Gefühl unseres gemeinsamen Schicksals. Sie handelte sozusagen *gegen eine stillschweigende Abrede.* Es ist unaussprechlich bitter. Mama gegenüber halte ich mich. Sonst weine ich fast immer.

Der Hauptzweck dieses Briefes ist, Dich zu bitten, daß Du, bevor Du zu uns kommst, Lula besuchst. Du thust ihr Unrecht, und Du machst Dich nach meiner Auffassung eines Mangels an Selbstachtung schuldig, wenn Du *Einen von uns* für einen gemeinen Philister hältst. Das kann niemand von uns sein. Wenn Du diesen Zeitpunkt vorübergehen läßt, so besteht Gefahr, daß der Bruch zwischen Dir und Lula etwas so Definitives wie Carla's Tod, ja etwas dem Tode Carla's ganz Aehnliches wird. Ich appelliere an Deinen Geist und an Dein Herz und wäre schwer enttäuscht, wenn Du kämest ohne Lula gesprochen zu haben.

Herzlich   T.

Bad Tölz, den 7. Aug. 1910.
Landhaus Thomas Mann.

Lieber Heinrich:

Nachdem ich Dir einen langen Brief geschrieben, kassiere ich ihn, weil ich sehe, daß er bei dem jetzigen Zustande Deiner Nerven eher schaden als nützen würde und sage Dir einfach, daß wir Dich jedenfalls erwarten. Dein Brief enthält viel Fieberhaftes und Tadelnswertes, vieles, was strikt und fest zurück[zu]weisen ist. Aber ich erhoffe von mündlicher Aussprache mehr, als von weiterer Korrespondenz, die in unserem Falle immer etwas litterarisch Zugespitztes haben wird. Mama kehrt erst Dienstag oder Mittwoch zu uns zurück. Du wirst gut thun, mit ihr zu fahren.

Mit herzlichen Grüßen von uns beiden   T.

Tölz, den 18. IX. 1910

Lieber Heinrich:

Vielen Dank für Deine Karte und auch noch für den Kerr. Hast Du in der »[Neuen] Rundschau« von seinem Reiterleben in den Weltteilen gelesen? – Erst neulich, als Ida ihr Pinger hier war, habe ich bemerkt, daß das Märchenbuch, das Du den Kindern geschenkt, »Der Kinder Wundergarten« ist. Ich habe einen ganzen Abend darin gelesen. – Also die Komödie ist fertig und abgeliefert? Glückwunsch! Reinhardt ist übrigens noch in München; ich sah ihn flüchtig nach der sehr großartigen Mahler-Symphonie. Der Hochstapler rückt langsam vorwärts.

Herzlich   T.

Auch von mir einen schönen Gruß, und noch vielen Dank für den Weltspiegel.

                                     K.

                     Tölz den 5. X. 1910

Lieber Heinrich:

Dank für Deine Karte! Den Fontane finde ich aber sehr flau.

Die beifolgende Korrektur von Franz Moeser Nachf., Verlagshandlung in Leipzig, fand ich gestern bei unserer Rückkehr von München hier vor. Wir sind 8 Tage lang umgezogen und haben zwischendurch viel Theatralisches mitgemacht. Ein Frühstück bei Reinhardt war recht interessant.

Morgen haben wir Taufe und daran schließt sich Familien-Logierbesuch. Hoffentlich haben wir Dich in der zweiten Hälfte d. Ms. (vielleicht mit Richter) noch einmal zu Gast.

Herzlich   T.

                 München, den 16. XI. 1910
                 Mauerkircher Str. 13.

Lieber Heinrich:

Dein Telegramm bekam ich in Weimar und sah gleich ein, daß es dann also nicht ginge. Bis zum 21sten zu warten verbot sich mir ganz und gar. Ich habe bis zum 8ten Dezember zwei Zeitungsbeiträge herzustellen, die, da sie noch garnicht angefangen sind, ohnedies knapp fertig werden werden. Aber ich höre ja, daß auch der Neue Verein wenigstens den Tyrannen bringen möchte, und wenn die drei Sachen am 21. den Erfolg haben, den ich bestimmt erwarte, so ist ja wahrscheinlich, daß Reinhardt sie übernimmt. Ich werde sie dann in Berlin doch noch sehen. Ich bin heute früh von Weimar zurückgekehrt, wo ich im Vitzthum'schen Hause wirklich rührende Gastfreundschaft genoß. Er ist jetzt Kammerjunker und Johanniter, auch etwas dick geworden, sonst aber ganz unverändert. Alles, was ich an Eindrücken von kleinhöfischem Wesen gewann (durch Erzählungen und Augenschein) waren strikte Bestätigungen meiner Intuitionen in K[önigliche] H[oheit]. Es schadet nichts, daß ich nicht vorher da war. Übrigens war ich doch auch historisch tief impressioniert. Was einen da auf Schritt und Tritt – und besonders in den rührenden Stübchen, die das Allerheiligste bilden, – anweht, ist etwas so viel Verwandteres, als die dämliche Münchener Maler-Tradition. – Schönen Gruß und die herzlichsten Wünsche! Nichtwahr, Du benachrichtigst mich kurz!

T.

München den 24. XI. 1910
Mauerkircher Str. 13.

Lieber Heinrich:

Ich bin über das Berliner Ereignis bisher nur aus drei Zeitungen unterrichtet: den [Münchner] Neuesten [Nachrichten], dem B[erliner] T[ageblatt] und der Frankfurter [Zeitung], – bin also ununterrichtet, denn über die Aufnahme, das Verhalten des Publikums stand nichts darin, und das unwissende Gesudel, das sie zur Sache vorbrachten, kommt nicht in Betracht. Ich hätte gern ein ungefähres Bild von dem Verlauf des Nachmittags. Der »Tag«, aus dem dergleichen vielleicht zu gewinnen gewesen wäre (denn Kerr weiß doch wenigstens ungefähr, um was es sich handelt), war mir nicht zugänglich. Ich habe den 21. in Bedauern verbracht, daß ich nicht anwesend sein konnte. Aber es ging eben nicht. Bist Du noch in Berlin und wirst Du Dich in München aufhalten, bevor Du nach Wien oder südwärts gehst.

Mit herzlichen Grüßen, auch von Katja,   T.

München den 23. XII. 1910

Lieber Heinrich:

Von beifolgendem Schreiben bitte Kenntnis zu nehmen. Ich habe meine Photographie geschickt, weil ich die Liste löblich finde.

Du wirst ja jetzt in Berlin Abend für Abend gespielt. Das muß ein stolzes Gefühl sein.

Vergnügten Weihnachtsabend mit Mama und Vicco. Hoffentlich kommt Dir unsere Gabe halbwegs erwünscht.

T.

München, den 26. Jan. 1911
Mauerkircherstr. 13

Lieber Heinrich:

Ich habe eben mit Löhr gesprochen. Das Resultat ist negativ. Ein solches Geschäft entfernt sich zu weit vom üblichen Geschäftstypus der B[ayerischen] H[andelsbank]. Ihre Geschäfte beschränken sich auf Bayern. Ich denke also, daß Hartungen mit einer oesterreichischen Bank Fühlung suchen sollte.

Die Wirkung Deiner politischen Proklamationen zeigt sich natürlich so und so. Das B[erliner] T[ageblatt] hat ja, wie ich höre, doch noch unter rühmender Zustimmung einen Auszug aus »Geist und That« gebracht. Die »D[eutsche] Tageszeitung« ist ungefähr wie Onkel Friedels Maria: »die allerschlimmste«. Sie war es auch, die erklärte, ich verstünde nicht mehr vom Fürstentum, als ein deutscher Fürst vom Ghetto. Bahrs Aeußerung fand ich übrigens recht billig und abgestanden. Ein Kopf wie er gerät mit der »Menschlichkeit« leicht ins Triviale.

Von meiner Reise bin ich recht befriedigt zurückgekehrt. Sie war anstrengend, bot aber viel Anregendes und Lehrreiches. Sehr merkwürdig z. B. ein Nachmittag bei Frau Stinnes in Mühlheim-Ruhr. Namentlich aber Münster in Westfalen, eine ganz überraschende Stadt, tief katholisch bei ausgesprochen nord- und niederdeutscher Bevölkerung und voller altertümlicher Schönheiten. Die modernen beschränken sich auf die große Fenstermalerei von Melchior Lechter (einem geborenen Münsterer) im Museum, deren Farben freilich alles derartige übertreffen, auch die Ste. Chapelle in Paris. Ganz wundervoll.

Katja hat sich nicht zum Fortgehen entschließen können. Sie hatte eine leichte Influenza und kränkelt immer noch etwas. Sie wäre Dir dankbar, wenn Du ihr eine Übersetzungsarbeit (französisch) verschafftest, vielleicht vom Müller'schen Verlage. Bitte, denke gelegentlich daran.

Lublinski ist kürzlich am Gehirnschlage gestorben. Lessing veroeffentlicht in der »Schaubühne« einen Nekrolog von so milder Verlogenheit, daß man sich erbrechen könnte. Er kommt auch darauf zurück, daß ich damals meine »erstaunlich ärmliche Menschlichkeit enthüllt« hätte und bezeichnet die Angelegenheit zwischen ihm und mir als »noch immer nicht erledigt«.

Herzl. Grüße   T.

München, den 24. III. 1911.
Mauerkircherstr. 13.

Lieber Heinrich:

In dem Augenblick, wo ich mich frage, wie ich wohl recht schnell Deine Adresse erfahre, um Dir zu Deinem vierzigsten Geburtstag gratulieren zu können, kommt Dein Brief und überhebt mich allen Nachforschungen. Also meine herzlichsten Glückwünsche, – denen Katja die ihren hinzufügt! Du wirst an diesem Lebensabschnitt mit Genugthuung auf Dein bisheriges stolzes und kühnes Lebenswerk zurückblicken und Dich recht auf der Höhe Deiner Kraft und Deiner Entwicklung fühlen; und viel und in hohen Ehren wird Deiner an diesem Tage gedacht werden. Dein Letztes, die »Rückkehr vom Hades« haben wir mit großem Genuß gelesen. Es ist etwas aus der Sphäre der »Kleinen Stadt« – in seiner vergeistigten Opernschönheit.

Ich habe in den letzten Monaten nichts Erhebliches vor mich gebracht. Mein Unwohlsein, das sich ungewöhnlich lange hinzog und mich sehr herunterbrachte, war angeblich eine Blinddarm-Reizung, letzten Endes aber doch wohl nur Ausdruck einer momentanen Erschöpfung des Centralnervensystems. Ich habe an den Nachwehen noch immer zu tragen und arbeite kümmerlich langsam am »Hochstapler«. Es kann sein, daß ich mich doch zu einigen Wochen Zürich (Bircher-Benner) verstehen muß.

Auf Deinen Dreiakter bin ich sehr neugierig. Wird er ordentlich bühnengerecht? Meine Fiorenza-Angelegenheit ist in Berlin bisher schmählich verbummelt worden. Ich habe einen beleidigten Brief geschrieben und erwarte nun Aufklärungen.

Wie gefiel Dir die Affaire Pan-Jagow? Mir nicht besonders; denn ich finde, daß das Ehepaar Cassierer keine sehr glückliche Rolle dabei spielt. Bekannte von uns haben beobachtet, wie die Durieux Jagow im Theater »eingewickelt« hat. Die Sympathien sollen in Berlin auf Jagows Seite sein, und es ist also wohl die oeffentliche Meinung, die ihn hält. Kerrs erste politische Aktion ist als gescheitert zu betrachten.

Für den Mai planen wir eine Dalmatinische Reise – bei Leben und Gesundheit. Wann kommst Du nach Deutschland?

Herzliche Grüße! T.

Tölz, den 3. X. 1911.

Lieber Heinrich:

Vielen Dank für Dein Werk! Ich glaube, daß die Ruhende es schön finden und gut heißen würde.

Diese Regentage waren schwer zu bestehen, wir waren schon im Begriffe, aufzupacken. Nun haben wir wieder Mut gefaßt, noch etwas hier zu bleiben.

Giebst Du Mama das Stück zu lesen? Ich möchte wissen, ob man zu ihr davon sprechen darf.

Herzlich   T.

München den 17. II. 1912.

Lieber Heinrich:

Katjas Befinden macht sehr langsame, kaum merkliche Fortschritte. Sie ist im Ebenhausener Sanatorium, um die Ruhe zu haben, die sie braucht, und wird gleichzeitig mit Serum-Injektionen behandelt, wozu sie von Zeit zu Zeit hereinkommt. Dauernd wird sie sich mutmaßlich in der Stadt vorderhand nicht aufhalten dürfen, sondern in der Anstalt bleiben müssen, bis wir im Frühjahr die jährliche Erholungsreise machen und dann nach Tölz übersiedeln können. Der Kuraufenthalt macht große außerordentliche Kosten, und Du weißt, wie sehr unser Haushalt ohnedies – infolge seines ganzen Zuschnitts – belastet ist. Ich muß mich daher entschließen, Dich einmal ernstlich und dringend zu bitten, auf die Rückerstattung des Geldes, das Du unserem viel in Anspruch genommenen Haushalt schuldest, etwas mehr, als bisher, Bedacht zu nehmen. Du bist doch jetzt ein Mann von – wenn ich nicht ganz falsch rechne – rund 10 000 Mark jährlich; Deine wirtschaftliche Lage ist also viel günstiger, als die meine, denn Du bist allein, Du hast keine vier Kinder, keine vier Dienstboten, kein Landhaus, keine 5000 Mark-Wohnung in der Stadt; und bei einigem guten Willen hätte es Dir ein Leichtes sein müssen, durch monatliche oder vierteljährliche Ratenzahlungen, wie ich es Dir vorschlug,

Deine Schuld bis heute größten Teiles zu tilgen. Leicht ist Schulden zahlen freilich wohl nie. Aus zahlreichen Erfahrungen mit ganz verschieden gearteten Schuldnern weiß ich, daß es sehr schwer sein muß, auch, wenn man wohl könnte, und besonders, wenn man sich sagen zu dürfen glaubt: »Er hat es nicht nötig«. Ich habe es aber nötig. Unser Haushalt ist so zugeschnitten, daß Katjas Rente bei Weitem nicht ausreicht, ihn zu bestreiten, und daß ich für meine Person sehr stark verdienen muß, wenn wir auskommen wollen. Nun habe ich in der letzten Zeit sehr wenig verdient; was ich augenblicklich arbeite, ist interessant aber unlukrativ, und bis zum Erscheinen des »Hochstaplers« werde ich nichts Ausgiebiges einnehmen. Meine Reserven sind aufgezehrt bis auf das, was ich unvorsichtiger Weise nach mehreren Seiten ausgeliehen habe, und wenn meine Schuldner sich nicht ein bischen bemühen, so kann ich am 1. April ganz einfach meine Miete nicht bezahlen. Ich müßte mich dann um Vorschuß an Fischer wenden, was mir nicht angenehm wäre, denn er wird auf ein großes Manuskript noch lange zu warten haben. Meinen Schwiegervater anzugehen widerstrebt mir, aus Selbstgefühl sowohl wie auch, weil seine Geschäfte schlecht gehen, sein Hauptbesitz in der Sammlung steckt und ich ihn womöglich in Verlegenheit brächte. Daß ich diese Gefahr auch bei Dir laufe, halte ich für ausgeschlossen, sonst würde ich Dich nicht mahnen. Laß Dich also bitten und trage Sorge!

Herzlich   T.

München, den 2. IV. 1912.
Mauerkircherstr. 13.

Lieber Heinrich:

Die 500 Mark sind gestern richtig eingetroffen. Vielen Dank. Sie sind sehr willkommen. Katja habe ich Deine Grüße und Wünsche ausgerichtet. Sie schreibt muntere Briefe und fühlt sich schon besser. Die Aerzte droben erklären den Fall für unbedenklich aber langwierig. Sechs Monate wird sie oben bleiben müssen – und hätte gewiß schon längst hinaufgehen sollen. Die Injektionskur (nicht von Ebenhausen befürwortet) hat großen nervösen Schaden angerichtet. Ich konnte sie nicht hindern, weil die lange Trennung von den Kindern damit umgangen werden sollte.

Mein Leben ist jetzt etwas hart, aber ich habe, von einigen Krankheitstagen abgesehen, nie ganz aufgehört, zu arbeiten, und der »Tod in Venedig« wird hoffentlich bis ich nach Davos gehe (Anfang Mai) fertig werden. Es ist zum Mindesten etwas sehr Sonderbares, und wenn Du es im Ganzen nicht wirst billigen können, so wirst Du einzelne Schönheiten nicht leugnen können. Besonders ein antikisierendes Kapitel scheint mir gelungen. Die Novelle wird zunächst als »Hundertdruck« bei Hans v. Weber erscheinen, in üppiger Ausstattung.

Auf Dein Drama bin ich außerordentlich gespannt. Dr. von Jakobi, der mich neulich besuchte, erzählte etwas davon.

Herzliche Grüße! T.

München den 13. IV. 1912.

Lieber Heinrich:
Cassirer schickt Dir »zu meinen Händen« M 399,91 Tantiemen Neues Theater Frankfurt a/M. Soll ich sie behalten? Dann besten Dank!

T.

München, den 27. IV. 1912.
Mauerkircherstr. 13

Lieber Heinrich:
Verzeih, daß ich Deinen Brief erst heute beantworte. Ich kam nicht gleich dazu. Zu den laufenden Nachmittagsschreibereien kommen jetzt die regelmäßigen Berichte an Katja.

Herzlichen Glückwunsch zur Vollendung des Dramas! Ich gäbe was drum, könnte ich ein Gleiches von meiner Novelle melden, aber ich kann den Schluß nicht finden. Vielleicht wird mir erst der Luftwechsel, Mitte Mai, dazu verhelfen. Meine Lebenskräfte sind jetzt sehr reduziert.

Das Militärische: Meine Erinnerungen daran sind recht traum- und nebelhaft, es sind eigentlich Unwägbarkeiten, Atmosphärisches, was sich als Material nicht recht überliefern läßt, was ich aber ohne Weiteres in die Zuchthaus-Episode des Hochstaplers werde transponieren können. Die Haupterinnerung ist das Gefühl rettungsloser Abgeschnittenheit von der civilisierten Welt, eines furchtbaren äußeren Machtdruckes und, im Zusammenhang damit, eines außerordentlich erhöhten Genusses der inneren Freiheit, so, wenn ich in der Kaserne, beim Gewehrputzen etwa (das ich nie gelernt habe) etwas aus Tristan pfiff. Aber so wird der Unterthan die Sache wohl nicht auffassen. Er muß, auch wenn er bürgerlich-abgeneigt ist, dem Geist dieser abgeschlossenen Welt, wie ich das bei meinen Miteinjährigen beobachtete, sofort auch innerlich vollkommen unterliegen. *Will* er frei kommen? Dann laß es ihn machen, wie ich, und von vornherein eine Verbindung mit der bürgerlichen Welt suchen, mit deren Hilfe er sich befreien kann. Ich steckte mich hinter Mamas damaligen Arzt, Hofrat May, den ich im Hochstapler als Sanitätsrat Düsing benutzt habe, einen streberischen Esel, der mit meinem Ober-Stabsarzt befreundet war. Mit dem Ober-Stabsarzt kommt man beim Regiment kaum in Berührung; abhängig ist man von seinem Untergebenen, dem Stabsarzt, der untersucht, ins »Revier« (Kasernen-Krankenzimmer für leichte Fälle) oder Lazarett schickt, »Dienst machen« läßt u.s.w. Dieser Stabsarzt war aeußerst grob gegen mich. »Wer sind Sie, was wollen Sie« war sein Ton. Bei Untersuchungen, zu denen ich ihn gehorsamst nötigte, führte er unverschämte Reden und erklärte z. B. daß er sich eine Cigarre anzünden müsse, da er sonst ohnmächtig würde (vor Ekel). Das Resultat war »Macht Dienst. Schluß.

Abtreten«. Nun hatte aber May mit dem Ober-Stabsarzt gesprochen, und dieser ließ mich vom Exerzieren weg auf sein Zimmer zur Untersuchung rufen. Er schien zwar nichts Rechtes zu finden, erklärte aber, ich solle nur »vorläufig« weiter Dienst machen, das Weitere werde sich schon finden. »Bei *dem* Fuß . . .« Nach einigen Tagen wurde von einem Revier-Gehülfen ein Abdruck meines Fußes auf geschwärztem Papier gemacht. Ich war im Lazarett auf »entzündlichen Plattfuß« behandelt worden, aber der Abdruck zeigte, daß von Plattfuß gar nicht die Rede sein konnte. Aber nun kam der Oberstabsarzt, das Papier in der Hand, in das Revierzimmer, wo ich wartete, und wo auch der Stabsarzt anwesend war. Die Szene war ausgezeichnet und ist für Deinen Roman sehr geeignet. Der Oberstabsarzt kommt, die Mütze auf dem Kopf, mit einem gewissen Aplomb herein, stellt sich vor dem Stabsarzt auf und blickt mit finsterer, strenger Miene auf dessen Mütze. Der Stabsarzt, der sonst sehr kollegial mit ihm zu verkehren gewohnt ist, nimmt verblüfft die Mütze herunter und steht stramm. Darauf zeigt ihm der Ober-Stabsarzt das Papier, spricht leise zu ihm und befiehlt ihm, irgend etwas zu sehen, was nicht da ist. Der Stabsarzt blinzelt abwechselnd den Vorgesetzten, mich und das Papier [an] und stimmt zu, indem er die Hacken zusammenzieht. Von Stund an war er sehr höflich gegen mich und behandelte mich als Herrn. Er wußte nun, daß ich höhere Verbindungen hatte. Nur amtlicher Formalitäten halber vergingen noch einige Wochen, dann war ich »draußen«. Die amüsanteste Korruption. Gemeinhin gilt es für außerordentlich schwer, loszukommen, nachdem man einmal drin ist.

Als Gegenstück ein Fall blödsinniger Strenge, der mir gleich zu Anfang großen Eindruck machte. Bei den anderen Compagnien durften Revier- (also nicht Lazarett-)Kranke Einjährige nach den ersten 14 Tagen (die man ganz in der Kaserne verbringt) zu Hause liegen. Unser Hauptmann verpönte dies. Ein Einjähriger erkrankt abends, und hat am nächsten Morgen 40°, ist also ganz unfähig, sich in die Kaserne zu begeben. Er macht die Krankheit zu Hause durch und bringt, genesen, ein Attest seines Arztes. Zur »Strafe« mußte er sehr lange, ich glaube Monate lang, in der Kaserne wohnen, was sehr hart für Einjährige ist: im Mannschaftszimmer schlafen etc. Verrückt. Aber der Hauptmann machte ein sehr stolzes Gesicht bei solchen Gelegenheiten. »Meine Kompanie«, pflegte er zu sagen, »soll eine Kompanie von *Soldaten* sein.« Und thatsächlich hieß die Kompanie »Die stramme Elfte«. Auch etwas für Dich. – Bei »Mannschaftszimmer« fiel mir noch ein: Jemand ist thatsächlich als untauglich freigesprochen, weil er vor der Ober-Ersatz-Commission laut erklärt hat, er sei homosexuell. Könntest Du das nicht einflechten?

Nun kann ich aber beim besten Willen nicht mehr schreiben. Ich gehe Mitte Mai nach Davos.

Herzlich   T.

                                                     Davos den 8. VI. 1912.

Lieber Heinrich:

Herzlichen Dank für Deinen Brief und die besten Glückwünsche meinerseits zu dem Erfolg Deines Stückes bei Cassirer!

Wegen Ewers geschehen Schritte, wenn ich mir auch nicht viel davon verspreche. Ist denn überhaupt eine Vakanz? Und dann: nach München möchte so Mancher. Aber ich werde ihm schreiben, wohin er sich wenden soll. – Am 17ten denke ich zu reisen und nach zweitägigem Aufenthalt in München nach Tölz zu gehen. Hoffentlich leistest Du mir dort mal Gesellschaft?

Herzliche Grüße von uns Beiden.   T.

Lieber Heinrich:

Seit gestern Abend zurück, habe ich heute gleich wegen
Ewers ein Telephongespräch mit Frau Schäuffelen gehabt
(die aktiver ist, als ihr etwas vertrottelter Gatte) und E. als
Journalisten sehr gerühmt. Sie wird an die Augsburger
[Abendzeitung] schreiben. Auch E. soll das thun, unter Beilage von Artikeln und unter Berufung auf mich. Ich habe ihn
schon angewiesen. Wenn überhaupt ein Posten frei ist oder
wird, kommt er nun jedenfalls stark in Betracht. Ich habe
mich an Frau Sch. gewandt, weil sie eine Gschaftelhuberin
ist, die gern überall ihre Hand im Spiel hat.

Morgen oder Sonntag fahre ich nach Tölz.

Herzlich   T.

Bad Tölz, den 17. Juli 1912.
Landhaus Thomas Mann.

Lieber Heinrich:

Ich danke für die heute erhaltene Anweisung. Dein Stück
habe ich gleich nach Empfang in einem Zuge und mit großem Genuß gelesen. Ist es wahr, daß das Münchener Hoftheater es schon angenommen hat? Es könnte nichts besseres
thun. Gerade dergleichen kann es jetzt gut herausbringen.
Ich freue mich sehr auf diesen Abend, dem eine schöne Wirkung wohl sicher ist. Deine persönliche Bekanntschaft mit
den Darstellern, ihre Verehrung für Dich wird bei den Proben förderlich sein.

Wann können wir denn dieses Jahr Deinen Besuch erwarten?
Noch während Mama's Anwesenheit? Sie denkt bis zum
1. August zu bleiben, doch würde sie sich wohl überreden
lassen, noch ein paar Wochen zuzugeben: wenigstens bis, am
15. August, der junge Dr. Frank aus Paris auf einige Tage
kommt. Katja's Rückkehr erhoffe ich für Anfang September; Sicherheit habe ich noch nicht. Dann wäre zunächst

kein Besuch erwünscht. Aber im Oktober wärst Du dann auch wieder willkommen. Auch mit Frank gleichzeitig könntest Du da sein oder in der Zeit zwischen seiner Abreise und Katjas Ankunft. Überlege Dir's.

Herzlichen Gruß!   T.

München, den 3. XI. 1912.
Mauerkircherstr. 13

Lieber Heinrich:

Ich schicke Dir hier die beiden Hefte der Rundschau mit meiner Novelle, für den Fall, daß es Dich interessiert, zu sehen, worauf die Anfänge, die ich Dir damals vorlas, hinauswollten.

Mein Kopf ist jetzt besser (ich war schon recht verzweifelt) – und so würden wir uns freuen, wenn Du wieder einmal abends zu uns kämst. Am 10ten verreise ich auf einige Tage, und Katja geht um den 15ten auf zwei Wochen nach Berlin. Vielleicht rufst Du einmal an, damit wir einen Abend verabreden.

Herzlichen Gruß   T.

München den 17. XI. 1912.

Lieber Heinrich:

Vielen Dank für die 300. Bitte, sage mir doch einmal, wieviel Du bisher zurückzahltest. Ich habe versäumt, die Posten zu notieren. Harden richtete ich Deine Grüße aus. Er sagte, er hätte Dich gern gesehen. Wir waren nach seiner 2¹/₂stündigen Rede bis gegen Morgen mit ihm zusammen. In all seiner Falschheit und Leidenschaft war er wieder faszinierend. Politik her, Politik hin, er bleibt einer der merkwürdigsten Zeitgenossen. Und wenn man »Charakter« nicht gerade moralisch, sondern mehr aesthetisch nimmt, im Sinne von Figur, Träger einer pittoresken Rolle, – so ist er auch ein Charakter. Er schwor, daß er seinen Einfluß bei Reinhardt geltend machen wolle, damit Fiorenza endlich ge-

spielt werde. Nun bekam ich aber gestern gerade ein Telegramm von Moissi, daß die Arrangierproben auf kommende Woche angesetzt seien. (Wieder einmal.)
Viele Grüße von uns beiden. T.

München, den 16. Jan. 13.
Mauerkircherstr. 13
Lieber Heinrich:
Vielen Dank für die Anweisung. Das Berliner Abenteuer liegt nun hinter mir. (Am 3ten war die Première, und heute ist es zum 5ten und, glaube ich, letzten Mal.) Es war anstrengend und hat mir einen bitteren Geschmack auf der Zunge gelassen. Eine grundfalsche Aufführung: schleppend, realistisch-langwierig, mit kümmerlicher Besetzung bis auf Wegener und Strichen, die den Sinn so gut wie auslöschten. Trotzdem gespannte Aufmerksamkeit des Publikums (Prinz August Wilhelm an der Spitze) und Applaus genug, daß der gute Winterstein mich am Schlusse zweimal hinauslotsen konnte. Die Presse am nächsten Tage mit wenigen Ausnahmen sehr schlecht. Und am übernächsten Tage Kerr! Er hat doch wohl alle meine Erwartungen übertroffen. Anbei sein Aufsatz. Lies ihn genau, er verdient es, und schicke ihn mir dann, bitte, zurück. Es könnte sein, daß ich ihn noch brauche.
Von Herzog höre ich, daß Deine Première verschoben ist? Welches sind Deine Pläne für die nächste Zukunft?
T.

25. III. 13.
Lieber Heinrich:
Ich habe mich ja geirrt: Ich wollte fragen, ob Du am 27., Deinem Geburtstag, also nicht morgen, abends mit Vicco bei uns essen magst. Telephoniere bald, damit wir Vicco Bescheid geben können.
T.

Lieber Heinrich:

Fischer schreibt mir, er könne im Augenblick nicht feststellen, ob nach oesterreichischem Gesetz eine Übersetzung ins Tschechische schon jetzt zulässig ist. Nach der Berner Convention werde ein Werk dann frei, wenn 10 Jahre nach Erscheinen in der Ursprache eine Übersetzung nicht erfolgt ist. – Es scheint also, die Leute sind im Recht. Auch »Schlaraffenland« war wohl länger als 10 Jahre da, als es auf tschechisch erschien. Man kann höchstens an das Anstandsgefühl des Verlages appellieren, und das thue ich versuchsweise, weil ich einmal in Amerika gute Erfahrungen damit gemacht habe.

Wie geht es Dir und dem »Unterthanen«? Ich bin oft recht gemütskrank und zerquält. Der Sorgen sind zu viele: die bürgerlich-menschlichen und die geistigen, um mich und meine Arbeit. Katja hustet und müßte eigentlich schon wieder fort. Eißi scheint die Disposition von ihr geerbt zu haben, neigt bedenklich zu Bronchialkatarrhen und sieht schlecht aus. Überschuldet bin ich auch: 10 000 M Vorschuß, 70 000 M Hypothekenschulden und dann noch welche fürs Grundstück. Wenn nur die Arbeitskraft und -Lust entsprechend wäre. Aber das Innere: die immer drohende Erschöpfung, Skrupel, Müdigkeit, Zweifel, eine Wundheit und Schwäche, daß mich jeder Angriff bis auf den Grund erschüttert; dazu die Unfähigkeit, mich geistig und politisch eigentlich zu orientieren, wie Du es gekonnt hast; eine wachsende Sympathie mit dem Tode, mir tief eingeboren: mein ganzes Interesse galt immer dem Verfall, und das ist es wohl eigentlich, was mich hindert, mich für Fortschritt zu interessieren. Aber was ist das für ein Geschwätz. Es ist schlimm, wenn die ganze Misere der Zeit und des Vaterlandes auf einem liegt, ohne daß man die Kräfte hat, sie zu gestalten. Aber das gehört wohl eben zur Misere der Zeit und des Vaterlandes. Oder wird sie im »Unterthan« gestaltet sein? Ich freue mich mehr auf Deine Werke, als auf meine. Du bist seelisch besser dran, und das ist eben doch das Entscheidende. Ich bin ausgedient, glaube ich, und hätte wahrscheinlich nie Schriftsteller werden dürfen. »Buddenbrooks« waren ein Bürgerbuch und sind nichts mehr fürs 20. Jahrhundert. »Tonio Kröger« war bloß larmoyant, »Königliche Hoheit« eitel, der »Tod in Venedig« halb gebildet und falsch. Das sind so die letzten Erkenntnisse und der Trost fürs Sterbestündlein. Daß ich Dir so schreibe, ist natürlich eine krasse Taktlosigkeit, denn was sollst Du antworten. Aber es ist nun mal geschrieben. Herzlichen Gruß und entschuldige mich.

T.

Bad Tölz, den 11. XI. 13.
Landhaus Thomas Mann.

Lieber Heinrich:
Für Deinen klugen, zarten Brief danke ich Dir von Herzen. Ich habe Dir Arbeit gemacht mit meinen wenig achtbaren Lamentationen, und Du hast gute, hochsinnige Arbeit gethan, wie immer.
In meinen besten Stunden träume ich seit Langem davon, noch einmal ein großes und getreues Lebensbuch zu schreiben, eine Fortsetzung von Buddenbrooks, die Geschichte von uns fünf Geschwistern. Wir sind es wert. Alle.
Von Onkel Friedls Ausschreitung wirst Du gehört haben. Sie hat mehr Staub aufgewirbelt, als er ahnen konnte. Eine Menge Zeitungen haben sich der Sache bemächtigt, die liberalen, indem sie sich über den Onkel lustig machten, was auch nicht nach meinem Sinne ist, die konservativ-antisemitischen – ich bin ja jetzt Jude –, indem sie den Fall höhnisch gegen mich ausbeuten und beantragen, das Buch als »Schlüsselroman« aus der Literatur zu streichen. Auch das Alles ist mir auf die Nerven gegangen.
Ich kann Dir im Augenblick nicht sagen, ob wir Dich noch

um Deinen Besuch bitten können. Die Lage ist zu unsicher. Ich fahre morgen mit Katja nach München, um sie neuerdings untersuchen zu lassen und zu hören, ob man sie fortschickt. Sie würde nur auf ernsten Befehl des Arztes gehen. Abends lese ich in Stuttgart. Wenn ich zurück bin, sage ich Dir, was geschieht.

Herzlich   T.

                                    München den 7. Jan. 14.
                                    Poschingerstr. 1.
Lieber Heinrich:
Ein Sturm von »weltlichen Geschäften«, wie v. Aschenbach sagen würde, hat mich so lange abgehalten, Dir für Deine Weihnachtsgaben zu danken. Ich bin ja nun mit den Kindern ins Haus gezogen, – ohne Katja, wodurch natürlich das Vergnügen zur Hälfte zum Teufel ist.
Dein Drama, das ich gleich nach den Festtagen las, ist ein überaus schönes Werk, von wunderbarer Ökonomie in Composition und Dialog. Ich persönlich habe ja eine Schwäche für die alte Marquise, die übrigens wohl wirklich sehr gut im Bilde steht; aber das dichterisch Bedeutendste ist sicher der dritte Akt mit der knapp und erschöpfend gegebenen Heimkehr der Heldin und der schönen Akademiker-Szene. Ich kann nicht anders denken, als daß das Stück auf dem Theater große, ja begeisternde Wirkung üben muß.
Das Oppenheimer'sche Bild schätze ich weniger, als andere. Der kleine Kopf, der bei Tannhauser ausgestellt war, schien mir besser und interessanter. Hast Du meines gesehen? Es ist verzeichnet, und die Strahlen sind schrullenhaft, aber ähnlich und charakteristisch ist es doch.
Ich werde jetzt oft gefragt: »*Ist* Ihr Bruder nun eigentlich verheiratet?« Ich antworte dann: »Ich glaube nicht«, denn wenn er es wäre, so wüßte ich es doch wohl.«
Am 18. muß ich wieder reisen: nach Zürich, Luzern, St. Gallen, dann nach Frankfurt. Das bringt etwas Geld ein.

Gebe Gott, daß ich mich auch bald wieder in meine Novelle finde, deren Anfänge ganz gut sind. Mein Arbeitszimmer ist ja so weit recht prächtig.

Herzlichen Gruß! T.

Bad Tölz, den 30. VII. 14.
Landhaus Thomas Mann.

Lieber Heinrich:

Vor allem herzlichen Glückwunsch zur Vollendung Deines großen Werkes. Die Thatsache verfehlt nicht ihren Eindruck auf mich, trotz der Bedrohlichkeit der Weltlage.

Wir erhielten die Nachricht vom Mobilmachungsbefehl heute Nachmittag. Ein Dementi ist ihr ja gefolgt, aber man hat doch den Eindruck, daß es nicht lange aufrecht erhalten werden wird. Wir hören eben, daß in einigen Stunden die telephonische und telegraphische Verbindung mit München inhibiert werden soll, da sie für militärischen Bedarf frei gehalten werden muß. So weit ist es noch nicht gekommen, so lange wir leben. Ich möchte wohl wissen, wie Du empfindest. Ich muß sagen, daß ich mich erschüttert und beschämt fühle durch den furchtbaren Druck der Realität. Ich war bis heute optimistisch und ungläubig – man ist zu civilen Gemütes um das Ungeheuerliche für möglich zu halten. Auch neige ich noch immer zu dem Glauben, daß man die Sache nur bis zu einem gewissen Punkte treiben wird. Aber wer weiß, welcher Wahnsinn Europa ergreifen kann, wenn es einmal hingerissen ist!

Natürlich stehe ich Dir am 12. August zur Verfügung und würde schon den Tag vorher nach München fahren, um 10 Uhr früh auf dem Amt sein zu können. Vielleicht aber werden ja die Ereignisse schon früher die Fahrt nötig machen. Sollte Vicco marschieren müssen, wird man ihm ja vorher die Hand drücken wollen, ihm und Mama.

Herzlichen Gruß Dir und Deiner Frau! T.

Bad Tölz, den 7. August 1914
Landhaus Thomas Mann.

Lieber Heinrich:

Wenn ihr daran festhaltet, euch am 12ten in München trauen zu lassen, so wirst Du mich nun doch dabei entschuldigen müssen. Da von der Aufbietung der älteren Jahrgänge des ungedienten Landsturms vorläufig nicht die Rede ist, so sind wir, nachdem ich in München dem guten Vicco als Trauzeuge gedient und von ihm Abschied genommen (auch Katja's Bruder haben wir in den Krieg entlassen), hierher zurückgekehrt und wollen den Lauf der Dinge vorderhand hier abwarten. Die Verbindung mit München ist aeußerst schlecht: man fährt fast vier Stunden, und so wird es voraussichtlich noch viele Wochen bleiben. Unter diesen Umständen, und da ja jeder beliebige Freund oder Bekannte, Brantl, Herzog oder irgend ein anderer mich ersetzen kann – auch Klaus Pringsheim stände Dir gewiß mit Vergnügen zur Verfügung –, wäre ich Dir dankbar, wenn Du mich von der Zeugenschaft dispensieren wolltest. Aber vielleicht verschiebt Ihr die Trauung noch eine Weile?

Ich bin noch immer wie im Traum, – und doch muß man sich jetzt wohl schämen, es nicht für möglich gehalten und nicht gesehen zu haben, daß die Katastrophe kommen mußte. Welche Heimsuchung! Wie wird Europa aussehen, innerlich und aeußerlich, wenn sie vorüber ist? Ich persönlich habe mich auf eine vollständige Veränderung der materiellen Grundlagen meines Lebens vorzubereiten. Ich werde, wenn der Krieg lange dauert, mit ziemlicher Bestimmtheit das sein, was man »ruiniert« nennt. In Gottes Namen! Was will das besagen gegen die Umwälzungen, namentlich die seelischen, die solche Ereignisse im Großen zur Folge haben müssen! Muß man nicht dankbar sein für das vollkommen Unerwartete, so große Dinge erleben zu dürfen? Mein Hauptgefühl ist eine ungeheure Neugier – und, ich gestehe es, die tiefste Sympathie für dieses verhaßte, schicksals- und rätselvolle Deutschland, das, wenn es »Civilisation« bisher nicht unbedingt für das höchste Gut hielt, sich jedenfalls anschickt, den verworfensten Polizeistaat der Welt zu zerschlagen.

Unterdessen versuche ich, zu arbeiten. Du kannst von Glück sagen, daß Du eben fertig bist. Ich muß zufrieden sein, daß auch meine Aufgabe den Geschehnissen wenigstens nicht ganz fremd ist. Herzliche Grüße, auch Deiner Frau.   T.

Bad Tölz, den 13. IX. 14.
Landhaus Thomas Mann.

Lieber Heinrich:

Es ist schlimm für mich, daß ich mich gerade vor Ausbruch des Krieges wirtschaftlich so sehr engagiert hatte; ohne den Krieg wäre alles ganz gut gegangen, aber nun steht es schief. Ich verdiene natürlich nichts, der Zuschuß meines Schwiegervaters mußte auf die Hälfte herabgemindert werden, Fischer kann den Vorschuß, den er mir zugesichert hatte, nur zu einem kleinen Teile zahlen, das Tölzer Landhaus ist vorderhand unverkäuflich, und dabei habe ich zum Oktober erhebliche Zahlungen zu leisten. Es ist so gut wie sicher – und ich habe nicht das Geringste dagegen –, daß ich nach dem Kriege mein materielles Leben auf eine viel schmalere Basis werde stellen müssen; für jetzt handelt es sich darum, wie ich mich bis zu einem Zeitpunkt, wo der nicht mehr angemessene Immobilienbesitz verkaufbar sein wird, leidlich halte. Ich muß dazu genau rechnen und an mich ziehen, was ich irgend haben kann.

Nun hast Du ja auch von Emma Gramman 2000 Mark geerbt, was gerade die Summe ist, die ich Dir vor einigen Jahren auf beliebig lange Zeit überließ. Könntest Du Dich jetzt entschließen, sie mir zurückzugeben? Ich weiß wohl, daß auch Du zu leiden hast, aber schließlich hast Du ja die Erbschaft nicht gerechnet, und überhaupt darf ich mir sagen, daß Du es immerhin leichter hast, als ich, der ich meinen Haushalt nicht eben von heute auf morgen den Verhältnissen anpassen kann. Dir alles ziffernmäßig auseinanderzusetzen, hat keinen Sinn. Genug, Du kannst sicher sein, daß ich die Bitte nicht an Dich richten würde, wenn ich nicht müßte.

Herzliche Grüße! T.

[Handschriftlicher Entwurf einer Antwort auf der Rückseite des Briefes vom 13. 9. 1914]

[München, September 1914]

Lieber Tommy

Sobald das Geld aus Dresden kommt, schicke ich Dir 1000 Mk. Ganz entblössen darf ich mich nicht, diese 2000 Mk wurden, als wir neulich die Nachricht bekamen, von meiner Frau u. mir mit einem Aufatmen begrüsst. Denn ich sehe wohl Deine Lage, aber Du siehst, glaube ich, meine nicht.

Mit Zuschüssen, die gekürzt werden könnten, habe ich nicht zu rechnen, und was mir geschuldet wird, zahlt jetzt niemand. Cassirer, dessen Vermögen »beinahe zerrüttet« ist, zahlt seit dem Kriege nur mehr eine Kleinigkeit – solange er wenigstens diese zahlt, leben wir davon und von Mamas Quartalsgeld. Wenige tausend Mark auf der Bank sind der Rückhalt, der uns in jedem Fall noch einige Zeit vor Sorge bewahren soll. Meine Produktion wird nach dem Kriege so unverwendbar sein wie jetzt. So wirst Du hoffentlich nicht zweifeln, dass ich hiermit thue, was möglich ist.

München 18. IX. 14.
Poschinger Str. 1

Lieber Heinrich:

Auch die Hälfte wird eine gewisse Erleichterung für mich bedeuten. Ich möchte nur noch einmal versichern, daß ich

133

die Bitte nicht ohne Rücksicht auf Deine Lage gethan habe. Aber ganz zuletzt: was kann Dir passieren. Du hast keine Kinder, keine Verpflichtungen. Es läuft bei Dir schlimmsten Falls auf aeußerste Einschränkung hinaus. Die üben wir schon – innerhalb des leider bestehenden Rahmens. Aber sie hat bei uns mehr moralische als praktische Bedeutung, sie macht nicht viel aus, und wenn wir nicht zahlen können, so erleben wir die abenteuerlichsten Dinge. Auch das läge ja in der Zeit; aber schon aus ökonomischen Gründen, weil bei einem Krach Alles draufginge, muß man doch zusehen, daß man es vermeidet.

Jedenfalls besten Dank dafür, daß Du thust, was du kannst.

Deinen Pessimismus in Betreff Deiner Produktion und ihrer Zukunft in Deutschland teile ich nicht, sondern glaube, daß Du der deutschen Bildung Unrecht damit thust. Dein Ruhm war in steilem Aufstieg während der letzten 10 Jahre. Kannst Du wirklich glauben, daß durch diesen großen, grundanständigen, ja feierlichen Volkskrieg Deutschland in seiner Kultur oder Gesittung so sollte zurückgeworfen werden, daß es Deine Gaben dauernd abweisen könnte?

Herzliche Grüße! T.

[Handschriftlicher Entwurf]

Versuch einer Versöhnung

30. Dez. 1917

Lieber Tommy,

Dein Artikel im B[erliner] T[ageblatt] wurde in meiner Gegenwart verlesen. Ich weiss nicht, ob es den andern Hörern auffiel, mir selbst schien es, als sei er in einzelnen Abschnitten an mich gerichtet, fast wie ein Brief. Daher glaube ich Dir antworten zu müssen, wenn auch ohne den Umweg über die Presse und nur zu dem einen Zweck, um Dir zu sagen, wie unberechtigt der Vorwurf des Bruderhasses ist. –

In meinen öffentlichen Kundgebungen kommt kein »Ich«
vor, u. daher auch kein Bruder. Sie sind in das Weite gerichtet, sehen ab – wenigstens will ich es so – von mir, meinem
Bürgerlichen, meinem Vortheil oder Nachtheil u. gelten allein einer Idee. Liebe zur Menschheit (politisch gesprochen:
europäische Demokratie) ist allerdings die Liebe einer Idee;
wer aber sein Herz so sehr in die Weite hat erheben können,
wird es des öftern auch im Engen erwiesen haben. »Güte
von Mensch zu Mensch« verlangt das Stück, für das ich dem
Verfasser Dehmel sogleich nach dem Anhören der General-
probe meine wärmste Sympathie dargeboten habe. Ich
weiss, dass ich im Lauf des Lebens von dieser Güte einiges
gewonnen [?] habe, und kenne Fälle, in denen ich sie öfter
gewährte als empfing. Dein ganzes Werk ist von mir begleitet worden mit dem besten Willen, es zu verstehen u.
mitzufühlen. Die Gegnerschaft Deines Geistes kannte ich
von jeher, u. wenn Deine extreme Stellungnahme im Krieg
Dich selbst verwundert hat, für mich war sie vorauszusehen. Dieses Wissen hat mich nicht gehindert, Dein Werk
oftmals zu lieben, noch öfter in es einzudringen, wiederholt
es öffentlich zu rühmen oder zu vertheidigen, u. Dich, wenn
Du an Dir zweifeltest, zu trösten wie einen jüngeren Bruder.
Bekam ich von dem allen fast nichts zurück, ich habe es
mich nicht verdriessen lassen. Ich wusste, um sicher zu stehen, brauchtest Du die Selbstbeschränkung, sogar die Ab-
wehr des Anderen, – und so habe ich auch Deine Angriffe –
sie reichen von den Zeiten eines Blattes names »Freistatt« bis
in Dein jüngstes Buch – noch immer ohne grosse Mühe
verwunden. Verwunden u. nicht vergolten – oder erst dann
ein einziges Mal vergolten, als es nicht mehr um Persönliches ging, nicht mehr um literarische Vorliebe oder geistige
Rechthaberei, sondern um die allgemeinste Noth u. Gefahr.
In meinem, »Zola« betitelten Protest war es, dass ich gegen
die auftrat, die sich, so musste ich es ansehen, vordrängten,
um zu schaden. Nicht gegen Dich nur, gegen eine Legion.
Anstatt der Legion sind es heute nur noch einige Verzwei-

felte; Du selbst schreibst wehmüthig; – u. Dein letztes Argument wäre nur der Vorwurf des Bruderhasses? Ich kann Dir betheuern, wenn nicht beweisen, dass er mich nicht trifft. Nie aus solchem Gefühl habe ich gehandelt – u. habe ihm grade entgegengehandelt, als ich Annäherung suchte sogar in der Zeit, als es hoffnungslos schien. Unsere Mittheilung von der Geburt unseres Kindes wurde nicht gut aufgenommen. Vielleicht finden meine heutigen Erklärungen ein besseres Gehör. Das wäre möglich, wenn Deine neueste Klage gegen mich von Schmerz diktirt ist. Dann mögest Du erfahren, dass Du meiner nicht als eines Feindes zu denken brauchst.

Heinrich.

München den 3. Jan. 18

Lieber Heinrich:

Dein Brief trifft mich in einem Augenblick, wo es mir physisch unmöglich ist, ihn im eigentlichen Sinn zu beantworten. Ich muß eine vierzehntägige Reise antreten, die ich verwünsche und deren Charakter meiner Stimmung wenig angemessen ist, die ich aber nun einmal auf mich genommen habe. Ich frage mich aber auch, ob es einen Sinn hätte, die Gedankenqual zweier Jahre noch einmal in einen Brief zu pressen, der notwendig viel länger ausfallen müßte, als der Deine. Ich glaube Dir aufs Wort, daß Du keinen Haß gegen mich empfindest. Nach dem erlösenden Ausbruch des Zola-Aufsatzes und wie sonst Alles für Dich steht und liegt, zur Zeit, hast Du gar keinen Grund dazu. Das Wort vom Bruderhaß war auch mehr ein Symbol für allgemeinere Diskrepanzen in der Psychologie des Rousseauiten.

Hattest Du es schwer mit mir, so hatte ich es natürlich noch viel schwerer mit Dir, das lag in der Natur der Dinge; und auch ich habe redlich das Meine gethan. Wenigstens zwei Deiner Bücher preise ich bis zum heutigen Tage gegen jedermann als Meisterwerke. Wie oft Du, mit dem »Recht der

Leidenschaft«, erbarmungslos meine einfachsten und stärksten Empfindungen mißhandelt hattest, bevor ich mit einem Satz dagegen reagierte, vergißest Du oder verschweigst Du. Natürlich war dieser Satz so wenig *ganz* persönlich gezielt, wie irgend einer von Dir. Das brüderliche Welterlebnis färbt Alles persönlich. Aber Dinge, wie Du sie in Deinem Zola-Essay Deinen Nerven gestattet und den meinen zugemutet hast, – nein, dergleichen habe ich mir niemals gestattet und nie einer Seele zugemutet. Daß Du nach den wahrhaft französischen Bösartigkeiten, Verleumdungen, Ehrabschneidereien dieses glanzvollen Machwerks, dessen zweiter Satz bereits ein unmenschlicher Exzeß war, glaubtest, »Annäherung suchen« zu können, obgleich es »hoffnungslos schien«, beweist die ganze Leichtlebigkeit Eines, der »sein Herz ins Weite erhob«. Übrigens hat damals meine Frau der Deinen zart, menschlich, ausführlich geschrieben und bekam Frechheiten zur Antwort.

Daß mein Verhalten im Kriege »extrem« gewesen sei, ist eine Unwahrheit. Das Deine war es und zwar bis zur vollständigen Abscheulichkeit. Ich habe aber nicht zwei Jahre lang gelitten und gerungen, meine liebsten Pläne vernachlässigt, mich zum künstlerischen Verstummen verurteilt, mich erforscht, mich verglichen und behauptet, um auf einen Brief hin, der – begreiflicher Weise – Triumph atmet, mich nach letzten Argumenten suchend an der Spitze »einiger Verzweifelter« sieht und schließlich findet, ich brauchte Deiner nicht als eines Feindes zu gedenken, – um Dir auf diesen in keiner Zeile von etwas anderem als sittlicher Geborgenheit und Selbstgerechtigkeit diktierten Brief hin schluchzend an die Brust zu sinken. Was hinter mir liegt, war eine Galeeren-Arbeit; immerhin danke ich ihr das Bewußtsein, daß ich Deiner zelotischen Suade heute weniger hülflos gegenüber stünde, als zu der Zeit, da Du mich bis aufs Blut damit peinigen konntest.

Mögest Du und mögen die Deinen mich einen Schmarotzer nennen. Die Wahrheit, *meine* Wahrheit ist, daß ich keiner bin. Ein großer bürgerlicher Künstler, Adalbert Stifter, sagte in einem Brief: »Meine Bücher sind nicht Dichtungen allein, sondern als sittliche Offenbarungen, als mit strengem Ernste bewahrte menschliche Würde haben sie einen Wert, der länger bleiben wird, als der poetische.« Ich habe ein Recht, ihm das nachzusprechen, und Tausende, denen ich leben half – auch ohne, eine Hand auf dem Herzen und die andere in der Luft, den contrat social zu rezitieren – *sehen* es, dieses Recht.

Du nicht. Du kannst das Recht und das Ethos meines Lebens nicht sehen, denn Du bist mein Bruder. Warum brauchte niemand, weder Hauptmann, noch Dehmel, der sogar die deutschen Pferde besang, noch der präventivkriegerische Harden (dem Du jetzt Huldigungsvisiten machst) die Invektiven des Zola-Artikels auf sich zu beziehen? Warum war er in seiner ganzen reißenden Polemik auf mich eingestellt? Das brüderliche Welterlebnis zwang Dich dazu. Demselben Dehmel, der mir für meinen ersten Kriegsartikel in der Neuen Rundschau aus dem Schützengraben Dank und Glückwunsch sandte, kannst Du als Generalproben-Intimer wärmste Sympathie darbieten, und er kann sie annehmen; denn ihr seid zwar sehr verschiedene Geister, aber ihr seid nicht brüderliche Geister, und darum könnt ihr beide leben. – Laß die Tragödie unserer Brüderlichkeit sich vollenden.

Schmerz? Es geht. Man wird hart und stumpf. Seit Carla sich tötete und Du fürs Leben mit Lula brachst, ist Trennung für alle Zeitlichkeit ja nichts Neues mehr in unserer Gemeinschaft. Ich habe dies Leben nicht gemacht. Ich verabscheue es. Man muß zu Ende leben so gut es geht.

Lebe wohl.   T.

[Handschriftliche Notizen und Entwurf einer Antwort]

Psych. d. Rousseauiten.
»Meisterwerke«
»Empfindungen misshandelt«
Brüderl. Welterlebniss.
Glanzvolles Machwerk. Gleichfalls.
Ethos – 10 Mill. Leichen,
                    Hand, Herz, Luft
                    Dein Brief mehr Pathos als Ethos
Bösart. Verleumdungen Ehrabschneidereien
Der 2. Satz
leichtlebiger Zelot
Zart, menschlich – Frechheiten
Extrem – abscheuliches Verhalten
Gelitten u. gerungen, sich erforscht, verglichen, *behauptet,*
                    (Wozu die Umstände?)
Sittliche Geborgenheit u Selbstgerechtigkeit *triumph atmen*
Trauriges Geschick, 2 Jahre an den Folgen eines Meinungs-
austausches zu laboriren.
Schmarotzer?
Tausende, denen ich leben half. Eitle u. feige
Jünglinge

                              Nicht abgeschickt
Lieber Tommy,
vor solcher Verbitterung müsste ich verstummen und die
»Trennung für alle Zeitlichkeit« so hinnehmen wie sie geboten wird. Aber ich will nichts versäumen. Ich will Dir nach
Kräften helfen, die Dinge später, wenn alles vorbei ist, gerechter zu sehen. Auf einen Brief, der nicht Zartsinn oder
ähnliches, sondern allein Überhebung verriet, musste ich
meiner Frau die entsprechende Antwort diktiren. Aber ich
trenne mich niemals vorsätzlich u. für immer. Ich lasse es
darauf ankommen, ob auch der andere Theil einst das Seine

thut, dass man sich wiederfindet. So ist die Art meiner zelotischen Leichtlebigkeit.

Nicht Auseinandersetzungen wollte ich, nicht einmal auf 4 Briefseiten, – u. mit tiefem Bedauern erfahre ich, dass eine einzige, von mir gehörte Meinungsäusserung Dich genöthigt hat, 2 Jahre lang Deine Antwort auszuarbeiten. Ich denke Dein Buch, sollte nicht die Rücksicht auf meinen Ruf mich anders bestimmen, ungelesen zu lassen – nicht aus Missachtung, sondern weil ich eine polemische Verbindung mit Dir weniger wünsche als die andere, natürliche. Du hast, nach allem was ich sehe, Deine Bedeutung in meinem Leben unterschätzt, was das natürliche Gefühl betrifft, und überschätzt hinsichtlich der geistigen Beeinflussung. Die letztere, negativ von Gestalt, ist einseitig von Dir erlitten worden, Du musst diese Wahrheit schon hinnehmen, es ist keine blosse Schmähung, wie alle die mehr pathetischen als ethischen Wendungen Deines Briefes. Was mich betrifft, ich empfinde mich als durchaus selbständige Erscheinung, u. mein Welterlebnis ist kein brüderliches, sondern eben das meine. Du störst mich nicht. Beispielsweise wäre ich, schriebest Du über französische Thaten u. Eigenschaften einmal etwas anderes als Ungereimtheiten, aufrichtig erfreut. Du aber – wenn es mir einfiele, mich zum alten Preussen zu bekennen, weisst Du, was Du thätest? Die Notizen zu Deinem »Friedrich« würfest Du ins Feuer.

»In inimicos« sagtest Du, 22jährig am Klavier sitzend in via Argentina trenta quattro, nach rückwärts gewandt gegen mich. So ist es geblieben für Dich; aber Du bist noch jung, ich darf Dir noch abrathen, bevor es zu spät wird, denn es war nicht gut so für Dich, u. wird immer weniger gut. Bezieh nicht länger mein Leben u. Handeln auf Dich, es gilt nicht Dir, u. wäre ohne Dich wörtlich dasselbe. Der 2te Satz des »Zola« hat nichts mit Dir zu thun, u. die wenigen Seiten weiterhin, die auch Dich angehen, ständen so oder ähnlich noch da, wenn es nur die Anderen gäbe. Von diesen anderen haben manche seither sich eines Besseren besonnen, u. ich bin wieder ihr Freund. Ich trenne mich niemals vorsätzlich u. für immer.

Selbstgerechtigkeit? O nein – sondern weit eher das Gemeinschaftsgefühl mit denen, die auch, gleich mir, es wissen, wie viel wir alle, die Kunst und Geistesart unserer Generation, es verschuldet haben, dass die Katastrophe kommen konnte. Selbstprüfung, Kampf erleben noch einige neben Dir, wenn schon bescheidener; aber dann auch Reue u. neue Thatkraft: nicht nur eine »Behauptung«, die so grosse Umstände nicht verlohnt, nicht nur das »Leiden« um seiner selbst willen, diese wüthende Leidenschaft für das eigene Ich. Dieser Leidenschaft verdankst Du einige enge, aber geschlossene Hervorbringungen. Du verdankst ihr zudem die völlige Respektlosigkeit vor allem Dir nicht Angemessenen, eine »Verachtung«, die locker sitzt wie bei keinem, kurz, die Unfähigkeit, den wirklichen Ernst eines fremden Lebens je zu erfassen. Um dich her sind belanglose Statisten, die »Volk« vorstellen, wie in Deinem Hohenlied von der »K[öni]gl[ichen] Hoheit«. Statisten hätten Schicksal, gar Ethos? – Dein eigenes Ethos, wer sagt Dir, dass ich es verkannt hätte? Ich habe immer um es gewusst, habe es geachtet als subjektives Erlebniss u. Dich, stand es im Kunstwerk gestaltet, nicht lange behelligt mit meinem Verdacht gegen seinen Werth für die Menschen. Vermesse aber auch ich mich eines sittl. Willens, wie erscheint er Dir? Unter dem Bild eines komödiantischen Prahlhansen u. glänzenden Machers. Du Armer!

Die Unfähigkeit, ein fremdes Leben ernst zu nehmen, bringt schliesslich Ungeheuerlichkeiten hervor, – u. so findest Du, mein Brief, der eine Geberde der einfachen Freundlichkeit war, athme Triumph! Triumph worüber? Dass alles gut für mich »steht u. liegt«, nämlich die Welt in Trümmern u. 10 Millionen Leichen unter der Erde. Das ist doch mal eine Rechtfertigung! Das verspricht doch Genugthuung dem Ideologen! Aber ich bin nicht der Mann, Elend u. Tod der Völker auf die Liebhabereien meines Geistes zuzuschneiden, ich nicht. Ich glaube nicht, dass der Sieg irgend einer Sache noch der Rede werth ist, wo wir Menschen untergehen. Alles, was nach dem Letzten, Furchtbarsten, das noch bevorsteht, an besserer Menschlichkeit kann errungen werden, wird bitter u. traurig schmecken. Ich weiss nicht, ob irgend Jemand seinem Mitmenschen »leben helfen« kann; nur möge unsere Literatur ihm dann nie zum Sterben verhelfen!

Jetzt sterben sie weiter; – Du aber, der den Krieg gebilligt hat, ihn noch immer billigt und meine Haltung – ich liess ein Stück aufführen, das kein ohnmächtiger Reim auf die schlechte Gegenwart ward, und schenkte, als Erster von Allen, den Gequälten das Vertrauen in eine bessere Zukunft – Du aber, der dafür meine Haltung der vollständigen Abscheulichkeit zeiht, wirst, will Gott es, noch einmal 40 Jahre Zeit haben, Dich zu prüfen, wenn nicht zu »behaupten«. Die Stunde kommt, ich will es hoffen, in der Du Menschen erblickst, nicht Schatten, u. dann auch mich.

H.

Mchen.
5. Jan. 1918

München, den 31. 1. 22.
Poschingerstr. 1

Lieber Heinrich,
nimm mit diesen Blumen meine herzlichen Grüße und Wünsche, – ich durfte sie Dir nicht früher senden.
Es waren schwere Tage, die hinter uns liegen, aber nun sind wir über den Berg und werden besser gehen, – zusammen, wenn Dir's ums Herz ist, wie mir.

T.

19. Apr. 1922
z. Z. Überlingen/Bodensee
Badehotel

Hier sind wir, draussen lädt der Schnee zum Wintersport ein, wir lehnen ab. Sonst ist es ganz hübsch. Wir begrüssen Euch herzlich. Auf Wiedersehn!

Heinrich u. Mimi

Amsterdam 20. x. 22.

Herzlichen Gruß aus der Spinoza-Sphäre. Ich wohne bei freundlichsten Leuten und komme hier endlich etwas zur Ruhe, da ich dank der gemütlichen Kleinheit des Landes die zu besuchenden Städte meist vom Amsterdamer Standquartier aus erreichen kann. Habe eine Welt von Dingen erlebt in diesen 10 Tagen. Nach dem großen Berliner Abenteuer (ich werde als Wahlredner für Eberten verstanden, Politik umschäumt mich) kam eine Hannöver'sche Episode, dann Düsseldorf, Duisburg mit einer eindrucksvollen Besichtigung des Rheinhafens; dann Cleve, wo ich die große Irrenanstalt besuchte. In Nymwegen, an der Grenze, hatte ich ein eigentümliches literarisches Gespräch mit einem jungen Chinesen, der mit großer Zierlichkeit die soziale Ethik Konfutses gegen den europäischen Individualismus vertrat. Er studiert in Leipzig »Phonetik« und war im Begriff, über die Ferien nach London zu fahren. Von Amsterdam sah ich noch nicht viel, werde nachmittags das Reichsmuseum sehen und abends zum Vortrag nach Uetrecht fahren.

T.

Thomas Mann, Amsterdam
Harmoniehof 54

Lieber Heinrich,

ich brauche Dir nicht zu sagen, daß deutsche Vortragsreisen sich jetzt wenig lohnen. Ich war eben in Dresden, für 50 000 Mark, die die arme Gesellschaft ad hoc geschenkt bekommen hatte, und *hätte zugesetzt,* wenn ich nicht privat gewohnt hätte u. nicht ohnehin nach Berlin gemußt hätte, sodaß ich die Reise sparte. Wenn Du bei einer Kombination von näher gelegenen Städten 30 000 M pro Abend nimmst, wirst Du kein Geschäft machen, das Dir die Strapazen aufwiegt. Andererseits glaube ich kaum, daß die Vereine mehr leisten können. Verlange erst einmal 40 000 pro Abend. Nach Augsburg fahre ich nächstens für 25 000, und das ist schon eine ältere Verabredung.

Unsere Franzosen betragen sich gut. Sie scheinen es sich in den Kopf gesetzt zu haben, jedem das Konzept zu verderben, der in Deutschland zum Guten redet. Es wird versichert, daß die Details von der Ruhr nicht übertrieben sind, sondern eher noch hinter der Wahrheit zurückbleiben. Der Ingrimm ist fürchterlich, – tiefer und einheitlicher, als der, der Napoléon zu Fall brachte. Man sieht nicht ab, wie das in Zukunft werden soll. Und das Schlimme ist, daß ein französisches Fiasko, so sehr es zu begrüßen wäre, innerpolitisch den Triumph des Nationalismus bedeuten würde. Mußte man das bessere Deutschland wirklich in diese Zwickmühle bringen? Deutschland war windelweich 1918, aber die Anderen, die sich doch besser dünkten, haben wenig erzieherische Talente an den Tag gelegt.

Herzliche Grüße und Wünsche! T.

Wien, Hotel Imperial
den 1. IV. 23.

Lieber Heinrich,

es thut mir recht leid, daß ich neulich im Trubel der Abreise vergaß, Dir zu Deinem Geburtstag zu gratulieren. Ich hole

es in Osterstimmung nach und wünsche Dir ein gutes er-
tragreiches Jahr. Herzliche Grüße habe ich Dir auszurichten
von Schnitzler, mit dem ich vorgestern hier zu Mittag aß, in
Gesellschaft Auernheimers, eines propperen Literatentyps.
Ich lebe hier wie Wilhelm vor dem Fall, und in Budapest,
wohin ich morgen früh reise, wird es wohl so weiter gehen.
Nach Prag fahre ich in der Nacht vom 5. auf den 6. und
hoffe Mimi zu sehen. Gestern hatte ich einen schönen Auto-
Ausflug nach dem Semmering, den ich noch nicht kannte.
Heute besuche ich Hofmannsthal in Rodaun.
Auf Wiedersehn!   T.

                                          Bozen 17. x. 23.

Schöne Grüße aus Neu-Italien! Wir haben unbändige Sonne
und kneipen jeden Abend mit Hauptmann, der ein recht
guter alter Mann ist. Dank, daß ihr halft, den schlimmen,
instinktlosen Kindern den Kopf zu waschen. Gott wecke
ihnen den Verstand mit der Zeit! Auf Wiedersehn.
                                                              T. K.

                                         London den 6. v. 24.

Lieber Heinrich, einen schönen Gruß der Abenteurer. Es
freute mich sehr, das merkwürdige Amsterdam mit seinen
schwarzen Häusern wiederzusehen. Von Vlissingen hatten
wir gute Überfahrt und sind hier sehr freundlich aufgenommen. Heute Abend wird also mit Galsworthy, Wells und
Shaw gedinnert. Sonderbar. Auf Wiedersehn.
                                                                 T.
Herzlichste Grüße auch von Katia.

Lieber Heinrich, herzlichen Gruß von einer Reise, auf der die »Abrechnungen« mich begleiten und mich sehr unterhalten und erquicken!

T.

11. Dez. 1924
München Leopoldstr. 59

Lieber Tommy,
wir haben Dein Buch mit Freude bekommen, wir danken Dir bestens für das schöne Geschenk. Mimi ist jetzt freilich versorgt, sie kann wochenlang lesen. Dann hoffe ich mich daranzumachen. Wer dies grosse Werk gethan hat und es fertig sieht, muss wohl froh und erleichtert sein. Ich stehe immer noch tief in dem meinen, aber die nächsten Monate sollen es schaffen.
Alles Gute und auf Wiedersehn.

H.

Piräus 18. III. 25

Lieber Heinrich, Dir und Mimi einen Gruß aus Griechenland. Es ist doch recht merkwürdig, von der Akropolis auf Salamis und die heilige Straße zu blicken. Schließlich ist es unser aller Anfang, und man wünscht, immer möchten die Perser wieder geschlagen werden.

T.

München, den 22. IV. 25.
Poschingerstr. 1

Lieber Heinrich,
es war ein großer Augenblick, als gestern Nachmittag Dein Roman hereingetragen wurde. Vielen Dank für das Ge-

schenk! Katja hat sich zuerst darüber her gemacht, aber auch ich hoffe, daß ich schon in den nächsten Tagen beginnen kann, es zu erwerben, um es zu besitzen. Wir gehen nach Florenz erste Hälfte Mai; und Anfang Juni nach Wien, wo man eine Fiorenza-Aufführung plant. Vorher oder zwischendurch wird man doch wieder einmal zusammenkommen.

Herzlich   T.

St. Gilgen den 24. VIII. 25

Lieber Heinrich, wir waren zwei Tage in Aussee, wo Wassermann eine landschaftlich wundervolle Besitzung hat, und grüßen Dich von unsrer Mittagsstation auf dem Wege nach Salzburg, wo wir Musik hören wollen. Der V. Hugo-Aufsatz war außerordentlich schön!

                                                                 T.

Herzlichste Grüße Ihnen und Mimi

                              von Ihrer Katia.

Arosa den 17. V. 26.

Lieber Heinrich, Dir und Mimi einen Gruß aus der wilden Urnatur. Wir hatten unendlichen Schnee, u. jetzt regnet es, womit wohl ein Fortschritt angedeutet sein soll. Aber Katja erholt sich langsam u. ich lasse meinen trocken-heißen Kopf Allerlei ausbrüten.

                                                                 T.

Hotel Europejski
Warszawa 15. III. 27.

Lieber Heinrich,
recht verspätet, erst gegen das Ende dieses Aufenthalts, komme ich dazu, Dir zu berichten, daß Dein Censur-Protest

147

bei der Verlesung durch mich in der Akademiesitzung (ich habe mir Mühe gegeben) mit großer Begeisterung aufgenommen und einstimmig für die Veröffentlichung akzeptiert wurde. Eine kleine redaktionelle Änderung bittet man vornehmen zu dürfen, nur den Satz betreffend, der die Buchhandlungen erwähnt. Man sieht ein zu großes Entgegenkommen darin und möchte ihn streichen.

Danzig den 16.

Es hat lange gedauert, bis ich einen Brief an Katja und diese Zeilen fertig bekommen habe. Der Aufenthalt in Warschau war anspruchsvoll, aber wahrhaft herzerwärmend. Ich hatte mir eine solche Aufnahme nicht im Entferntesten träumen lassen. Mündlich muß ich noch davon erzählen.
Herzliche Grüße!   T.

Kampen a/Sylt 19. VIII. 27.
Haus Kliffende

Lieber Heinrich und liebe Mimi, viele Grüße von Meer zu Meer! Die Reize dieser Insel sind keusch und karg und lenken den Sinn auf Grog. Aber wir sind einverstanden und die Kinder mehr als das.
Auf Wiedersehn!   T.
Herzlichst K.

23. Aug. 1927
z. Zt. Hôtel de l'Océan
Biarritz
Lieber Tommy,
Ponten schreibt mir, dass er und W. Schäfer Dich als Kandidaten für die Präsidentschaft der Akademie aufgestellt

haben. Schon dazu beglückwünsche ich Dich, denn ausser einigen Berliner Stimmen würdest Du die der meisten Wähler wohl haben. So wäre, persönlich gesehen, alles bestens geordnet – auch für mich, denn Du weisst so gut wie ich selbst, dass Deine Ehren und Erfolge mich nicht verstimmen. Noch dazu fällt manchmal etwas für mich dabei ab. »Die deutsche Literatur wird unbeschränkt von der Familie Mann beherrscht«, lese ich in »Comoedia«.

Hier muss ich aber sachliche Fragen stellen, denn in diese Sache bin ich als Mitglied der Akademie selbst mit verwikkelt. Es ist immer gefährlich, sich einer Körperschaft kollegial zu verpflichten. Es kann, sogar ohne mein Dazuthun, zu Konflikten kommen. Die Auffassungen über den Zweck des Zusammenseins sind bei den Kollegen immer zu sehr verschieden. Dennoch wundert mich, dass Ponten und ich, so gründlich wir doch über die Akademie uns auszusprechen glaubten, einander ganz und gar missverstanden haben. Jetzt ist mir klar, was er will. Er will erstens als Präsidenten keinen Berliner, sondern er will zum Vorsitzenden einer Preussischen Akademie einen in Süddeutschland Ansässigen. Ferner wünscht er an der Spitze einen grösseren Namen als den des bisherigen Präsidenten. Das scheint alles zu sein.

Ich dachte, nachdrücklich erklärt zu haben, dass ich viel mehr will. An W. von Scholz habe ich nicht auszusetzen, was er ist. Mir missfällt, dass er nichts thut. Für diese Akademie, die vorläufig den blossen Namen, aber noch gar kein Gewicht hat, ist unermesslich zu thun. Als wir aufgefordert wurden, ein Programm zu entwerfen, habe ich ein so ausführliches aufgestellt, wie ein Einzelner an einem gegebenen Zeitpunkt es konnte. Das Deine wird nicht weniger beachtenswerth gewesen sein. Meine Folgerung ist, dass alle diese Programme, oder was daraus mit Stimmenmehrheit beschlossen wird, auch ausgeführt werden sollten, und zwar von dem neuen Vorsitzenden selbst.

Deshalb muss er vor allem in Berlin wohnen. Ebenso geboten ist, dass er auf Jahre hinaus den grössten Theil seiner Arbeitskraft frei hat für die Aufgaben der Akademie. Für die Akademie Geld, immerfort Geld herbeischaffen, ihr gesellschaftliches Ansehen erkämpfen, sie womöglich zu einer Macht im Staat machen, das kann nur eine grosse, auf das Praktische gerichtete Kraft. Wenn ich sie bei Dir voraussetze, kann ich doch nicht glauben, dass Du bereit wärest, unter so vielen Aufgaben Deine eigene Arbeit leiden zu lassen.

Wo der Geeignete zu finden wäre, weiss ich nicht; aber auch wenn noch niemand es wüsste, wäre diese Kraft zu suchen, das ist im Augenblick das einzig Wichtige. Giebt es sie unter den Schriftstellern ausserhalb der Akademie, wäre sie hereinzuholen um der Sache willen. Der Gewählte muss nicht gleich den Titel Präsident haben, die Statuten können auch darin abgeändert werden. Eine im Entstehen begriffene Akademie, die ihr Daseinsrecht den Zweiflern erst beweisen muss, braucht statt aller Repräsentation viel mehr einen Direktor oder Generalsekretär, der arbeitet und Gehalt dafür bezieht. (Der Sekretär der Gesamtakademie, an den man sonst denken könnte, hat wohl auch Dich bisher nicht davon überzeugt, dass er auf unserer Seite wäre.)

Die Sache, um die es geht, ist ungeheuer. Die deutsche Literatur hat die vielleicht einzige Gelegenheit, auf den ihr gebührenden sozialen Rang zu gelangen. Das ist vor allem nur möglich, wenn die Akademie sich als das höchste ausführende Organ des literarischen Geistes überhaupt fühlt. Der Beruf und seine Denkart müssen alles Gewicht haben. Keine bevorzugte Persönlichkeit darf die Aufmerksamkeit ablenken. Innere Rangunterschiede sollten nicht betont werden. Ich erinnere daran, dass die Französische Akademie keinen Präsidenten kennt.

Man könnte darauf verfallen, zwar einen geschäftsführenden Direktor, über ihm aber noch den Präsidenten einzusetzen. Dann wäre die Autorität bei dem formalen Präsidenten, und der wirklich Ausführende hätte sie nicht. Wenn er aber z. B.

mit dem Ministerium verhandelt, muss der direkte Auftrag der Akademie ihn stützen. Er persönlich muss ihr Vertrauen haben. Dadurch fällt ein ihm übergeordneter Präsident von selbst fort. Der Direktor seinerseits mag als literarisches Talent nur grade anständig sein. Es handelt sich nicht um seine Ehrung, sondern um den Nutzen der Literatur.

Ehrungen Einzelner nützen der Literatur nichts, das ist in schmerzlichster Weise erwiesen worden. Wir hatten sogar einen Olympier, was als Titel gewiss noch über dem Präsidenten steht. Die Lage der Literatur blieb traurig. Als die neue Republik sich kulturell empfehlen wollte, feierte sie eifrig G. Hauptmann. Ergebniss: im Vorläufigen Reichswirthschaftsrath stimmten gegen die 50jährige Schutzfrist die Vertreter der Unternehmer; denn sie sehen als den sozial Bevorrechteten nicht den Schriftsteller, sondern den Buchhändler an.

Dies wäre alles, hier ist es hoffentlich so gesagt, dass auch andere es verstehen müssten. Aber anderen sage ich es nicht. Ich sage es nur Dir. Du kannst es gebrauchen, wie Du willst, kannst mit anderen in diesem Sinne reden, falls es mir gelungen ist, Dich dafür zu gewinnen, und kannst selbst danach handeln, falls die Wirkung meiner Worte so weit geht. Wenn nicht, ist es auch gut – persönlich, meine ich, was meine Auffassung Deines Verhaltens betrifft. Ich werde es Dir nicht verdenken und bin schon froh, wenn nicht Du mir diesen Schritt verdenkst. Der Sache freilich könnte ich leicht entfremdet werden, denn von einer Akademie, die sich auf Ehrungen beschränkt und, anstatt selbst Bedeutung zu erstreben, sich auf die Bedeutung Einzelner verlässt, erwarte ich nichts mehr.

Dies heisst nicht, dass ich austrete, auch nicht einmal, dass ich opponire. Ich könnte es mir als Dein Bruder nicht erlauben, ohne in falschen Verdacht zu kommen.

Herrn Ponten antworte ich vorerst nicht. Du hast gewiss bald Gelegenheit, ihm selbst zu sagen, dass ich mit Deiner Wahl natürlich einverstanden wäre, falls der Vorsitzende (oder, was ich vorzöge, Direktor) nicht lieber auf ein umfassendes Arbeitsprogramm hin ausgesucht wird. So einfach und so dringend es mir scheint, möglichenfalls liegt es den meisten Betheiligten ganz fern. Die deutschen Schriftsteller werden vielleicht, sogar in einer Akademie versammelt, ihre soziale Aufgabe noch nicht begreifen. Auch liesse sich befürchten, dass der gute Geschäftsmann, den ich voraussetze, selbst bei gutem Willen unter den Schriftstellern nicht aufzufinden ist; oder dass die Akademiker, seine Auftraggeber, sich nicht einigen; oder dass er sich nicht bewährt, vielleicht sogar seine Stellung missbraucht.

Ich rechne mit allen Fehlschlägen, und tritt auch nur einer ein, war alles, was ich hier gewollt habe, umsonst, selbst, wenn auch Du es wolltest. Ich kann für nichts bürgen. Das Leichteste ist für Dich, die Wahl anzunehmen, für mich, ihr zuzustimmen. Solange ich aber Zweifel habe, ob grössere, allgemeine Vortheile nicht dennoch erreichbar wären, habe ich auch die Pflicht, das Erkannte vorzubringen. Nach Lage der Dinge konnte ich es nur grade bei Dir.

Wir verlassen Biarritz in wenigen Tagen. Auf Wiedersehn im September.

Mit herzlichen Grüssen von uns an Euch.

Heinrich.

Kampen a/Sylt den 29. VIII. 27.

Lieber Heinrich,

Dein mächtig gewinnender Brief hat mir recht klar gemacht, wie übel angebracht die Lässigkeit war, mit der ich auf Schäfers und Pontens Vorschlag eingegangen bin. Als Fehler erschien mir diese Lässigkeit oder Nachlässigkeit bald nach dem Jawort, das mehr ein In Gottes Namen war, schon darum, weil diese Aktion der von mir gezeichneten auf dem Fuße folgt, genau, als sei diese die planmäßige Vorbereitung zur gegenwärtigen gewesen. Aber ich lasse mich telephonisch leicht überrumpeln, wenn auch nur, um loszukommen, und Ponten ist ein Anhänger, der eine ständige Beunruhigung durch meine schriftstellerische Existenz durch blinden Freundschaftseifer überkompensiert. In einem Punkt freilich sind die Absichten der Herren den Deinen ja nicht so fern: Ein gültigerer Name an der Spitze der Akademie, selbst wenn er nur dekorativerer Weise dorthin gesetzt würde, könnte der Sache nützen, sogar finanziell, weshalb es bedauerlich war, daß Hauptmann von vornherein durch die Ungeschicklichkeit des Ministeriums ausschied, obgleich er gewiß der Mann nicht gewesen wäre, den Du suchst. Ob aber dieser Mann unter deutschen Schriftstellern zu finden sein wird? Du wärst es, wenn Du Zeit hättest. Die hätte Fulda, der ohne Rang, aber tüchtig ist; nur daß die Art seiner Tüchtigkeit seinem Range entspricht: sein Gesichtspunkt ist unvergleichlich trivialer, als der Deine, er denkt an Berufsinteressenvertretung und an nichts weiter, – woraus hervorzugehen scheint, daß die Frage des Ranges bei Vergebung dieses Postens doch besser nicht ganz ausgeschaltet wird. Auf jeden Fall ist meine Kandidatur Unsinn, aus den von Dir unwiderstehlich entwickelten Gründen. Das werde ich Ponten und Schäfer schreiben und sie veranlassen, ihren Antrag zurückzuziehen. Ehrgeiz war es mitnichten, was mich bewog, ihm vorläufig und bedingungsweise zuzustimmen, sondern die Gewohnheit, mich zur Verfügung zu stellen, »wenn ihr denn meint, Kinder«, also eher Bescheidenheit. Unser beiderseitiger Ehrenstand, das Verhältnis des meinen zu Deinem, ist eine heikle Sache für sich – wobei »heikel« wohl wieder ein zu lässiger Ausdruck ist. Aber trotz Deines Scherzes, es falle bei meinen Erfolgen manchmal etwas für Dich ab, kennst Du mich, glaube ich, gut genug, um zu wissen, daß ich mir nichts vormachen lasse. Es läuft bei mir immer auf jenes »Wenn ihr denn meint, Kinder« hinaus, aber viele Kinder meinen es garnicht, und diesen recht zu geben, die anderen aber gering zu achten, bin ich nur zu geneigt, wobei ich dahinzustellen gezwungen bin, wie weit Hypochondrie der Zustand ist, in dem man die Dinge sieht, wie sie sind.

Hier ist es eigentümlich schön und aufregend. An etwas Großem schreiben kann ich nicht, aber man hat ja immer zu tun. Gegen Mitte September kehren auch wir nach München zurück. Dann können wir uns weiter beraten, und vor allem muß ich Dir 150 Mark übergeben, ein Honorar vom »Tagebuch«, das ich für Dich einkassiert habe, weil es Poschingerstraße adressiert war.

Herzliche Grüße und auf Wiedersehn.   T.

                                        6. Aug. [wohl Sept.] 1927
                                        München
                                        Leopoldstr. 59
Lieber Tommy,

nach einer Reise vom Ozean über die Pyrenäen zum Mittelmeer und durch die Schweiz, finde ich heute Deinen Brief und danke Dir für die freundliche Aufnahme des meinen. Nun wird mir, bei Deinem bedingungslosen Rücktritt, merkwürdigerweise noch schwüler. Denn ich zweifle, wie Du weisst, von Anfang an äusserst daran, dass meine Forderungen verstanden, geschweige erfüllt werden können. Dazu wäre nöthig gewesen, dass der bisherige Präsident unsere Programm-Entwürfe mitgetheilt u. zur Berathung gestellt hätte. Jetzt aber ist niemand auch nur informirt.

Du wirst aus der Antwort Pontens schon sehen, ob er sich von der beabsichtigten Wendung eine Vorstellung macht. Ich selbst kann z. B. Schickele, dessen Interesse an der Akademie ich kenne, mit dem Vorschlag befassen. Aber der Zeitpunkt der Wahl ist zu nah, wie sollte man so schnell noch alles umstellen können. Kommt es zuletzt doch auf eine Entscheidung zwischen zwei Namen, Richtungen, Wohnorten hinaus, z. B. auf die Wahl zwischen Scholz und Dir, dann werde ich einfach Dich wählen.

                              Auf Wiedersehn!   Heinrich

Ansprache an den Bruder

[gehalten am 27. März 1931 anläßlich der Feier von Heinrich Manns
60. Geburtstag in der Preußischen Akademie der Künste zu Berlin]

Lieber Heinrich – nach dem Minister und dem großen Maler, den du aus guten persönlichen Gründen so innig ver-
ehrst, nimmt nun der Bruder das Wort, und er braucht es,
denke ich, am brüderlichsten, indem er seinem und zweifellos auch deinem Gefühl für die tiefe Lebenssonderbarkeit der
Stunde Ausdruck verleiht, – überzeugt, daß keine Abgebrühtheit durchs Wirkliche, keine Welt- und Ruhmesge-
wöhnung dir dies kindliche Gefühl hat entfremden können.
Brüder sein, das heißt: Zusammen in einem würdig provinziellen Winkel des Vaterlandes kleine Jungen sein und sich
zusammen über den würdigen Winkel lustig machen; heißt:
die Freiheit, Unwirklichkeit, Lebensreinheit, die absolute
Boheme der Jugend teilen. Heißt dann: einzeln, aber immer
in organischer Verbundenheit und im Gedanken aneinander,
hineinwachsen, hineinaltern ins eben noch radikal ironisierte
›Leben‹, hineinwachsen vor allem durch das Werk, das als
Erzeugnis absoluter Boheme gemeint war, aber sich als eingegeben vom Leben, als in seinem Dienste getan und damit
als sittlich verwirklichend erweist. Brüder sein, wie wir es
sind, das heißt aber auch: gemeinsam dem wirklichkeitsreinen Unernst von einst im tiefsten die Treue halten; es heißt:
mit jener halb geistigen, halb kindheitsprovinziellen Erregung und Schüchternheit, welche die große Welt der Wirklichkeit uns einflößt, die Ironie der Frühzeit verbinden; und
es heißt: in Stunden besonders pointierter und unter dem
kindlichen Gesichtspunkt unglaubwürdiger Verwirklichung
sich aus dem Einzeldasein wieder zueinanderfinden, sich lächelnd anblicken und, wenn nicht mit dem Munde, so doch
mit den Augen zueinander sagen: »Wer hätte es gedacht.«

So warst du an meiner Seite, als man im Münchener Rathaussaal meinen fünfzigsten Geburtstag beging: du standest auf bei Tisch, du sprachst in seltsam und heiter erschütternden Akzenten von Kindheitsgeburtstagen im Elternhaus und hattest den größten Erfolg des Abends. Du warst es, der, als die Schweden aus Sympathie mit meinem nordisch gefärbten Bürgerroman mir ihren großen Preis verliehen hatten, der deutschen Welt in brüderlich erregten und feierlichen Worten durch den Rundfunk von diesem Geschehnis Mitteilung machte. Mit mir dachtest du gewiß an unsere Jugend dabei, an unser steinernes Zimmer in Rom, wo wir zuerst meinen ausgelassenen Plan berieten und uns nicht viel mehr dabei dachten, als daß ein paar amüsable Leute etwas zu lachen haben würden. Einen Familienroman übrigens hattest auch du damals schon geschrieben: er hieß sogar ›In einer Familie‹; er war Paul Bourget gewidmet, die studierte und delikate Psychologie des konservativen Franzosen war sein Vorbild gewesen – wie denn überhaupt deine konservative Periode in deiner Jugend lag. Das wirkliche brüderliche Gegenstück zu den ›Buddenbrooks‹ aber, das als ihr Gegenstück die ganze Variationsfähigkeit des Grundbrüderlichen erkennen ließ, war erst das große Werk, an das du damals noch nicht dachtest oder kaum zu denken begannst: die kunstglühende, gestaltenschäumende, rausch- und farbenvolle, zugleich barocke und strenge Romantrilogie der ›Herzogin von Assy‹ – diese Talentexplosion, die manchem jungen Menschen von damals ein neues, aufwühlendes Erlebnis der Prosa vermittelte und deinen Ruhm begründete.

Unsere ernsthaft großen Stunden haben nicht öffentliche Säle zu Schauplätzen. Sie sind unscheinbar in ihrer Produktivität, wir selbst beachten sie kaum, und wir sind notwendig allein mit ihnen. Aber das Leben bringt solche heran, die ich die kindlichgroßen nennen möchte, Fest- und Ehrenstunden, Stunden der Verwirklichung und des ›Wer hätte es gedacht‹; und in denen, die das Leben dir brachte, war ich allzu selten bisher an deiner Seite. Ich mußte fern sein, zum Beispiel, als bei der Victor Hugo-Feier im Pariser Trocadero eine fünftausendköpfige Menge, in generöser Wallung, mit einer minutenlangen Beifallskundgebung in dir den Vertreter des geistigen Deutschlands begrüßte. Was magst du, der Bewunderer und Zögling gallischen Genies von jung auf, empfunden haben in dieser Stunde der Liebeserfüllung? Ich hätte es dir gern vom Gesicht gelesen. Aber durch nichts habe ich's mir nehmen lassen, heute und hier dabei zu sein, da du, sechzig geworden, nach einem werkreichen Leben voll Kunststrenge, Reinheit, Wahrheitsmut, Führertum, ein Erster der geistigen Gesellschaft Europas, die Huldigung des kulturellen Berlin, die Ehrerweisung des neuen Staates, die Glückwünsche der Preußischen Akademie der Künste entgegennimmst – und diese Glückwünsche durch wessen Mund entgegengenommen hast? Durch den Mund des genialen Malers von deutscheuropäischer Prägung, der deinem Herzen und Sinn unter allen heutigen am nächsten steht, des Freundes und Peers der großen Pariser Impressionisten, durch den Mund des ehrwürdigen Max Liebermann. Fest- und Ehrenstunden, Stunden der Verwirklichung, der Liebeserfüllung, – dies ist eine; und dir wird ähnlich dabei zumute sein, wie damals, als dir, du warst noch jung, der bewunderte Steinlen für den Umschlag deiner ›Göttinnen‹ das wunderschöne Frauenbild gezeichnet hatte, in dem du mit Ergriffenheit das vollendete Porträt deiner Heldin Violante erkanntest. –

Dies alte Lübeck, lieber Bruder, in dem wir kleine Jungen waren, ist ein merkwürdiges Nest. Es ist, mit seiner pittoresken Silhouette, heute ja eine Mittelstadt wie eine andere, modern schlecht und recht, mit einem sozialdemokratischen Bürgermeister und einer kommunistischen Fraktion im Bürgerschaftsparlament – tolle Zustände, wenn man sie mit den Augen unserer Väter ansieht, aber durchaus normal. Ich will diese moderne Normalität nicht in Zweifel ziehen und keineswegs die bürgerliche Gesundheit unserer Herkunft verdächtigen. Ich bin froh, daß man mir die ›Buddenbrooks‹ dort verziehen hat, und vertraue, daß man dir eines Tages auch den ›Professor Unrat‹ verzeihen wird; jedenfalls wünsche ich keinen Anstoß zu erregen. Und doch, wenn ich sie mir so ansehe, diese Herkunft – und aus einem gewissen aristokratischen Interesse habe ich sie mir oft angesehen –, so scheint es mir um ihre bürgerliche Gesundheit eigentümlich suspekt zu stehen, nicht ganz geheuer, nicht ganz uninteressant. Es hockt in ihren gotischen Winkeln und schleicht durch ihre Giebelgassen etwas Spukhaftes, allzu Altes, Erblasthaftes – hysterisches Mittelalter, verjährte Nervenexzentrizität, etwas wie religiöse Seelenkrankheit –, man würde sich nicht übermäßig wundern, wenn dort, dem marxistischen Bürgermeister zum Trotz, noch heutigen Tages plötzlich der Sankt Veitstanz oder ein Kinderkreuzzug ausbräche – es wäre nicht stilwidrig. Unser Künstlertum, daß es ist und auch wie es ist – ich habe nie umhingekonnt, es auf irgendeine Weise mit diesem heimlich umgehenden und nicht ganz geheuren Stadtspuk in kausalen Zusammenhang zu bringen –, nicht nur mit ihm: es ist da noch die romanische Blutmischung, die gewiß ein übriges unter anderem übrigen getan hat, aber den Effekt kaum gezeigt hätte, wäre sie nicht auf solches seelisches Altertum getroffen. Lübecker Gotik und ein Schuß Latinität – es wäre ja ein Irrtum, wollte man bei jedem von uns nur das eine oder andere finden: das Altdeutsche bei mir, weil ich ›Buddenbrooks‹ schrieb, das Romanische bei dir, weil du die ›Herzogin‹, die ›Kleine Stadt‹ und so manche italienische Novelle geschrieben hast. In dem Roman, den ich schon nannte und der jetzt neben seinem literarischen Ruhm in Form des Films eine demokratische Popularität gewonnen hat, in ›Professor Unrat‹, ist von dem heimatlichen gotischen Spuk so viel, daß man sagen kann: er ist ganz darin; und man braucht sich nur genauer bei dir umzusehen, um ihn im einzelnen auch sonst zu finden. Aber gewiß ist, daß in deinem Fall das Romanische nach Gesamthaltung, frühestem Bildungshang, Kunstgesinnung entschieden und entscheidend prävaliert. Du bist, auf später Stufe, ein klassischer Repräsentant des deutsch-mittelländischen Künstlertums, dieser geistigen Lebensform, deren hohe Legitimität unter dem nationalen Druck von heute, einer Zeit verbreiteter Abkehr vom Universellen und Humanen, von einem Deutschtum also, das einfach umfassender, reicher, vollkommener war als das heute vielfach gemeinte und geforderte, fast in Vergessenheit geraten ist, so daß sie fremd, undeutsch, ja widerdeutsch genannt werden kann, obgleich sie etwas durchaus Vertrautes und Überlieferungsvolles ist, mögen ihr auch die traulichen, ofenwarmen Eigenschaften abgehen, von denen eine gewisse vaterländische Gesinnung angeheimelt zu werden begehrt, bevor sie von deutschem Meistertum sprechen mag.

Deutsches Meistertum! Wir wollen es lieben und preisen – aus einer Verbundenheit, die niemand unterschätzen soll. Die Welt Dürers tut sich auf bei diesem Wort mit alldem, was Goethe ihre »Männlichkeit und Ständigkeit« nannte, mit ihrem Rittertum zwischen Tod und Teufel, mit ihrer Neigung zur Passion, ihrem Leidenszug und Kryptenhauch, ihrer faustischen Melencolia, ihrer demütigen Kleinlichkeit, die Ewigkeitsblick besitzt. Hier herrscht das Graphische vor dem Koloristischen. Biederkeit, Werktreue, Echtheit, Kunst und Lebensreife vereinen sich hier zu jenem sittlich-geistigen Führertum, das zum Begriff gehört. Ins Reputierliche geht das Verwegene ein. Fleiß wird Tiefsinn, Genauigkeit – Größe. Geduld und Heldentum, Würde und Problematik, Überlieferungspflege und Zumutung des Ungeahnten, das geht zusammen, das wird eins. Ach, und was spielt noch alles an urererbter, an nationaler und tief natürlicher Unzulänglichkeit, an winkligem Ungeschick hinein in diese krausexakte, versonnene, kindlich-greisenhafte, skurril-dämonische, unendlichkeitskranke Welt deutscher Kunst, schamvoll und dennoch redlich zutage liegend: Philisterei und Pedanterie, grübelnde Mühsal, Selbstplage, rechnende Ängstlichkeit – zusammen wieder und in eins verfließend mit jener Unbedingtheit, zähen Ungenügsamkeit, Hochbedürftigkeit, die die Tapferkeit zeitigt: dies Nichts-sich-Schenken, dies Aufsuchen der letzten Schwierigkeit, dies Lieber-ein-Werk-Verderben-und-weltunbrauchbar-Machen, als nicht an jeder Stelle damit bis zum Äußersten gehen ...

Ja, dies alles ist deutsches Meistertum. Aber unzertrennlich davon, gerade in seinen großen und größten Fällen, unzertrennlich geradezu von dem Begriff ist etwas Weiteres und Letztes: das Ungenüge an sich selbst, das Bedürfnis nach Ergänzung und Erlösung durch das ganz andere, den Süden, die Helligkeit, Klarheit und Leichtigkeit, das *Geschenk* des Schönen. Goethe klagte angesichts Dürers über »trübe Form und bodenlose Phantasie« – aus mediterranem Geist, aus grundsätzlichem Widerwillen gegen die »Fratze«, den Norden. Aber der halb ungarische Nürnberger und er waren ja Brüder in einem unselbstgenügsamen, expansiven und transzendenten Deutschtum; sie beide, diese Deutschesten »fror es nach der Sonne«. Wir kennen die Rolle, die Mantegna und Venedig in Dürers Leben gespielt haben; und daß bei Goethe neben der romantischen Walpurgisnacht die klassische steht, bleibt ein Symbol. Da ist Schiller, dessen gewaltig populäres Werk die Symbiose von Königsberger Philosophie und französischem grand siècle verwirklicht. Da ist Wagner, der, Schauspielerblut, das er war, sich eine Dürermütze aufsetzte und seinem gläubigen Volk den »deutschen Meister« in antiwelscher Reinkultur vorspielte – er, dessen erste Bewunderer und Verkünder aus guten Gründen europäische Artisten und Dekadents wie Baudelaire gewesen waren ... Ach ja, der deutsche Meister! Ich kenne einen, einen Musiker von hohen Graden, Hans Pfitzner, eine charaktervolle und fesselnde Künstlerpersönlichkeit zweifellos, betont deutsch, exemplarisch deutsch, auf eine politisch-polemische Weise deutsch, wie man weiß – trotzig-melancholisch ins Deutsch-Romantische zurückgewandt. Er hat, unter uns gesagt, Motive erfunden, die von Puccini sein könnten. Aber seine politisch-polemische Anhängerschaft drückt da ein Auge zu. Es gibt folgende kleine Geschichte von ihm. Man hatte ihm in München – es wird zu seinem fünfzigsten Geburtstag gewesen sein – ein etwas tendenziöses Fest gegeben, alles war dagewesen, was treudeutsch und unentwegt antirepublikanisch ist an der Isar, Dr. von Kahr an der Spitze, und drei Stunden lang hatte man Pfitzner mit Nachdruck als deutschen Meister gefeiert. Es war spät, er ging fort und trat mit seiner Frau auf die nächtige Straße hinaus. Draußen, vor der Haustür, blieb er stehen und atmete tief auf. »Weißt du«, fragte er, »was ich jetzt möchte? Jetzt möchte ich einen Juden sehen!« – Das ist der deutsche Meister, belauscht in einem Augenblick, wo er es nicht mehr aushält.

Es ehrt ihn, daß er's nicht aushält. Er ist desto größer, je weniger er's aushält. *Nur* deutsch, das ist klein-deutsch, das ist nicht welt-deutsch, das ist Deutschtum geringer und verkümmerter Art. Keine anti-universalistische Bewegung, und sei sie noch so populär für ein paar Jahrzehnte, kann daran etwas ändern, und mit höherem Fug dürfen wir ihren militanten Trägern den Vorwurf des Undeutschen zurückgeben. Wenn es ihn je gegeben hat, den deutschen Meister ohne Welt, ohne Europa im Blut – heute kann es ihn gar nicht geben; in einer Welt, die überall die Mauern national-aristokratischer Naivität und Selbstgenügsamkeit in vollem Abbau begriffen sieht, in einem geistig und bald wohl auch wirtschaftlich-politisch zusammenwachsenden Europa wäre ein Meistertum der Enge, der Verstocktheit und des provinziellen Winkels eine weinerliche Erscheinung. Für Deutschland war es Nietzsche, der die Veränderungen der geistigen Atmosphäre, die Europäisierung und Psychologisierung der deutschen Prosa bewirkt hat, durch die ein Seelentum konservativ deutscher Art der Dumpfigkeit verfallen und jeder höheren Gültigkeit verlustig gegangen ist. Er war es eigentlich, der den alten Gegensatz von Norden und Süden, von

Romantisch und Klassisch, dessen Aufhebung die Sache großer Deutscher gewesen war, erweiterte und zuspitzte zu dem von National und Europäisch. Der sehnsüchtige Hang zum Mittelmeer, seiner Sonne, seiner Form, hat die deutsche Klassik geschaffen; Nietzsche's neuklassische Synthese heißt: der gute Europäer.

Man könnte sagen, lieber Bruder, daß deine Natur an der älteren deutschen Synthese, der nord-südlichen, festhält, könnte dich konservativ nennen in diesem Sinn. Nicht umsonst nannte ich dich einen klassischen Repräsentanten deutsch-mittelländischen Künstlertums: das Slawische, das in Nietzsche so stark war, das Skandinavische, das Angelsächsische etwa, hat dich kaum oder nur flüchtig berührt. »Sobald ich konnte«, sagst du in einer kleinen frühen Autobiographie, »ging ich heim nach Italien.« »Heim« – was liegt an Innigkeit und Herausforderung nicht alles in dieser Silbe. In dem Lande deutsch-klassischer Südsehnsucht hast du entscheidende Jugendjahre verbracht, die glücklichsten deiner Meisterwerke spielen dort. Und doch hat dich geistig in viel höherem Grade als das apenninische Südland ein anderes Gebiet der Romania, das keltisch-modifizierte, gebildet und bestimmt: Frankreich, das Frankreich Voltaire's, Michelets, Stendhals, Anatole France's, das deine Heimat ist, soweit es für den naturgebundenen Menschen eine Heimat außer der angeborenen gibt. Undeutsch? O ja, undeutsch ist die Liebesherrschaft dieses gallischen Bildungselements, das dein literarisches Timbre färbt, den Tonfall, die Gebärde deiner Prosa bestimmt – undeutsch im Sinne jener Resignation, die gewisse Eigenschaften: Helligkeit, Brio, Wurf und Glanz, Kritik, Farbigkeit, eine sinnliche Geistigkeit, psychologischen Instinkt, artistische Delikatesse ein für allemal vom Begriff der Deutschheit ausschließen will und behauptet, dergleichen komme ihr nun einmal nicht zu. Wenn es ihr nun aber einmal zukommt? Wenn es nun einmal aus Deutschland kommt, so daß kein Gallier es besser machen könnte, was dann? Sollte es nicht, als Erweiterung nationaler Möglichkeiten, ein Gegenstand der Genugtuung sein und ein Anlaß zu dem Hinweis: »Seht, das haben wir auch«? Statt daß man mit dem Schnabel danach hackt und es für literarischen Landesverrat erklärt? Wahrhaftig, was deutsch ist, was alles deutsch sein kann und welchen Platz dein Werk einnehmen wird in deutscher Formengeschichte, darüber werden endgültig nicht die zu befinden haben, die heute den keineswegs einfältigen Begriff des Deutschen zu verwalten sich anmaßen.

Man kann sagen, daß in der europäisch-deutsch-lateinischen Synthese, die du verkörperst, das Seelische deutsch und nur das Geistige französisch ist. Der Radikalismus deiner Ausdruckskunst war es, der das zur Gotik schwörende deutsche Expressionistengeschlecht um die Zeitenwende des Krieges bestimmte, in dir ihren Vater und Führer zu sehen. Assimiliertes Franzosentum dagegen ist die paradoxe und dabei klassisch voltairische Mischung aus Pessimismus und Hochherzigkeit, Menschenverachtung und revolutionärem Elan; ist der literarische Stolz und Ehrbegriff, die ästhetische Verachtung des Niedrigen, die Kritik der Wirklichkeit durch den mit der Schönheit verbundenen Geist. Aber wer will es noch französisch nennen, nachdem es deutsch geworden? Immer sind bedeutende Geister Veränderer des Bildes gewesen, das die Welt sich von einem nationalen Charakter machte. Wenn auch in Deutschland heute die organisch-untrennbare Verbindung von Kunst und Kritik sich gegen ein nichts als innerliches und formschwaches Seelendichtertum durchgesetzt und es zur Provinz, zum zweiten Range, zur halben Gültigkeit verurteilt hat; wenn auch bei uns nun der Typus des grand écrivain, des europäischen Moralisten, zu Hause und kein Fremder mehr ist, du warst gewiß weder allein noch zuerst der Urheber dieses Entwicklungsschicksales, aber dein Werk gehört zu denen, die es am mächtigsten gefördert haben. –

Als wir jung waren, zu jener vorläufigen Zeit in Rom, saßest du während vieler Wochen täglich am Tisch und stricheltest mit deiner Zeichenfeder an einer endlosen Bilderfolge, die wir ›Das Lebenswerk‹ nannten und deren eigentlicher Titel ›Die soziale Ordnung‹ lautete. Wirklich stellten diese Blätter, die wir zum langen Fries und dicker Rolle zusammenklebten, die menschliche Gesellschaft in allen ihren Typen und Gruppen dar, vom Kaiser und Papst bis zum Lumpenproletarier und Bettler – es war nichts ausgelassen in diesem trionfo sozialer Stufung, wir hatten Zeit und amüsierten uns wie wir konnten. Aber zweierlei deutete sich spielerisch und vorläufig an in diesem übermütig-geduldigen Jugendzeitvertreib: Im Format der Sinn für das große Unternehmen, das Monument, das Standardwerk, die Riesenkomposition, das große Geduldsopfer – dieser Sinn, der unserem Jahrhundert, dem neunzehnten, dem Jahrhundert des Nibelungenringes und der Rougon-Macquart angehört, und der sich in deinen Romantrilogien bewährt. Und zweitens, im Thema, der eingedeutscht-romanische Gesellschaftsgeist, der dein Wesen bestimmt, die sozialkritisch-politische Leidenschaft und Empfindlichkeit, die dir qualvoll den Blick schärfte für deutsche Übelstände, welche einem noch rein kulturell gesinnten, musikalisch-metaphysischen Deutschland nicht wie dir auf den Nägeln brannten, dir aber das Werk voll patriotischer Bitternis und Hellsicht, den Roman vom deutschen Untertan eingab.

An der Stellung, die du heute im deutschen Leben einnimmst, hat, von allem künstlerischen Genie abgesehen, dieser Gesellschaftsgeist, der mit dir ist, entscheidenden Anteil. Auch er ist künstlerischer Geist, denn er ist Wille zur Form. Die staatlich-gesellschaftliche Anerkennung, Einbeziehung und Sichtbarmachung der Literatur durch den neuen republikanischen Staat – wie sehr war sie nach deinem Sinn, und wie glücklich und richtig hat es sich gefügt, daß dank deiner Übersiedlung nach Berlin die literarische Sektion der Preußischen Akademie der Künste dich an ihre Spitze berufen konnte! Als ihren Führer grüßt sie dich heute und bringt dir durch mich, lieber Heinrich, zu deinem sech-

zigsten Geburtstag in kollegialer Bewunderung und Ehrerbietung ihre herzlichsten Glückwünsche dar.

[Durchschrift eines Briefes]

München, 18. IV. 31.

Lieber Heinrich:

Für Deinen Brief bin ich Dir sehr dankbar. Er hat mich
angehalten, mich mit dem Statuten-Entwurf noch einmal
gründlich zu beschäftigen. Bevor ich auf diesen im Zusammenhang mit Deinem Schreiben eingehe, möchte ich die
Geschichte meiner Berührung mit Dr. Huebner und meiner
ersten flüchtigen Bekanntschaft mit den neuen Satzungen
kurz rekapitulieren.

Bei der Feier in der Akademie drückte mir Huebner den
Wunsch aus, sich in akademischen Angelegenheiten mit mir
zu besprechen. Da ich wenig Zeit hatte, schlug ich ein Zusammentreffen bei Pelzer zum Mittagessen am nächsten Tag
vor, und dort bei Tisch ließ Huebner mich den Satzungsentwurf durchsehen. Das geschah natürlich nicht sehr genau.
Der Entwurf war rein logisch noch nicht ganz in Ordnung
und Huebner strich ein Paar Stellen an, auf die ich aufmerksam machte. Sachlich konzentrierte ich mein Interesse auf
den Absatz, der die Aufgaben des literarischen Sektionssena-
tes aufzählt. Das sah nicht schlecht aus. Die Mitwirkung bei
den Fragen der Gesetzgebung auf dem Gebiet des künstlerischen Schrifttums konnte sich sehen lassen und noch mehr
die Mitwirkung in den Prüfungsausschüssen für deutsche
und geschichtliche Schulbücher, ein Punkt, der seine Aufnahme offensichtlich Deiner Kundgebung nach Deiner Wahl
zum Vorsitzenden verdankte. Ich nahm den Entwurf zur
Kenntnis und wir kamen davon ab, da das Gespräch sich
von Anfang an hauptsächlich um die Präsidentenfrage ge-
dreht hatte und das es auch offenbar in erster Linie gewesen
war, weswegen Huebner mit mir hatte sprechen wollen.

Huebner sagte mir, daß Liebermann, vor allem wegen seines hohen Alters und seines schwindenden Gehörs, Amtsmüdigkeit kundgegeben habe, und daß gerade in Malerkreisen diese seine Absicht nicht eben mit Mißfallen aufgenommen werde, da sie dem Wunsch dieser Kreise nach einem Wechsel in der Präsidentschaft entgegenkomme. Zugleich entwickelte er mir die Idee, daß für die nächsten drei Jahre, zu denen das »Goethe-Jahr« 32 gehöre, ein Dichter Präsident der Gesamt-Akademie werden sollte, wie denn ja auch in den Statuten ein gerechter Wechsel zwischen den drei Sektionen als wünschenswert bezeichnet wird. Der Gedanke an sich war mir nicht neu, denn ich wußte, daß schon Minister Becker sich mit ihm getragen hatte. Als präsumptiven Präsidenten nannte Huebner mir Hauptmann und wir berieten, ob er den Posten annehmen würde, obgleich er dann seinen Wohnsitz nach Berlin verlegen müßte.

Am selben Abend noch oder am nächsten – ich weiß es nicht sicher mehr – sprach ich dann Dich und habe unter dem Eindruck dessen, was Du mir über Liebermann sagtest, noch in Berlin den Versuch gemacht, Huebner telephonisch zu erreichen.

Das gelang nicht und ich habe ihm dann von München aus geschrieben und ihn gebeten, mich womöglich über gewisse Skrupel zu beruhigen, die ich mir nachträglich Liebermanns wegen machte. Meine persönliche und künstlerische Verehrung für ihn, schrieb ich, würde mich unbedingt daran hindern, mich jemals an einer Bewegung zu beteiligen, die etwa seine Abdankung gegen seinen Willen betriebe. Als Mitglied der Sektion für Literatur müsse ich den Plan, einen Dichter zum Präsidenten zu machen, selbstverständlich begrüßen, aber dieser mein Beifall sei bedingt durch die Voraussetzung, daß Liebermanns Amtsmüdigkeit wirklich fest stände, und ich bäte ihn sehr, mir in dieser Hinsicht doch klaren Wein einzuschenken. Ich habe darauf den Brief erhalten, den ich Dir schickte und in dem ich eine genügende Garantie in der Loyalitäts-Frage zu finden glaubte.

Es ist nun also nicht ganz richtig – laß mich das aussprechen –, wenn Du Liebermann auf seine Frage, woher Du
von einer Intrige gegen ihn wüßtest, geantwortet hast:
»Huebner hat mit meinem Bruder gesprochen.« Du warst es
ja, der mir von einer Intrige berichtete, und erst darauf habe
ich Dir von meinem Gespräch mit Huebner erzählt. Ich
zweifele, ob Intrige hier der richtige Ausdruck ist. Ich sehe
das Interesse noch nicht, das die Ministeriumsleute bestimmen sollte, an Liebermanns Sturz zu arbeiten. Wer ihn los
sein möchte, sind offenbar eher die Maler und das mag seine
persönlichen und kunstpolitischen Gründe haben. Ich kann
nicht recht glauben, daß der Plan einer Dichter-Präsident-
schaft von den Beamten vorgeschoben sein sollte, um Liebermann zu beseitigen. Ich bin gutgläubig genug, um
anzunehmen, daß jener Plan das Primäre ist. Für einen dolus
vermisse ich die Motive. Auf jeden Fall halte ich an meinem
Standpunkt fest und glaube mich einig darin mit unserer
ganzen Sektion, daß bei der Verwirklichung der schwebenden Absichten volle Rücksicht auf den ehrwürdigen Liebermann zu nehmen ist. Ich kann mir nicht anders denken, als
daß diese Rücksicht auch bei den bevorstehenden Wahlen
walten wird, wenn Liebermann aufs Neue kandidieren
sollte. Wenn es aber anders kommt, so sehe ich nicht, wie
das uns Schriftstellern zur Unehre gereichen könnte. Wir
hätten ein reines Gewissen.
Ich habe diese Sache vorangestellt, weil sie mich menschlich
besonders beschäftigt. Nun zu den Statuten, die ich nach
gründlichem Studium so düster nicht ansehen kann, wie
Du, obgleich ich froh bin, daß die Annahme verschoben ist,
denn es gibt sicher darin zu bessern. Konnte es aber mit der
Akademie so weiter gehen wie bisher? Sahen wir nicht alle,
daß etwas zu ihrer Konsolidierung, zur Stärkung ihrer Arbeitsfähigkeit geschehen müsse? Das traf offenbar nicht nur
auf die Schriftsteller zu, bei den anderen Sektionen schien es
ähnlich zu stehen, denn Grimme schrieb mir schon vor Längerem von einer schweren Krise, in der sich die Gesamt-

Akademie befände und an der allerdings hauptsächlich die Sektion für Literatur teil hätte. Das war nach dem Austritt der Kolbenheyer-Gruppe und Hesses. Haben wir nicht die verblasenen Pläne der Schäfer-Leute eine unpreußische Deutsche Akademie betreffend und ihr ständiges Wühlen gegen »Berlin« abgelehnt? Ist es nicht, so frage ich mich und möchte auch Dich fragen, eigentlich zu begrüßen, wenn die Tätigkeit der Einzelsektionen und so auch der literarischen Sektion auf die erweiterten Senate übertragen und so in einen festeren Rahmen gespannt wird? Wenn ich mich erinnere, wie bisher unsere Hauptversammlungen mit den durch Diäten herbeigeführten auswärtigen Mitgliedern, Ponten, Kolbenheyer, Halbe etc. verliefen, wenn ich weiter daran denke, daß Doeblin der auswärtigen Eifersucht erwiderte, auch die Berliner kämen nicht zu den Sektions-Sitzungen, sondern was geschähe, geschähe durch drei, vier Männeken, so kann ich nur mit Mühe umhin, in der neuen Arbeitsorganisation eine Art von Fortschritt zu sehen.

Du siehst eine einflußlose Beamten-Akademie im Entstehen. Ich aber kann noch nicht sehen, inwiefern die neue Ordnung unseren Einfluß lahmer legen soll als bisher und warum sie uns zu Beamten machen muß. Der literarische Senat setzt sich nach dem Satzungsentwurf zusammen aus sechs Schriftstellern, die die Sektion selbst aus ihrer Mitte wählt. Hinzukommt der dritte Sekretär der Akademie, das ist Loerke, ein weiterer Schriftsteller. Hinzukommt, vom Minister berufen, ein Literatur-Gelehrter, Petersen und neuntens der Theaterintendant. Das sind neun Stimmen, die in geistig-künstlerischen Dingen, menschlicher Voraussicht nach, leidlich zusammenhalten werden. Ihnen gegenüber stehen zwei Beamtenstimmen, nämlich die Amersdorfers und die des Juristen. Ist das Verhältnis so schlimm, wie Dein Brief es mich sehen lassen wollte und vorübergehend natürlich auch sehen ließ? Was wird uns abhängig machen, wie Mussolinis Leute? Wir werden ja nicht bezahlt. Die Wahl der Senatoren, das heißt der Arbeits-Mitglieder, bedarf der Be-

stätigung durch den Kurator: das ist, wenn es nach mir geht, zu beseitigen. Es hat keine Logik. Da die Wahlen zur Sektion frei sind, müssen auch die zum Senat frei sein und dürfen keiner Genehmigung unterliegen. Im Übrigen aber kann ich bei genauestem Hinsehen in der neuen Satzung kein Mittel zu unserer Verbeamtung entdecken. Daß man bei der Festsetzung unserer Obliegenheiten eher ein Entgegenkommen gezeigt hat als die Neigung uns einzuschränken, erwähnte ich schon anfangs. Daß Doeblin die Aufnahme des Schutzes der künstlerischen Freiheit und ihrer geistigen Grundlagen erreicht hat, ist hocherfreulich, obgleich man sie in dem unter 1) aufgeführten allgemeinen Schutz des künstlerischen Schrifttums einbegriffen hätte denken können. Aber die Mitwirkung in den Prüfungsausschüssen für Schulbücher ist ein größerer Erfolg, und zu beachten scheint mir auch, daß die Erstattung von Gutachten auf dem Gebiet der Literatur und des Theaters nicht nur auf amtliche Anregung, sondern auch auf Beschluß der Sektion erfolgen kann. Du selbst bist Vorsitzender des literarischen Senates. Warum solltest Du als solcher einflußloser sein denn als Vorsitzender der Sektion? Die auswärtigen aber ordentlichen Mitglieder, von denen die Mehrzahl, vor allem begreiflicher Weise die Nicht-Deutschen, sich bisher durchaus passiv verhalten haben, sollen einmal im Jahr zur Generalversammlung einberufen werden, außerdem aber nach Bedarf auf begründeten Antrag aus den Mitgliederkreisen. An diesen Sitzungen nehmen also alle teil, die sich überhaupt interessieren, und der Zusammenhang zwischen Sektion und Senat bleibt so gewahrt. Die mündliche Mitteilung, die man Dir gemacht hat von der Einstellung der Reise- und Aufenthalts-Diäten halte ich für hinfällig und man muß ihr unbedingt widersprechen. Es gibt keinen Grund dafür und auch die neuen Satzungen führen keinen an, weshalb man den Auswärtigen nicht auch weiterhin die Reisekosten ersetzen sollte.
Du siehst, lieber Heinrich, daß ich es selbst unter dem Eindruck Deines Briefes nicht fertig bringe, in dem Statuten-

Entwurf einen Anschlag auf die Unabhängigkeit und Wirkungsmöglichkeit der Akademie zu erblicken. Wenn in Preußen reaktionäre Wahlen kommen, wenn über Deutschland im Ganzen der Himmel sich mehr und mehr verdüstert, so liegt die Zukunft der Akademie überhaupt und jedenfalls im Dunkeln, auch andere Statuten könnten daran nichts ändern. Ich kann eben nur nicht sehen, wodurch die neuen Satzungen uns zu Akademikern der Reaktion und zur Gefügigkeit ohne Gehalt bestimmen sollten. Das Gehalt, so könnte man fürchten, wäre geradezu eine Gefahr, und Ricarda Huch hat ja erklärt, sie werde austreten, wenn ein solches eingeführt würde. Im Übrigen aber hast Du selbstverständlich mit dem Satz »Eine Million für die Akademie gegen die hundert Millionen, die andere bekommen« über und über Recht, und auch in der geplanten Denkschrift, in der die Sektion ihre Sonderansprüche vertreten will, muß er natürlich seinen Platz haben. Ich muß gestehen, daß ich für eine solche Denkschrift im Augenblick keine weiteren Vorschläge zu machen habe als die Beanstandungen, die ich hier gegen den Statutenentwurf vorbrachte. Gott helfe mir, wenn ich mit Blindheit geschlagen bin! Vielleicht sieht man in Berlin mehr und richtiger als ich zu sehen vermag, aber ich kann nur sagen, was ich sehe. Mit herzlichen Grüssen

15. Juni 1931
Bad Gastein
Salzburger Hof

Lieber Tommy,
ich wünschte, dass wir in diesem Sommer einige Tage zusammen sein könnten. In der Kiepenheuer'schen Broschüre las ich Deine Rede wieder, und die innere Erwärmung, die sie mir schenkte, veranlasst den Wunsch.
Gewiss ist es schwer einzurichten, jeder hat sein Programm. Ich will im Juli meine Tochter bei mir haben – nicht in Gastein, sondern der Ort soll weniger hoch und auch waldiger

sein. Hatte der Attersee (bei Salzburg) eigentlich Wald? Wir waren dort zusammen, ich glaube 1896.

Eigens dorthin zu kommen aus der Arbeit heraus, ist natürlich eine Zumuthung. Ich erwähne es nur für den Fall, dass Dir grade in der ersten Hälfte des Juli der Sinn nach einer solchen Abwechslung stände. Ich hörte (von Golo, in Paris) dass Du wohl erst Mitte Juli an die See fährst. Ich selbst möchte den August an der Ostsee sein. Auch auf Deiner Rückreise könnten wir uns treffen. Wenn alles fehlschlägt, sind wir hoffentlich im Oktober in Berlin etwas ausführlicher. Ich nehme an, dass Du hinkommst. Es wird sich wohl auch darum handeln bei der Vollsitzung der Sektion, ob sie der Internationalen Föderation der Schriftsteller-Berufsorganisationen beitreten kann. Ich bin im Zweifel, so interessant die Gründung der Föderation in Paris auch war. Die Franzosen hatten die Sache mit einer klugen Begeisterung in die Hand genommen. Ihr genauer Gegensatz sind die heutigen Italiener. Sie konnten keinen Augenblick sachlich sein, und wenn sie länger als 2 Minuten sprachen, wurde es eine Propaganda-Rede für ihren grossen Despoten. Einer von ihnen versuchte jedesmal zu klatschen, musste es aber lassen, weil niemand mitging. – Ich hatte übrigens ein Gespräch mit Briand.

Herzlichst   H.

31. Mai 1932
Berlin-Wilmersdorf
Trautenaustr. 12

Lieber Tommy,
ich bin tief gerührt durch die Freude, die Du an meinem Buch hast. So lohnt es sich denn.

Auch Deiner Meinung bin ich, dass die offene Barbarei sich in diesem Lande nicht wird durchsetzen können. Ihre halben Erfolge und die nie abgestellte Drohung erschweren unsere Thätigkeit schon genug und nöthigen uns viel Kraft daranzusetzen, nur um das Schlimmste aufzuhalten. Dabei weiss man, was wirklich zu geschehen hätte!

Brüning, persönlich nur stark als Höchstprodukt religiöser Erziehung, repräsentirte doch etwas Grosses und Merkwürdiges bei seinem letzten Auftreten, vor der ausländischen Presse. Auf der anderen Seite des Vorsitzenden sprach der Nuntius vom »internationalen Wohlwollen«, auf dieser Seite Brüning einzig von seiner Sorge um die Erwerbslosen. Jetzt fällt er grade deshalb, und die Interessenten treten an mit festem Schritt.

Nicht anders wurde die Wahl des Präsidenten der Akademie von mittelmässigen Interessen bestimmt, wenn nicht vom Neid auf die Grösse. Ich lege Dir die wenigen Worte bei, die natürlich nicht verhindern konnten, was längst abgekartet war. Gieb sie mir, bitte, zurück.

Unsere Abtheilung wird im Senat niemals durchdringen können, bevor sie nicht beim Minister dieselbe Zahl von Vertretern erreicht wie die beiden anderen. Aber wie wird der nächste Minister aussehn?

Herzlich   H.

2. Juni 1932
Berlin-Wilmersdorf
Trautenaustr. 12

Lieber Tommy,

der anliegende Text ist von Alfons Paquet. Der sympathische Mensch beklagte neulich, am Tage nach der Saalschlacht im Landtag, die Verrohung so herzlich, dass alle sich bewegen liessen. Es sollte ein Aufruf verfasst werden, nicht einmal Frau Huch widersprach. Jetzt scheint aber der Text nicht grade treffend, und Wirkung verspreche ich mir von ihm kaum.

Daher frage ich Dich um Rath. Sollen wir die Sache verfolgen oder Paquet unsere Zweifel mittheilen? Willst Du Änderungen und Einfügungen machen? Interessirt der Gegenstand

Dich genügend, dann vereinbarst Du die Fassung vielleicht mit Paquet, Frankfurt a. M. Wolfsgangstr. 122.
Sonst gieb den Entwurf, bitte, einfach weiter an Loerke, den ich unterrichte. Nach Dir müssen wohl auch die anderen Mitglieder befragt werden, ob sie unterschreiben.

Herzlich   H.

1. Nov. 1932
Pension Stern
Kurfürstendamm 217
Berlin W15

Lieber Tommy,
ich freue mich sehr, von Dir zu hören, und hoffe, dass Du wohlauf bist und gut arbeitest. Grade gestern bekam ich photographische Aufnahmen von Dir, durch Dr Fiedler, Altenburg, einen Religionslehrer, der vermittels des Versailler Vertrages zu Fall gebracht werden soll. Meinerseits sage ich jetzt mein letztes Wort über den Nationalismus – und weiter, über das nationale Vaterland. Es hat jedes Recht verwirkt, man darf nicht länger zurückhalten. Die Neue Rundschau, die diese Sache im Dezember riskiren will, hat von meinem Bekenntniss nichts fortgestrichen, leider aber das Meiste aus seiner konkreten Begründung, den Gesinnungslosigkeiten der vergangenen Republik.
Eine Zusammenkunft der Akademie mit dem Kommissarischen Minister Lammers war angesetzt. Jetzt ist aber unser Grimme wieder aufgetaucht. Es steht dahin, mit wem wir es künftig zu thun haben. Alles steht dahin. Um eine Entscheidung herbeizuführen, müssen die einzelnen Intellektuellen ihr Bekenntniss gegen den Nationalstaat und für einen übernationalen ablegen. Anders geht es nicht, aber damit würde es gehn. Denn gegen die Entscheidung der geistig Wirkenden wird ein so schwacher und schlechter Staat seinen Weg nicht lange einhalten. Darüber hinaus wäre ich – dies vor-

läufig nur unter uns – für eine engere Verbindung republika-
nischer Intellektueller, mit dem Ziel, die kommende zweite
Republik geistig zu überwachen. Ein Oberhaus, damit die
Republik verhindert wird, sich nochmals durch geistige
Schwäche zu Grunde zu richten: das müsste angestrebt und
schon jetzt vorbereitet werden.

Sehr glücklich werde ich sein, wenn der Roman, den ich Dir
bald schicke, Deinen Beifall hat. Wir dürfen natürlich nicht
sagen: Was ist jetzt noch ein Roman. Sondern wir müssen
glauben, dass auch das wirkliche Chaos zu ordnen ist, wie
ein Roman.

Herzlich H.

26. Nov. 1932
Berlin W15
Kfdamm 217
ab 1. Dez: Fasanenstr. 61

Lieber Tommy,

Dein Brief wird das Schönste und Beste bleiben, das ich über
mein Buch lesen darf. Ich danke Dir. Du warst mir in jedem
Augenblick des Lebens der Nächste und bist es auch hier
wieder.

Das, was Du an dem Roman nicht magst, hätte ich früher
auch nicht so gemacht. Aber denke ich die Geschöpfe dieses
Augenblicks zu Ende, die vollständigsten meine ich, dann
stosse ich immer auf das Verbrechen. Es ist eine Macht geworden, menschlich und sozial, die wir erst jetzt erkennen
lernen, und der Einfluss auf die Zurückgebliebenen, wie jenen Bäuerlein, beweist vielleicht das Meiste. Ich schrieb den
Roman wohl schnell, aber nicht draufgängerisch, und als er
in Berlin angelangt war, beunruhigten mich schwere Bedenken. Das geschlossene Idyll der ersten Kapitel blieb jetzt
zurück, und das Leben wurde unübersehbar – die Auflösung, wie Du sagst. Nur, diese Marie behält ihre innere
Festigkeit, und so kommt sie hindurch. Das ist der Sinn,

wenn das Buch einen hat. Wenn Dein Wort »religiös« auf die Figuren zuträfe, wäre es das Schönste. Übrigens höre ich den Äusserungen mancher Leser an, dass sie diesen Roman mehr achten als meine vorigen. Aber ich finde es besser, mir über den wirklichen Werth nicht viele Gedanken zu machen. Vollkommen wird auch dies wieder nicht sein, aber es ist eben das, was ich konnte.

Von Hauptmann liess sich während seiner Festwoche merkwürdig viel lernen. Es sah aus, als verträte er nur, was er ist, und wüsste gar nicht mehr, was er gemacht hat, besonders nicht, wie es gross ist. Sein Stolz drückt sich nicht nur in Bescheidenheit aus, fast schon in Resignation. Dabei so gesund und heiter – der Mann, mit dem ich frühstückte und schon mittags Sekt gemischt mit Rothwein trank; und denselben Abend sass ich vor Michael Kramer, dem wirklich und wahrhaftig religiösen Gebilde!

Was wir gemacht haben, war richtig, weil es unserem Beruf entsprach. Niemand darf das mit mehr, auch nur mit so viel Recht denken, wie Du selbst während Deines weltgeschichtlichen Romans. So viel ich davon ahne oder voraussehe, trägt dies Werk Dich auf Deine Höhe, denn Dir war bestimmt, auf jeder Stufe umfassender zu werden – vom Elternhaus zur Menschheit; ich wüsste keinen Grund, nicht volles Vertrauen zu haben. Ich habe es, ohne das Werk zu kennen. Du selbst wirst Deine Bedenken zuletzt hinnehmen und verarbeiten, wie zum Werk gehörig.

Dies wollte ich hauptsächlich vorbringen. Übrigens kommt nachher der grosse Erfolg, den Du verdienst, und auf den ich jedesmal besonders stolz bin, nächst der Genugthuung über das von Dir Vollbrachte.

Etwas ganz Anderes. Den Aufsatz, den Du in der Neuen Rundschau hoffentlich bald lesen wirst, meine ich nicht als Literatur und kaum als geistige Leistung. Er ist ein praktischer Versuch. Wird eine, wenn auch kleine Anzahl Denkender den deutsch-französischen Bundesstaat fordern wollen und eine Aktion für verantwortbar und für lohnend halten?

Für mich allein weiss ich wohl, dass alle Erfahrungen seit dem Vertrag von Verdun (856 glaube ich) dagegen sprechen, besonders die neuen, noch währenden. Ich weiss aber auch, dass diese Erfahrungskette einmal ihr Ende haben wird, wenn kein gutes, dann das schlimmste. Das Beste wäre, abzubrechen und neu anzufangen, 856. Da der neue Anfang allen Erfahrungen widerspricht, kann er nur von oben kommen, durch das Diktat der Denkenden. Unser Entschluss und Bekenntniss wäre das Erste. Ungeheuer schwierig, gewiss keine Utopie, aber so fernliegend, wie heute nur das Vernünftige liegt.

Die Akademie hat jetzt ihren Hauptmann-Preis, 4 bis 5000 Mark jährlich, immerhin die höchste deutsche Auszeichnung. Nach den grossartigen Ehrungen Hauptmanns und dem Eindruck, den sie gemacht haben, versuchen wir es nochmals dort, wo bisher nichts zu bekommen war. Natürlich haben nur jüdische Bankiers gegeben, keineswegs die Industriellen vom Rhein, obwohl sie unserer Einladung zum Thee gefolgt sind. Ihresgleichen ist der Sahm von Berlin, er lässt das Lessing-Museum seelenruhig exmittirt und versteigert werden. Für das Sportfest 1936 sind $2^1/_2$ Millionen schon bewilligt. Eine Nation besteht, so viel ich davon verstehe, mehr aus Vergangenheit als aus Gegenwart, und es ist ein Irrthum, sich national zu nennen, während man auf die Vergangenheits-Pflege, die Kultur heisst, nur pfeift. Dann wird es möglich, dass die Nation gleich zwei unglaubwürdige Mythen auf einmal heranzüchtet, wie die von Dir gekennzeichneten.

Eine Festrede auf Gobineau, den Vater aller Irrungen, – ich habe dagegen alle Einwände vorgebracht. Wenn man es trotz allem wünscht, werde ich sehen, was zu thun ist.

Wann kommst Du wieder her?

Alles Herzliche, Dir und den Deinen.   H.

Lieber Tommy,

hier folgt ein Bericht über die vorige Sitzung des Senats unserer Abtheilung. Es handelt sich um die Hauptmann-Stiftung. Der Entwurf der Statuten scheint im Ministerium hauptsächlich von dem jungen Zierold, Oberregierungsrath, verfasst zu sein. Er wird Dir durch die Akademie zugehen. In der Sitzung waren anwesend Fulda, Döblin, Molo, Loerke, Benn und ich. Zwei wichtige Punkte erregten Widerspruch, der eine bei allen, der andere bei drei der Berathenden.

1) der Entwurf sieht vor, dass von den 5 Mitgliedern des Ausschusses der Hauptmann-Stiftung nur 2 der Akademie angehören. Wir alle haben eingewendet: dann ist es kein Preis der Akademie. In der Einleitung des Entwurfes wird aber gesagt, dass die Stiftung der Akademie übergeben werde – oder etwas Ähnliches; der Wortlaut liegt mir nicht vor.

Es ist vorauszusehen, dass der Preis in der Öffentlichkeit als Preis der Akademie bezeichnet werden wird. Für die getroffenen Entscheidungen werden wir die Verantwortung zu tragen haben, in Wirklichkeit aber können wir überstimmt werden. Daran wird nichts geändert, wenn wir von den übrigen 3 Preisrichtern zwei selbst auswählen dürfen. Diese beiden aussenstehenden Schriftsteller sind nicht mit uns eingearbeitet; sodann besteht die Gefahr, dass sie uns Vorurtheile entgegenbringen und grundsätzlich die Einigung erschweren werden – besonders der »Kritiker«, der unter den Zugewählten sein soll. Der fünfte Preisrichter, ein Vertreter des Ministeriums, muss in Kauf genommen werden, da auch das Geld grösstentheils von dort kommen wird. Für N° 3 und 4, die von uns Hinzugewählten, wurde in der erwähnten Sitzung keine Nothwendigkeit gefunden, es wäre denn, dass der Staat seiner eigenen Akademie misstraute. Warum traut er statt dessen 2 Akademikern plus 2 anderen Schriftstellern, *die wir aber selbst bestimmen?*

Zierold hat es mir nicht erklärt. Hingegen warnte er uns, eine Änderung des Verhältnisses 2 zu 3 zu beantragen. Wenn dies Verhältniss umgekehrt werden solle, dann werde der Minister voraussichtlich ein Bestätigungsrecht für sich beanspruchen; das werde uns noch unerwünschter sein.

Ich weiss nicht, was unerwünschter ist. Wenn wir aber keine der beiden Einschränkungen, weder das ministerielle Bestätigungsrecht noch unsere Majorisirung hinnehmen wollen, dann bliebe zuletzt nur übrig, dass die Abtheilung die Annahme der Stiftung ablehnt. Zwei von uns könnten Preisrichter sein, aber es wäre kein Preis der Akademie mehr. Natürlich denkt noch niemand daran, die Stiftung abzulehnen – wenigstens nicht, solange wir hoffen, uns mit dem Ministerium zu einigen. Ich sähe einen Ausweg, die Zahl der Preisrichter könnte auf drei beschränkt werden, zwei von uns, einer vom Ministerium. Das würde überdies die Arbeit vereinfachen; das Hineinreden Fremder, besonders der Nothgemeinschaft, die ein Vorschlagsrecht bekommen soll, wäre ohnehin nur hinderlich.

2) Jetzt komme ich zu dem anderen strittigen Punkt. Hier sind wir unter einander uneinig, denn es handelt sich um die Bewerthung Hauptmanns. Diese ist bei Doeblin auffallend niedrig, er sprach von einem »Millionär«, der übrigens nicht 5 Pfennig mehr werth sei als andere. Er behauptete, die Überschätzung eines Einzelnen nütze der Literatur garnichts, sie sei blosser Prominentenkult. Das Gegentheil liegt, wie mir scheint, auf der Hand. Du und ich denken über das Werk Hauptmanns anders als Doeblin, aber nicht das ist die Frage, sondern ob die Literatur und die Abtheilung ihn verkleinern oder nicht eher seine grosse Geltung für sich benutzen sollen. Es ist sehr lange nicht dagewesen, dass die Künste drei gleich angesehene alte Männer hatten, Liebermann, Strauss, Hauptmann. Wir dürfen nicht gegen den unseren sein.

Etwas Anderes spricht mit. Hauptmann ist von der Republik als ihr literarischer Exponent hingestellt worden; rechts wird er befeindet, natürlich auch von dem p. p. Fechter. Verweigern wir ihm die Auszeichnungen, die der Entwurf der Statuten vorsieht, wem dienen wir damit? Offenbar der Kulturreaktion, die wir in einem Manifest zu bekämpfen noch nicht aufgegeben haben. Ein mehr oder weniger reaktionärer Minister könnte unserem Wunsch sogar Folge geben, denn es wäre der seine. Zierold deutete mir dies an und äusserte seine Verwunderung, dass ein solcher, gegen Hauptmann gerichteter Antrag grade von uns komme. Er meinte damit, dass unsere Abtheilung im Ganzen für links gilt.

Ich gebe ihm völlig recht und sprach auch in der Sitzung gegen die Beiseiteschiebung Hauptmanns. Doeblin hat indessen für sich den Affekt und überzeugte damit alsbald auch Fulda und Molo. Mit diesen drei Stimmen (Benn ist nicht im Senat, hatte daher keine Stimme) wurde beschlossen, beim Ministerium zu beantragen, dass Hauptmann bei der nach ihm benannten Stiftung nur so viele Rechte haben solle, wie ein sechster Preisrichter. Aus den Statuten zu entfernen wäre: sein Vorsitz, sobald er anwesend ist, und sein Einspruchsrecht gegen eine beabsichtigte Zutheilung des Preises.

Meine Rolle als Vorsitzender fasse ich dahin auf, dass ich mich Mehrheitsbeschlüssen nicht widersetze, sondern sie ausführe; sonst hätte ich die Wahl nicht annehmen dürfen. Allerdings scheint es mir geboten, dass ein so wichtiger Beschluss nach Befragung sämtlicher Mitglieder des Senats gefasst wird. Deine Meinung steht noch aus, ebenso die von Ricarda Huch. Ich bitte Dich daher, sie möglichst bald bekannt zu geben. Unsere nächste, wahrscheinlich endgiltige Berathung über die beiden hier ausgeführten Punkte soll am 6. Februar sein.

Herzlichst H.

Lieber Tommy,

Dein Brief hat in der vorigen Sitzung gut gewirkt. Wir sind jetzt für die besonderen Rechte Hauptmanns. Andererseits wird noch versucht werden, von den sechs Sitzen im Preisrichter-Collegium vier für uns zu erhalten. Auch falls es nicht gelänge, habe ich nach Kräften die Annahme der Stiftung befürwortet.

Die Kundgebung gegen die Kulturreaktion ist nach weiteren Entwürfen, die von Molo, Fulda, Benn, Döblin versucht worden waren, zurückgestellt bis zu einem Zeitpunkt, in dem sie mehr Erfolg verspricht. Plötzlich bekomme ich jetzt die Ankündigung eines Kongresses, Das freie Wort betitelt, und an die Spitze des Briefes ist neben Einstein auch mein Name gesetzt. Aber der alleinige Veranstalter ist in Wirklichkeit der Dritte, Herr R. Olden, und das Ganze ist ein dreister Missbrauch. Ich habe Olden aufgefordert, meinen Namen zu entfernen. Wenn dies nicht geschieht, werde ich, wenn auch ungern, öffentlich absagen. In der Akademie haben wir die Frage vier Wochen lang gewissenhaft erwogen, jetzt unternimmt irgend jemand die Aktion am falschesten Zeitpunkt und zieht mich selbst – aber auch Dich – mit hinein. In dem Programm hältst Du »voraussichtlich« die Eröffnungsansprache.

Ich vermuthe, dass Du davon so wenig Kenntniss hast wie ich sie hatte, oder dass auch mit Dir nur ein unverbindliches Gespräch, vielleicht vor drei Monaten, stattgefunden hat. Jedenfalls möchte ich Dich dringend bitten, dem ehrgeizigen Olden auf gar nichts einzugehn. Deine Theilnahme würde erstens die Akademie, dann auch mich dementiren, und Du selbst wärest unnöthiger Weise an einem Misserfolg betheiligt. Das Günstigste, was noch geschehen könnte, wäre ein Verbot des Kongresses. Aber vielleicht lässt man ihn vorübergehn, um zu zeigen, wie unwirksam heute unser Widerspruch ist.

Für eine Benachrichtigung wäre ich Dir dankbar.

Herzlichst   H.

15. April 1933
Nice (A. M.)
Hôtel de Nice

Lieber Tommy,

durch Madame Bertaux erfahre ich Deinen Aufenthalt und glaube doch, dass Du den meinen wirst kennen wollen. Bei der gleichen Gelegenheit höre ich, dass Deine Schwiegereltern nicht fort dürfen. Ein Professor zwischen 80 und 90; – und grade las ich in der katholischen Zeitung La Croix eine Scene mit Göring. Schwitzend und zitternd verwahrte sich dieser Schurke dagegen, dass er »die Intellektuellen« ausrotten wolle. Die Hoffnung besteht, dass jene Banditen doch ein böses Gewissen haben. Ihre Lügen und ihre Verbrechen wachsen ihnen über den Kopf.

Meine eigene Lage ist von dem Chef der politischen Polizei dahin gekennzeichnet worden, dass mir »kein Pardon gegeben wird«. Thatsächlich haben sie in Berlin mein Bankkonto beschlagnahmt und in München meine Wohnung sequestrirt. Wegen eines Versuches, sie zu retten, schrieb ich an Viko, aber der antwortet mir nicht einmal. Er wird bedroht sein und sich fürchten.

Das Schlimmste ist, dass die Welt im Grunde geneigt ist zu glauben, alles sei nur eine Aktion gegen den Kommunismus. Einzig die Judenverfolgungen stören das Bild, das sonst nicht unerfreulich wäre. Ich werde versuchen, aufzuklären. Was hat man noch zu verlieren. Garwin im ›Observer‹, äusserst aufgebracht wie alle Engländer, ist der Meinung, dass den Nazis schwere Prüfungen bevorstehen, und zwar bald. Ich habe darüber kein Urtheil, aber die

glücklichen Unbetheiligten könnten es schliesslich haben.
Nimm mit den Deinen meine herzlichen Grüsse.   H.

21. April 1933
Nice (A. M.)
Hôtel de Nice

Lieber Tommy,

für Deinen ausführlichen Brief danke ich Dir bestens.
Selbstverständlich nenne ich keine Namen.
Deinen Aufsatz über Wagner hatte ich in ›Europe‹ mit der
höchsten Bewunderung gelesen. Was Dir damit wieder zu-
stösst, fällt unter das Hauptthema »Pöbel gegen Geist« (La
canaille contre l'esprit, muss ich jetzt sagen, denn ich werde
von französischen Artikeln leben müssen) – und das ist das
Grundthema dieser sogenannten Revolution. Es ist so gekommen, dass wir die Aristokraten sind.
Wenn's vorüber ist, werden wir – uns nicht »lâben«, wie
Häusser, nein Possart sagte. Sondern wer noch da ist, wird
überlegen müssen, wie er zum Bolschewismus steht. Denn
der ist doch wohl der wahrscheinlichste Nachfolger.
Berliner, die hier ankommen, sehen plötzlich um 10 Jahre
älter aus. Man selbst wohl auch.
An welcher der Küsten Frankreichs wollt Ihr im Sommer
sein? Ich bin sehr vorsichtig mit dem Geld. Aber wenn irgend möglich, möchte ich Dich sehen!
Herzlich   H.

12. Mai 1933
Nice
Hôtel de Nice

Lieber Tommy,

Dein Brief kommt im richtigen Augenblick. Grade war ich
dabei, mir hier eine Wohnung zu nehmen. Das will ich jetzt
aufschieben und lieber zuerst nach Bandol kommen.

Möchtest Du so gut sein, Dich zu erkundigen, für welchen äussersten Preis ich ein Zimmer nach der See hinaus, vor allem mit Sonne und womöglich auch mit Bad u. Toilette haben kann. Noch hat die Saison kaum angefangen, und wenn der Besuch so schlecht ist wie hier, dann müsste es mit 50 fs für Zimmer und Pension wohl zu machen sein, besonders wenn ich ungefähr so lange bliebe wie Ihr.

Aufrichtig freut es mich, dass Herr und Frau Pringsheim nun doch entronnen sind. Du hast das Glück, mit Frau und Kindern zu sein, das ist sehr viel. Ich bin sicher, Dich in der tapferen Haltung anzutreffen, die wir bewahren müssen. Mir wird es manchmal schwer, besonders wenn die Arbeits-kraft leidet. Aber es muss gehn.

Bitte, telegraphire mir morgen. Ich komme dann Montag, falls eine erwartete Sendung bis dahin eingetroffen ist; sonst Dienstag.

Herzlich   H.

8. Okt. 1933
Hôtel du Louvre
Nice (A. M.)

Lieber Tommy,

Deine günstigen Eindrücke beruhigen mich und machen mich wirklich glücklich. Dann hast Du dort hoffentlich den bestmöglichen Ersatz für Deine Münchner Umwelt; und später bekommst Du sie selbst zurück, wenn Du es willst. Es hat sich herumgesprochen, auch bis hierher, dass die deutsche Verkehrsstockung 2 Jahre dauern wird. Fragt man: warum? – weiss niemand die Antwort. Aber diese allgemein angenommene Befristung könnte am Ende suggestiv wir-ken. Schlimm ist nur, dass man nach Ablauf der 2 Jahre den Krieg erwartet.

Die schöne Friedensbeteuerung des alten graden Soldaten Goering! Deutschland und Frankreich haben gar keinen Grund etc. Wozu dann die ganze nationale Erhebung? Sie haben grosse Angst vor den Folgen. Ihre zweite Garnitur, z. B. Frank II, ist noch nicht im Bilde und kommentirt das germanische Recht (das es nie gegeben hat, so wenig wie die arische Rasse). Er sagt: was dem deutschen Volk (er meint: seiner Bande) nützt, ist Recht, was ihm schadet, Unrecht. Das begründet vorweg jeden künftigen Angriff, jede Annexion; aber auch der Leipziger Prozess ist derart gerechtfertigt. Zwischen dem würdigen Präsidenten und den Sadisten der Konzentrationslager besteht die Gemeinschaft, wie eine schlechte Sache sie herstellt. Leipzig ist die Vorderseite, Oranienburg, Dachau und ähnliche Örtchen sind die hintere Ansicht desselben Gebäudes. Ich bewundere weniger die halbe Anständigkeit, die im Gerichtssaal noch aufrecht erhalten wird, als die unausweichliche Verwandtschaft mit dem Lager.

Inzwischen wird Dein Anwalt Dir berichtet haben. Möge es günstig stehen! Das Haus wäre demnach zu retten? Sehr schön; aber auch ohne dies scheint seine spätere Rückgabe durch die Ereignisse gesichert.

Der arme S. Fischer hat jetzt doch seine Saison mit Hauser und einer Widmung an Goering eröffnet. Wenn der jüdische Gott das nur nicht übel nimmt! Aber sie sind ja aufgeklärt. Das scheint der letzte Grund alles Unglücks zu sein.

Ich büsse etwas meine rege Thätigkeit während des Sommers, der, mit unserem Verkehr und anderem, ein unerwartetes Geschenk war.

Es wird schon wieder besser werden, dann entscheide ich mich auch über meinen nächsten Aufenthalt. Vorerst ist mein Buch noch nicht heraus, und überdies kommt mir diese gewohnte Stadt so harmlos vor.

Sehr freue ich mich auf Deinen ersten Band, er muss jetzt wohl bald erscheinen. Gieb mir auch sonst, bitte, wieder Nachricht! Ich darf annehmen, dass Erika Erfolg hat, wie gewöhnlich.

Herzliche Wünsche und Grüsse, Dir und den Deinen,   H.

Lieber Tommy,

soeben trifft Dein Buch bei mir ein. Es sieht sehr schön aus, und Einteilung, Überschriften, alles was sogleich ins Auge fällt, ist verlockend. Dennoch will ich mit dem Lesen bis nächsten Monat warten; dann hoffe ich den Kopf freier zu haben. Augenblicklich ist er etwas belastet, und zum Lesen komme ich nur abends im Bett eine Stunde. Das wäre nicht das Richtige für Dein Buch.

Ich freue mich, dass es so rechtzeitig erschienen ist, und danke Dir für Deine Widmung, die ganz nach meinem Empfinden ist.

Macht Dir der Austritt »Deutschlands« Sorgen? Oder beunruhigt Dich die bevorstehende einmütige Beifallskundgebung der Nation? Das Merkwürdige bleibt immer: alle durchschauen den Schwindel, und nur die Deutschen dürfen ihn nicht kennen, obwohl sie ihn eigentlich doch kennen. »Wen betrügt man hier?« Genug, die Welt will betrogen sein. Sie macht jede dramatische Wendung der beiden Diktatoren gehorsam mit, die anderen werden allein nichts mehr beschliessen im Völkerbund, werden die fälligen Sanktionen nicht vollziehn, dagegen die Aufrüstung dulden und sogar Verträge darüber eingehen. Diese auswärtigen Grossthaten werden von den armen Deutschen hoch bezahlt werden müssen, im Innern. Wenn alle einmütig sich als Nationalsozialisten bekannt haben werden, dann hebt erst ein lustig Zähneklappern an.

Schreibst Du mir einmal, was Du dort erfährst? Ich grüsse Dich und die Deinen.

Herzlich   H.

Lieber Tommy,

meinen herzlichen, tief gefühlten Glückwunsch zu Deinem grossen Erfolg! Er bedeutet natürlich noch viel mehr als sonst, und das bessere Deutschland bereitet ihn Dir und sich selbst. Gleichzeitig hast Du Glück mit drei Deiner Kinder auf einmal, das ist viel bei diesen Zeiten. Ich bitte, Erika, Golo und Bibi zu sagen, wie sehr ich mich freue.

Du hast in jeder, sogar in materieller Hinsicht, recht gethan, das Buch in Deutschland erscheinen zu lassen. Der deutsche Erfolg wird weiterwirken und den amerikanischen Absatz steigern. Das ist zweifellos ergiebiger, als wenn man in Amsterdam erscheint und, schon darum, in Deutschland verboten ist. Wenn ich könnte, würde ich es genau so machen. Das heisst: im Innern den Kampf gegen die Machthaber führen. Ich darf es leider nur von aussen her, dafür zwar direkter.

Jetzt kann ich feststellen, dass Deutsche, die durch Zufall einem Artikel von mir begegnen, ausser sich geraten vor Leidenschaft. Sie schreiben mir »auf den Knieen des Herzens« wie Kleist – der heute leider auch dabei wäre – das ausdrückt. Aber alle meine Mahnungen seit Jahren blieben ohne anderen Widerhall als nur die bekannten nationalsozialistischen Drohungen und Insulten. Was soll man schliessen? Dass die Deutschen diese harte Schule wirklich »nottwendick« hatten?

Die französische Ausgabe ›La Haine‹ ist, glaube ich, erschienen, die deutsche ›Der Hass‹ steht bevor. Ich schicke Dir beides, sobald ich Exemplare habe. Der Eindruck sollte, um Deine beiden Worte zu wiederholen, »tief« in Deutschland und in der Welt »weittragend« sein. Dem steht entgegen, dass in Deutschland nur wenige, nach Mühen und Gefahren, es werden lesen können. Von den grossen Nationen aber hat nur die französische, hinsichtlich Deutschlands präcise und begründete Vorstellungen. Alle Angelsachsen tasten, bis sie mit den Händen auf eine ihnen naheliegende Einzelheit stossen. Weiter wollen sie nichts wissen, um nur »verständigungsfreundlich« bleiben zu können, wie Du sagst. Daher hat das erste Buch, das die peinlichen Wahrheiten im Zusammenhang ausspricht, in England noch nicht einmal seinen Verleger gefunden. Der gute Feuchtwanger wird in London persönlich eingreifen.

Was ich hauptsächlich sagen wollte: die Deutschen selbst, wenn es ihnen nur noch erlaubt wäre, wollten jetzt endlich sehen und lernen. Wir müssen immer denken, wie viele der »inneren« Deutschen, noch mehr als wir hier draussen, das direkteste Leiden ausstehen unter der Verkommenheit des Landes. Ihnen jedenfalls thäten wir Unrecht, wenn wir uns lossagten von dem Lande, das allerdings elend ist und sich allerdings von Schurken zum Abscheu der Welt machen lässt. Wenn diese Schurken auch noch Torgler hinmorden, wird ihre Rechnung umso eher abgeschlossen sein; schon ist sie unerträglich überlastet. Mitschuldige, die das Ende kommen sehen, schleichen jetzt bei Seite, so der edle Spengler. Auf einmal ward ihm klar, dass »dumme Jungen« nicht Politik machen können. Vorläufig sagt er nur »dumme Jungen«. Als Agent der Schwerindustrie, der er immer war, darf er noch nicht weiter gehn. Aber Seinesgleichen, alles was sich deutschnational nennt, ist inzwischen zu einer Erbitterung gelangt, nicht kleiner als die der Marxisten. Sie werden auch, wie diese, aus allen Stellungen, öffentlichen und privaten, wirtschaftlichen Stellungen entfernt. Das Regime bringt nicht nur das bessere Deutschland gegen sich auf, sondern dazu noch den schlechtweggekommenen Teil des anderen – nicht einmal die S. A. sind ausgenommen. Neulich wurden sie auf dem Alexanderplatz versammelt, fingen aber pünktlich an zu singen: »Giebt Hitler uns kein Brot, dann schlagen wir ihn tot!«

Ein volkstümliches Tischgebet heisst:

Lieber Hitler, sei unser Gast!
Hätten wir nur die Hälfte von dem, was du hast!
Unter Brüning und Papen
Da gab es noch Braten,
Unter Hitler und Goering
Giebt es nur noch Hering.

Ein Banquier, dessen Eindrücke mir, auf Umwegen, mitgeteilt wurden, ist überzeugt, dass die Machthaber allenfalls noch diesen Winter, aber bestimmt dann keinen mehr überdauern. Man setzt auf die Militärdiktatur. Anzunehmen ist, dass ein kommunistischer Aufstand vorausgeht. Schleicher soll keineswegs krank sein, sondern sich bereit halten. Mit ihm wird sich vielleicht reden lassen? Aber auch nur höchstens mit ihm persönlich. Das Daseinsrecht einer Generalsregierung muss schliesslich die Vorbereitung auf den Krieg bleiben. Nicht abzusehen, wo und wann einmal die wirkliche Erneuerung einsetzt. Vorangehen muss ohne Frage eine lange und schwere innere Zucht der Deutschen. Sie hatten sich immer nur am äusseren Befehl berauscht. Aber zwei Klassen von Nationen kennt die Geschichte doch nur: die einen haben sich Freiheit und Selbstbestimmung erkämpft, den anderen bleibt noch viel zu leiden und zu thun. Für Deutschland wird es nicht leichter, wenn es weiter geistig verarmt, jetzt auch noch durch den Auszug der »arischen« Professoren. Die übrigbleibenden reden sich selbst und ihrem Hitler ein, mit Bazillen-Kulturen könnten sie die ganze Menschheit ausrotten – ein medizinischer Unsinn. Glaubt man etwa selbst daran, dann lässt das umso tiefer blicken. Dazu haben sich 88 »Dichter« hinter den »Führer« gestellt, jetzt, wo es klüger wäre, das nicht mehr zu thun. Aber »sie merkt es gar nicht«, wie die eine der alten Schwestern Claudius von der anderen sagte.
4. Nov. – Ich habe gestern schon zu viel geschrieben – Nachrichten, die Du dort frischer bekommst, und Überlegungen, die ohnehin nahe liegen. Deine Angelegenheit mit

der Büchergilde erinnert mich an meine eigene. Herzog, der mir eine Licenzausgabe meines Romans »Ein ernstes Leben« angeboten hatte, scheint die Sache seither mit Zsolnay eher verfahren als geordnet zu haben. Der Verlag Zsolnay hat von fast allen meinen Romanen *solche Licenzausgaben autorisirt und dafür einen Teil des Erträgnisses bekommen. Heute müsste dies noch leichter bei ihm zu erreichen sein, da er meine Bücher nur noch ausserhalb Deutschlands absetzt, und nicht einmal das. – Ich nehme an, dass Du in Deiner Sache gelegentlich mit Herzog sprichst. Würdest Du die Güte haben, ihn zu fragen, ob noch Interesse besteht, und wo, bei dem einfachen Sachverhalt, das Hinderniss liegt?* Er schrieb mir unklar über »Verlagsrechte«, um die es sich aber gar nicht handelt. Wir wissen doch alle, was eine »Licenz« ist.

Wenn Beermann sich an Dich klammert, hat er immer noch einige Berechtigung, und auch der Erfolg giebt ihm recht. Über Zsolnay kann ich nur sagen, dass er der feige Verräter ist, als den man seinen langjährigen Freund oder Geschäftspartner jetzt meistens kennen lernt. Alles Unheil, das über mich hereingebrochen ist, hat ihn noch zu keinem einzigen Wort veranlasst; dagegen weiss ich durch Dritte, die vergeblich meine Bücher bei ihm bestellten, dass er sie nach Deutschland nicht ausliefert. Wahrscheinlich könnte er es sehr wohl; denn von einem wirklichen Verbot ist mir nichts bekannt, und in den Buchhandlungen der Arbeiterviertel sollen sie im Fenster liegen. Aber Zsolnay will offenbar dadurch, dass er mich verleugnet, den Rest seines Verlages für Deutschland retten. Die Verlagsrechte aber hält er fest in Händen, wie aus seinen Verhandlungen mit Herzog hervorgeht. Ich würde sie ihm fortnehmen, wenn ich Verständnis fände bei dem *internationalen Gerichtshof, den es hierfür giebt. Ist er in Bern? Oder ist es das Haager Völkerbundsgericht? Ich möchte Dich nicht übermässig bemühen; aber vielleicht ergiebt es sich von selbst, dass jemand aus Deinem dortigen Verkehr Dich über meine Chancen unterrichtet? Sprich, bitte, hierüber nicht mit Herzog, sonst erfährt Zsolnay davon.*

– Ich hoffe, ich höre bald wieder von Deinen Erlebnissen und Eindrücken.

Ich grüsse Euch Alle herzlich, Frau Kröger grüsst bestens.

H.

18. Nov. 1933
Hôtel du Louvre
Nice (A. M.)

Lieber Tommy,

an drei Abenden habe ich Dein »Vorspiel« gelesen und habe den Wunsch, Dich wissen zu lassen, dass es meine grösste Lektüre war – seit wann? Ich weiss nicht.

Bei Anatole France, als ich meine Bibliothek noch hatte, überzeugte ich mich oft von einer merkwürdigen Vertrautheit mit den Engeln, ihrer Geschichte, ihren Beziehungen zu Gott und den Menschen. Du hast Deine eigene Exegese, sogar Deine eigene »Lehre«, wenn ich recht verstehe, und sie reicht in grosse, tiefe Fernen und dann wieder bis zu Dir und zu uns. Diese Universalität ist es, die ich bewundere und ehre, mit eingerechnet natürlich das ungeheure Studium, während dessen der Blick und die Verlebendigung möglich wurden. Besonderen Sinn habe ich für den eifrigen Ernst im Ton Deiner Dialektik, dahinter Humor und sogar Travestie erscheint, und hinter diesen wieder Ernst. Das alles übrigens ist auffallend – katholisch. Katholische Skepsis, die abgründig ist. Wo der Protestantismus aufhört, fängt einfach die Ungläubigkeit an. Meine eigenen geistigen Erfahrungen gehen nicht so weit, dass ich es behaupten dürfte, aber ich habe die Empfindung, dass die völlig zusammengefasste Kultur wieder auf die gleiche Einheit hinausläuft, wie eben das alte, einige Christentum.

Betrachtungen über die »Höllenfahrt« könnten wer weiss wohin führen. Mit Vergnügen hörte ich, dass jemand in Deutschland Dein Buch einen Nachlass des ehemaligen Bürgerthums, oder so ähnlich, genannt habe. Das »Heutige«

heisst Nationalsozialismus, und dieser bildet zum »ehemaligen Bürgertum« einen Gegensatz, ähnlich wie abstrakt und konkav. Wahr ist, dass sie mit der Kultur gebrochen haben, nicht weniger als mit der Civilisation, und ganz für sich allein auf ihrer von Überlieferungen verlassenen Gegenwarts-Wüste umherhantiren.

Dein Buch wird jetzt weiter mächtig abgesetzt werden, und das bedeutet täglich mehr, so wie alles andere dort im Lande aussieht. Der leichte Triumph vermittels Volksbefragung wird sie zu neuen Thaten verpflichten, zuletzt wäre es der Krieg. Wenn aber niemand will? Und vor allem, wenn man es zu lange voraus weiss! Es ist schon zu bekannt nachgrade, wie Diktaturen funktioniren. Der passive Widerstand, den die Demokratieen leisten, ist vielleicht doch das Richtige? Ich frage vorerst nur. Es könnte auch derart kommen, dass Deutschland seinen dreissigjährigen Krieg allein mit sich selbst führen muss. Angefangen hat es ihn bereitwilligst.

Bis dies Regime zusammenbricht, müssen die Demokratieen aushalten. Ihre vorzeitige Unterhöhlung ist die Gefahr. In diesem Zusammenhang erinnere ich Dich an den Besuch, den Du während des Septembers von einem jungen Mann namens Robert Aron bekamst. Am Abend verheiratete er sich. Er ist auch bei Gallimard angestellt. Aber er giebt eine fascistische »junge« Zeitschrift heraus. So sind sie: nehmen das Geld des Verlages, dessen Hauptautor der Kommunist Gide ist, und sind Fascisten. Sind Juden und Fascisten. Müssen sogar noch an ihrem Hochzeitstage republikanische Flüchtlinge in Augenschein nehmen, lassen sie sich aussprechen, verraten aber selbst nicht, was sie sind, Fascisten. Wir müssen immer noch vorsichtiger sein! Ich höre von Deiner Schweizer Tournée. Du kannst sie Dir sicher erlauben, aber sei mit allen Begegnenden vorsichtig!

Meine beiden Bücher hast Du bekommen. Ich begrüsse Dich und Euch alle herzlichst. Frau Kröger bittet, sich anschliessen zu dürfen.

Herzlichst   H.

Lieber Tommy,

jeden Abend, im Bett aufgestützt, was die höchste Aufmerksamkeit ermöglicht, lese ich einige Seiten Deines Buches; denn ein Durchjagen und schnelles Bewältigen wäre hier zwecklos. Ich kann mich keines anderen erinnern, das so viel zu raten oder anzustaunen gegeben hätte. Ich kenne nicht die Herkunft des Berichts, mir scheinen es lauter geoffenbarte Geheimnisse, obwohl ich mir sagen muss, dass es die dichterische Fortführung oft nur geringer Quellen ist. Reiche Dichtung, wahrscheinlich Deine reichste; und das Reizvollste ist grade ihre Herleitung aus Hintergründen, die für bekannt galten, obwohl jeder durch Dich erfährt, dass er nichts wusste und dass die vergegenwärtigte Vergangenheit des Menschen noch märchenhafter ist als er selbst sich immer gewollt hat. – Genug, ich werde mit dem Buch noch lange zu thun haben und Dir jeden Abend dankbar sein.

Das heutige Deutschland könnte bei Dir lernen, dass die äusserste Intellektualität sich, man weiss nicht wie und wo, in Mystik verwandelt – oder auch, dass Mystik etwas zu Denkendes ist. Aber wenn das heutige Deutschland so viel lernen könnte, wäre es nicht das heutige.

Du hast dort, neben Deiner Arbeit, gewiss auch manche erleichternde Ablenkung. Ich habe davon hier nicht viel, und die Erinnerungen werden mit der Zeit eher schwerer. Im Sommer verarbeiteten wir noch neue Eindrücke, und sogar gemeinsam. Hoffentlich kommt das wieder.

Eins weiss ich, dass ich nicht zurückmöchte, auch nicht, wenn ich könnte, und nicht einmal, wenn dies alles vorbei wäre. Denn den Menschen würde ich nicht mehr glauben, dass es wirklich vorbei ist.

Ich las das Stück von Bruckner; Du hast es dort wohl gesehn. Es erschien mir wahr und vorzüglich.

Über Golo hörte ich, dass er sich in St Cloud sehr gut eingeführt hat. In meiner eigenen Sache soll ein Abgeordneter mit dem Minister sprechen, aber das wird nichts werden, man muss zuerst Franzose sein. Auch Golo wird sich entscheiden müssen.

In diesen Tagen seid Ihr wohl Alle festlich beisammen. Dir und ebenso Katja wünsche ich die beste Gesundheit und wünsche, dass 1934 Euch gute Überraschungen vorbehält und jedenfalls zu leben leicht, beinahe leicht wird. Etwas Besseres fällt mir, auch für mich selbst, nicht ein.

Herzlichst   H.

                                                25. Jan. 1934
                                                11, rue du Congrès
                                                Nice (A. M.^es)

Lieber Tommy,

vielen Dank für Deinen Brief, ich freue mich immer sehr. Persönliche Briefe: schreibst Du sonst noch viele? Ich wechsle sie eigentlich nur mit Paul Graetz, der in London Film-Erfolge hat; und er war der typische Berliner, hätte sich dort beim Theater auch halten können, solche Ausnahmen werden gemacht; aber er wollte sich lieber auf englisch durchkämpfen. – Eine deutsche Briefmarke sehe ich nur, wenn der Pressechef des Circus Busch mir schreibt, aber ohne Angabe seines Namens. – Ich weiss von einer besonders guten Erscheinung: Balder Olden heisst er, ist so »arisch« wie der Name, galt für national, hatte in Afrika mitgekämpft, könnte jetzt sicher in der Goebbels'schen »Reichskultur« mitten drin sein; aber er hat in London, auf englisch, einen Roman gegen das Dritte Reich geschrieben, einfach nur, um ehrlich zu bleiben. Vor so etwas würde ich mich verneigen.

Du weisst doch natürlich, dass in London der deutsche P.E.N.-Club gegründet ist. Adresse für Beitrittserklärungen Dr Rudolf Olden (Bruder von Balder) 13, Manson Place, Queen's Gate, London S. W. 7. Ich hoffe, dass diese

Veranstaltung dazu dienen kann, uns Völkerbunds-Pässe zu verschaffen.

Besonders wollte ich zu der Arbeit Golo's in der ›Sammlung‹ meine Freude und meinen Glückwunsch aussprechen. Sehr merkwürdig, der wissenschaftliche Panzer – und die freie Begabung, die hindurchbricht!

Dann die schmerzliche Nachricht, die ich erst durch Dich bekam: Wassermann ist wirklich tot? Und was bedeutet »Zusammenbruch«? Hat er unter dem Verlust der früheren Stellung gelitten? Man muss fürchten, dass er nicht mehr gewusst hat, wofür, für wen. Auch die Einnahmen können, wie jetzt üblich, nur noch ein Drittel gewesen sein. Ist man bei all dem schon längere Zeit krank –.

Dein Buch hat das 30. Tausend, mindestens dieses, hinter sich: das ist die grosse Ausnahme. Sie werden auch nicht wagen, Dir den deutschen Markt zu verschliessen, wenn Du fest bleibst. Ich sage es ohne Garantie; zuletzt ist alles Zufall. Aber wie anders hätten alle, auch Wassermann, und sogar ich, dagestanden, wenn die Intellektuellen sich ihrer Stärke, besonders aber ihrer geistlichen Pflicht bewusst geworden wären, wie die Pastoren. Die lernt man jetzt anders kennen als je zu hoffen war. Sie vermitteln die Anschauung des Christen und auch Luthers. Man erfährt heute von den Menschen zwar Überraschungen, aber nicht nur peinliche.

Ich schreibe an meinem grossen König, den sie auch im Grunde nicht mochten und endlich ganz und gar satt bekamen, wie noch jeden Guten. Nur an den »Führern« zum Abscheulichen hängen sie allerdings sehr. Leider bin ich in den dunklen Anfängen des Romans, er muss noch lange dauern. Trotzdem wird mir schon jetzt eine Bezahlung angetragen: sie hielte nicht länger vor als die Arbeit selbst; aber auch noch die gesicherte Zukunft, das wäre heute zu viel verlangt. ›Der Hass‹ hat bewirkt, dass gleichzeitig eine amerikanische und eine Pariser Zeitschrift von mir erfahren wollten, wie man die Geistesfreiheit zerstört. Das konnte ich ihnen sagen. Heute fragte ich auch den Direktor der ›Dépêche‹, eines Regierungsblattes, ob ich, als Fremder, den Vorgang eines Systemwechsels erfahrungsgemäss berichten dürfe. Denn es wird Zeit. Und nützlich will man sich immer noch machen.

Dir und den Deinen alles Herzliche. Schreibe mir, bitte, bald   H.

5. März 1934
11, rue du Congrès
Nice (France)

Lieber Tommy,

schön, dass Du in Arosa bist, das muss eine kräftige Luft sein. Auch ich denke jetzt oft an das Gebirge, weil ich schon seit 1932 nicht in Gastein war.

Du hast mir am 30. Januar geschrieben, alles interessirte mich tief; geantwortet habe ich trotzdem so lange nicht, aber Nachlässigkeit ist nicht der Grund. Ich hatte immer viel Arbeit, auch einige Geschäfte, sonst aber gar nichts. Kein Ausflug in die Welt, fast kein bekanntes Gesicht: nur die notwendigen Spaziergänge und die so sehr gebotene Ruhe. Es wird klösterlich. Mein Roman ist ein Inhalt mehrerer Jahre, ich muss daran genug haben. Nach seinem Wesen wäre er sogar »das Ganze« und die endgiltige Zusammenfassung. Ich weiss nur nicht, ob ich ihn und »es« so weit und so lange treiben werde. Man müsste der Dauer der Dinge sicher sein, zu schweigen von der eigenen. »Um etwas Bleibendes zu machen, darf man über den Ruhm nicht lachen,« sagten Flaubert und die gediegene Bürgerzeit. Er hatte dann auch 7 Jahre Zeit für ein Buch und zweifelte niemals an dem Bestand der Welt. Ich übrigens auch nicht. Sie kommt immer wieder zu sich. Inzwischen arbeite ich, mehr als sonst üblich war, ins Leere hinein, kann mich aber erinnern, dass ich mir einst als Anfänger von der äusseren Welt eher noch weniger versprach. Damals hatte man zwar alle die Zeit vor sich, um angenehm enttäuscht zu werden. Heute kommt es nur noch darauf an, endgiltig nur doch darauf, sich selbst nichts schuldig zu bleiben. Ich wäre glücklich, wenn es mir so gelänge, wie Dir im Joseph. Diese Geschichten Jaakobs haben die grosse Ruhe, die Zeit ist aufgehoben, für die handelnden Geschlechter wie für Den, der schreibt. Dies ist, was mich heute am meisten anzieht.

Übrigens habe ich mich entschlossen, aus der Jugend meines Königs einen ersten Roman zu machen, und darin bin ich einigermassen vorgeschritten. Von Dir nehme ich an und hoffe, dass Du Dir jetzt einige Freiheit und Erholung erlaubst. Der 3. Band soll doch erst 1936 erscheinen? Du erhältst so auch Zeit für Vortragsreisen. Das müssen ermutigende Eindrücke gewesen sein. Ich hoffe, dass bald der Essai-Band kommt mit dem Wagner, aber auch mit »Freiheit und Vornehmheit«; keine anderen Begriffe gehören so sehr zusammen, und das in der Gegenwart Aussichtsloseste ist grade, einem geknechteten Volk seinen Adel einzureden. Alles was vorgeht und versucht wird, ist aussichtslos; das bleibt zweifelsfrei übrig, auch wenn man sonst nicht weiss, was kommen kann. Da ich an den Krieg nicht glaube, erscheint mir als das Wahrscheinlichste der baldige wirtschaftliche Zusammenbruch der Diktaturen. Sie »asen« und sind korrupt, so etwas wurde niemals geahnt. Ich hoffe nur, dass dies Urteil der Dinge selbst in Kraft tritt, bevor auch noch die übrigen Demokratieen fascisirt sind. In Frankreich wird es dafür einer ganzen Weile bedürfen, wie ich meine. Das Land hält noch lange an der Republik fest, nur Paris zeigt sich einigermassen haltlos. Es war nie anders: einst die Ligue (1576), Boulanger. Paris steht in Opposition zum Lande. Es ist merkwürdig: viele Republikaner führen gegen die Auflösung der Kammer an, dass das Land eine zu starke Linke hineinschicken könnte: das ergäbe eine Erhebung von Paris.

Dieses Volk hier ist, nach dem Ausspruch unseres Freundes Bertaux, auch nicht klüger, aber am Ende massvoller als andere. Geworden, muss man hinzusetzen: infolge reicher

Erfahrungen. Die grösste Wahrscheinlichkeit, in Ruhe gelassen zu werden, sehe ich beim Eintritt weiterer Ereignisse, immer noch hier. Die kleinen Länder würden mir persönlich keine Gewähr bieten. In der Schweiz war neulich mein Buch einige Tage lang verboten, offenbar auf Berliner Druck hin. In Amsterdam haben sie den aus dem Lager entkommenen Heinz Liepmann eingesperrt, und er kann von Glück sagen, wenn er nicht ausgeliefert wird. Vorläufig ist der universale Terror in der Zunahme begriffen, auf dem Continent bleibt nur dieses Land ihm unzugänglich; aber man darf beim Eintreten gewisser Verschärfungen nicht grade mit einem alten deutschen Pass betroffen werden. Kurz und gut, ich thue jetzt erste, unverbindliche Schritte mit dem Ziel der Naturalisirung. Wenn es dahin kommt, vergehen jedenfalls Jahre, und dann ist es vielleicht nicht mehr nötig oder wird von selbst hinfällig. Ich sage mir, was der Ohrenarzt älteren Leuten sagt: »Sie werden taub werden, aber Sie erleben es nicht mehr.«

Für Dich wird die Schweizer Staatsangehörigkeit gewiss das Richtige sein. Wer nach dem so erwünschten Umschwung noch da ist, wird in demselben Augenblick wieder Deutscher sein. Es scheint auch, dass Du, solange Deine Angelegenheit läuft, nicht dort wohnen musst; Du erwähntest Florenz, für nächsten Winter. Glaubst Du nach näherer Überlegung, dass Du Dich dort wohl fühlen würdest? Man wird dort sicher durch zu Vieles, besonders aber durch die Unaufrichtigkeit des gesamten Treibens an Das erinnert werden, was man grade nicht mitmachen wollte. Was aber Billigkeit betrifft: hat Schickele Dir über sein hier gemietetes Haus geschrieben? Eine Villa ausserhalb der Stadt, 10 Zimmer, Aussicht ins Gebirge, und ein nicht zu unterbietender Mietspreis. Ich weiss nicht, ob sie schon drin sind; nur der junge Hans besuchte mich. – Übrigens wird mein Urteil dadurch gefärbt, dass ich gern in derselben Stadt mit Dir leben würde. Können wir uns wenigstens im Sommer vorerst zusammenfinden? Gebirge, gern; nur nicht gern die teure Schweiz. Möchtest Du nicht die Pyrenäen kennen lernen? Sie sind grossartig und so friedevoll altertümlich. Man bekommt dort noch die Federhalter zum Durchkucken, die unsere Eltern uns aus Badeorten mitbrachten. Wenn ich von Dir hören könnte, dass Du nicht abgeneigt bist, würde ich weniger bedauern müssen, dass Zürich mir vor dem Sommer nicht erlaubt – und auch dann kaum zu erwarten ist. Alle, die von mir Vorträge wünschten, habe ich zwar auf den Anfang des Sommers vertröstet; aber es hängt von meiner Arbeit und von noch mehr Bedingungen ab, ob ich wirklich etwas unternehme. Auch meine Reiselust ist durch das letzte Jahr eher gedämpft worden. Wirklich Lust hätte ich nur, Dein Züricher Haus zu sehen: es soll so erfreulich sein. Ich hoffe, dass Ihr Alle, besonders Katja, die ich bestens grüsse, einen durchaus guten Frühling haben werdet nach dem Winter, der sicher Schönes gebracht hat.

Einer Deiner Besucher, Herr Klaus Pinkus, erzählte mir. Er wusste ausserdem, dass in Berlin die Vorsichtigeren jetzt anfangen, sich zu entschuldigen – für alle Fälle. Andererseits höre ich von Kommunisten, die zuversichtlicher arbeiten als je. Und Oranienburg ist kein Lager für Marxisten mehr: nur noch für meuternde S.A. In Berlin haben S.S. und S.A. einander beschossen. Es rieselt im Gemäuer; aber Verlass ist doch nur auf Schacht, der wird es schaffen. – Sonst wollte ich noch fragen, ob Du Auskunft hast über »Dr Paul Aron«, Paris, den ich für einen Fascisten gehalten habe, obwohl er uns in Sanary besichtigte. Jetzt schreibt er mir begeistert, aber trau schau wem. Ausserdem möchte ich noch sehr bitten, dass Du mir ein Exemplar Tonio Kröger schicken lässt: meine Freundin Kröger wünscht sich, ihn zu lesen.

Herzlichst   H.

Lieber Tommy,

soeben war Tagger bei mir, und ich weiss jetzt endlich, was man in Zürich von mir wünscht. Hartung hatte telegraphirt und einen Anruf angemeldet, ohne indessen den Zweck anzugeben. Ich liess mich auf einen Anruf (wegen der vorigen verdächtigen Sache) lieber nicht ein, sondern schrieb express: alles gern, nur nicht hinkommen. Jetzt sagt Tagger mir, Du habest Dich grade für meine Berufung eingesetzt; umso mehr schmerzt mich meine erzwungene Unbeweglichkeit. Leider kann ich sie nicht ändern. Wenn ich den acht oder zehn Aufforderungen zu reisen, sogar nach Amerika, in diesem Winter nachgegeben hätte, dann wäre von meinem Roman kaum ein Satz geschrieben. So bin ich doch im zweiten Drittel und hoffe nach der Sommerpause das letzte zu machen. Diese Pause ist das nächste Ziel, ich arbeite unverbrüchlich auf das Nichtstun hin. Es wird Zeit dafür: das vorige liegt gleich zwei Jahre zurück. Verzeih mir daher meine scheinbare Bequemlichkeit und lass, bitte, auch Hartung wissen, dass es an gutem Willen nicht gefehlt hat! Ich hätte wahrhaftig den Wunsch, Dich wiederzusehn. Wann wird es sein können? Im Juli? Ich würde noch vorher eine Badekur machen. Für den gemeinsamen Aufenthalt schlage ich dann die Küste im Süd-Westen vor, von Biarritz bis höchstens Arcachon: dort ist gutes Wetter gesichert. Ziehst Du einen kleinen Ort mit Villen vor, oder einen grossen mit Hotels? Bekannte würden wir mehr in dieser Gegend haben; aber nochmals Sanary? Schreibe mir, was Ihr denkt, und nehmt herzliche Grüsse.

H.

13. Mai 1934
11, rue du Congrès
Nice (A. M.^{es})

Lieber Tommy,

dieses Jahr muss ich mich mit dem Glückwunsch beeilen: Du willst Deinen Neunundfünfzigsten ganz wo anders begehen. Ich wünsche Dir, dass Deine ausserordentliche Romandreiheit Dich weiter erfreut in Ruhe und Sicherheit. Nach meiner Meinung ist dies ein Ziel, wenigstens ein vorläufiges – und nicht immer nur der atemlose Um- und Auftrieb, wie üblich in »dynamischen« Gegenden. Dein ist der unermessliche Vorzug, Zeit zu haben. Da Du aber gewiss schon weisst, was weiter geschehen soll, brauche ich nur zu wünschen, dass zwischen hier und Amerika, auf dem sommerlichen Ozean, Dir eine neue Arbeit klarer und wohlgefälliger wird. An meinem Teil kann ich beobachten, dass ein verhältnismässiges Gefallen am Werk sich erst einstellt, wenn sein wirklicher Sinn klar hervortritt. Dort bin ich jetzt glücklich eingetroffen, aber in schrecklich überanstrengtem Zustand und mit grossem Verlangen nach einem Badeort im Gebirge. Nun liegt es aber in praktischer Hinsicht so, dass ich besser thue einen Hauptabschnitt noch vor meinen Sommerferien zu erreichen; und trotz Ermüdung drängt es mich leider auch im Innern. Man sollte endlich Geduld und Ruhe erlernen.

Meine Absage nach Zürich habe ich erst recht bedauert, als ich in Deinem Brief las, wie sehr Du enttäuscht warest. Ich bin nicht gern ausgeblieben, das kannst Du glauben. Noch dazu muss ich jetzt fürchten für unseren gemeinsamen Aufenthalt zwischen Juli und September. Wird Deine Reise Dir gegen Ende des Sommers noch etwas Zeit lassen? Ich wäre sehr glücklich. Seit unserer Trennung waren mein bei weitem nächster Umgang die Romangestalten, – wie es wohl auch sein soll. Aber einmal jährlich könnte es anders sein. Im Hotel Bandol sass gelegentlich an unserem Tisch ein älterer, etwas schwerhöriger Mann, Dr Oscar Levy; der wohnte den

Winter in Cannes und fuhr immer treu Autobus, damit wir den Abend verbrachten. Der war geduldig und anhänglich, zu schweigen von seinem eigenen Wert. Dagegen hat sich der Verkehr mit Schickele als schwierig und dornenvoll herausgestellt; er wird schwerlich fortgesetzt werden. – Ziemlich ergreifende Nachrichten bekam ich von Arnold Zweig aus Palestina. Ich konnte ihm nur antworten, dass unsere Mutter nicht vor 2000 Jahren, sondern um 1860 aus Brasilien gekommen ist; wollte ich aber dorthin »heimkehren«, wieviel würde ich noch wiederkennen? Übrigens, so sagte ich, ist es eine unserer Hauptaufgaben, zu beweisen, dass wir auf uns selbst gestellt wie je, anständig unser Leben zu Ende führen können, wäre es hier oder dort. Ein böses, undankbares Land, das wir verlassen mussten, brauchen wir auch nicht.

Du selbst schreibst, dass Du dankbar die Luft der westlichen Welt atmest, und das ist sogar das Beste, Glücklichste, was ich bei Dir lese. Ich wünsche, Dein ganzes Jahr möge von diesem Gefühl überglänzt werden, und Deinen Sechzigsten möge auch ich mit Dir feiern dürfen!

Grüsse an Katja. Hochachtung für die grosse Erika. Frau Kröger dankt tief ergriffen für den Tonio und die Inschrift.

Herzlich   H.

27. Juni 1934
11, rue du Congrès
Nice (A. M.)

Lieber Tommy,

Du bist, wie ich höre, wieder eingetroffen: ich beeile mich, Dir zu danken für Deine Nachrichten von der Mitte des Ozeans. Seitdem sah ich auf der first page of the New York Herald that the most eminent living man of letters – Du bist; und dachte mit Vergnügen an das Gesicht des eitlen alten

Shaw. Die Reise war hoffentlich durchaus erfreulich und ist Dir wie Katja gut bekommen.

Von Hartung bekam ich die Aufforderung, etwas für Paris zu schreiben, damit Ossietzky den Friedens-Nobelpreis bekommt. Hartung selbst hat ein Komitee gebildet und thut was er kann. Ich musste ihm nur leider antworten, dass nach meiner Kenntnis in Paris nichts zu machen ist. Wäre es nicht das Nächstliegende, dass Du Dein Recht als Nobelpreisträger gebrauchst, um den Preisrichtern in aller Form den Friedensmärtyrer Ossietzky vorzuschlagen? – Mein besonderer Wunsch wäre, dass Du die Gelegenheit wahrnimmst, um Kolbenheyer in Stockholm unmöglich zu machen. Denn hier droht (ich weiss nicht, ob sehr ernstlich) die Gefahr einer internationalen literarischen Anerkennung des Hitler-Regimes. Es soll sich eifrig darum bemühen. Vielleicht erkundigst Du Dich, ob Dein Eingreifen geboten ist.

Die Adresse von Gustav Hartung ist übrigens: Mottafarm, Brissago (Tessin).

Ich gebe am 30. Juni meine Wohnung auf und gehe zur Erholung ins Gebirge: wohin, schreibe ich Dir noch.

Sei inzwischen herzlichst gegrüsst.   H.

2. Juli 1934
Cauterets (H^{tes} Pyrénées)
Pension Les Edelweiss

Lieber Tommy,

hier wohne ich, und ausser dem Namen der Pension erinnern auch Wasserfall und Waldspaziergänge an Gastein. – Pallenberg! Das geht mir näher als alle neuen Berliner Greuel. Wie ist die Adresse der Massary? Ich hoffe von Dir bald Gutes zu hören.

Seid herzlich gegrüsst.   H.

6. Sept. 1934
121, Promenade des Anglais
Nice (A. M.)

Lieber Tommy,

wir hörten lange nichts von einander. Du bist wahrscheinlich in Deinem dritten Band vertieft, ich finde jetzt nach den
Sommerferien in meinen ersten zurück.

Mein heutiger Anlass ist eine Bitte des Schauspielers Paul
Graetz; er wünscht sich eine Rolle in Deinem Josephs-Film.
Es steht auch fest, dass er sie verdient, in künstlerischer und
menschlicher Hinsicht. Er hat aus Ehrlichkeit das Exil auf
sich genommen; andere Juden benutzten ihre Beliebtheit,
um dem auszuweichen. In London hat er sich innerhalb des
vergangenen Jahres beim Film durchgesetzt. Er spielte in
›Jud Süss‹, ›Blossom Time‹ und mehreren anderen Stücken.
Ich weiss von einem unbeteiligten Regisseur, dass man
nichts mehr damit riskirt, ihn für eine Rolle vorzuschlagen.
Er wird gewiss auch von King Vidor berücksichtigt werden,
wenn Du ein Wort sagst, – besonders bei der grossen Zahl
von Rollen, Charakterrollen, wie sie ihm liegen. – So. Dies
wollte ich übermittelt haben.

Für den Winter habe ich noch keine Wohnung. Wenn es
möglich ist, kehre ich am 1. Oktober in die rue du Congrès
zurück. Was wird Dir dort berichtet über die Aussichten des
Erwählten Deutschlands? Die K.P.D. fühlt sich immerfort
100 Meter vor dem Ziel, das muss ein schönes Gefühl sein,
aber dabei bleibt es.

Herzlichen Gruss Dir und den Deinen.   H.

20. Sept. 1934
121, Prom. des Anglais
Nice (A. M.)

Lieber Tommy

nur einen Dank für Deinen schönen ausführlichen Brief. Ich
finde jetzt schwer aus dem Dunstkreis des Romans heraus.

Ende des Monats muss ich mich mit Kopfsprung an einen Artikel machen; sonst keine Nebendinge. Es ist begreiflich, dass Du von Deiner grossen Arbeit gern zu einer persönlichen Aussprache abschweifen würdest. Zuletzt wirst Du es wohl doch verschieben. Man kann dem Dritten Reich auch einen Nachruf schreiben, wenn es vorbei ist. Auch dann würde ich allerdings fragen: wozu. Es ist durch und durch bekannt und bleibt der Welt erhalten wider ihr eigenes besseres Wissen. Ist es einmal tot, dann gründlich. Schon von Napoleon III sagte Rochefort, der 18 Jahre gegen ihn gekämpft hatte: Cet imbécile de qui personne ne parle plus. Wie wird das erst mit dem gestürzten Hitler sein. Ich will nächstens in der französischen Zeitung dem Ausland zu sagen versuchen, dass vielleicht nur seine moralische Unterstützung nötig wäre, damit Deutschland sich eines Bessern besinnt. Statt dessen möchten andere Länder das deutsche Erlebnis wiederholen, nach seinem völligen Misserfolg. Das ist der Skandal. Wenn Du erlaubst, bediene ich mich Deiner brieflichen Informationen. In der »Sammlung« habe ich sogar eine Einzelheit über Goethe nur im Vertrauen auf Dich erwähnt. Ich wusste nicht, dass er sich vor der Ermordung gefürchtet hat. Ich wusste nur, dass die Nationalisten auch damals zu Morden neigten. Deine gute Meinung über den Aufsatz erfreut mich sehr.

Viel Aufregung habe ich wegen einer Vortragsreise nach Prag. Sie soll Geld bringen, grade etwas zu viel, als dass ich einfach ablehnen dürfte. Aber 1) die Jagd nach den nötigen Papieren und 2) 40 Stunden Bahnfahrt, oder ein Flugzeug, das aber nur italienisch sein darf. Wohin gerät man sonst, – dies wörtlich und örtlich verstanden. Sprich lieber noch nicht hierüber; ich sage es auch nur aus Unruhe und weil ich zuletzt wohl doch nicht reise.

Sei herzlich gegrüsst!   H.

Lieber Tommy,

grade heute würde ich Dir geschrieben haben, auch wenn Dein lieber Brief nicht gekommen wäre. Schon längst wünschte ich mir Nachrichten von Dir und wollte mit den meinen nicht zurückhalten. Die N[eue] Zür[cher] Z[eitung] mit Deinen Artikeln war mir gezeigt worden; auch von Deinem Basler Auftreten hatte ich gehört. Ich danke Dir für die Zusendung und werde alles mit Freuden lesen. Den Zwischenfall mit der nationalen Front hatte ich überschätzt, vielmehr: er wurde überschätzt. Deine Richtigstellung beruhigt mich darüber. Hoffentlich kannst Du auch dementiren, was ich in Prag sagen hörte: es wäre Dir gesundheitlich nicht immer gut gegangen? Jedenfalls darf ich annehmen, dass Du Dich wieder wohl fühlst, da Du für Januar die Reise planst. Mir erschweren das Leben die leichte Ermüdbarkeit und Überreizung, die ich immer gekannt habe; und mit der langen Zeit wird die Bekanntschaft nur inniger – auch in dem Sinn, dass ich Geduld und Verzicht gelernt habe. Grosse Erfahrung im Einteilen der Kraft hat es mir ermöglicht, in den zwei Jahren des sogenannten Exils mehr zu arbeiten als seit weit zurückliegenden Tagen. Der Roman hat sich ausgewachsen; die »Jugend« ergiebt möglicher Weise zu viel Papier für einen einzigen Band. Ich beende um Neujahr den vorletzten der grossen Abschnitte. Wenn alles glückt, erscheint das Buch im Frühling. Ich schreibe gern daran. Es ist die Gelegenheit, unterzubringen, was ich weiss, – später mehr, in dem anderen Teil, »Sieg und Auflösung«. Es ist auch die Gelegenheit für Bilder und Scenen, die ich am liebsten in mir getragen habe. Das ergiebt eine Verbindung mit meinen ersten Arbeiten, ein ganz interessanter Fall. Die Lektorin von Mondadori, Mailand – ich wusste garnicht, dass sie die Druckbogen bekommen hatte – schrieb etwas an Stefan Zweig über die Jugendlichkeit der Erzählung: ermutigend in meiner Lage. So viel ist gewiss, dass hiergegen die Romane der Republik, die ich vorher machen musste, ältlich aussehn. Es war eine Zumutung, dort das Leben zu verherrlichen, wo alles nur auf Untergang zuhielt. Aber wann wird es dort anders werden? Sie lassen jetzt den letzten Vorwand ihrer sogenannten nationalen Erhebung fallen und werden uneingeschränkt der Ausbeuter- und Sklavenstaat, den die Geldgeber immer gemeint hatten. Nur im Kulturellen darf der Nationalsozialismus noch verheeren was übrig ist, augenblicklich die Musik. Dorthin zurück? Wenn ich es dürfte, liesse ich meine Bücher dort erscheinen, warum denn nicht die Gegenwirkung üben, zu der man befähigt ist. Persönlich würde ich mich wohl auch dann in wohlbemessener Entfernung halten. Die Menschen dort haben es zu weit getrieben in der Verkennung der Natur. Ihre Erziehung zum Normalen muss sehr umständlich nachgeholt werden. Mit einer blossen Revolution wäre nichts getan; aber auch die kann nicht einmal versucht werden. Andererseits scheint es auf die Dauer unmöglich, dass ein – erfolgloser – Zwangsstaat sich erhält, wenn gleich nebenan eine Demokratie sich erneuert und aufsteigt. Diesen Eindruck habe ich, immer deutlicher, von Frankreich, zum mindesten von seinen Kräften. Daran ist wieder beteiligt die Gegenwehr gegen das böse Beispiel, das Deutschland giebt: es erweckt hier einige moralische Kraft. Fragt sich, wer den Andern überwindet, das böse Beispiel dort oder das Streben nach sittlicher Erneuerung hier.

Sage mir, wie es um Deinen dritten Band steht, – und vielmals bitte ich Dich um die Essaysammlung. Grüsse in Prag mein Kind und ihre Mutter. Vom Ertrag meiner Reise konnte ich ihnen eine Wohnung mieten. Wir hatten sehr schöne Tage; ich wünsche Dir die gleichen mit Erika. Alles Gute im neuen Jahr, Dir, Katja, und Deinen Kindern!
Herzlichst   H.

Mein lieber Tommy,

heute dachte ich Dich zu sehen und sprechen zu hören: wenigstens will ich Dir diese Worte sagen. Was mich tief betrübt, ist nicht der Aufschub Deiner Reise; er wird hoffentlich nur gering sein. Aber Du leidest, und das ergreift auch mich. Ich fürchte, dass Du körperliche Schmerzen hast und dass die seelischen sich darin äussern. Wie gut muss bei dieser Verfassung Deine Denkschrift geworden sein! Ich wollte, ich könnte sie lesen. Aber es wäre Dir lieber, gute Sachen, die so viel kosten, nicht machen zu müssen. Eher als Du, neige ich zu den literarischen Entladungen der Affekte; aber ich habe das nun auch schon satt und wäre sehr erleichtert, wenn die Katastrophe schon ausbräche. Der Krieg muss es nicht sein, sie sollen lieber wirtschaftlich zusammenbrechen und genötigt sein, sich mit ihrem Chaos selbst herumzuschlagen, anstatt die Welt mit hineinzuziehen. Das muss einmal aufhören, und der Fall Deutschland muss vom Schicksal durch Urteil beendet werden. Die Verhandlung schleppt sich ewig hin.

Dies sind Erwägungen, man kann sie vielleicht noch jahrelang anstellen. Was mich wirklich bewegt, ist die Frage nach Deinem Befinden. Ich will glauben, dass nichts wirklich verändert ist in Deiner Gesundheit, und dass auch die Trauer und der Ekel sie nicht ernstlich erschüttern können? Hierüber möchte ich von Dir beruhigt werden und wüsste ferner gern, wie Du Deinen Sechzigsten zu begehen denkst: vor allem, wo. Du hast wahrscheinlich in Zürich einen Kreis, der beanspruchen darf, Dich zu feiern, und auch die Grenze ist nahe genug, dass Gäste kommen können. Mir ist es nicht erlaubt. Wenn ich hier einen Tisch mit Besuchern aus dem Dritten Reich sehe, wird mir übel. Gegenden, wo sie häufiger vorkommen, wären mir nicht gesund. In sachlicher Hinsicht sind sie für mich sogar lebensgefährlich. Für Dich weniger, gewiss unvergleichlich weniger; aber bemerkst Du nicht doch das Eine mit Sicherheit, dass die nahe Grenze Dein Befinden beeinflusst? Wir sind geistig schon empfindlich genug gegen das Unheil: die körperliche Nähe fehlt uns noch! Hier kann ich – zu Zeiten, bei weitem nicht immer – die Nachrichten wie Märchen lesen, und zu meinem Roman zurückkehren als zu der Wahrheit und dem Leben. Deine Natur verlangt das ebenso sehr und noch mehr. Überlege doch mit Katja, die ich herzlich grüsse, ob nicht ein längerer Aufenthalt hier an der Küste wieder einmal angezeigt wäre. Dir täte er gut, ich wäre glücklich. Ich könnte Dir an Deinem Geburtstag erwidern, was Du mir vor vier Jahren alles geschenkt hast an brüderlicher Teilnahme. Es wären keine Feste; heute sind Gedenken und Wissen übrig. Etwas vorstellen? Wir sehen die an, die jetzt etwas vorstellen, dann haben wir genug.

Dies sind Wünsche, Tröstungen, leider sogar Entschuldigungen. Du machst es, wie Du es gut findest, und die Hoffnung auf eine baldige Zusammenkunft bleibt jedenfalls.

Herzlich   H.

8. April 1935
11, rue du Congrès
Nice (A. M.)

Lieber Tommy,
Dein Brief beruhigt mich in der Hauptsache, und darf es wohl auch. Wem hätten nicht die Erlebnisse das Herz und den Kopf schon manchmal müde gemacht. Du brauchst Erholung und wirst sie genügend finden, so hoffe ich, wenn Du den Mai hier, den Juni auf der Reise über See verbringst. Ich hatte nicht gemeint, dass Du ganz übersiedeln solltest: nur einen ausgedehnten Ferienaufenthalt riet ich an, und erwartete davon etwas natürlich auch für mich. Wohin im Hochsommer? Darüber werden wir reden können.

Ich habe Dir zu danken für Dein Buch, das mir teuer ist. Es enthält in allem die Wahrheit, die mir nahe steht, und sie ist dargeboten auf gute und einzige Art. Um eins zu erwähnen: von Platen hätte ich dasselbe Gedicht gewählt, weiss es selbst von jeher auswendig, und auch bei Storm hätte ich mich an die Verse gehalten. In meinem Exemplar, das ich zuerst mit 20 Jahren las, liegt – wenn es irgendwo noch liegt – ein kleines Blatt von der Hand unserer Schwester Carla, ein rosa Blumentopf mit blauen Veilchen, darunter: »Solche zeichen ich immer und mal sie dann.« Sie war 10 Jahre alt. – Sehr oft und immer wieder werde ich Deine Erkenntniss Goethes nachschlagen, und seine eigenen Erkenntnisse, wie Du sie zusammenstellst.

Der Vortrag bringt tiefgehende Bemerkungen um die Seite 8 herum, und ist von grosser Kraft. Ich lasse ihn in meiner Schieblade, bald wollen wir über alles sprechen. Auf Wiedersehn.

Herzlich   H.

24. Mai 1935
11, rue du Congrès
Nice (A. M.)

Lieber Tommy,

mit grosser Freude bekomme ich die Meldung Eurer glücklichen Ankunft. Wir hatten sie uns für dieselbe Stunde ausgerechnet. Es waren schöne Tage – Glück mit Unruhe genossen, wegen der drängenden Zeit. Erst nachher bin ich zu einer rechten Überlegung gekommen, wie und wann das Wiedersehen in Zürich zu veranstalten wäre. Ihr wollt über den Sommer dort bleiben. Wenn ich, sagen wir zweite Hälfte August, mit meiner Tochter bei Euch zusammentreffen könnte. Dies ist ein sehr vorläufiger Plan und Vorschlag; Du sagst mir wohl einmal, ob wir beide Euch nicht zu viel wären, ob die Zeit passt und Ihr dann ohne allen anderen Besuch seid. Dann müsste ich für alle Fälle daran gehn, mir hier die Visa zu besorgen für die Aus- und Wiedereinreise. Das war das vorige Mal langwierig. So viel scheint sicher: wir würden von dem Zusammensein mehr haben als während der unruhigen Festzeit, die jetzt bevorsteht; und mich sieht niemand. Schon jetzt bitte ich Euch, von der Möglichkeit meines Besuches gar nicht zu sprechen.

Prompt habe ich den Arzt, der seinen Professor denunzirt, nach Paris 1589 versetzt: dort ging es damals genau so zu.

Heute gingen wir nach Mont-Boron und dachten an den vorigen Sonnabend, als wir mit Euch den Weg machten. Frau Kröger hat Katja und ihre Freundlichkeit in wohltuender Erinnerung, sie erwidert mit mir Eure Grüsse.

Herzlich   H.

Darf ich nochmals bitten, dass Du wegen Frey mit Oprecht sprichst.

3. Juni 1935
11, rue du Congrès
Nice (A. M.)

Lieber Tommy

anstatt meines Geburtstagswunsches bin ich versucht anzuführen, was Henri vor der ersten seiner Entscheidungsschlachten sagt:

»Unsere Ehre will, dass wir siegen, oder wenigstens müssen wir das ewige Leben retten. Vor uns liegt der Weg. Los im Namen Gottes, für den wir kämpfen.«

Zum Erstaunen des Feindes kniet sein Heer nieder und betet laut Psalm 118: »Danket dem Herrn, denn er ist freundlich und seine Güte währet ewiglich.«

Diese Schlacht wurde »der fröhliche Tag« genannt, und so darfst auch Du Deine Schlachten nennen. Der sechzigste Geburtstag ist, soviel mir bekannt, zugleich Nachruf auf die vorigen und Vorfeier der folgenden. Ich bin bei Dir mit meinen tiefsten Wünschen.

Für Deinen Brief bin ich dankbar und will den Plan weiter bedenken. Nach Deiner Rückkehr aus Amerika sagst Du mir wohl, welcher Zeitpunkt der geeignetste wäre.

Frau Kröger beglückwünscht Dich.

Mit Landshoff besprach ich meinen Arbeits- und Haushalts-Voranschlag für die nächsten 2 Jahre. Das ist eigentlich Phantasie. Aber meinen ersten Henri IV hoffe ich diese Woche wirklich zu beenden.

Herzlichst   H.

DER SECHZIGJÄHRIGE
Von Heinrich Mann
[Die Sammlung, Amsterdam, Juni 1935]

Das war schon bis jetzt ein weiter Weg, und soll noch weiter führen. Wir haben ihn in demselben Hause angefangen, noch eher war es dasselbe Zimmer. Große Strecken sind wir zusammengegangen, während anderer waren wir getrennt. In letzter Zeit traf uns das verwandteste Schicksal: wir hatten es uns natürlich selbst bereitet, jeder für sich, in heimlicher Einmütigkeit. Damit wird uns bedeutet, daß wir niemals Grund gehabt haben, Abweichungen ganz ernst zu nehmen. Ausgegangen von der gleichen Heimat, zuletzt aber darüber belehrt, daß eine Zuflucht außerhalb der deutschen Grenzen das Anständigste, daher Mildeste ist, was könnte uns inzwischen begegnet sein, das nicht in Wahrheit brüderlich war.

Wir haben beide der Vernunft gelebt, dies große Wort, wenn wir es denn zu nennen wagen, in seiner ewigen Bedeutung gebraucht: als menschliches Gesetz, nicht als Kennwort für Parteien. Die Väter sagen allerdings Rationalismus, bis dann ihre Söhne, oder noch sie selbst, übergehen zum Irrationalen. Die Vernunft hingegen ist nicht ersetzbar durch ein Widerspiel, und kein Nachwuchs, der mit dem Vorigen aufräumt, ergreift über sie die Herrschaft. Das Wort sie sollen lassen stahn. Das Wort: das ist das genaue Wort. Es ist die sprachliche Strenge. Es ist die Selbsterziehung, die wir üben, wenn wir nach unseren Kräften der Wahrheit die Ehre geben und uns annähern ihrem vollkommenen Ausdruck.

Der Mann des Wortes glaubt, daß dieses auch die Vernunft ist, und außerhalb des Wortes gibt es eigentlich keine. Die menschlichen Dinge werden erst wirklich durch den Ausdruck, der sie deckt. Nur durch ihn werden sie vernünftig, während das Leben, vom Wort unbeaufsichtigt, selten anders handelt als Hals über Kopf und beschämend ungenau. Das Wort verleiht der Wirklichkeit den Körper, ja, es bekleidet sie mit einiger Dauer: sonst wäre sie beschränkt auf vergeßliche Schatten – niemand weiß, warum diese vorüberfliehen. Es ist zweifellos das Vernünftigste und enttäuscht verhältnismäßig wenig, am Wort zu arbeiten. Außerdem ist es etwas Festes, Tatsächliches, indessen die Wirklichkeit nicht hinauskommt über »Scherz und Anspielung«.

Diese beiden Worte beziehen sich im »Joseph« von Thomas Mann auf einen Vorgang, den jeder Uneingeweihte für echt und unmittelbar halten würde: die Versenkung des jungen Joseph durch seine Brüder in eine Grube. Die Geschichte wird genannt »ein Ansatz nur und Versuch der Erfüllung und eine Gegenwart, die nicht ganz ernst zu nehmen, sondern nur ein Scherz und eine Anspielung ist.« Die Grube, wie auch der hineingesenkte Bruder und überhaupt die Geschichte sollen keineswegs schon geworden, sondern noch sehr im Werden sein. Das sagt dort eine Persönlichkeit, die hinlänglich verdächtig ist, ein Engel zu sein und aus der Sphäre des Geistes zu kommen. Für ihn ist das wirkliche Geschehen nur »Scherz und Anspielung«. Worauf Anspielung? Auf etwas dahinter, Vergangenheiten, uralte Tiefen, worin alles Menschliche sich immer wiederholt und zuletzt verliert im Bodenlosen. Abraham sowohl wie der Knecht Eliezer, sie sind eigentlich nicht, die sie scheinen, mindestens sind sie gleichzeitig andere, viel ältere, halten sich auch nicht für eindeutig und an diese einmalige Erscheinung gebunden. Sogar der Turm zu Babel ist dieser, und dennoch ein viel älterer. Das sind Geheimnisse, – weil das Wort beim genauen Ausdruck der menschlichen Dinge auf Geheimnisse stößt. Vernünftige Geheimnisse, sie sind die von der Ehre des Geistes erlaubten. Beabsichtigt ist im »Joseph« die Vermenschlichung des Mythos. Erreicht wird ebensowohl eine Mystik des Vernünftigen. Auch dadurch ist der »Joseph« ein so neues Buch. Man müsse immer wieder etwas Neues versuchen, meinte sein Verfasser, ob er nun wußte oder nicht, was er getan hatte.

Der Dichter des »Joseph« hat vieles gemacht. Das Leben ist lang, es hat Zeit für die volkstümliche Schlichtheit eines Romans aus dem Bürgerhause und auch für die Vermenschlichung des Heiligen, Uralten. Indessen wäre möglich, daß schon der Roman aus dem Bürgerhause eigentlich ehrwürdigere Dinge meint, als scheinbar erzählt werden. Man fasse nur die Todesfälle ins Auge, den Tod des Senators Buddenbrook, der alten Konsulin, endlich des Knaben, der aus dem Haus der Letzte ist. So sterben doch Personen in immer gültigen Sagen: dieselbe innere Feierlichkeit hat das, auch denselben ironischen Zweifel, den lange nachher der Engel äußert, ob nicht »Scherz und Anspielung« hier walten. Um seines »Verfalles« willen ist das Haus überhaupt der Gegenstand geworden; es sollte werden, sterben, auferstehn im Wort – wie auch Joseph, in Befolgung eines endlos wiederholten Ritus, in die Grube fährt, um demnächst wieder aufzustehen.

Buddenbrooks und Joseph, ich bemühe mich, die unsichtbare Brücke zwischen ihnen nachzuzeichnen, da ein Leben und ein Werk notwendig eine Einheit sind. »Man muß etwas sein, um etwas zu machen.« Nur daß man es anders macht mit sechzig als mit fünfundzwanzig. In der Jugend gab dieser Schriftsteller sich als reinen Realisten, hält sogar noch viel später seinen Jugendroman für den einzigen ganz realistischen unter den deutschen Romanen seiner Zeit. Indessen verrät er ein allzu ironisches Verhältnis zur Wirklichkeit – und mehr Gespanntheit auf den Tod, als daß er eindeutig lebensfest- und -freudig gestaltet sein könnte. Der tüchtige Verfasser des »Goetz« schrieb um dasselbe Alter den wenig lebenstüchtigen »Werther«. Das ist auch diesem jugendlichen Romancier zugestoßen, und zwar in ein und demselben Buch. Es bezeugt nicht mehr den Nihilismus des unruhigen Jünglings, aber vielleicht die Erinnerung an ihn.

Nennt ein Sechzigjähriger die Vorgänge der Wirklichkeit »Scherz und Anspielung« oder läßt auch nur eine verdächtige Person sie so nennen, dann ist das offenbar etwas anderes und hat angefangen, Weisheit zu heißen. Gleichviel – das zauberische Wort sucht weiter das Bodenlose. Dem widerspricht schwerlich, wenn um das vierzigste Lebensjahr, in dem naivsten Alter des Menschen, gehandelt wird, als stände man auf ganz festem Boden: alles soll jetzt seine Richtigkeit haben, und hier an Ort und Stelle, sonst nirgends, sollen das Recht und der Sieg sein. So verhielt sich auch dieser Vierzigjährige in damaliger Zeit, die gerade die erste Kriegszeit war, gegen die Welt und ihren Kampf. Er machte große, ergreifende Anstrengungen für Deutschland: er suchte es geistig zu retten, es ehrlich zu sprechen und zu reinigen bis in das Sublime. Die »Betrachtungen eines Unpolitischen« wurden auch dankbar aufgenommen als Unterstützung von besonderer Seite, weil gerade Bedrängnis herrschte. Allerdings bestand damals noch eine deutsche Gesellschaft, die geistiger Bemühungen würdig war. Sie hielt im Einsturz aller Dinge aus, weil sie sagte: Dies ist das Land Luthers, Goethes, Nietzsches; es kann nicht verurteilt sein, nicht untergehen. Es hat der Welt zu viel gegeben und ist zu eng verbunden mit der Welt.

Der Vorgang wird so zu verstehen sein, daß ein national niemals begrenzter Geist den tiefen Anschluß an das Deutschland seiner Tage sucht, schon früh durch Vermittlung Nietzsches und Wagners, während des Mannesalters in seiner wahrhaft innigen Vereinigung mit Goethe. Im Ergebnis unterscheidet er nur noch wenig, was sein und was deutsch ist. Er erachtet sich selbst für einbeschlossen in eine machtvolle Überlieferung: so will er es. Das macht ihm seine Leistung und macht ihm Deutschland wert. Es wurde ihm zuerst noch gedankt.

Als er es 1933, zum fünfzigsten Todestage Wagners, nochmals unternahm, fand er keinen Dank, sondern erregte groß Ärgernis. Dies ist ein Zeitpunkt, sehr ungeeignet, um den Deutschen ihre Verbundenheit mit der Welt zu rühmen. Eure Gesittung, Schulung des Gefühls, Intellektualität, alles habt ihr für die Welt mit, ihr tauscht es aus mit ihr, eure Deutschesten gehören doch auch den sogenannten Fremden, manchmal früher ihnen als euch: seht Wagner. Das ist eine wenig zeitgemäße Art, das Deutsche zu feiern. Es wird im Augenblick gerade anders verstanden: kein natürlicher Zusammenhang mit allem übrigen, sondern gewaltsame Abschließung, gewalttätiger Eigensinn. Darum wird die Trennung vollzogen nicht nur von der äußeren Welt außerhalb der Grenzen, sondern ebensowohl von dem geistig Universalen. Das aber sind besonders die deutschen Geister, sofern sie Höhe und Feinheit haben, alle mehr als nur provinziellen Geister, die das Land hatte und noch hat oder haben könnte.

Man weiß, daß Heroisches jetzt nicht zergliedert und erkannt werden darf. Es muß grobschlächtig vergrößert, aufgetrieben, muß zweckvoll entstellt sein. Damit fängt man Dumme, wird selbst dumm und ergeht sich in einer beängstigenden Welt schuppiger Riesenmolche, wie der Mensch zu Beginn der Zeiten. Die Sendung des Dichters ist daher vorerst aufgehoben. »Ein Befreier war er wie jeder Dichter und Schriftsteller durch die Erregung des Gefühls und durch die analytische Erweiterung des Wissens vom Menschen«, so deutet Thomas Mann sich seinen Goethe. Befreier sind indessen unbeliebt geworden und sind abgeschafft. »Man halte sich an das fortschreitende Leben«, so befiehlt Goethe. Das wird jetzt durchaus abgelehnt. Er stellt übrigens selbst fest: »Das Menschenpack fürchtet sich vor nichts mehr als vor dem Verstand; vor der Dummheit sollten sie sich fürchten, wenn sie begriffen, was fürchterlich ist: aber jener ist unbequem, und man muß ihn beiseite stellen; diese ist nur verderblich, und das kann man abwarten.« So Goethe.

Es ist der äußeren Stellung und Geltung eines Schriftstellers in Deutschland abträglich, wenn er noch 1932 diese Sätze angeführt hat und sie 1935 in »Leiden und Größe der Meister« wiederholt. Indessen würde er durch die Verleugnung seiner Vernunft den größeren Schaden genommen haben: Schaden an seiner Seele. Über die Lehre und den Roman der Seele steht etwas in dem Vorspiel »Höllenfahrt«, das die »Geschichten Jaakobs« einleitet und schon für sich allein das merkwürdigste Stück Prosa ist: der Urmensch oder die Seele sei zu allem Anfange der erkorene Streiter Gottes im Kampfe gegen das in die junge Schöpfung eindringende Böse gewesen. So ist es. Der Kampf gegen das Böse, er hat auch uns beide, in jedem Sinne, dahin gebracht, wo wir sind.

Lieber Bruder, es hat sich trotz allem, wie Du selbst am besten weißt, gelohnt. Zwar sind ihre Klassiker über die Köpfe der Deutschen wie Kraniche hingerauscht, was jemand schon in besseren Tagen bemerkt hat. Grade deshalb sind ihre und auch Deine Stellung und Geltung vollauf gesichert: beide spielen oberhalb der Landesgrenzen. Andererseits ist für unsereinen die wirklichste Form der Volksgemeinschaft: Teil zu haben an der Überlieferung, angeschlossen zu sein den uns voraufgegangenen Geistern, ihrer Anerkennung versichert. Der Erdenrest geschieht nebenbei und nur sehr vorläufig, weder Du noch ich überschätzen ein zeitweiliges Unheil, soweit es uns selbst betrifft. Mein eigener Sechzigster war Anlaß für mehrere der letzten Veranstaltungen, die eine schon ihrer Auflösung entgegensehende deutsche Gesellschaft sich noch erlaubte. Im festlichen Saal und vor einem beifällig bewegten Publikum umarmten wir uns damals, nachdem Du auf mich gesprochen hattest als Schriftsteller und als Bruder. Wir umarmen uns wieder zu Deinem Sechzigsten, und können es auch jenseits der Feste und der Grenzen, solange wir leben, da wir Brüder sind; ja, können es noch nachher, da wir Schriftsteller sind.

16. Juli 1935
Briançon

Lieber Tommy,
Du bist gewiss schon einige Tage zu Hause und hast erfreuliche Eindrücke mitgebracht. In Paris sah ich Klaus und Golo, besonders diesen als eifrigen Kongressbesucher. Der Kongress ist, vor tausenden von Zuschauern, so eindrucksvoll verlaufen, wie die Veranstaltung einer Opposition es überhaupt kann. Die Schriftsteller haben es genau so gemacht, wie die französischen Linksparteien; grade dies unbedingte Zusammengehen aller Nichtfascisten fehlte früher. Wenn ein Deutscher auftrat, erhob sich das Haus, und oben fing man an, die Internationale zu singen. Den Singenden wurde aber zugerufen: Discipline, camarades! – und dann hörten sie wieder auf. Die Reden der Russen – Ehrenburg, Alexis Tolstoi, Kolzow, waren ganz auf Verteidigung der Kultur gestimmt. Man kann nicht mehr verlangen. Übrigens lege ich Dir das Telegramm bei, woraus Du Deine Wahl in den Vorstand des gegründeten Verbandes ersiehst. Er sieht nicht rein kommunistisch aus. Auch ich bin in meiner Abwesenheit gewählt worden, ich war am letzten Tage schon abgereist. Ich sage mir indessen, dass ohne den russischen Rückhalt das westliche Europa verloren wäre. Wir haben nur die Wahl. Nach einem amerikanischen Bericht sollst Du etwas Ähnliches gesagt haben, und die ›Weltbühne‹ fragt Dich am 11. Juli, ob es wahr ist.
Jetzt möchte ich fragen, wann mein Besuch Euch gelegen

käme. Für mich steht es so: ich bin in den französischen Alpen, nahe Grenoble, von wo die Schweiz nicht mehr weit wäre. Viel Umherreisen und auch Geld bliebe mir erspart, wenn ich schon Ende Juli von hier aus nach Zürich führe. Andernfalls würde ich nach Nice zurückkehren und müsste dann hoffen, dass im September die Gelegenheit nochmals eintritt. Du willst vielleicht grade jetzt, nach der Reise, allein sein und viel arbeiten: dann bin ich ganz einverstanden, den Besuch zu verschieben. Ich will mit dieser Anfrage Eure Dispositionen nicht stören, sondern einfach melden, dass ich bereit wäre. Vielleicht telegraphirst Du mir hierher ein Wort, ob ich Ende Juli für 8 Tage willkommen bin; dann richte ich mich danach ein. Sonst genügt ein Brief, und ich werde mich sehr freuen, Deine Nachrichten zu lesen. Den Gruss des amerikanischen Freundeskreises empfing ich mit bestem Dank.

Ich begrüsse Euch herzlich. Frau Kröger dankt für den Gruss und erwidert ihn. H.

Briançon (Hautes Alpes)
Hôtel du Cours

27. Juli 1935
Bandol (Var)
B^d V.-Hugo, chez Gagna

Lieber Tommy,

Dein Telegramm ist bisher ohne Antwort geblieben, weil ich mir die Umstände genau überlegen wollte. Ich hatte für die Reise nach der Schweiz noch kein Visum, jemand hätte nach Nice zurückfahren müssen, um es zu besorgen. Ich wäre einige Tage ohne Papiere gewesen. Aber ausschlaggebend war mein Eindruck, dass mein Besuch Euch doch im September lieber wäre. Ich hoffe, dass ich es dann werde einrichten können. Inzwischen sind wir in das gewohnte Bandol gefahren, haben eine schöne ruhige Wohnung gefunden oberhalb des Meeres und Badestrandes, vom Hafen die Strasse rechts hinauf. Der Buchhändler Aboab war uns behilflich, ich bin immer mit ihm in Verbindung wegen der Abschriften meiner französischen Artikel. Augenblicklich bieten diese die interessante Gelegenheit, vom »Wackeln« zu sprechen. Ich las auch einen Brief aus Berlin, nicht an mich gerichtet: Wenn »Tante Minna« so weiter macht, kommt sie doch noch in eine Anstalt! Dies als Stimme aus dem weiteren Publikum.

Die letzten drei Wochen umfassen eine der schönsten Sommerreisen. Bevor ich im Autocar über diese Alpen fuhr, hatte ich nicht gewusst, dass sie existieren. Vorgestern von Briançon nach Grenoble war gewiss ein Höhepunkt des Irdischen, mit Schneebergen, phantastischen Formen aus nacktem Stein, und den windigen Höhen, wo der Reisewagen anhält im Leeren. Sehr merkwürdig; aber die grossen Autofahrten sind, so viel mich betrifft, jetzt entdeckt. Nach Genf giebt es gleichfalls eine direkte Verbindung, vielleicht mit einmaligem Übernachten.

Erstens die Autocars, und dann noch eine freudige Überraschung mit Russland. Ich fürchtete, sie würden für den Roman eines Königs nicht viel Sinn haben. Statt dessen ein Brief des Herausgebers der ›Internationalen Literatur‹ (im Staatsverlag) – so etwas hatte ich überhaupt noch nicht bekommen. Für einen Autor ohne eigenes Land sind dies die erreichbaren Erfolge. Mehr ist nicht zu machen, oder höchstens, nachdem »Tante Minna« eingeliefert ist.

Ferien sind schön, wenn man jahrelang Vieles getan hat. Ich nehme auch die Beschwerden hin und sage mir: Warum nicht. Es wird nichts von mir verlangt. Ich hoffe, dass es Dir vollkommen befriedigend ergeht und dass Dein Sommer glücklich ist.

Sei mit Katja vielmals gegrüsst. Ich danke nochmals für Euer so herzliches Telegramm.   H.

Lieber Tommy,

Wie geht es Dir, und wie habt Ihr den Sommer verbracht? Mir scheint, ganz in Küsnacht, und wahrscheinlich hast Du die Arbeit fortgesetzt. Die meine war Anfang Juni beendet. Das Buch ist im Erscheinen; ich habe dringend verlangt, dass Du das erste Exemplar bekommst. Das war vielleicht nur ein zusammengeheftetes Leseexemplar. Mir selbst ist es lieber als die schweren Bände; und offen gesagt, lese ich ganz gern in dem grossen Bilderbuch, das wohl auch anderes ist. Aber äusserlich sind es 103 Scenen. Ich nehme an, dass Du einzelne besser findest als andere, könnte auch erraten, welche. Dein Urteil im Ganzen würde ich am liebsten aus Deinem Munde hören und mit Dir besprechen.

Ich bin noch sehr müde, ich schlafe fast gar nicht, was so viel heisst, dass der Urlaub nicht viel wert war und die Folgen der Anstrengungen mit dem Henri IV keineswegs überwunden sind. Aber mein Herbst, besonders nach grossen Arbeiten, sieht gewöhnlich so aus; ich bin nicht verwöhnt und erwarte geduldig, dass die Fähigkeiten wieder zunehmen. Augenblicklich schrecke ich sogar vor der Reise zurück, so gern ich Dich wiedersähe und so fest es beschlossen war. Ich will aber gestehen, dass nicht nur die Müdigkeit mich zurückhält. Die öffentliche Lage ist inzwischen viel gespannter geworden; man bereitet sich auf den Sturz des Dritten Reiches vor – ein gefühlsmässiger, ziemlich geheimnissvoller Vorgang, wie man sich vorbereitet. Beim Innerlichen bleibt es indess nicht ganz, auch sonst geschehen einige Schritte; und gesetzt, dass die Beteiligten vorläufig schweigen, wie verabredet, – Berlin hat nicht nur geheimnissvolle Ahnungen, sondern Spione. Wenn sonst nicht vieles, die Spione funktionieren, und leider fast am besten in dem Lande, das ich mir zu besuchen vorgenommen hatte.

Genug, ich darf hier nicht ausführlicher werden. Aber wie

ist das: F's in Sanary behaupteten, Du hättest die Absicht geäussert, im Herbst herzukommen? Wenn das wahr wäre! Ich würde mich unendlich freuen; es wäre im Ernst die schönste Überraschung, die ich von dem Jahr noch erbitten darf. Kommt doch, solange die Tage noch nicht zu kurz sind. Wir würden Ausflüge machen, ich wäre immer zu Eurer Verfügung, und der Aufenthalt sollte etwas reichlicher sein als das vorige Mal. Sage mir, ob wir schon im September daran denken und uns darauf freuen dürfen. Ich hoffe, dass das Befinden Katjas das beste ist. Dir wird, besonders nach einem arbeitsreichen Sommer, der Luftwechsel gut tun. Ihr hättet zuerst die hübsche Autofahrt, dann die bequeme Reise hier. Übrigens gibt es Autocars Genf–Nice, falls das Wetter noch warm wäre. Man warnt vor einem Wagen mit der Inschrift »Sachsen Reise Dienst Grimma«. Schwach scherzend, aber voll Hoffnung schliesse ich und grüsse Euch. Auch Frau K. grüsst.

Herzlich   H.

3. Okt. 1935
11, rue du Congrès
Nice (A. M.)

Lieber Tommy,
Deinen Brief hätte ich am liebsten gleich den ersten Tag beantwortet, so schön ist er. Ich kam aber grade aus Paris, und jeden Tag war ein Artikel zu schreiben, neben den Vorarbeiten für das weitere Leben des Königs Henri IV. Wirklich, ich hatte gehofft, dass Du diese Eindrücke empfangen würdest, sogar Deine besondere Erwähnung des Abschnittes »Der Tod und die Amme« war für mich vorauszusehen. Aber was mich mehr beglückt, ist Deine rückhaltlose Wärme für dies Buch, die Freundschaft für den Gegenstand und die Hand, die ihn macht. Das ist, was wir jetzt brauchen – zusammen mit der Bestätigung, dass wir in diesen letzten Jahren nicht nachgelassen haben, sondern mehr geworden

sind. Sich zusammennehmen und behaupten, ist allerdings geboten wie noch nie.

Du hast natürlich die Citate bemerkt. Ich glaube, dass bestimmend ein blosses Gefühl war: in diesem äussersten Fall müsste alles mit hinein, was im Leben eine sehr grosse Rolle gespielt hat, die ganzen humaniora, darunter doch gewiss der Faust. Von Montaigne bis Goethe reicht dasselbe Zeitalter: darüber ist jetzt entschieden, da es kaum noch nachglänzt. Auch nur durch Eingebung des Gefühls habe ich die »Moralités« hinzugefügt, im Stil der klassischen Moralisten, was unser Freund Bertaux mir ungefragt, aber ergriffen bezeugte. Ich wollte, dass Deutsch und Französisch sich dies eine Mal durchdrängen. Davon erhoffte ich immer das Beste für die Welt. Wenigstens ein Buch habe ich selbst davon gehabt.

Du meinst, ich sollte sonst noch etwas davon haben, etwa die Rosette. So sind aber weder die Zeiten noch die Zeitgenossen, und wer in seinem eigenen Lande der Macht verdächtig ist, wird es jeder Macht. Der Einzelne ohne Hinterland bedeutet nach Massgabe der Dinge so wenig, dass ich mich sogar wundere, welche Ausnahme mit Dir und schliesslich auch mit mir gemacht wird. Man weiss wohl, dass bei Dir ein Unterschied besteht, nimmt Dich aber doch als Emigranten. Seit neulich bin ich im Vorstand des Weltkomitees gegen Krieg und Fascismus; Barbusse hatte mich noch bestimmt – Rolland, Langevin, mehrere andere Franzosen, vielleicht ein Engländer, sonst ich der Einzige von draussen. Das Komitee ist mächtig genug, dass ich auf diesem Wege wohl auch Franzose werden könnte, besonders wenn nächstes Jahr der Front populaire zur Macht käme. Es gibt Gründe, abzuwarten. Es gibt auch den Grund, dass meine Tochter in Prag die Erlaubniss zu arbeiten nur bekommen kann, wenn mein Pass tschechisch ist.

Wie geht es Dir? Das will ich eigentlich alle die Zeit über schon fragen, anstatt dessen was ich sage. Lass mich, bitte, wissen, dass Du Dich erholt hast und für die Arbeit gut

gestimmt bist. Sie ist so wichtig und ist so schön. Wie merkwürdig, wenn der dritte Band des grossen Werkes nun doch
in Zürich und London erschiene. Die Unaufhaltsamkeit der
Dinge. Rechnet Ihr damit, dass Bermann auf den Absatz in
Deutschland verzichten muss? Selbst wenn es ihm erlaubt
bliebe, wäre die Rückversicherung draussen nur gut. Drinnen, ob das Dritte Reich steht oder fällt, kann es nur noch
schlimmer kommen – für Bücher und Menschen. Diese Gesellschaft nimmt unter anderer gestohlenen Ware manchmal
auch das Wort »Arbeitsplan« hervor. Dabei ist ihre einzige
Arbeit die Vorbereitung des grossen Raubzuges, und erst als
Sterbende werden sie ihn antreten. Was für eine Auflösung!
Du hast in letzter Zeit viel gereist und magst nicht daran
denken, in den Zug zu steigen. Ich übrigens auch nicht; aber
wenn wir uns wiedersehen könnten, würden wir vielleicht
doch überlegen, ob wir die grosse, scheinbar notwendige
Forschungsreise nach der Soviet-Union gemeinsam machen
sollten. Sicher erhältst auch Du häufige Aufforderungen.
Eher sind es Mahnungen, und man sieht sich schon in der
Schuld der Bolschewiki. Ohne sie – wo wäre überhaupt
noch etwas Tatsächliches, worauf die Linke pochen kann.
Ich möchte Dir von einer Besprechung der deutschen Linken erzählen. Es gibt niemand mehr, der die radikalen
sozialistischen Massnahmen nicht als selbstverständlich an-
sähe, im Fall der Fälle. Unter den bemerkenswertesten war
ein junger Katholik, der mir sagte, dass er Dich zuweilen
sehen darf.
Die russische Reise angehend, müsste man wohl bis Konstantinopel selbständig reisen. Von dort an übernehmen die
Veranstalter alles. Feuchtwanger drängt mich, im nächsten
Mai mitzumachen. Bis jetzt suche ich nach Wegen, mich
gegen Überanstrengung zu schützen. – Schreibe mir, sei gesund, grüsse Katja, nimm meinen Dank und herzlichen
Gruss.

H.

26. Okt. 1935
11, rue du Congrès
Nice (A. M.)

Lieber Tommy,

der Brief nach Oslo ist wohl Deine schönste und machtvoll-
ste Kundgebung. Mit Rührung und Freude gebe ich Dir den
Durchschlag zurück.

Wer weiss, ob Dein Wort nicht ein Wunder wirkt. Weil es
unglaublich scheint, wollen wir glauben.

England wird sich mit dem Herrn in Rom vergleichen, da es
nicht einmal gegen den Herrn in Berlin etwas Grundsätzli-
ches einwendet. So leicht wäre das nicht gegangen ohne den
Eifer des Praefascisten Laval. Zur rechten Zeit erscheint
doch jedesmal der rechte Mann, wenn es gilt, das Gute, das
durch grossen Zufall eine Chance hätte, dennoch zu verhindern.

Die Wahnsinnigen dort hinten mit ihren Juden. Was werden
sie machen, wenn sie endlich keine mehr haben. Dabei bereiten sie sich selbst keine andere Zukunft als ihren Juden.
Der Gedanke ist heute nicht mehr märchenhaft, dass ein
bettelarmes, der Auflösung verfallenes Deutschland in
fremde Regie genommen und dass es Kolonie wird – statt
der Ukraine. Denn alles lässt sich auch umkehren; und aus
einem Sieg die letzten Folgerungen zu ziehen, das lernt die
Welt jetzt von der deutschen Wehrwissenschaft. – Sonst alles
wohlauf.

Herzliche Grüsse.   H.

20. Nov. 1935
11, rue du Congrès
Nice (A. M.)

Lieber Tommy,

Deine Mitteilungen über die Vorkehrungen zur Olympiade
waren mir neu, und ich werde mir erlauben, sie für meinen
nächsten französischen Artikel zu benutzen. Morgen fahre

ich nach Paris und frage Koenen, den früheren Abgeordneten der K.P.D., was seine Gegenpropaganda der Olympiade bisher hat schaden können.

Ich werde in mehreren Comités Vieles zu besprechen haben, soll auch reden – hoffentlich nicht zu einer grossen Öffentlichkeit: dann pflegt am nächsten Tage die Vorladung auf das Kommissariat zu kommen und man wird mit der Ausweisung bedroht. Aber in meinem Fall ist die Veranstaltung französisch, und der Einfluss der Herren wird wohl gross genug sein.

Den 26. November soll ich mit anderen Delegirten nach Genf fahren, wir werden am 28. vom Völkerbund empfangen. Nach dem Tode des Hohen Kommissars werden die Emigranten zur eigenen Vertretung zugelassen. Jetzt kommt es. Wahrscheinlich bin ich den 27. und 28. in Genf, könnte aber noch den 29. dort bleiben, – wenn Du Dir die Zeit und Mühe nähmest, hinzukommen. Ich weiss, dass man gewöhnlich nicht einfach disponieren kann. Ich würde mich ausserordentlich freuen.

Du erreichst mich brieflich oder telegraphisch bis 25. in Paris (7e) Hôtel Lutetia, B^d Raspail. Meine Genfer Adresse erfährst Du dann. – Versammlungen in der Schweiz – noch nicht, bitte.

Herzlichst   H.

6. Febr. 1936
11, rue du Congrès
Nice (A. M.)

Lieber Tommy,

Du kannst Dir denken, dass ich durch die Ereignisse, soweit sie Dich angehen, überaus bewegt bin. Deiner Sendung, für die ich Dir danke, hätte es nicht mehr bedurft. Ich war eine Woche abwesend und in Paris durch unsere neueren Bemühungen bis zur Erschöpfung beansprucht: sonst hätte ich mich früher bei Dir gemeldet. Du hast der Schweizer »Nation« Gutes über meinen Roman gesagt, und damit nicht genug, hast Du Herrn Korrodi persönlich über seinen, mir gegenüber begangenen Fehler belehrt. Er hinkt nach; mit dem Dritten Reich – und gegen uns – kompromittieren geschickte Leute sich nicht mehr.

Aber das ist das Wenigste. Mir wurde gesagt, dass die Auslands-Etablierung Bermanns in Frage gestellt sei, während er andererseits aus der deutschen Verlegerliste gestrichen sein soll. Du selbst scheinst durch Deinen ›Brief‹ die Brükken abzubrechen oder ihren Abbruch herauszufordern. Du weisst, dass ich immer der Meinung war, Deine Bücher müssten, solange es überhaupt geht, »im Lande« abgesetzt werden. Sollte es nach Deinem Schritte und zufolge der Lage jetzt damit aufhören, dann glaube ich: die Pause wird nicht lang sein. Soweit meine Äusserung; jetzt hätte ich sehr gern die Deine.

Soeben kommen die Korrekturen ›Es kommt der Tag. Deutsches Lesebuch‹. Sage es Katja, die ich freundlich grüsse.

Herzlichst H.

1. März 1936
11, rue du Congrès
Nice (A. M.)

Liebe Katja,

nehmen Sie meinen tiefgefühlten Dank und sagen Sie, bitte, dem ernsten jungen Gelehrten, dass ich und mein »Lesebuch« ihm sehr verpflichtet sind. So viel ist gewiss, dass die Citate noch aufgenommen werden könnten; die Frage ist, ob Landshoff den Zeitverlust und die Mehrkosten genehmigt. Ich wäre enttäuscht, wenn diese vorzüglichen Sachen fortblieben.

Der Irrsinn der Läufte wird in der Tat so auffallend, dass er demnach logisch und gewollt sein müsste. Warum auch nicht. Man hat noch nie gesehen, dass eines der menschli-

chen Unternehmen infolge rechtzeitiger Besinnung abge-
stoppt worden wäre. Sondern jedes musste bis an sein mehr
oder weniger blutiges Ende forttreiben. So jetzt die nationa-
listische Anarchie, ein offenbarer Auflösungsprozess.
Mit der Antwort Tommys und seiner Entscheidung, nicht
zu unterschreiben, bin ich einverstanden. Wenn ich ihm
künftig solche Versuchungen vorlegen soll, werde ich sie in
den meisten Fällen zurückbehalten.
Vielleicht interessiert es Sie und Tommy, den beigelegten
Artikel zu lesen. Herzliche Grüsse, auch an Golo, dessen
Adresse ich kennen möchte. Ich muss ihm, mit oder ohne
die Citate, das Buch schicken.
Ihr Schwager   Heinrich

DEM FÜNFUNDSECHZIGJÄHRIGEN
[Erstmals in ›Die Neue Weltbühne‹, Paris, 26. 3. 1936]

Küsnacht am Zürichsee, 13. März 1936

Meinem Bruder Heinrich zu seinem Geburtstag auch öffentlich meine liebevolle Huldigung darzubringen ist mir ein
Herzensbedürfnis, und ich weiß es Ihrer Zeitschrift Dank,
daß sie den Rahmen dazu bietet.
Der Fünfundsechzigjährige ist wahrhaft zu beglückwünschen. In diesem doch schon späten Jahr seines Lebens hat er
außer einer Menge kleinerer Beiträge zum Ideenkampf der
Zeit, deren jeden wir mit einer ob seiner moralischen Klarheit und Gewißheit fast heiteren Ergriffenheit lasen, den
großen Roman von der Jugend des König Henri siegreich
vollendet: ein Werk erster Ordnung, in dem Güte und
Kühnheit sich auf eine Weise mischen, die, aus dem Intellektuellen ins Wirkliche übertragen, einen Erdteil erretten
könnte; ein Geschichts- und Menschheitsgedicht, dessen
trauernde Ironie und grimmige Kenntnis des Höllisch-Bö-
sen seinem Glauben an die Vernunft und das Gute keinen

Abbruch tut; eine Synthese aller Gaben dieses großen Künstlers, worin sich der schon politisch gespannte Ästhetizismus seiner Jugend mit der durchaus eigenartigen kämpferischen Milde seines Alters bewundernswert zusammenschließt. Dies Leben ist eine klare Einheit; da es außerdem großes Format hat, so gewährt es den immer noch unvergleichlichen Genuß des Anblicks einer Persönlichkeit. Und wenn es wahr ist, was Goethe sagt, daß »der der Glücklichste ist, welcher das Ende seines Lebens mit dem Anfang in Verbindung setzen kann«, dann ist Dein Gestalter-Leben, lieber Bruder, bei aller Bitterkeit, die nach unverbrüchlichen Gesetzen darin einschlägig ist, das glücklichste zu nennen.

Welchen Wunsch soll ich Dir sagen an diesem Tag? Nun, den natürlichsten, größten, der alles umfaßt: Daß in fünf Jahren, bis Du siebenzig wirst, unser Volk und Land uns wieder möge brauchen können.

29. März 1936
11, rue du Congrès
Nice (A. M.)

Lieber Tommy,

Eure Glückwünsche haben mich erfreut, ich danke Euch Allen. In dem Geburtstags-Artikel hast Du liebevoll und tief meine Existenz bedacht; ich freue mich Deiner brüderlichen Sorgfalt und des glücklichen Ergebnisses, zu dem Du kommst. Ja, zuletzt wird alles in Ordnung sein, und ordentlich heisst beinahe schon gewöhnlich und normal. Als schwierige Ausnahme empfand ich mich noch bis über die erste Lebenshälfte hinaus, bemerkte aber seither mit Staunen, wenn nicht sogar Beschämung, dass ganz im Grunde alles verlief wie vermutlich bei Anderen auch. Daher bin ich jetzt vor allem auf Einfachheit bedacht und lerne für das Publikum der AIZ oder der Prawda zu schreiben.

Euer Golo hat mir einen guten und schönen Brief geschrieben. Wenn Ihr gerade Gelegenheit habt, sagt ihm, bitte, meinen vorläufigen Dank. Ich antworte bald.

Katja danke ich vielmals für ihre Bemühungen bei Herrn Oprecht. Mögen sie Erfolg haben!

Gestern hatten wir abends Gäste, Frau Dr Landshoff, Herr Dr Oscar Levy, dessen Geburtstag auch in diese Tage fällt, und seine Tochter. Wir feierten bei Hummer, Huhn und Veuve Clicquot, es geht noch. Zu Ostern und im Mai werden Besucher von ausserhalb erwartet. Und Ihr – auf Eurer Fahrt nach Spanien? Es wäre schön, wenn wir uns bald wiedersähen. Ich begrüsse Euch Alle herzlich, Frau Kroeger begrüsst besonders Katja.

Dein H.

3. April 1936
11, rue du Congrès
Nice (A. M.)

Lieber Tommy,

ja, ich habe es wohl bemerkt, Du hast das erste Mal ein Emigrantenblatt benutzt. Indessen, nach Deinen Äusserungen in der Schweizerpresse schien es mir kein neues Wagniss mehr: sie sind einfach genötigt, es hinzunehmen. Denn Jedem geschieht nach Verdienst, und Hauptmann muss dauernd Huldigungstelegramme absenden, damit er mal in Bomst gespielt wird. (Ist Bomst noch deutscher Besitz?)

Denke Dir, gerade heute habe auch ich die ernstesten Überlegungen wegen Buenos Aires angestellt. Ich sage mir: an der See bin ich das ganze Jahr. 2 Sommermonate hier in den Alpen wären vorzuziehen, klimatisch und hinsichtlich des Ausruhens. Ein Kongress ist keine rechte Erholung, noch weniger, wenn mit Vorträgen verbunden. Crémieux, im Ministerium des Auswärtigen, wollte mir Vortrags-Abende verschaffen – wo? In Rio. Das ganze Leben lang habe ich mir vorgenommen, diese vor dem Leben liegende Heimat zu sehen. Jetzt bin ich dafür vielleicht zu müde – obwohl nicht immer. Auch ich werde es auf die Umstände und meinen Zustand ankommen lassen. Wenn wir fahren, dann ist anzunehmen, dass wir mit den Franzosen, die zahlreich sein sollen, dasselbe Schiff benutzen?

Der Dritte Band ist die gegebene schöne Lektüre für den Sommer, ich freue mich sehr darauf, und besonders auf die Liebesgeschichte. Diese Dinge können ja erst richtig merkwürdig werden, wenn man sie nachträglich und aus dem Hintergrund betrachtet. (Ich werde es nächstens mit den Beziehungen Henri – Gabrielle d'Estrées zu tun bekommen; sind auch immer viel zu leicht genommen worden.)

Möge Bermann in Wien unterkommen und dem Lumpen Zsolnay nach Möglichkeit schaden, bevor die Regierung der deutschen Volksfront ihm – und den anderen Verrätern seiner Art – ein Ende bereitet. Wenn ich da bin, wird ein Gesetz gemacht, das jeden ausländischen Verlag, wenn er dem Dritten Reich zu Diensten war, aus Deutschland ausschliesst und ihm die deutschen Rechte enteignet. Aber es ist allerdings Grösseres zu tun.

Mir gefällt es nicht, dass man, noch vor jedem begründeten Urteil, von »verlorenen Schlachten«, sogar von grossen, spricht. Der Hitler'sche »Friedensplan« bringt nichts Neues, und überhaupt gibt es nichts, was diesen Menschen noch wieder glaubwürdig machen könnte. Er ist virtuell erledigt, und nur tatsächlich nicht. Aber das ist das Wenigste, nur warten muss man können. Hier in Frankreich ist auch das letzte Manöver sofort aufs Wort und auf die Silbe begriffen worden. Was England betrifft – hätte das Memorandum in seiner Listigkeit noch ungeschickter sein dürfen. Lassen wir's, England ist dabei, sich aus Europa herauszumanövrieren. Der Kontinent wird sich nach dem Abgang Hitlers zusammenschliessen wie ein Mann, Pan-Europa – mit drei Hauptstücken, URSS, Republiken Deutschland und Frankreich – wird da sein, bevor man sich umwendet. Vor Hitler – kein Gedanke daran. Heute eine Selbstverständlichkeit. Nur warten muss man können; und der Krieg darf allerdings nicht kommen.

Ich hatte einen »vorbereitenden« Artikel in der Dépêche und schickte sie Dir. Weltbühne N° 12: »Der Vertragsbruch«; am nächsten Donnerstag: »Ein schwerer Anfall« (Die Wahlen). Du bekommst sie sicher dort, sonst veranlasse ich die Zusendung.

Wenn doch Oprecht zusagte! Viele Grüsse an Katja.

Herzlich H.

26. April 1936
11, rue du Congrès
Nice (A. M.)

Lieber Tommy,

anbei wieder mal eine Sache. Ich bin es nicht gewesen. Du hast den Pragern zugesagt, für den Hilfsfonds Deinen Namen zu geben. Du hast ihnen geraten, vor allem einen Aufruf zu verfassen, Du wollest ihn zeichnen. So berichtet Burschell mir. Aber an wen wendet er sich, wegen Abfassung des Aufrufs? An mich. Wenn sie ihn in Prag nicht machen wollten, wäre es das Einfachste gewesen, Dich zu bitten. Ich bilde mir nicht ein, dass ich Deinen eigenen Aufruf besser schreiben kann als Du. Bitte, mach' damit, was Du willst. Ich melde nach Prag, dass ich meine Aufgabe erfüllt habe.

Ich hoffe, dass Ihr einen schönen Frühling habt und hoffe, bald Gutes von Dir zu hören.

Herzlich   H.

[Anlage zum Brief vom 26. April 1936]

Thomas Mann-Hilfsfonds

Die deutschen Schriftsteller im Exil haben eine Notgemeinschaft gebildet. Die Notgemeinschaft der vertriebenen

Schriftsteller bittet um Beiträge für ihren Hilfsfonds, der den Namen trägt: Thomas Mann-Hilfsfonds.

Damit will ich sagen, dass meine Kameraden im Exil mir der Hilfe würdig erscheinen. Ich will damit versichern, dass ich dem Werk, das ihnen helfen soll, nicht aus blossem Mitleid meinen Namen leihe: weit eher tue ich es aus Bewunderung. Sie sind aus dem Lande gegangen, um frei zu sein. Sie haben die Last der Verbannung auf sich genommen, damit sie ehrlich blieben.

Sie sind keine Bettler, gerade das sind sie am wenigsten. Jeder von ihnen würde sich auf deutschem Boden mit seiner Arbeit erhalten können und hat es gekonnt, bis eine hasserfüllte Gewalt ihm den Boden entzog. Im Dritten Reich wird der Schatten einer Literatur kläglich ernährt. Die Schriftsteller im Exil sind von der deutschen Literatur der lebendige Teil.

Ich bitte alle, die sich der Kultur unseres Landes verpflichtet fühlen oder sie auch nur schätzen, einigen der guten Arbeiter dieser Kultur das materielle Dasein zu erleichtern. Ich bitte Sie um Ihren Beitrag für den Hilfsfonds.

Küsnacht-Zürich 4. v. 36.
Schiedhaldenstraße 33

Lieber Heinrich, Dank noch für Deine Zeilen vom 19. April. Ich gratuliere zu Oprechts Entschluß! Wir haben uns sehr darüber gefreut. Deine Weltbühnen-Aufsätze habe ich mir unterdessen alle kommen lassen und noch Unbekanntes nachgeholt. Vielleicht am meisten Eindruck hat mir die Vernichtung des Reiches gemacht. Viele Deutsche leben in ähnlichen Vorstellungen. Jetzt will ich mich »auf Reisen« melden. Wir fahren übermorgen nach Wien, wo ich einen schönen mytho-psychologischen Vortrag zu Freuds 80. Geburtstag halten und übrigens auch Schuschnigg besuchen werde. Auch nach Prag gehen wir dann (10. und 11.) und werden also Mimi und Goschi sehen.

Herzlich   T.

Küsnacht-Zürich 19. v. 36.
Schiedhaldenstraße 33

Lieber Heinrich,

vor allem: wir haben Goschi und ihre Mutter in ihrer hübschen, von gediegenem Hausrat vollen Wohnung, die mich mit dem Neide des »Kahlgeschossenen« erfüllte, in sehr behaglichem Zustand gefunden: Mimi besser als das vorige Mal, relativ gesund, wohl über ihr Fett klagend, aber von Todesahnungen diesmal scheinbar ganz frei, und Goschi heiter und sanft – sie tanzte uns in schönen Gewändern sehr Weiches und Erfreuliches vor und zeigte sich voller Vertrauen, durch eine Diätkur ein Embonpoint loszuwerden, das außerhalb der Tschechoslowakei allenfalls ihrer Laufbahn als Tänzerin im Wege sein könnte: nur außerhalb, denn der Landesgeschmack sympathisiert durchaus mit ihrer gegenwärtigen Verfassung, dem geradezu jubelnden Erfolg nach zu urteilen, den sie nach Mimis Worten kürzlich bei einem Auftreten in Prag gehabt hat. Es war ein sehr gutes und gemütliches Mittagessen, das wir dort hatten. Ein andermal aßen wir auf der Burg zu Vieren mit dem Ehepaar Benesch, – es war ein unerlaubt langer Aufenthalt, von 1¹/₄ bis ³/₄4 Uhr, und der sympathische, klugäugige und lebhafte Präsident sprach mit wohltuendem Vertrauen über die politische Lage, auch über die englische Politik, deren Civilismus und Phlegma er im Grunde für überlegen und weise hält. Wir wußten, er hatte gerade mit Chamberlain gesprochen.

Auch bei Schuschnigg war ich, aber nur in einer etwas unergiebigen Audienz, die ich hatte nachsuchen müssen, weil er sich zu unserer sofortigen Einbürgerung bereit erklärt hatte, wenn wir nach Wien zögen. Aber kann man das?

Die Stadt war freilich wieder entzückend, und mein Vortrag über »Freud und die Zukunft« hatte einen unerwartet schönen und starken Erfolg, trotz einer etwas zu mythologischen Stelle über das Leben Jesu, die vorher Bedenken erregt hatte ...

Argentinien – es ist komisch, wie ich auch hier beim Schreiben wieder dem Thema auszuweichen suche und die Rede darüber verschiebe. Offen gestanden, ich habe keine Lust und möchte die zwei bis $2^1/_2$ Monate, die es kosten würde, lieber auf friedlichere Art verbringen. Ich habe zugesagt, habe mehrfach mit dem eifrigen Herrn Aita korrespondiert und bin im Besitz der schönsten Zusicherungen, namentlich derjenigen völliger Kostenlosigkeit. Aber je näher der Termin rückt, desto zweifelhafter wird mir die Sache. Die Vorstellung, im August in das glühende Marseille zu reisen und drei Wochen auf dem Schiff mit dem ganzen Kongreß schon im Voraus zusammen zu sein, um dann 14 Tage in dem notorisch uninteressanten Buenos Aires zu verbringen, wird mir immer bedrückender. Ich bin nicht einmal sicher, ob ich es mit der Beendigung meines III. Bandes und seiner Drucklegung zeitlich würde vereinbaren können, denn schon in knappen drei Wochen kommt ja eine neue Reise nach Wien und Budapest (Völkerbund-Comité) an die Reihe. Kurzum, wenn Du mich fragst, daß *wir* reisen, ist nahezu unwahrscheinlich geworden, und ich meine, wir täten besser, uns im Sommer irgendwo an der französischen See zu treffen – wie wäre es mit der Bretagne?

Herzlich   T.

                                                  Küsnacht den 2. VII. 36
Lieber Heinrich,
Dank für Deine Karte. Es muß schön sein dort oben, und von Herzen gönne ich Dir die streng verdiente Erholung. Ich habe nur zu viel Pause gemacht, wenn nicht zur Erholung, so zur Zerstreuung: Unsere letzte Reise nach Budapest

und Wien war recht amüsant, namentlich der Aufenthalt in Budapest mit den Sitzungen der »Coopération«, dem Freud-Vortrag und einer zweiten Vorlesung im Innerstädt[ischen] Theater und viel Gala-Oper und Festesserei. Die ungarische Regierung gab sich große Mühe, sich civilisiert zu zeigen, aber die Minister-Einladungen, die kamen, obgleich wir bei Hatvanyi wohnten, lehnten wir ab. Das Hübscheste war, daß der deutsche Gesandte im Innenministerium anrief, man möge doch dafür sorgen, daß sich die Presse nicht so viel mit mir beschäftige. Ich hatte nämlich in der Cooperation eine Rede über »militanten Humanismus« gehalten, von der viel die Rede war. Es hat sich auch niemand um die Ermahnung gekümmert. Aber ist es nicht reizvoll: der deutsche Gesandte protestiert dagegen, daß die Presse sich für den einzigen Deutschen interessiert, der an einer Versammlung europäischer Intellektueller teilnimmt. – In Wien ging es dann noch eine Weile so weiter. Nach meiner dortigen Vorlesung gingen wir noch in den III. Akt »Tristan« unter Walter und gerieten in ein fürchterlich übelriechendes Haus. Die Nazis hatten Stinkbomben geworfen, aber die Aufführung wurde durchgehalten – schließlich nur noch mit dem Orchester, denn die Isolde, die sich während der ganzen Pause übergeben hatte, machte nur noch eine schöne Geste des Unvermögens und erhob sich nicht mehr von Tristans Leiche. Übrigens war dasselbe schlagartig auf die Minute auch im Burgtheater und in drei Cinémas geschehen – ein Streich gegen die Sommer-Festspiele. Man muß auch das einmal mitgemacht haben und weiß nun wenigstens genau, wie der Nationalsozialismus riecht: Schweißfüße in mehrfacher Potenz.

Jetzt muß ich büßen für die Festivitäten beim Abtragen liegengebliebener Geschäfte, und außerdem ist »Joseph in Aegypten«, der im Oktober in Wien erscheinen soll und schon gedruckt wird, noch garnicht fertig, und ich habe große Furcht, damit ins Gedränge zu kommen. Noch ein paar Schlußkapitel, auf die es ankommt, sind zu machen, und müde wie ich noch bin, zweifle ich, ob ich noch diesen Monat damit zu Rande kommen werde. Es wäre eigentlich nötig. Danach werde ich eine Erholung wirklich nötig haben und denke neuerdings an Majorca, wo unsere Aeltesten kürzlich waren, und das sie sehr empfehlen. Wie denkst Du darüber? Gerade gegen den Herbst hin wäre es vielleicht das Schönste.

Für Frankreich kann man nur Liebe und Bewunderung empfinden. Das Verhalten der bürgerlichen Weltpresse, z. B. der N[euen] Z[ürcher] Z[eitung], zu solchen Ereignissen ist von unaussprechlicher Niedrigkeit. Am meisten schwelgt natürlich die deutsche in Zersetzungshoffnungen.

Herzlich   T.

18. Juli 1936
Briançon (H. Alpes)
Hôtel du Cours

Lieber Tommy,
Die Rede über militanten Humanismus würde ich gern kennen lernen, sobald es geht. Du musst schöne Reisen gemacht haben. Indessen geht es mit Österreich nunmehr zu Ende. Lässt Du Dich dort einbürgern? Der Umweg würde zu Hitler führen. Da lob' ich mir meine Tschechoslowakei, den russischen Mutterflughafen. Der gute Fleischmann bewirbt sich um Dich, es wäre die Krone seines Lebens. Du hättest den Konsul in Marseille sehen sollen. Es sind sehr rührende Leute, aber nicht nur das, sondern tüchtig. Man »fängt sich mit ihnen nichts an«.

Die Sommer- oder Herbstreise: es kommt darauf an, was es sein soll? Im Hochsommer müsste man an den Ozean gehen, später sehe ich keine Notwendigkeit mehr für die weite Reise; ein schöner Badeort am Mittelmeer – Sainte Maxime ist die schönste Bucht – wäre klimatisch gewiss dasselbe wie die Balearen, erfordert die halbe Reise und ist frei von gewissen Insekten: s. Anlage.

Ich glaube nicht, dass ich Frankreich verlassen werde, solange man mich hier duldet. Sonst muss ich im Herbst nach Prag fahren, meine Tochter und ich haben uns zu lange nicht gesehen. Viele Arbeiten und Vorsätze erschweren mir die Reise. Aber ich möchte Goschi hierher an die See kommen lassen und wäre sehr glücklich, wenn wir alle zusammen sein könnten, Ihr mit den beiden Kleinen und hoffentlich auch Golo. Das wäre ein Fest. Was Goschi betrifft, habe ich vorerst bei ihr angefragt, ob sie im September noch kann und will; denn sie ist eifrig im Beruf. Wenn ja, würde sie mit Euch von Zürich weiterfahren, sofern es Euch recht ist. Ich hoffe, dass dieser Plan diesmal nicht, wie schon einmal, vergebens besprochen wird. Sage mir, bitte, was Ihr ernstlich vorhabt.

Oprecht wird Euch mein Buch geschickt haben. Auch dem hilfreichen jungen Gelehrten schickte ich sein Exemplar zu Euch. Meine Artikel gehen sogar in den Ferien weiter, nur der Roman nicht. Ich wünsche Dir die beste Arbeit an Deinem und erwarte Deine Nachrichten.

Herzliche Grüsse Dir und Katja, sowie den anwesenden der Kinder.   H.

Küsnacht-Zürich 20. VII. 36
Schiedhaldenstrasse 33

Lieber Heinrich,

vor allem: Dein Lesebuch ist gekommen, eine fulminante Lektüre. Ich habe zwei Tage unausgesetzt darin gelesen und nach Aufnahme des mir noch Neuen auch alles schon Bekannte repetiert. Es ist ein großer Genuß und eine große Genugtuung. Ich bin überzeugt, daß diese Manifeste in Zukunft einmal eine höchst ehrenvolle historische Rolle spielen werden – eine ehrenrettende für Deutschland, zusammen mit wenigen anderen, z. B. der Kundgebung Niemöllers und der Seinen an Hitler, die das elende Subjekt an seinen

»Kirchenminister« weitergegeben hat. Besonders ist man dankbar, für die Komik, die Du entfesselst. Ich habe öfters laut lachen müssen, und später wird man das noch freier, ungequälter und herzlicher tun.

Deine Reisevorschläge haben uns eingeleuchtet. Es muß garnicht Mallorca sein. Da es gewiß Ende August werden wird, bis ich wirklich fertig bin, wird Sainte Maxime schon das Richtige sein. Halten wir doch daran fest. Wir haben vor, wenigstens bis Genf mit dem Wagen zu fahren, vielleicht aber auch gleich bis zum Ziel, in zwei, drei Tagen, damit wir ihn dort haben. Wie Goschi sich entschließt, hören wir wohl bald. Wenn wir ohne Kinder sind, könnte sie ja auch bei der Wagenfahrt mithalten.

Ich schicke Dir meine letzte »Abschweifung«, mit der ich übrigens ziemlich bei der Sache blieb. Bermann hat die Broschüre hübsch ausgestattet. Sie ist sein Debut. Sie erscheint erst in 4 Wochen.

Herzlich   T.

Ich denke natürlich jetzt nicht an Wien, kann mich aber auch anders nicht recht entschließen. Bleiben wir hier – und es sieht ja so aus – so werde ich in ca 3 Jahren Schweizer werden können. Ich würde es als das Richtigste empfinden. Aber Fleischmann wird uns nächstens besuchen.

2. August 1936
Briançon (H. Alpes)
Hôtel du Cours

Lieber Tommy,

's ist Krieg, 's ist Krieg. O, Gottes Engel wehre –. Was er auch schon getan hat, als er uns davor behütete, nach Mallorca zu gehen, auf welche Insel jetzt die Bomben niederprasseln. Den beiden Mächten, die gegen das spanische Volk ganz offen Krieg führen, gehören sowohl der Lido als auch

Heringsdorf. Ich würde diese Stätten wahrhaftig gern wiedersehen und bin, wie Du, durch Erinnerung und Produktion mit Venedig verbunden. Indessen müssen wir wohl oder übel »realisieren«, dass die Erde enger wird. Das Land des anderen Bundesgenossen, vor zwei Jahren bin ich noch quer hindurch gefahren, heute sehe ich es als verschlossen an – und man kann nicht wissen, wie es kommt, geh auch Du lieber nicht hin. Hier können wir uns in diesem Jahr noch treffen. Frankreich »lässt sich nicht provozieren«, wie auch die deutschen Sozialdemokraten sich von den Nazis niemals provozieren liessen. Dadurch entsteht eine Gnadenfrist, auch für uns: dieses Jahr noch, wie gesagt.

Meiner Goschi habe ich gesagt, dass sie jedenfalls kommen soll. Ihrer Mutter im Vertrauen aber habe ich für die Fahrt durch Oesterreich vielfache Vorsicht empfohlen. Oesterreich hat nach seiner Gleichschaltung mein Buch als erstes sofort verboten; das ist eine unverkennbare Warnung – nur für mich und meine Tochter natürlich. Du selbst hast keinen Grund für oesterreichische Befürchtungen, vielleicht nicht einmal für italienische. Ich will nicht aus Eigennutz übertreiben und Dich von einer genussreichen Reise abhalten. Soll es diesmal Venedig sein, dann bedaure ich es schmerzlich, dass wir nicht zusammenkommen; aber es wird mir immer noch lieber sein, als wenn Du hier enttäuscht wärest, oder die schöne Stadt zu sehr vermisstest.

Sehr dankbar wäre ich für Deinen baldigen Bescheid. Kommst Du? Und wann? Und könnt Ihr Goschi in Eurem Wagen mitbringen? Wenn Eure Kleinen etwas zusammenrücken, haben sie die Gesellschaft einer dritten jungen Person. Sonst lasse ich sie schon etwas früher kommen und fahre ihr in dieser Gegend ein Stück entgegen. Auf alle Fälle würde ich vor Eurer Ankunft das von Dir gewünschte Strandhotel suchen. Im Vorbeifahren, als ich Besuch in einer Villa machte, habe ich sehr anziehende Hotels gesehen; sie lagen ähnlich wie das Grand Hôtel Bandol, aber sie und die Bucht sahen festlicher aus.

Hoffentlich setzt Ihr mich nächstens instand, mich nach Euren Beschlüssen einzurichten. Inzwischen herzliche Grüsse Dir und Katia.

Dein H.

Küsnacht-Zürich 4. VIII. 36
Schiedhaldenstraße 33

Lieber Heinrich,

Du hast recht, lassen wir den Gedanken fallen. Daß irgend einem von uns in Venedig etwas geschehen würde, glaube ich zwar nicht, und seit ich neulich in Triebschen war, wo Wagner, übrigens in prachtvoller Natur-Umgebung, sechs Exil-Jahre verbrachte (es war die Zeit seiner besten Freundschaft mit Nietzsche, dessen Spuren wir dann in Sils Maria folgten) zog es mich auch wieder nach Venedig. Ich dachte: was dem einen recht ist, ist dem anderen billig. Es war ein Anachronismus, und übrigens wurde es das in den Tagen nach Abgang meines Briefes mehr und mehr. Auch ich habe gar keine Lust, bei den Helfershelfern von Patrioten zu Gaste zu sein, die erklären, der »Marxismus« in Spanien müsse ausgerottet werden, und wenn das halbe Volk dabei umkäme. – Wenn die spanische Republik siegt, so wird das unter den heutigen Umständen eine Heldentat ohnegleichen sein. Die Eifersucht, mit der die Kapitalspresse, z. B. auch unsere N[eue] Z[ürcher] Z[eitung] die französische Neutralität überwacht, während ihr die italienische und deutsche nicht die geringste Sorge macht, ist von unergründlicher Infamie. Wer am *Naiven*, ich meine: an der schamlosen Vorherrschaft des Interesses vor jedem geistigen Anstand seine Freude hat, der hat heute gute Tage.

Dein bitteres Wort, daß Frankreich »sich nicht provozieren lasse«, faßt das ganze Verhängnis zusammen. Der Gedanke, daß Deutschland auf diese Weise *sehr* groß werden und Hitler einmal in höchsten Ehren das Zeitliche segnen könnte, raubt mir oft den Schlaf. –

Es bleibe also bei Deiner Küste. Daß wir kommen, Ende dieses oder Anfang nächsten Monats, ist sicher und abgemacht. Ich kann aber den genauen Termin nicht sagen, weil er von der Beendigung meines Schlußkapitels abhängt, das ich nicht übers Knie brechen darf und dessen Bedarf an Tagewerkchen ich bis ans letzte Wort heran nicht werde voraussagen können. Goschi's Reise also sollte nicht an unsere unsichere Aufbruchsstunde gebunden sein. Ich meine, Du läßt sie schon früher kommen, und wir stoßen zu euch, wann wir können. Vielleicht können wir sie dann im Wagen mit zurücknehmen.

Eine Drucksache, Broschüre habe ich Dir geschickt. Fast habe ich den Eindruck, daß sie *und* ein Brief, der letzte vor dem mit dem venezianischen Vorschlag, verloren gegangen sind. Sollte sie Dich doch erreicht haben, so wollte ich Dich ihretwegen vorläufig um Diskretion bitten. Sie erscheint erst gegen Ende des Monats, und Bermann hat mir ihre verfrühte Versendung eigentlich untersagt.

Herzlich   T.

                                        7. Aug. 1936
                                        Briançon (H. Alpes)
                                        Hôtel du Cours
Lieber Tommy,
mit grosser Aufmerksamkeit las ich Deine Rede. Ich begreife, dass sie durchaus keine Abschweifung ist; sie liegt auf Deinem Wege. Besonders bewundere ich, wie Du die Verehrung für Freud festhältst, während Du dennoch den verehrten Alten wissen lässt, dass das philosophische Denken dem seinen übergeordnet ist oder ihm wenigstens vorangeht. Dasselbe ist den nur wirtschaftlich Bestimmten immer aufs Neue zu sagen, wenn auch mit Vorsicht, wegen der notwendigen Einigkeit, und übrigens verstehen sie es nicht.

Hitler oder »das Subjekt«, wie Du ihn passend benanntest,

wird wohl doch nicht in höchsten Ehren das Zeitliche segnen. Er dürfte dann kein blosses Instrument einer verurteilten Kaste sein. Napoleon III, von dem Ersten zu schweigen,
ging persönlich in wirkliche Schlachten, die er für eine, noch
im Aufstieg begriffene Idee schlug. Wir sehen das Subjekt
nicht kämpfen. Er möchte vermittels der Kämpfe Anderer
hochkommen; und wir dürfen hoffen, dass es ihm schon im
Fall Spanien zum Nachteil ausschlägt. Das wäre seine erste
greifbare Niederlage. Auch unser Schicksal wird dort entschieden.
Ich bin glücklich, dass Du entschlossen bist herzukommen.
Meinerseits lasse ich Goschi früher reisen; hoffentlich sind
dort keine Bedenken entstanden, sie schreibt nicht. Darf sie
bei Euch übernachten, wenn der nächste Weg über Zürich
führt?

Herzlich   H.

Küsnacht-Zürich 24. VIII. 36
Schiedhaldenstraße 33

Lieber Heinrich,
der Brüsseler Kongreß ist eine große Sache, wir verstehen
Deinen Entschluß, dorthin zu fahren, wenn auch die Dauer
unseres Zusammenseins dadurch notwendig eine Beein-
trächtigung erfährt. Das ist schade, denn wir kommen ja in
allererster Linie Deinetwegen an die französische Riviera, –
sonst wären wir mindestens ebenso gern wieder einfach
über den Julier nach Sils Baselgia gefahren, das wir als Ort
der Kräftigung schätzen gelernt haben. Meinen Band habe
ich gestern abgeschlossen; die Schlußpartie muß noch abgeschrieben werden, was bis morgen geschehen sein wird.
Dann aber wird es schade sein um jeden Tag, den ich noch
hier verbringe. Wir haben, wie Dir Katja wohl schon
schrieb, Donnerstag den 27. für unsere Abfahrt angesetzt.
Wir fahren mit dem Wagen, gemächlich, übernachten in

Genf, dann irgendwo in Frankreich und denken den dritten Tag in St. Cyr s/mer einzutreffen, wo Schickeles (die noch dort sind) uns wohl im Hotel Unterkunft besorgt haben werden. Die Küste entleert sich jetzt allmählich, die französischen Ferien sind oder gehen zu Ende, im September wird Platz sein. Sanary annonciert schon in der N[euen] Z[ürcher] Z[eitung]. – Angesichts der neuen Lage haben wir beschlossen, vorläufig in St. Cyr zu bleiben, bis Du nach Ste-Maxime kommst, um dann zu Dir zu stoßen. Drei Wochen Ferienzeit dürfen wir uns ja nehmen, und so werden immer noch einige Tage für unser Zusammensein bleiben. Zu verschieben ist die Reise, auch abgesehen von meinem Bedürfnis nach Ausspannung, mit Rücksicht auf den Hausstand, den Urlaub der Mädchen u. dergl. nicht mehr. Um den 20. ix. müssen wir zurück sein, weil dann Hausbesuch erwartet wird.

Es wäre natürlich ausgezeichnet, wenn Dr. Levy, zu dem Termin, für den er Dir in Ste-Maxime Quartier macht, auch uns eins verschaffte. Wir brauchen zwei einbettige Zimmer, womöglich nach dem Meer gelegen, womöglich mit Bad und hoffentlich zu Nach-Saison-Preisen. Nachrichten erreichen uns St. Cyr, poste restante.

Nun wünsche ich glückliche Reise am Sonntag und gute, nicht zu strapaziöse Tage in Brüssel.

Gibt Goschi Dir nun in Paris ein Rendez-vous? Oder fährt sie mit Dir nach dem Süden? Im letzteren Fall könnte sie doch auf Rückreise in Zürich Station machen.

Herzlich   T.

21. IX. 36

Lieber Heinrich, bis Valence sind wir heute gekommen, das ist schon weit in der Welt, und zeitig werden wir morgen in Genf sein. Wir danken für das trotz allem gute Zusammensein, dessen Höhepunkt die Henri-Vorlesung war, – welcher man lieber keine weitere hätte folgen lassen sollen. Herzliche Wünsche für euren Aufenthalt!

T.

Herzlichste Grüße Ihnen und Goschi

von Ihrer Katia.

Küsnacht 27. IX. 36

Lieber Heinrich, wir hatten, namentlich von Genf an, eine so schöne Fahrt, aber kaum daß ich hier ausgepackt hatte, mußte ich mich zähneklappernd mit einer Gesichtsrose ins Bett legen und bin noch weit vom Aufstehen. Es ist darum merkwürdig, weil wir von dieser Krankheit gerade sprachen und auch wegen des Problems, ob der Anfall noch mit der Angina zusammenhängt oder sich nur zufällig anschließt. Es ist ein ganz anderer Erreger, aber die Linksseitigkeit ist auffallend. Die Sache verläuft glimpflich, ohne hohes Fieber, der Arzt ist zufrieden, aber das Geschwulst wandert noch. Ich bekomme Injektionen und Umschläge. – Dr. Fiedler trat uns bei unsrer Ankunft hier aus dem Hause entgegen wie ein Gespenst. Er ist aus dem Würzburger Polizeigefängnis entsprungen, über zwei Mauern – weiß selbst nicht, wie er es fertig gebracht hat – und ist von einem wackeren Tell über den Untersee gerudert worden. »Um Gottes willen, Fährmann, eueren Kahn!« Nun wird er gehegt und gepflegt. Herzlichen Gruß!

T.

Küsnacht-Zürich 12. XII. 36.
Schiedhaldenstraße 33

Lieber Heinrich,
habe vielen Dank für Deine schöne Aeußerung zu jener deutschen Maßnahme. Du hast da wieder eines von diesen kleinen moralischen Gedichten gegeben, die mit »Politik«

nur mittelbar zu tun haben und, wie ich glaube, von einer zukünftigen Welt, Deutschland nicht ausgeschlossen, einmal werden sehr hoch gehalten werden. Die Umgebung, in der sie jetzt erscheinen, ist – aber was soll man machen – nicht die liebenswerteste, wie es wenigstens mir scheinen muß. War schon Hillers verzeihende Gönnerschaft wenig angenehm, so empfinde ich die freche Herablassung Ernst Blochs vollends als unerträglich. Dieser scharfe Typ hat mich schon in Deutschland unwürdig behandelt; heute scheint mir seine Sprache den Tatsachen noch weniger angepaßt. Eingesprengt unter 65 Millionen war er nützlich und notwendig. Jetzt, draußen, in Reinkultur nimmt er sich denn doch übler aus als man öffentlich eingestehen möchte.

Die tschechische Regierung versucht eine Intervention wegen meiner Münchener Habe. Ich zweifle am Erfolg. Die Gauner können ja den Akt meiner »Ausbürgerung« beliebig vordatieren. Übrigens habe ich mich dieser Dinge entwöhnt, und großen Teils sind sie auch längst geschändet und zerstreut.

Etwas anstrengend waren diese Tage doch. Es ging ein wenig zu wie nach dem Nobel-Preis oder an Dezimal-Geburtstagen, und andererseits übte die Nachricht doch immer noch eine gewisse unvernünftige Choc-Wirkung. Unvernünftig, denn wie lange wird all der Unsinn Gültigkeit haben? Man kann heute weniger als jemals glauben, daß dies Regime es auch nur auf die Tage der armen Weimarer Republik bringen wird. Es ist anzunehmen, daß man, sollte man auch sein Ende nicht erleben, in diesem Unglauben doch immer tröstlicher bestärkt werden wird.

Frohe Weihnacht in diesem Sinn!   T.

Lieber Tommy,

die aufregenden Tage haben Dir auch wieder Anzeichen dafür gebracht, dass man im Lande an das Regime nicht glaubt: sonst wäre man entmutigt und würde Deine Ausbürgerung nicht als Geburtstagsfeier behandeln. Auch ich erfahre immer aufs neue, dass man dort drinnen die Veränderungen eher erwartet als wir. Man ist nur planlos, und die ganz Zurückgebliebenen verlassen sich auf den Generalstab. Soeben schreibt man mir, dass in Spanien schon einige Reichswehrsoldaten übergelaufen sind. Eine Neuheit, im vorigen Krieg wohl kaum denkbar, aber vielleicht gibt sie diesem erbärmlichen Generalstab jetzt zu denken. Einem gewöhnlichen Abenteurer hat diese einst aristokratische Institution sich untergeordnet. So sollen jetzt die Kriege weitergehen: jedem fascistischen Aufstand in jedem Lande tritt die Internationale Brigade entgegen, und diese vermehrt sich durch übergehende Formationen.

Sollten wir Deutschland wiedersehen, wird auch die bloss intellektuelle Publizistik zu liquidieren sein. Sie ist eigentlich ein Rest der Vorkriegszeit, als Schriftsteller nichts zu verantworten hatten, und während der Republik haben sie es nicht gelernt. Ich habe nicht gelesen, was Hiller über Dich zu sagen wusste; aber der gutwillige, tüchtige Budzislawski ist sehr erschrocken über die Sache. Er hatte sich vor längerer Zeit verpflichtet, sie zu bringen, und dann kam sie im falschesten Augenblick. Es tut ihm leid. Hiller ist nicht mehr sein Mitarbeiter.

Möge die Regierung unserer Republik gegen das Diebsgesindel ihre Forderungen durchsetzen. Wenn nicht, bleibt immer noch das Haus und Grundstück: das fällt eines Tages ohne Umstände an Dich zurück.

Frohe Weihnacht Euch Allen. Ich habe vorher noch drei Tage in Paris zu tun. Der dritte Teil von den fünf, die mein

Roman hat, ist bald abgeschlossen. Jeden Abend lese ich in dem Deinen, will es auch über Weihnacht tun, und bin immer voll Staunen. Das Letzte war das durchgeführte, wahrhaft intime Gespräch der Gatten über Joseph, etwas zum Ansehen. »Wie det arbeet!« sagte Liebermann angesichts einer Bühnenhandlung. Sehr innig ist das bescheidene Sterben des Meiers, und ganz ausserordentlich der Aufbau des Erfolges Josephs – eigentlich wenige Stufen oder Glieder, aber deutlich und überzeugend, wie die Rolle der Zwerge. Darüber hinaus ist alles Seelenmusik, und so gehört es sich wohl in gewissen Lebensabschnitten. Ich habe derartiges für Henri versucht, in einem Kapitel, das »Meditation« heisst.

Hiermit: frohe Weihnacht.   H.

19. Jan. 1937
18, rue Rossini
Nice

Lieber Tommy,

Deinen »Briefwechsel« habe ich mit grosser Genugtuung gelesen. Du sagst mit grösster Wirksamkeit alles auf einmal. Ich muss, in meinen vielen Artikeln, jedesmal an einem anderen Punkt wieder ansetzen und komme nie zu Ende. Du hast vorher wahrhaftig nichts versäumt; was Du jetzt sagst, ist das Endgültige.

Jetzt lese ich auch die letzten Seiten des Joseph. Du hattest vollkommen recht zu sagen, dass in der zweiten Hälfte »einiges Gelungene« steht. Es steht ebenso wohl in der ersten. Aber gegen den Abschluss zu wird die Darstellung leicht, sie bekommt eine innere Heiterkeit, fühlbarer als in dem ganzen Werk vorher. Nicht nur die schon bekannte »Damengesellschaft«, noch andere Dinge kommen hier, lustig – und unheimlich – wie Märchen. Die Scene des Zwergen mit dem Eunuchen, man vergisst die tiefere Bedeutung und liest und liest. Andererseits ist die tiefere Bedeutung, in dem Kapitel von der Keuschheit Josephs, behandelt wie ein Spiel, so exakt und gewichtlos. Es ist ein sehr schönes, auch in Deinem Werk einziges Buch, – ich vergesse nicht: aufgebaut auf der Keuschheit des Helden. Sie macht ihn zu der Gestalt, die er ist, und das Buch zu der Ausnahme.

Aus Prag kam eine Zeitung mit der Abbildung meiner Bibliothek, und Du mit Katia davor. Das hat mich gerührt und erfreut. Ich hoffe, Ihr besucht Goschi wieder. Ich kann sie nur selten – und meine Bücher gar nicht sehen.

Herzlichen Gruss Dir und Katia. H.

4. Juni 1937
18, rue Rossini
Nice (France)

Lieber Tommy,

Dein Geburtstag ist wieder da, ich melde mich mit meinem Glückwunsch.

Möge Dein Vierter Band fertig werden und so grossartig wie der dritte sein. Mögest Du an den anderen Seiten Deiner Tätigkeit dieselbe Freude haben wie bisher. Ich höre, dass Deine vorige Amerika-Reise erfolgreich war und lange nachwirkt.

Landshoff war hier und sagte mir, Du habest Neuralgien oder eine Ischias nach Hause mitgebracht. Das sind die weniger guten Ergebnisse – kaum vermeidbar, bei so viel persönlicher Beanspruchung. Ich hoffe, Du lässt Dich von dem Übel nicht niederdrücken und überwindest es schnell.

Dein Brief an den Dekan von Bonn geht als höchst reizvolles Gerücht auch dort um, wo man ihn nicht auffinden und lesen konnte. So sprach ein hiesiger Professor zu mir darüber.

Den Leuten in Berlin werden noch mehr Niederlagen beigebracht, die Schläge fallen häufiger, kaum zu verstehen, wie sie sich noch lange halten wollen. Ihre einzige Chance ist das zweifelhafte England. Denn der Krieg, wenn sie diesen Ausweg suchen, ist wahrhaftig keine Chance zu nennen. Aber ich gestehe, dass ich tagelang die Zeitungen nur mit Zittern aufgeschlagen habe; und die Gefahr endet erst mit dem Regime. Wer das nicht wissen will, wird es erfahren müssen.

Mögest Du in Deinem nächsten Jahr das Ende des Regimes sehen.

Herzlichst H.

23. Juli 1937
Briançon (Hautes Alpes)
Grand Hôtel

Lieber Tommy,

in Paris hatte ich die Freude, Erika und Klaus zu sehen. Erika ist jetzt ganz »erfolgreiche Künstlerin« und sehr tapfer. Sie wird drüben ihren sicheren Weg gehen.

Mit ihr und mit Klaus besprach ich die Angelegenheit des Klubs der Sauberen, dieser peinlichen Gründung weniger Schwarzschilds als eines Konrad Heiden. Ich möchte Dich dringend bitten: lehne die Beteiligung ab. Klaus tritt aus, wie er sagte, und Schwarzschild selbst hat genug davon, wie er glaubt. Ein persönlicher Hass, dem jemand nachhängt, führt weit und weiter; dahin darf er nicht führen, dass die Mitarbeiter einer Zeitschrift sich als die allein Sauberen zusammenschliessen.

Du arbeitest wieder, ich weiss es von Deinen Kindern. So viel hat die Kur genützt, und es ist viel. Eine Frage nach Deinem Befinden schickte ich ab, als ich Dich noch in Ragaz glaubte. Meinerseits muss ich zusehen, wie ich nach einer besonders schweren Pariser Reise zu einer Erholung komme und dennoch meinen Roman beende.

Die herzlichsten Wünsche. Ich begrüsse Katja.

Dein H.

Lieber Tommy,

Deine Mitteilungen haben mich erfreut in mehreren Hinsichten, Club der Sauberen, Jules Romains – vor allem Golo. Er ist reizend in seiner Gediegenheit und Zuverlässigkeit. Auf ein Wort von mir bemüht er sich und seine Gelehrsamkeit, damit ich meine Meinungen begründen kann. Lass ihn Deine Zeitschrift doch redigieren. Wozu ein Anderer, wenn der Beste gleich im Haus ist. Golo bringt alles mit, das Wissen, das unentbehrlich ist um eine Zeitschrift hoch zu bringen, und die seelische Empfänglichkeit. Ich vergesse nicht, wie er mir schrieb, dass die Verse in meinem ersten »Henri« geeignet wären, auf Spaziergängen laut hergesagt zu werden.

Andererseits weisst Du, wie hoch ich Klaus in seiner besten Äusserung, dem Tschaikowsky, veranschlagt habe. Umso mehr tut es mir weh, dass er persönlich unzugänglich ist – dies nicht gerade aus Strenge, eher aus Vergesslichkeit. In Paris war eine zweite Zusammenkunft verabredet worden, ich dachte sie mir inhaltreicher als das kurze Treffen spät abends. Sie ist nicht zustande gekommen infolge eines Missverständnisses, das schliesslich auch ein Ausweichen sein könnte. Aber den gewissen Heiden hat Klaus sofort gefunden, hat ihn willig angehört und ist in dem Club der Sauberen verblieben, obwohl ihm dabei nicht wohl ist, wie er mir mitteilte. Er vergisst zu sagen, woher das Missgefühl rührt: es hängt doch wohl damit zusammen, dass wir Nichtmitglieder diffamiert sein sollen. Einen anderen Zweck hat der Club nicht. Zuerst war Bernhard zu vernichten, dann die Volksfront, in der er Sitz und Stimme hat. Ihm zu Ehren, der ein bürgerlicher Demokrat ist, hat das »Tagebuch« sich zum Antibolschewismus entwickelt und druckt Gide ab. Dieser ist gegen Stalin, weil Stalin kein echter Bolschewik mehr sein soll. Es scheint besonders sauber, Gide für antibolschewistische Zwecke zu benutzen.

In einem Brief, den ich im Grunde bedaure, habe ich Klaus darauf hingewiesen, dass nach der gelungenen Zerstörung der Volksfront nichts zurückbliebe als die Richtung Strasser, der ein verhinderter Hitler ist, und der Prager Parteivorstand. Dieser würde die Weimarer Republik mit ihren Folgen nochmals durchüben. Der Bund der Sauberen wäre das unbedeutende Anhängsel. Schwarzschild sagt: man dürfe wohl ein Liberaler sein, was man aber in Anbetracht der deutschen Lage durchaus nicht darf. Er wenigstens hat seine persönlichen Gründe. Aber Klaus? Ich bedaure, dass ich ihm einen ernsten Brief schreiben musste. Später wird er ihn vielleicht verstehen. Mein Antrieb war weniger Ungeduld als Sorge. Der junge Empfänger wird geneigt sein, einen Übergriff zu vermuten und ihn abzuweisen. Wenn Du die Gelegenheit nimmst, die Angelegenheit mit ihm durchzusprechen, versichere ihn jedenfalls meiner guten Meinung und Absicht.

Herzlich H.

15. Aug. 1937
18, rue Rossini
Nice (France)

Lieber Tommy,
gestern kam die Zeitschrift, nur Deinen Roman habe ich sogleich gelesen – mit einer Rührung, die ich mir selbst kaum erkläre. Vielleicht die unbegreifliche Veränderung, die mit den Deutschen vorgegangen ist? »Lotte in Weimar« wird gerade durch den Vergleich sehr zeitgemäss. Ich freue mich auf die Fortsetzung und danke Dir.

Anliegendes über den Urheber des Clubs der Sauberen ist aus der Deutschen Volkszeitung Prag, die kommunistisch ist und ihre Gründe hat, ihn abzulehnen. Ich kann aber als Augen- und Ohrenzeuge bestätigen, dass Sch. bei der Volksfront (mitsamt Kommunisten) solange blieb, als er hoffte, Kapitalisten und Kapital für sie zu gewinnen. Als ihm dies misslang, veranlasste ihn zweitens sein Hass gegen Bernhard, auszuscheiden. Diese Affäre (S.-B.) hat wohl nur den Vorwand geliefert. Wenn ich aber dem Antrag Sch's stattgegeben und B. aus dem Vorstand der V.F. entfernt hätte, wo wäre S. geblieben? Er sässe als Sieger über B. noch jetzt mit den Kommunisten zusammen. – Er und seine Sache sind fragwürdig und sind kaum noch das. Klaus, der in Amerika war, kennt die Zusammenhänge nicht. Er hätte sich belehren lassen können – nicht von Heiden, der ein berühmter Niemand ist, eher schon von mir. Aber er hat mir nicht einmal geantwortet.

Dem Club der Sauberen wird natürlich nicht ruhig zugesehen werden. Es ist vorauszusehen, dass der oder jener einwandfreie Name bald daraus verschwindet. Klaus liefe Gefahr, mit vorwiegend unerwünschten Mitgliedern im Verein zu sitzen. Er hat aber seinen und unseren Namen zu schonen. Wollen wir annehmen, dass ohnedies alles vergebens geschieht, dann meinetwegen. Nehmen wir die Demokratie aber ernst, warum sitzt dann unser Klaus bei den übelsten Reaktionären (die, wohlverstanden, anzufangen pflegen wie Radek und Genossen: in voller Unwissenheit, was aus ihnen noch werden soll.)

Die Volksfront bestand bisher aus einer grösseren Zahl von Organisationen und verhältnismässig wenigen Persönlichkeiten. Das soll sich ändern. Ich hoffe Dir darüber bald zu berichten, möglichen Falls sogar mündlich. Du wirst es gewiss nicht als lästige Zumutung empfinden. Übrigens ist mir selbst die Beschäftigung mit dem Edikt von Nantes die liebste.

Herzlich   H.

2. Okt. 1937
18, rue Rossini
Nice (France)

Lieber Tommy,

das beigefügte Rundschreiben brauche ich Dir kaum zu erklären. Du ersiehst daraus, welche Bitte an Dich gerichtet
wird. Ich weiss nicht, ob die Anonymen der »Freiheitspar-
tei«, bevor sie Deinen »Briefwechsel« verbreiteten, Dich um
die Ermächtigung ersucht haben. Ich jedenfalls muss es
tun.

Das Bekanntwerden des »Briefwechsels« hat in Deutschland
viel genützt. Der Aufsatz, mit dem Du »Mass und Wert«
eingeleitet hast, soll noch umfassender und zweckvoller verwendet werden.

Die Mitglieder der Vereinigung, die jetzt handeln will, sind
Intellektuelle, ich nenne Dir: Professoren Marck – Dijon
(Philosoph) Gumbel – Lyon (Statistiker) Lips – Washington
(Anthropologe) Fritz Lieb – Basel (prot. Theologe) Paul
L. Landsberg – Paris (Katholischer Philosoph) Georg Bern-
hard – Paris (Volkswirtschaftler) Aron Gurwitsch – Paris,
Rudolf Olden – Oxford (Lektor). Ferner Dr Maximilian
Beck – Prag (Philosoph) Dr Feblowicz – Paris (Mediziner)
Lion Feuchtwanger.

Bei Golo möchte ich mich hiermit entschuldigen, dass ich
am 20. Sept. nicht in Paris sein konnte. Ich war später dort
und bin soeben zurückgekehrt.

Herzlich   H.

Küsnacht-Zürich 4. XI. 37
Schiedhaldenstraße 33

Lieber Heinrich, Querido hat seine Pflicht getan. Hoffentlich hat Oprecht die seine nicht versäumt und Dir das zweite
Heft von »Maß und Wert« geschickt. Das dritte soll eine

größere Besprechung des ersten Henri-Romans bringen. Von dem zweiten kommt mir zuweilen eine Fortsetzung in der »Intern. Literatur« vor Augen. Es wird ein ganz außerordentliches, aus allem Deutschen sich kühn heraushebendes Werk.

Kaum, daß ich meine Ischias los bin, gerate ich in die deprimierendste Zahn-Krise (Endstadium) und bin auch sonst nicht wohl, muß aber Vorträge ausarbeiten für Amerika: Anfang nächsten Jahres will eine große Reise absolviert sein, bis tief in den Westen.

Herzlich   T.

Thomas Manns Brief vom 2. 1. 1938 ist längsseitig zum Teil abgerissen. Er bietet somit keinen fortlaufenden Text:

Küsnacht, 2. 1. 1938
[Datum des Poststempels]

Lieber Heinrich,
Dir und Frau Kroeger [...]
und Beste zum neuen Jahr.

Es ist läßt sich vortrefflich an, [...]
Freuden höre ich von den außerorden[...]
Henri in Amerika. Das ist ein bra[...]
Land. Kein Buch ist dort im Geringst[...]
einen Deutschen Druck- oder Verlags [...]
und Leipzig« oder »Wien *und* Zürich« [...]
Übrigens legt Dein dortiger Sieg, [...]
Bank zweifellos fortsetzen wird, den [...]
Nobel-Preis entschieden freier. Dem [...]
nischen oeffentlichen Meinung ist man [...]
gänglich.
Alles in allem, wir könn[...]
ten Reiches abwarten. Am pessimi[...]

aus dem Reich, sie sind es in Hinsicht [...]
»Das dauert ewig«, sagen sie. »Die [...]
die ihnen gemäße Staatsform gefun[...]
»Arier«, die herauskommen, sagen [...]
Kein Jahr dauert das mehr.« Sie si[...]

[S. 2]
[...] war in großer Gefahr. Er kam hoch fie-
[...], und nach einigen ungewissen Tagen wurde
[...] als eine gottlob leichte Form von Kinderläh-
[...], die sich nach der Hirnhautreizung auf
[...] ogenhaut des rechten Auges warf und anfangs
[...] Symptome machte, daß die Aerzte Unruhe zeigten.
[...] Besserung ging mit Rekordschnelligkeit vor sich, und
[...], der noch am Weihnachtsabend sein Zimmer hüten
[...] privatem Bäumchen), geht schon wieder im
[...] um. Er ist etwas gewachsen und blickt bleich
[...] drein.
[...] freue mich, daß der Wagner-Vortrag Dich in-
[...]. Ich will jetzt in Arosa über Schopenhauer
[...] dieselbe amerikanische Sammlung, der Du auch
[...] hast.

Herzlich   T.

Beverly Hills, 21. IV. 38
California

Lieber Heinrich,
Dank für Deinen Brief, den ich auf der lecture-Tour erhielt.
Hier ruhen wir uns etwas aus, müssen aber bald zu neuen
Taten in den Mittel-Westen und nach New York aufbrechen.
Den Sommer werden wir wohl auf Long Island in einem
Häuschen verbringen, das man uns dort zur Verfügung ge-
stellt hat. Amerika stellt sich überhaupt wunderbar zur
Verfügung, man kennt das nicht in Europa. Wir sind ent-
schlossen, vorläufig nicht dorthin zurückzukehren. Erika

255

fährt Anfang Mai nach Zürich, um den Hausstand aufzulösen und den Transport unserer Habe zu besorgen. Alle Kinder, bis auf Moni, die wohl wieder nach Florenz gehen wird, sollen herüber kommen. Für sie alle gibt es hier die besten Aussichten, nur hier überhaupt welche. Ich werde, wie es scheint, an einer amerik. Universität eine Ehren-Professur erhalten, die mir eine Lebensgrundlage sichert. Es steht bei mir, mich für den europanahen Osten oder für das zukunftsvolle, billige und klimatisch herrliche Californien zu entscheiden. Bis zum Herbst wird sich das ordnen.

Es ist ein widrig beruhigender Gedanke, daß es zum Kriege ja wohl nicht kommen wird. Das bedeutet Ruhe für Dich, Dein großes Werk zu vollenden. Herzlichste Wünsche! Zu *Besuch* kommen wir gewiß bald einmal.

Dein T.

10. Juni 1938
18, rue Rossini
Nice (France)

Lieber Tommy,

Du bekamest meinen Brief zum 6. Juni, er war an Peat New York adressiert, und der Deine vom 29. Mai hat mich sehr erfreut. Der schriftliche Verkehr ist langwierig, ich denke dabei immer an Postkutsche. Kommt einer aus Weimar in Rom an, dann gibt es Weimar gar nicht mehr.

Du hast wohl weise getan, Dich drüben einzurichten. Aber im Sommer hast Du Gründe genug, hier einmal vorzusprechen; meinerseits will ich unsere Begegnung erleichtern, wie ich nur kann. Lass mich, bitte, Deine Ankunft in der Schweiz wissen. Ich komme dorthin, besonders gern in ein Bad. Hoffentlich liegt das Deine nicht über 800 Meter; ich darf mir keine grossen klimatischen Anstrengungen auferlegen – bin angestrengt genug und die Arbeit ist nicht fertig. Bis August muss ich das letzte Stück abliefern. Ein gemässigtes Gebirge würde mir vielleicht helfen.

Sehr schön, dass Du an die Zusammenkunft gedacht hast,
ich hatte sie mir gewünscht. Ich erwarte Deine Nachrichten
und bin sicher, dass Du inzwischen eine angenehme Zeit
hast.
Herzliche Grüsse Dir und Katja.
Auf Wiedersehen.   Dein   H.

Küsnacht–Zürich 6. VIII. 38
Schiedhaldenstraße 33
Lieber Heinrich,
ich höre, daß Dein großes Werk fertig ist. Das wäre herrlich
– und träfe sich besonders gut in Hinsicht auf Dein Kommen. Die Sache ist die, daß wir, in deutlichem Gefühl sonst
hier nicht fertig zu werden und mit den Abschlußgeschäften
ins Gedränge zu kommen, auf eine längere Badereise verzichtet haben, – eher gern als ungern, denn wir kosten die
hiesige Lebensform mit Vergnügen aus und brauchen nichts
Besseres. Allenfalls wollen wir noch auf 8 Tage ins Engadin,
Sils Maria oder Sils Baselgia, gehen, wo Erika schon ist. Das
wird Dir zu hoch sein, (1800 m); aber auch Leuk im Wallis
wäre im Grunde nicht recht nach Deinen Wünschen gewesen. Wir treten die »Heim«-Reise nach Princeton am
15. September an. Wenn Du vorher noch, gegen Ende des
Monats und bis in den September hier in Küsnacht unser
Hausgast sein möchtest? Die Wälder und Seeufer, mit dem
Auto zu befahren, sind so schön, und Du kämest in ein
Land, dessen Haltung gegen l'infâme seit Oesterreich von
der wohltuendsten Entschlossenheit ist. Ich habe mich nie
auch nur einen Augenblick gefährdet gefühlt, und von Deiner Anwesenheit würde man überhaupt nichts erfahren. Wie
denkst Du? Der 26. August etwa, das wäre, wenn es denn
nach unseren Umständen und Dispositionen gehen soll, der
richtige Termin. Ich rechne mit Deiner Freiheit, wenn ich
annehme, daß es nach ihnen gehen könnte. Im Hause sind
Moni, Medi und Golo, der sich sehr erfreulich entwickelt

hat und vorzügliche Dinge für »Maß und Wert« schreibt. Hast Du Deine Nietzsche-Einleitung abgeschickt? Über Schopenhauer habe ich nicht 20, sondern 60 Seiten geschrieben. Warum setzt man mich auf die Fährte! Nun muß das Vorwort erst wieder aus dem Überfluß herauspräpariert werden – Golo hat auch das schon gemacht.

Du hast Zeit, wegen der Reise mit Dir zu Rate zu gehen, für die ich Dir allerdings kühleres Wetter wünschte. Man freute sich erst, als es endlich warm wurde, und schon erweist sich das Vergnügen als Kalamität.

Herzlich   T.

9. Sept. 1938
18, rue Rossini
Nice (France)

Liebe Katja,

es waren sehr schöne Tage in Küsnacht, ich möchte Ihnen gleich nach meiner Rückkehr nochmals herzlich danken. Der Höhepunkt waren keineswegs, wie Tommy beim Abschied meinte, meine verlesenen Bruchstücke; das Beste war vielmehr, dass ich mit meinem Bruder und seiner Familie diese Zeit noch zusammen sein konnte, bevor Ihr alle weit fort geht. Übrigens ist es nur in Gedanken weit, und ich darf hoffen, dass schon im nächsten Mai oder Juni Ihr Besuch sich wiederholt. Viel Glück inzwischen.

Gestern sah es nach Krieg nicht aus. Für heut und morgen wissen wir nichts. Versäumt der Angreifer seinen Zeitpunkt, dann ist es im Gegenteil die Stunde der deutschen Opposition. In Paris wäre der rückhaltlose Verzicht auf alle inneren Streitigkeiten zu verlangen. Darf ich Erika bitten, mir das Ergebniss mitzuteilen? – Soeben lese ich, dass in Nürnberg am 12. die Entscheidung fallen soll. Die Welt erwartet sie mit allen Gefühlen, nur das berechtigte fehlt: die Scham.

Euer Aller gedenke ich bestens. Ihr freundlicher Gruss, liebe Katja, wird von Frau Kröger erwidert.

Ihr H. M.

22. Nov. 1938
2 rue Alphonse Karr
Nice (France)

Lieber Tommy,

vielen Dank, ich bin froh, dass Du mit dem »Nietzsche« einverstanden bist. Bei allem Widerspruch war ich doch nie versucht, respektlos zu werden, und hoffe, dass mein Verständniss, so weit es reicht, nicht nur »gütig« ist, sondern ehrenvoll. Etwas wie »Güte« hat Golo empfunden, als er die Sache zu lesen bekam. Er schrieb mir darüber sehr herzlich; einen Einwand machte er hinsichtlich der Worte über die Zukunft der Arbeiter. Sie könnten nicht unbedingt hingenommen werden, ihnen gegenüber stände die ganze Feindseligkeit Nietzsches gegen den Sozialismus. Das ist richtig, soweit der Sozialismus in Betracht kommt. Die Worte über die Zukunft der Arbeiter als Herrenklasse sind nicht sozialistisch. Ich mache mir auch nichts daraus, dass Ley und seine Spiessgesellen in betrügerischer Absicht etwas Ähnliches sagen. Aber ich sehe, dass hier die Stelle ist, die für ein Buch ergänzt werden müsste. Vorerst mag sie stehen bleiben. Es handelt sich vielmehr um Kürzungen, und die von Dir angeregten scheinen mir für das Verständniss ungefährlich. Ich bin für Deine gehabte Mühe erkenntlich. Deine Zeit und Kraft werden begreiflicher Weise viel beansprucht. Meine im Augenblick auch. Erstens muss ich ein Buch mit Artikeln der letzten zwei Jahre in Eile fertig machen. Zweitens sitze ich in einer unvollständigen Wohnung an einem »frühen« Empire-Tisch, aus der Zeit des ägyptischen Abenteuers; der zugehörige Schrank weist gleichfalls Sphynx-Köpfe und Ruhmes-Genien aus Bronze auf, und das Ganze war billiger als ein modernes »bureau«. Meine dritte Sorge ist die von Bertaux empfangene Nachricht, dass meine Tochter Goschi mit einem Amerikaner verlobt sein soll. Mehr weiss ich nicht, und frage nur, was das für Amerikaner sein können, die sich heute in Prag verloben, und mit meiner Tochter. Sie will durchaus nicht nach dem einzigen Lande, das sie freundlich aufnehmen würde; und dort wo sie wohnt, ist sie zweifellos gefährdet. Eine Verlobung, die unter solchen Umständen eintritt, »erwünscht, da kömmt er«, kann mich bisher nicht beruhigen. Ich habe telegraphiert, aber die bezahlte Antwort bleibt aus, wie alle Antworten, seitdem der Staat unter Schutz und Aufsicht steht. Goschi wollte, dass ich sie in Zürich treffe; ich habe sie gebeten, mit dem avion nach Cannes zu kommen. Bertaux wird im eigenen Namen die Bitte wiederholen müssen. So leben wir.

Bis dieser Brief zu Dir gelangt, hat sich womöglich ein Glück herausgestellt, wer weiss, eine Rettung. Ich wäre unendlich dankbar für ein wenig Frieden. Jetzt steht es derart, dass ich kaum voraussehe, was ich künftig zu sagen oder zu machen habe. So viel ist sicher, dass wir Mut haben sollen; die grossen Erschütterungen werden uns nicht umsonst zugemutet.

Mit Grüssen an die Deinen   herzlich H.

Dein Manifest – ich denke, dass es eines ist – erwarte ich täglich mit Spannung. Vielleicht erinnerst Du den Verlag daran, falls Du es nicht selbst abgeschickt hast.

29. Dez. 1938
2, rue Alphonse Karr
Nice (France)

Lieber Tommy,

Deine beiden Schriften mit den brüderlichen Widmungen haben mir wohl getan. In »Dieser Friede« steht, meisterhaft vorgetragen, alles was zu dem vorläufig letzten Kapitel des pessimistischen Romans »Europa« zu sagen war. Du wirst ihn weiter kommentieren. Mir vergeht beinahe die Lust, und auch die Erlaubniss kann entzogen werden. Sollte das Ergebniss, das Du voraussiehst, wirklich eintreten, die allgemeine Fascisierung mit Vorbehalten und Abänderungen je nach der Vorgeschichte der Völker, dann – »macht ihr euern Dreck alleene,« sprach ein weiser, wenn auch betrunkener König. Noch so vornehm ausgedrückt, bliebe doch nichts anderes übrig. Und muss auch nicht, sagen die Leute bei Fontane. Es geht immer auch so, sagst Du.

Ob Du inzwischen meinen Roman bekommen hast? Er ist seit vorigem Monat erschienen, aber meine Exemplare trafen erst gestern ein, und ich hatte keine Gelegenheit, in das Deine die Widmung zu schreiben. Sie würde ungefähr heissen: Dem Einzigen, der mir nahe ist.

Meine Tochter hat wirklich ihren Dr Aschermann geheiratet und ist vertieft in ihr Eheglück, bevor sie mir nach Amerika entschwindet. Die Industrie-Gesellschaft, die von dem Vater des jungen Mannes geleitet wird, übersiedelt, wie jetzt üblich. Obwohl man einen Generaldirektor für bemittelt halten sollte, habe ich mich als richtiger zahlender Vater betätigen müssen – schmeichelhaft für einen, sagen wir unabhängigen Mann. Mein Kind sah ich kürzlich in Genf, ich weiss nicht, ob zum letzten Mal; denn einmal drüben, ist sie allerdings entschwunden.

Viel eher hoffe ich, dass Du selbst den Weg wiederfindest – in welches Europa? Das wird sich zeigen. Uns noch einmal den Krieg vorzumachen, worauf man uns dann vor ihm rettet, – wird nicht leicht sein. Das Phänomen von Berchtesgaden wird natürlich etwas unternehmen müssen, wozu wäre es das Kalb mit den zwei Köpfen. Therese von Konnersreuth war auch eine grosse Attraktion und wollte nicht vergessen werden. Ernst gesprochen, scheint es, dass im Falle Tunis der Fascismus dem ersten Widerstand begegnet. Fehlt nur eine neue verlorene Schlacht in Spanien, damit –. Aber unsere Hoffnungen werden nunmehr sechs Jahre alt.

Nur noch die hiesigen Astrologen datieren den Sturz des Einen mit 1940, des Anderen mit 1941.

Für 1939 wünsche ich Dir alles persönliche Glück, das ist das Sicherste. Möge es den Deinen allen gut ergehen. Mögen wir uns wiedersehen.

Herzlich   H.

25. Jan. 1939
2, rue Alphonse Karr
Nice (France)

Lieber Tommy,

hast Du meinen Roman »Die Vollendung« bekommen? Querido ist beauftragt, nochmals dafür zu sorgen. Aber Deine Bestätigung trifft vielleicht ein, bevor das Buch nochmals die lange Reise gemacht hat.

»Achtung Europa!« ist ein Dokument für die weite Zukunft und inzwischen unsere grosse Genugtuung. Ich danke Dir sehr.

Meine Tochter hat in Zürich geheiratet, den Dr. Aschermann, der in einem chemischen Unternehmen arbeitet, unter seinem Vater als Generaldirektor. Das Geschäft wird von Wien nach New York verlegt. Der junge Mann muss bald hinüber fahren. Von Goschi wird aber in Amerika ein eigenes, sehr beträchtliches Bank-Dépôt verlangt, und nur den kleinsten Teil konnte ich ihr geben. Früher würde ein Geschäftsmann leicht einige tausend Dollars aufgebracht haben. Das scheint jetzt anders zu sein. Bei genügend einflussreichen Verbindungen würde man sich vielleicht damit begnügen, dass die junge Frau nur 3000 $ hinterlegt? Dies ist eine ganz unverbindliche Anfrage, aus der Sorge um das Kind, das hier recht unglücklich zurückbleiben würde.

Ich hoffe, dass Du arbeitest und zufrieden bist. Meine nächste Sache wird allmählich erfunden. Mit den besten Grüssen an die Deinen,

herzlich   H.

Lieber Heinrich, Dein Roman ist vor ein paar Tagen endlich
gekommen, – ich kann wohl sagen: ich lese Tag und Nacht
darin, tags in jeder freien halben Stunde und abends in der
Stille, bevor ich das Licht lösche, was unter diesen Umständen spät geschieht. Das Gefühl festlich erregender Außeror-
dentlichkeit verläßt einen nie bei dieser Lektüre, das Gefühl,
es mit dem Besten, Stolzesten, Geistigsten zu thun zu haben,
das die Epoche zu bieten hat. Man wird sich gewiß einmal
wundern, wie sie in all ihrer Erniedrigung doch dergleichen
hervorbringen konnte – zum Zeichen, daß es mit all ihrem
zur Schau gestellten Schwachsinn und ihren Verbrechen
nicht soviel auf sich hat und der Menschengeist unterdessen
seinen Weg weiter geht und seine Werke schafft, im Grunde
ungestört. Das Buch ist groß durch Liebe, durch Kunst,
Kühnheit, Freiheit, Weisheit, Güte, überreich an Klugheit,
Witz, Einbildungskraft und Gefühl, wunderschön, Synthese
und Résumé Deines Lebens und Deiner Persönlichkeit. Man
sage, was man wolle: solches Wachstum und solches Werden aus dem Sein, solche Dauer und solches Ernten ist nur
europäisch; hier in Amerika sind die Schriftsteller kurzlebig,
schreiben ein gutes Buch, danach zwei schlechte und sind
dann fertig. Das »Leben« im Goethe'schen Sinn ist nur unsere Tradition, es ist weniger Vitalität als ein Sinn und ein
Wille. Kesten hat in dem Aufsatz, den wir glücklich genug
waren, im letzten Heft von »Maß und Wert« bringen zu
können, mir vieles von den Lippen genommen, was ich sagen könnte; man muß gestehen, die Begeisterung hat seinem Talent Flügel verliehen, Du wirst nicht ungerührt
gewesen sein, es ist beinahe das Musterbeispiel einer positi-
ven Kritik, und da er das Ganze sieht, ist es eine Art von
Lebensfeier. Das will ich glauben, daß die deutsche Emigration sich etwas zugute thut auf dies Monument! Und
schließlich, wir kennen ja den Gang der Dinge, wird auch

Deutschland sich was darauf zugute thun. »Denn er war unser«. Nun ja, wie man es nimmt.

Ferner ist da nun die Sache mit Deinem Schwiegersohn, meinem Neffen, Dr. Aschermann, nicht besonders angenehm. Er war hier, machte einen kurzen Besuch bei seinem Onkel, wie er gerne sagt, um dann für längere Zeit nach dem Westen (er sagte »Süden«, aber gemeint war Californien) zu gehen. Was er über die Transferierung des Geschäftes (eine chemische Fabrik ist ja nicht transportabel, und ich zweifle, ob es da überhaupt etwas zu transferieren gibt), über die Garantiesumme für Goschi (ein hier Eingewanderter und Niedergelassener kann, wie ich schon sagte, seine Frau ohne Weiteres zu sich nehmen) vorbrachte, war alles etwas unbestimmt und undeutlich. Auch was er in Californien zu thun hat, wurde nicht klar. Einige Tage später suchte uns dann ein Amerikaner, Morton W. Lieberman, South Orange, New Jersey, auf, um uns zu warnen. Gegen meinen Neffen sei hier eine Klage anhängig wegen Veruntreuung von Wertgegenständen, Juwelen u. dergl., die eine jüdische Dame ihm zum Hinausschaffen aus Deutschland eingehändigt habe. Der jüdischen Dame sei es nun selber gelungen, hinauszukommen, und so könne sie gegen ihn vorgehen, während zahlreiche andere jüdische Herrschaften, für die er auch Wertgegenstände hinausgeschafft, deren Wert er dann für sich behalten, nichts machen könnten, weil sie noch in Deutschland oder Oesterreich wären. Der Mann machte einen verständigen, wohlmeinenden Eindruck, und da schon vorher Prager Aeußerungen zu uns gedrungen waren, man gönne Mimi und Goschi ja jedes Glück, aber hier sei doch wohl etwas übereilt gehandelt worden, so wurde uns bange um das, was Du etwa für Aschermann gethan, um Deine Möbel, die er ja wohl auch hinausgeschafft, und von denen er gleich sagte, Du würdest wohl leider Monate lang darauf zu warten haben, und um diese ganze Verbindung. Weiß Gott, ob man dem jungen Mann nicht Unrecht thut und ihn in ein ganz falsches Licht bei uns gesetzt hat; aber ich frage mich vergebens, warum das geschehen sollte, und so leid es mir thut, Dich zu beunruhigen, hielt ich es doch für notwendig, Dich aufmerksam zu machen, wie auch Golo, nicht so unumwunden wie ich hier, an Mimi geschrieben hat. Diese Gerüchte und Aussagen sind nun doch einmal in der Welt, der Verdacht, A.'s Heirat mit Goschi könnte die Spekulation eines Unredlichen auf Deinen und meinen Namen sein, ist nicht von der Hand zu weisen, und wohl oder übel müßt ihr euer Verhalten danach einrichten, Goschi nicht voreilig herüberschicken und überhaupt euer Vertrauen im Zügel halten. Möge alles sich als Irrtum und Unsinn herausstellen.

Acht Tage noch, und in Boston geht meine Vortragsreise an, führt dann in den Mittelwesten und Westen, fünf Wochen lang. Wir reisen zu dritt, mit Erika als gewandter Sekretärin und Assistentin. Es wird anstrengend, aber ich kenne es schon, und die amerikanischen Schlafwagen-Betten im eigenen Abteil sind vorzüglich.

Herzlich glückwünschend   T.

Princeton, N. J. 14. v. 39.
65 Stockton Street

Lieber Heinrich,

gestern besuchte uns Landshoff, der Dich in Nizza gesehen, und durch ihn hörten wir von dem leidenden Zustand Deiner Frau und von den Sorgen und Nachteilen, die Dir natürlich, zu allem Übrigen, daraus erwachsen. Die Nachricht ging uns sehr nahe, und ich beschloß sogleich, Dir zu schreiben, was ich übrigens längst getan hätte ohne die fast 6wöchige lecture-Reise, die hinter mir liegt und die Kette von politisch-literarisch-gesellschaftlichen Verpflichtungen, die sich hier gleich wieder daran schloß. Dies Land, in seinem gewaltig naiven Eifer, frißt einen auf. Hätte ich aber gewußt, wie schwer Du es jetzt hast, so hätte ich dennoch geschrieben, um Dir das Gefühl unseres teilnehmenden und verständnisvollen Gedenkens zu geben. Eine gewisse psychische und physische Reaktion nach der Vollendung des ungeheueren Werkes, unter dessen Druck Du solange gestanden, war wohl ohnedies unvermeidlich, und so kommen diese erschwerenden Umstände, der Kummer um das Leiden Deiner Frau und alle damit verbundenen Unzuträglichkeiten im falschesten Augenblick.

Ich habe mich gewundert oder vielmehr es bewundert, wie Du gleich nach der größten Anstrengung Deines Lebens einige Deiner besten politischen Aufsätze schreiben konntest. Der über das Nazi-Reich als Entformung und Auflösung Deutschlands (das ist aber die List der Geschichte: als Kriegs-Akkumulierung ist es gemeint, und als Auflösung wird es sich auswirken) war ebenso glänzend wie die Anrede an die deutschen Soldaten. Den ersten hat Erika an die »Nation« gesandt; es wäre höchst erfreulich, wenn er in diesem Lande erschiene. Für die Verbreitung des zweiten in den deutschen Kasernen wird hoffentlich die illegale Findigkeit Sorge tragen.

Das bringt mich auf den Gegenstand des Briefes, den ich diesen Zeilen gleich beilege. Die Kontaktnahme mit dem Volk in Deutschland, sei sie auch nur durch List und Schmuggel möglich, ist eine Sache von größter Wichtigkeit, und ihre Organisierung sollte nicht auf die Zeit nach ausgebrochenem Kriege verschoben werden. Die Empfänglichkeit ist zweifellos mächtig, und noch größer, glaube ich, als das Verlangen nach politischer Aufklärung, ist der Durst einfach nach in der Freiheit entstandener, die Luft der Freiheit bringender Literatur, deren indirekte Wirkung gerade auf Deutsche vielleicht stärker ist, als die direkt propagandistische. Das Genauere sagt der Brief. Auf Anregung Erika's versuche ich jetzt ein ausgesuchtes Comité großer deutscher Namen zusammenzubringen, die auf den Briefbogen stehen sollen, und mit deren Hilfe hier bestimmt ohne große Schwierigkeiten eine beträchtliche Summe Geldes zusammengebracht werden wird, die nur dazu dienen soll, eigens hierzu hergestellte Schriften in geeigneter Form nach Deutschland hineinzubringen. Wir bitten um Deinen Namen und Deinen Beistand.

Ich kann nicht sagen, wie sehr ich wünsche, daß die Gesundheit Deiner Frau sich rasch bessern und dadurch auch Dein Zustand leichter und heiterer werden möge!

Herzlich   T.

65 Stockton Street
Princeton. N. J.
am 14. Mai, 1939

Lieber Heinrich, –

inmitten von Tumult und Ungewißheit, inmitten von Kriegsdrohung und neuer »Appeasement«-Gefahr wird eines immer klarer, nimmt immer genauere Umrisse an: die Entscheidung muß und wird in Deutschland fallen. Solange das deutsche Volk sich von dieser »Führung« nicht befreit hat, wird es einen dauerhaften Weltfrieden nicht geben. Wir wissen das seit langem und die Welt fängt an, es zu begreifen. Wir wissen auch, daß die Deutschen ihr Regime im Grunde hassen und daß sie nur den Krieg mehr fürchten, als den Hitler. Die tiefe, mißtrauische und angsterfüllte Abneigung des deutschen Volkes gegen seine Nazi-Regierung ist nicht primär »politischer« Natur. Wovor die Besseren unter den Deutschen zurückschaudern, das ist der moralische Abgrund, in dem sie zu versinken drohen, – die abscheuliche Verkommenheit im Sittlichen und Kulturellen. Es steht fest, daß innerhalb des letzten halben Jahres eine erhebliche Anzahl von Deutschen ihr Land verlassen haben, die weder »politisch«, noch »rassisch« als »anrüchig« gelten konnten, – ganz einfach, weil die November-Pogrome, oder die Propaganda-Hetze gegen die Tschechoslowakei zu viel für sie gewesen waren. Sie berichten von der vor keiner Gefahr

zurückscheuenden Gier, mit der sie Schriften und Aeußerungen, die von draußen, die aus der Freiheit kamen, an sich
rissen, – von dem qualvollen Durst nach Wahrheit nicht
bloß, sondern nach Anstand vor allem, – nach Würde, nach
ruhiger Besinnung, – von ihrer Sehnsucht nach den Stimmen des Geistes und der Gesittung. Und, während die
Bücher der prämierten Staats-Schriftsteller bei allem Propa-
ganda-Lärm keine Leserschaft mehr in Deutschland finden,
sind es die paar »erlaubten« ausländischen Autoren, deren
Arbeiten von den Deutschen verschlungen werden. Wie
sehr, wie dringend verlangt es aber unsere Freunde in
Deutschland darnach, von uns zu hören! Im Laufe der Cam-
pagne gegen die Intelligenz ist das »Schwarze Corps«, – ein
paar Wochen ist es her, – gegen die Buchhändler zu Felde
gezogen: wenn es nach denen ginge, würde überhaupt von
früh bis spät nichts anderes verkauft, als Emigranten-Litera-
tur. Wir haben allen Grund, dem »Schwarzen Corps« in
diesem Punkte Glauben zu schenken.
Es ist notwendig, für die Deutschen drinnen, und für uns
Vertreter des geistigen Deutschland draußen, daß wir die
Verbindung miteinander aufnehmen. Der unnatürliche Zustand, daß wir, die wir die Deutschen lehren müßten, sich
auf ihr besseres Selbst zu besinnen, des Kontaktes mit ihnen
beraubt sind, muß ein Ende nehmen. Unsere Stimmen werden gehört werden, daheim, wenn wir sie nur eindringlich
genug vernehmen lassen.
Nach reiflicher Ueberlegung habe ich den folgenden Entschluß gefaßt:
Im Laufe von etwa 12 Monaten möchte ich etwa 24 Bro-
schüren ins Land gehen lassen, die von Repräsentanten des
deutschen Geistes *für die Deutschen* geschrieben werden sollen. Die Schriften-Reihe soll keineswegs durchwegs politischen Charakter haben, sie soll an die besseren Instinkte
unserer Landsleute appellieren, während Hitler nur ihre ge-
fährlichsten wachzurufen weiß. Ein Committee von amerikanischen Freunden (Chairman Dr. Frank Kingdon, Präsi-

dent der Universität Newark) wird die Finanzierung des Projektes übernehmen, – ich werde im Laufe dieses Jahres an etwa 24 deutsche Schriftsteller, Gelehrte, Theologen und Künstler mit Vorschlägen herantreten. Für den Augenblick bitte ich Dich um nichts weiter, als um Deine prinzipielle Zustimmung. Ich möchte Deinen Namen, der in Deutschland und in der Welt einen guten, einen werbenden Klang hat, der Namensliste meines deutschen Committee's beifügen dürfen. Wenn Du ja gesagt haben wirst, sollst Du sehr bald Genaueres hören.

Mit gleicher Post gehen ähnliche Briefe an die folgenden Freunde und Kollegen:

Wilhelm Dieterle, Bruno Frank, Professor James Frank, Leonhardt Frank, Lotte Lehmann, Dr. Hermann Rauschning, Ludwig Renn, Professor Max Reinhardt, Rene Schikkele, Professor Erwin Schrödinger, Professor Paul Tillich, Fritz von Unruh, Franz Werfel, Stefan Zweig.

Ich selber werde in diesen Wochen mit einer Arbeit beginnen, die für die Deutschen getan werden soll.

Was die Wege der Verbreitung angeht, so gibt es ihrer zahlreiche, sogar die Post ist ein Weg; – wir rechnen mit einer Verbreitung von mindestens 5000 Exemplaren pro Broschüre, – wobei jedes Exemplar vielfach gelesen werden wird. Die Arbeiten sollen honoriert werden, – bescheiden und im Rahmen dessen, was Beiträge dieses Umfangs in den hiesigen Wochenschriften (»Nation«, »New Republic«) abwerfen.

Darf ich zusammenfassen, lieber Heinrich?: Neben unsern eigensten Aufgaben, neben der »Forderung des Tages« und über sie hinaus, gibt es unsere Pflicht und Schuldigkeit, unsern Einfluß auf die Deutschen zu nutzen. Nur wenn die Deutschen mit Hitler ein Ende machen, kann der Krieg vermieden werden. Nur wenn, – sollte er nicht vermieden werden, – die Deutschen *vor der Niederlage* dem Regime die Gefolgschaft verweigern, dürfen wir auf einen Frieden hoffen, der nicht die Keime des neuen Krieges schon wieder in sich trägt. Die Deutschen müssen zur Raison gebracht werden und wer soll es tun, wenn wir schweigsam bleiben? Laß schnell von Dir hören und nimm alles Herzliche von

Deinem T.

P.S. Dieser Brief diene zur Information über meinen Plan und als Bitte um Deine formelle Zustimmung. Da Deine Arbeiten seit Jahren verbotene Best-Seller in Deutschland sind, weiß ich mich natürlich im Prinzipiellen mit Dir einig.

25. Mai 1939
2, rue Alphonse Karr
Nice (France)

Lieber Tommy,

Dein Geburtstag naht, möge mein Glückwunsch pünktlich eintreffen, ich gedenke des Ereignisses schon längst. Ich bekam die Zeitschrift »Life« mit den alten Erinnerungen und neuen Bildern. Dass Deine Umstände immer freundlich und mit ergiebiger Arbeit gesegnet blieben.

Dein Plan hinsichtlich der Propaganda ins Land hinein hat meine Zustimmung und Mitwirkung. Zum Beispiel stehen die Artikel aus der Weltbühne zur Verfügung. Der Aufruf an die deutschen Soldaten ist schon mehrfach verbreitet, einige Male ist auch ein Aufruf an die Arbeiter gesendet worden. Es kann bei diesen Sachen niemals genug werden. Eine Antwort auf die Geburtstagsrede des Minderwertigen habe ich auf Platten gesprochen. Meine Dünndruck-Manifeste zähle ich nicht mehr. Mein Ziel ist bei allem das Deine: die deutsche Erhebung muss dem Krieg zuvorkommen.

Die Deutschen bereiten sich innerlich vor; sie werden uns früher begreifen als andere. Das Beschämende ist, dass mit einem deutschen Aufstand noch immer nirgends gerechnet wird. Am 9. Juni soll ich in Paris bei einem Mitglied der 200 Familien zu den einflussreichsten Journalisten sprechen. Ich bereite eine Rede vor, des Sinnes, sie nachdenklich zu machen über den neueren sittlichen Zustand des Landes. Sie sollen vor der Frage stehen, ob die deutsche Opposition am Ende ernst zu nehmen wäre, und nicht mehr das Regime.

Mit derselben Sache werde ich dann vielleicht nach London gehen. Die Aufforderung liegt vor, und der Wunsch wird geäussert, unsere Propaganda zu unterstützen. Leider kennen wir den Verlauf. Bessere Aussichten bekommt er allenfalls, weil eine zweifelhafte Einigkeit der Gesamtopposition einfach wegfällt. Der Aktionsausschuss sind Wenige, sie handeln um Widerspruch unbekümmert. Die englische Hilfe mag uns unter der einzigen Bedingung gewährt werden, dass wir Erfolg haben. Das ist übrigens auch meine Bedingung, wenn ich 1939 ganz an diese Tätigkeit wende. Zum Jahreswechsel muss Hitler am Boden liegen; oder, was folgt, wäre unabsehbar, wenigstens für mich.

Es war ein schwieriger Winter: Arbeit, deren Erfolg dahinsteht, die kranke Frau und das unglückliche Kind. Meine persönlichen Unbequemlichkeiten werden durch die Jahre entschuldigt. Meiner Frau kann ich helfen gesund zu werden, wenn ich mich mit ihr trauen lasse. In zehn Jahren, die nicht alle leicht waren, hat sie es sich reichlich verdient. Ich hatte hauptsächlich gezögert, bis meine Tochter verheiratet wäre. Ihre Ehe sieht jetzt traurig aus; das darf aber meine Frau nicht treffen. Nimm für Deine Teilnahme an ihrem Ergehen meinen besonderen Dank, es war eine rechte Tröstung.

Katia bitte ich zu erlauben, dass ich die Bestätigung ihrer Zeilen hier anfüge. Neu war mir, dass sogar die Adresse der verbrecherischen Schwiegermutter erlogen ist. Das Unverzeihlichste: mit Goschi ist sie über Deutschland gereist. Die Verhaftung des Kindes hätte ihr wohl gepasst. Von der törichten Mimi hat sie ein teures Schmuckstück mitgenommen, genau der Betrug, wegen dessen der Sohn in Amerika verfolgt wird. Ich hatte mich geweigert, ihm vor der Eheschliessung die Mitgift zu zahlen. Nachher habe ich drei Viertel des Betrages an Goschi selbst überwiesen. Vergebens, sie hat ihm alles ausgeliefert. Seither ist er verschollen. Könnt Ihr nachfragen, ob es möglich ist, dass ich mich der dort schwebenden Klage anschliesse? Mehrfach versuchte ich, nach Prag etwas Geld gelangen zu lassen, bisher ohne Erfolg. Die Briefe der Beiden erreichten mich über Schweden. Dorthin sollten sie zu entkommen suchen, und weiter nach Moskau, wo ich Mittel für sie habe. Möchte Katia sie an diesen einzigen Ausweg erinnern?

Herzlich   H.

Grand Hotel & Kurhaus
»Huis ter Duin«
Noordwijk aan Zee
(Holland) 19. VI. 39

Lieber Heinrich,

Du wirst wieder zu Hause sein, und wir haben uns hier, zusammen mit Erika, für die erste Etappe unseres europäischen Sommers installiert. Es sei noch einmal ausgesprochen, wie bewundernswert nett es sich fügte in Paris und welche Freude uns allen Dreien dies prompte Zusammentreffen gemacht hat. Man hat das Gefühl, einem so freundlichen Schicksal in Zukunft einiges Dazuthun schuldig zu sein, und so sprechen wir öfters davon, wenn es irgend möglich ist, bevor unsere Ferien zu Ende gehen, noch einen Besuch in Nizza zu machen, um Dein neues Heim kennen zu rnen und den Pariser Austausch häuslich fortzusetzen. Es ist arzu unsicher, ob man sich so bald wiedersieht. Viel häng allerdings davon ab, wie lange es noch dauert, bis die alten L ute in München ihre Pässe bekommen und wir die Schweiz nicht länger zu meiden brauchen.

Mit der Wahl dieses Ortes haben wir doch wohl das Richtige getroffen. Das Hotel ist vortrefflich, der Strand prächtig, und die Luft hat etwa den Effekt des Engadin. So erhoffen wir uns Stärkung nach einem Winter, in dem wenigstens ich mir etwas zuviel abzuverlangen hatte. Übrigens war es trotz unseres amerikanischen Hintergrundes garnicht leicht, auf unsere tschechischen Pässe hierher zu gelangen. Aber ein Besuch beim niederländischen Gesandten und ein Empfehlungsbrief von ihm haben Wunder gewirkt und uns nicht nur das belgische Transit-Visum verschafft, sondern uns auch an der Grenze die größten Erleichterungen und Ehren eingetragen. Trotzdem kommt Europa mit seinen Zollsoldaten und Paß-Quaerulanten uns eng, überfüllt und mißlaunig vor. Wenigstens war das so auf der Reise. Hier ist es noch leer und geräumig, mit Ausnahme der Sonntage, wo die Leute kommen, die Idachen Springer in Travemünde »Eintagsfliegen« nannte. Auch Deutsche sind darunter, man sieht sie an, wie man in die Berliner Illustrierte blickt. Rheinische Industrielle saßen hinter uns auf der großen Hotel-Terrasse, und ihrem Gespräch war zu entnehmen, daß sie leider oft Wochen lang nicht liefern können, weil es an Roh-Materialien fehlt. Von Zeit zu Zeit verfielen sie in Flüstern. Kurz, es war faszinierend.

Dies soll auch der Dank sein für Deinen Geburtstagsbrief, den ich noch nicht habe. Mit der ersten Post aus Princeton, die Dr. Meisel, mein Sekretär, nachsendet, wird er kommen.

Lebe recht wohl! Möge uns also noch ein Wiedersehen beschert sein diesen Sommer.

Herzlich   T.

Noordwijk aan Zee
(Holland)
28. VI. 39

Lieber Heinrich, »Mut« ist heute, noch ein paar Tage nach Deinem Brief, aus Princeton gekommen, Dein schönes Geburtstagsgeschenk. Die Umschlag-Notiz sagt ganz gewiß nicht zuviel, wenn sie von einem historischen Dokument spricht. Das alles wird bleiben und zeugen und bewundert werden, wenn die Pest lange vorüber ist. Übrigens soll man wirklich den Mut nicht verlieren. Gerade wenn Alles sich ganz niederträchtig gestaltet, wird eine internationale Sphäre der Freiheit und des Geistes, eine geschlossene Gesellschaft der Besseren sich herausbilden, die unseren Gedanken und Werken immer noch einen gewissen Lebensraum gewähren wird.

Herzlich   T.

Grand Hotel »Huis ter Duin«
Noordwijk aan Zee – Holland
5. VII. 39

Lieber Heinrich, laß, bitte, Herrn Grund wissen, daß ich mich gleich in Sache nach New York gewandt habe und dafür sorgen werde, daß ihm die ehrenvolle Erwähnung nicht genommen wird.

Katja wartet noch auf Antwort von Melantrich.

Herzlich   T.

Grand Hotel & Kurhaus
»Huis ter Duin«
Noordwijk aan Zee
(Holland) 17. VII. 39

Lieber Heinrich, ich sehe es natürlich ein, daß Du nicht nach Schweden fahren kannst, und Olden muß es auch einsehen. Für mich stand Stockholm von vornherein auf meinem Sommer-Programm, für den Fall nämlich, daß alles »gut« geht; d. h., daß wir ein schönes, faules appeasement haben. Sieht es garzu anders aus, so müssen wir freilich Hals über

Kopf nach Princeton zurück. Auch ein Vortrag ist für Stockholm verabredet und Alles.

Melantrich, der Arme, zeigte an, daß er überhaupt nichts mehr mit mir zu thun haben und weder nach außen noch innen Zahlungen leisten dürfe. Da ist also leider nichts zu machen.

Herzlich   T.

Grand Hotel & Kurhaus
»Huis ter Duin«
Noordwijk aan Zee
(Holland) 20. VII. 39

Lieber Heinrich,
Anliegendes habe ich von Bruno Frank bekommen. Es spricht wohl nichts dagegen, es zu zeichnen. Ich denke mir, Du thust es auch und bist so freundlich, das Papier an Feuchtwanger weiterzugeben.

Mögen die Bäder von Digne Dir gut getan haben und weiter gut thun. Ich bin hier in voller Arbeit, denn es wäre ein großer Gewinn, wenn ich den Roman noch diesen Herbst herausbringen könnte.

Lies doch den von Klaus, den »Vulkan«! Es thäte ihm wohl, ein gutes Wort vom großen Onkel darüber zu hören. Er ist recht vereinsamt damit; ich glaube, 300 Exemplare sind verkauft. Und dabei ist es ein sehr talentiertes, bei aller Leichtigkeit ernstes Buch, das mich beim Lesen mehr und mehr bewegt hat.

Herzlich   T.

Princeton den 26. Nov. 39

Lieber Heinrich,
Du weißt, wie unser Kontakt verloren ging. Nach unserem glücklichen Zusammensein in Paris, dem wohltätigen Aufenthalt von sieben Wochen, den wir in Holland hatten,

einem Besuch in der Schweiz und einem in London, reisten wir nach Schweden zum P.E.N. Club Congress, der dann schon garnicht mehr stattfand. Der Krieg kam, und unsere Absicht, von Stockholm noch einmal in die Schweiz zurückzukehren und von dort aus ein weiteres Wiedersehen mit Dir zu bewerkstelligen, wurde zunichte. Um unserer Sicherheit willen wollte man uns überreden, »die Kriegszeit in Schweden zu verbringen«. Gottlob, daß wir es nicht getan haben! Die Rückfahrt hatte freilich ihre Bedenken. Ein schwedisches Schiff konnten wir, eben aus Sicherheitsgründen, nicht benutzen. Wir mußten nach England zurückfliegen, um ein amerikanisches Schiff zu gewinnen, das citizens heimbrachte, und der Flug von Malmö nach Amsterdam, nicht weit an Helgoland vorbei, war eher mißlich. Nun, es ist alles gut gegangen, und von Southampton hat der U.S.A.-Liner »Washington« uns herüberbefördert – in einem Gedränge von 2000 Personen, die die Nächte auf improvisierten Pritschen in den zu Concentration camps umgewandelten Gesellschaftsräumen verbrachten.

Wir waren recht froh – so froh man heute sein kann – unsere Basis zurückgewonnen zu haben. Aber die Korrespondenz mit Europa ist bis zur Entmutigung erschwert und verumständlicht. Lassen wir die Politik bei Seite. Ich schreibe Dir hauptsächlich endlich dennoch, um euch, in Katja's Namen nicht weniger als in meinem, zu euerer Vermählung zu gratulieren, herzlich erfreut. Das ist eine gute und schöne, beruhigende Handlung. Sie besiegelt ein wohlerprobtes Verhältnis, das der dringlichen Segenswünsche nicht mehr so sehr bedarf wie das unserer kleinen Medi zu ihrem nunmehrigen Gatten G. A. Borgese. Ja, auch wir haben Hochzeit gehabt, Medi hat ihren antifascistischen Professor geheiratet, der mit seinen 57 Jahren nicht mehr daran gedacht hätte, soviel Jugend zu gewinnen. Aber das Kind wollte es und hat es durchgesetzt. Er ist ein geistreicher, liebenswürdiger und sehr wohlerhaltener Mann, das ist zuzugeben, und der erbittertste Hasser seines Duce, den er aus purem Nationalismus für den Allerschlimmsten hält. Diesen Nationalismus kasteit er mit Worten wie: »Deutschland ist eine Orgel und Italien bloß eine Geige«. Das »bloß« will aber nichts besagen. Einmal ging er bis zu der Formulierung: »Europe, that is Germany with fringes.« (Mit Fransen.) Nun, das könnte ja Hitlern gefallen. Er ist aber dabei ein überzeugter Amerikaner, und obgleich Medi italienisch kann und er deutsch, sprechen sie ausschließlich englisch mit einander.

Sie werden in Chicago leben, wo Borgese lehrt. So sind wir denn ganz allein in dem großen Hause zurückgeblieben, in Gesellschaft eines reizenden schwarzen Pudels französischer Zucht, den eine Gönnerin mir zum Geschenk gemacht hat. Katja ist beruhigt in dem Bewußtsein, daß ihre uralten Eltern nun wirklich doch noch in die Schweiz gelangt sind. Mit Hilfe namentlich des Hauses Wahnfried ist es schließlich gelungen, und für die Frist, die ihnen allenfalls noch gegeben ist, haben die alten ehemaligen Millionäre zu leben. Ob sie freilich ihre Tochter noch wiedersehen werden? Das hängt davon ab, wovon alles abhängt.

Ich bin gesund, das heißt: ich bin nicht krank, und damit muß man in unseren Jahren wohl zufrieden sein. Dem Goethe-Roman hatte der Aufenthalt in Noordwijk einen so glücklichen Stoß gegen das Ende hin gegeben, daß ich ihn hier in den ersten Wochen nach unserer Rückkehr abschließen konnte. Das Schlußmanuskript ist (über Portugal, mit Schweizer Diplomatenpost) glücklich in Stockholm eingetroffen, und so kann die deutsche Ausgabe noch vor Weihnacht »erscheinen«. Ich bin neugierig, wie sie der kleinen neugierigen Schar von Schweizern, Holländern und Skandinaviern, die ihr Publikum bilden werden, gefallen wird. Und Dir.

Es wird gute Weile haben, bis Du diesen Brief bekommst. Ich tue wohl besser, gleich zum Neuen Jahr zu gratulieren. Laß uns auch von Dir hören, wenn es Dir möglich ist. Für die konzentrierten deutschen und oesterreichischen Schriftsteller habe ich mich nach Kräften eingesetzt. Giraudoux hat

mir sehr ausführlich und liebenswürdig berichtet, und auch
J. Romains tat sein Bestes. Auch ist eine Menge Geld von
hier an die Betroffenen abgegangen.
Herzliche Grüße und Wünsche!   T.

                                        17. Jan. 1940
                                        2, rue Alphonse Karr
                                        Nice (A.M.) France
Lieber Tommy,
gestern früh 20 Minuten vor 1 Uhr las ich den Schluss von
»Lotte in Weimar«. Der Schluss ist das Ergreifendste, wie
Du wissen wirst. Als das Buch mir vor wenigen Tagen zu-
ging, habe ich dort angefangen, wo »Mass und Wert«
aufgehört hatte; bald kam ich zu Goethe. Sein erstes Auftreten, eigentlich Daliegen, vollzieht sich still und geheim.
Man weiss nicht sogleich, dass man mit ihm beisammen ist.
Auch Hofrätin Kestner geb. Buff bemerkt, zuletzt im Wagen, ein Weilchen später, wer neben ihr sitzt. Beide Male ist
es von zarter und starker Wirkung – etwas gespenstisch beim
zweiten, und das erste traumhaft.
Das 7. Kapitel hat eine Folge und ein Ineinander von innerem Leben und äusseren Anlässen, es ergibt auf bemessenem
Raum die Figur und ihren Gesamteindruck, aus Grösse,
Fragwürdigkeit, den machtlosen Versuchen der Anderen,
heranzugelangen, und den eher gelungenen, sich seiner zu
bedienen. »Herr Schreiber John« durfte nicht fehlen. Auch
nicht der Zug von August, der seinen Vater den Tag der
Einladung bestimmen lässt und hatte ihn doch selbst ganz
richtig bestimmt. Es ist nicht genug, dass der Übergrosse im
Grunde verhasst ist, man macht sich auch lustig, die einzige
Art, um ihn dennoch zu lieben. Aber wie er selber hasst und
liebt – immer auf Schiller zurückkommen, das geht mir am
Nächsten.
Den wahren Goethe hat man gehabt, als in Kapitel 8 die
Schau beginnt. 7 ist die genaue Vorbereitung; 8 hätte anders

278

nicht dieselbe Bedeutung. In 8 spielen Haus und Statisterie mit, ich sehe ein Opern-Décor, die Bewegungen sind »geregelt«, – und das fällt zusammen mit der besonderen »Reglung« für Charlotte, damit sie im Abstand bleibt. Dieser Akt, wie ich unwillkürlich sage, hat eine ausserordentliche Regie. Ich wäre aber sehr betrübt von der ersten Lektüre geschieden, wenn nicht der dunkle Abschied in Kapitel 9 noch käme. Den hatte ich vorher empfunden, obwohl ich dann über den Mann im Mantel etwas mehr erschrocken bin als die vernünftige Frau, die ihn entdeckte.

Dies sind Eindrücke. Sie drücken hoffentlich mit aus, was ich für Dein Buch empfinde, eine sehr eigene Zuneigung. Ich glaube, dass es aus Deinem jetzigen Lebensalter das Schönste ist. Ich sage nicht das Beste; besser als der Joseph kann es nicht wohl sein. Auch »das Schönste« erscheint es mir nur, weil es mich sehr getroffen hat. Die lange Beschäftigung mit dem Schönen macht den Menschen weinerlich, wie ich in »Lotte in Weimar« gelesen zu haben meine. Besonders in dieser Zeit. Schliesslich vergleicht man sich mit dem Kellner Mager, den Du auf der letzten Seite in gleichnisshafte Beziehung zu dem Verfasser bringst.

Ich danke Dir von Herzen.   H.

Hiernach will ich den Werther wieder lesen, französisch wie ich ihn hier habe, mit dem Artikel von Sainte-Beuve, der durchaus gefühlt ist.

Princeton den 3. März 1940

Lieber Heinrich,

Deinen schönen Brief vom 17. Januar erhielt ich irgendwo tief im Lande Texas, auf der Vortragsreise, von deren Bevorstehen ich Dir, glaube ich, schrieb. Wir hatten vor der Rückfahrt nach New York, die in 40 Stunden geschah, einige Tage Rast in St. Antonio, nahe dem Golf von Mexiko, wo es schon sehr sommerlich war. Die Bevölkerung dort ist stark mexikanisch durchsetzt, ein oft sehr anziehender Typ und eine Erholung nach dem ewigen Yankeetum. Auch giebt es dort wunderschöne spanische Missionsgebäude aus dem 17. Jahrhundert, das Malerischste, was ich in Amerika zu sehen bekommen habe.

Es hat mich sehr gerührt, daß Du noch einmal so liebevoll auf meinen Roman eingegangen bist, und es beglückt mich, daß er Dich fesseln und Dir nahe gehen konnte. Ich weiß nicht, ob er mein Schönstes ist, aber das Liebste ist er mir, weil am meisten Liebe und Liebesvereinigung darin ist, trotz aller Bosheiten und ironischen Verismen, in die diese Liebe sich kleidet. Seine Schwächen und Pedantereeen sehe ich darum besonders deutlich. Es wäre gar kein Roman, sondern etwas wie eine dialogisierte Monographie, ohne ein Element des Aufregenden, das der Conception angehört und sich bei der Ausführung erhalten zu haben scheint. Natürlich hängt es zusammen mit der Verwirklichung des Mythos, in der ich durch den Joseph Übung bekommen hatte. Der Leser hat die Illusion, ganz genau zu erfahren, wie *es* wirklich war und glaubt dabei zu sein. Das ist ein Abenteuer, und so kann es geschehen, daß in einem Schweizer Blatt Einer schreibt, er habe das Buch verschlungen wie die Indianergeschichten seiner Knabenzeit. – Was Du über das Schlußkapitel sagst, zeigt mir noch deutlicher, als ich es schon wußte, daß ich gut tat, es zu erdichten. In Wirklichkeit hat kein zweites Wiedersehn stattgefunden, so half ich mir, indem ich die gute Lotte, angeregt vom Jamben-Theater wie sie ist, es selbst hervorbringen ließ. Es ist die einzige wirklich irreale Szene, obgleich die anderen Gespräche auch platonisch genug sind.

Hier sitzen wir nach den Sommertagen von San Antonio nun wieder im Schnee. Ich habe viel zu tun, muß lectures für die boys vorbereiten, über die art of the novel, wobei die Hauptbemühung darin bestehen muß, es nicht zu gut zu machen. Oft frage ich mich, was Du jetzt treiben und schreiben magst. Ich kann an das Zuschauertum, das Du andeutetest, noch nicht recht glauben, weil ich selbst gestehen muß, weit davon entfernt und oft von Haß und Sühne-Begierde zerrissen zu sein. Ich habe auf dieser Reise wieder bis an die Grenze des von »Neutralität« wegen Erlaubten agitiert und auch ein Gegenstück zu »This peace«: »This war« geschrieben, das nächstens in London erscheint und nur nach Deutschland gebroadcastet werden soll!

Lebe wohl! Golo macht in Zürich seine Sache sehr brav. Kannst Du ihm einmal einen Beitrag geben?

T.

23. Juli 1940
2, rue Alphonse Karr
Nice

Lieber Tommy,

eine Anfrage von Oprecht lässt mich vermuten, dass Du Dich erkundigt hast. Vielleicht hast Du mir auch direkt geschrieben, seit dem 26. März, als Deine Nachrichten zuletzt eintrafen. Spätere bekam ich ebenso wenig, wie Du wohl meinen Brief zum 6. Juni und nachher meine beiden Kablogramme. Das erste schickte ich noch bevor eine deutsche Kontrolle hier wirkte. Das zweite war eine Wiederholung. Ich bat Dich, womöglich zu vermitteln, damit meine Frau und ich das Einreisevisum erhielten. Das hiesige Konsulat hätte telegraphisch angewiesen werden sollen. In diesem Fall befänden wir uns jetzt drüben oder auf dem Wege. Indessen, ich hatte die Anstalten zu spät getroffen.

Nunmehr muss ich etwas Anderes unternehmen, ohne dass ich den Gedanken an Amerika ganz aufgebe. Hier bleiben, wäre nicht gerade gesund. Es drohen von zwei Seiten a) die Forderung uns auszuliefern, b) die begreifliche Neigung, uns manches entgelten zu lassen. Dagegen meinen Personen, die es wissen müssen, dass die Auslieferung vielleicht nicht abgelehnt, aber hintertrieben werden würde. Der gute Wille uns in Sicherheit zu bringen, scheint hier und da zu

bestehen. Nächstens soll sich erweisen, ob wir nach Nordafrika verschwinden können – und dort »sicher« sind. Das
heisst vor allem: frei; und heisst: imstande, nach Portugal
und auf ein Schiff zu gelangen.

Marokko ist keine Provinz, nur ein Protektorat, und das
Touristen-Visum gilt 6 Monate. Das wäre genug, um abzuwarten, ob England fest bleibt und der Führer Europas »aus
den Pantinen kippt«, was ihm früher oder später doch zugedacht ist. Wenn ja, habe ich keinen Grund, die alte Welt
früher zu verlassen als die Welt überhaupt. Für den ungün-
stigeren Fall ist das amerikanische Einreise-Visum immer
erwünscht. Es würde, auf Anordnung der Regierung, von
dem Consulat in Marseille erteilt werden. Übrigens wende
ich mich dessenwegen auch an meinen guten Bekannten den
tschechoslowakischen Konsul Vochoč, 57 rue de la République in Marseille. Er wird gewiss versuchen, das amerikanische Konsulat zu bewegen, dass es diesen Brief auf diploma-
tischem Wege befördert; sonst bekämest Du ihn wieder
nicht. Vielleicht erreicht Vochoč sogar, dass der andere Konsul mich seiner vorgesetzten Behörde empfiehlt. Deine
eigene Intervention wird aber gewiss die wichtigste sein.

Einmal ausserhalb dieses Kontinentes, wird meine Verbindung mit Marseille höchst ungewiss sein. (Nicht zu reden
von Nice. Das hiesige Konsulat ist ausser Betracht.) Noch
eine Schwierigkeit ist, dass ich wohl Geld genug habe, um
eine geraume Zeit die Ereignisse abzuwarten; nicht aber für
die Überfahrt. Mein Guthaben bei Knopf könnte dienen;
aber die Überweisung von Geld scheint nicht erlaubt; und
würde es Dir gestattet, mir dort die beiden Schiffskarten zu
kaufen, weiss ich doch nicht, ob sie zu mir den Weg fänden.
Du würdest sie dem amerikanischen Consulat in Marseille
schicken, gesetzt, dass es sich willig zeigt. Aber der Brief,
worin ich ihm meine Adresse gebe, kann abgefangen werden. Sehen wir erst einmal, ob Du diesen Brief bekommst
und ich Deine Antwort, die dann gleichfalls über das Konsulat gehen könnte – durch Kurier.

Dies sind etwas verwickelte Einzelheiten. Du wirst sie wohl zweimal lesen müssen. Man hat sich aufgespart, um derlei mitzumachen. Goethe nahm es den Leuten übel, wenn sie sich davonmachten vor dem letzten Rest. Und warum auch, ich kann gerade so gut nächstes Jahr in Berlin sein, nicht ausgeliefert, sondern hinberufen. Nichts zu wissen, ist unser Bestes. Davon abgesehen, leide ich bisjetzt weniger, als ich bei vorzeitiger Kenntniss dieser Umstände jemals gedacht hätte. »Es geht immer auch anders,« schriebst Du. Wer mehr und bis zur Unerträglichkeit leidet, das ist mit vielen Anderen meine arme Frau. Besonders ihretwegen muss ich trachten fortzukommen in ein milderes Klima. Nach dem Abreissen aller Verbindungen betreibe ich die gemeinsamen Interessen mit Marcu, den Du kennst, und einem Tschechen, der die Freiwilligen geworben hatte. Die Beiden sind auch »nicht ganz extra« daran.

Da der Brief aus Zürich nicht von ihm ausging, vermute ich Golo bei Dir und bin dessen froh. Im Sender London hörte ich Dich neulich nennen. Ich hoffe, dass Du arbeitest. Auch ich beschäftige mich nützlich; ohne viel Aussicht, dass die Sache einmal an das Licht, höchstens dass sie in unrechte Hände kommt. Aber mir selbst ist die Bemühung zuträglich.

Möge es Dir und den Deinen immer wohlergehen.

Herzlich   H.

Soeben wird mir ein Gruss von Golo aus Nîmes überbracht. Ich hoffe, dass Du es schon weisst und die peinliche Neuigkeit nicht erst von mir erfährst. Nîmes (Provence) hat ein grosses Sammellager für Fremde – heute wohl nur noch Fremde, die kein anderes Land aufnimmt. Er ist keinesfalls in deutscher Gefangenschaft, wird auch nicht leichter ausgeliefert als ich. Aber warum konnte er nicht in Zürich bleiben, und warum fordert Oprecht mit Hilfe seines Bruders ihn nicht zurück? Mich hat die Nachricht mehr erschüttert als die meisten anderen. Meine Frau hat sofort den Kopf verloren; sie ist fortgegangen mit der Überbringerin, die mich im Gegenteil hätte erwarten sollen, dann wüsste ich vielleicht mehr. In anderen Zeiten, die nicht lange her sind, konnte ich Dem und Jenem aus dem Lager helfen. Heute muss ich selbst dem Schlimmsten ausweichen. Wenn ich Näheres über Golo ermittele, bevor dieser Brief nach Marseille gebracht werden soll, füge ich es bei. Interessiere doch die amerikanische Regierung für das Schicksal Deines Sohnes. Vielleicht kam er, um für Frankreich zu kämpfen, und das ist der Dank. Er wird mir wohl geschrieben haben, aber ich bekomme nichts. Dieser Erdteil ist in voller Auflösung, nur die Kreidefelsen von England stehen noch.

– Nach meinen letzten Erkundigungen war Golo unterwegs nach einem französischen Hafen. Sogar ein italienischer wäre vorzuziehen gewesen, aber was weiss man. Er wurde in Nîmes auf der Strasse angetroffen, als er »Urlaub« hatte. Nach und nach sollen alle entlassen werden.

Testament

En cas de décès, naturel ou non, je laisse à mon épouse, Madame Emmy (Nelly) Mann, toutes les valeurs en ma possession au moment de ma mort: agent comptant, livres, manuscrits, meubles, et le reste.

Pour les revenus ultérieurs qui se produiraient par la vente de mes romans, pièces de théâtre, films et autres travaux, je désire que ces revenus soient partagés à parts égaux entre mon épouse et ma fille Léonie, domicilée à Prague, Tchécoslovaquie.

Nice   Henri Mann
28 août
1940

16. Nov. 1940
Hollywood
Canterbury House
North Cherokee

Lieber Tommy,

vielen Dank für Deinen Gruss, er ist früher angekommen als meiner. Da meine liebe Frau zuerst unserem Reisegefährten Golo geschrieben hatte, fügte ich gleich an, was auch Du lesen solltest. Hiermit nun hoffe ich Dich in Chicago zu erreichen.

Medi und ihren Eltern wünsche ich, dass inzwischen das Ereigniss glücklich vonstatten gegangen sein möge. Versichere das Kind, das selbst schon eins haben soll, meines aufrichtigen Gedenkens. Ein etwas fremder Onkel, und ihren Gatten habe ich noch nicht sehen dürfen; aber die Teilnahme kommt manchmal weither; uns überraschen unsere Leser mit unerwarteten Beziehungen. (Hier schwärmte mir der Theatermann Charell vom Henri, und gerade von der »Vollendung«, die der wichtigere, weniger bekannte Teil ist.)

Mein Zustand hier ergibt sich dem menschlichen Ermessen gemäss. Man schwankt zwischen Ehrerbietung oder Schonung, und dem Bedürfniss, mich regelrecht einzuspannen. Bisjetzt mache ich die »Novelle«, wie der abgekürzte Roman genannt wird, zu Hause. Vielleicht schon morgen werde ich ein Bureau im »Studio« beziehen müssen, um die Zeit von 10 bis 1 mit Beratungen und Plaudereien zu verlieren. Natürlich will jeder, der einen Film laufen hat, dass ich ihn ansehe. Ich sehe an und spreche. Allenfalls könnte ich sprechen, ohne gesehen zu haben.

Die gesellschaftliche Inanspruchnahme ist mässig, und unter Berufung auf die geschäftliche kann ich sie noch weiter mässigen. Nur gegen die rührende Frau Lisl Frank komme ich wirklichen Pflichten nach. Die Sorge um das Haus und den Wagen liegt auf meiner Frau, alles ist bedenklich, wenn es für eine unbestimmte Zeitdauer gedacht ist.

285

In der Nacht des Wahltages war das Zugspersonal mächtig erregt; man schien uns zum Radio rufen zu wollen, gab uns aber, als idiotisch, bald auf. Ich war vor Müdigkeit stumpf und liess dem Schicksal seinen Weg. »Es hat noch mal gut gegangen.« Wenn ich aber den 4th term betrachte –! Solange darf Falschsieger Hitler nicht mehr die Einsätze raffen. Es wird zu viel – und wird legal. Man sagt, dass die Herzogin von Windsor hier abscheulich aktiv ist, zu schweigen von allen anderen Gefahren.

In Princeton beschliesst Ihr hoffentlich schnell und günstig. Möchten wir in naher Zeit hier zusammenkommen! An Katja meine dankbaren Grüsse, und Nelly's nicht weniger freundschaftliche.

Herzlich Dein   H.

In meinen Briefen an Golo und Klaus war eine Bitte um Deine Empfehlung beim Rescue Committee, für die beiden Rottenberg, die in Lissabon angstvoll warten und die Rettung wohl verdienen. Sie sind geschlagen genug, es wird Zeit ihnen das Visum zu geben. Wenn man Menschen persönlich kennt wie ich diese, ist es peinlich, an ihre verlorenen Söhne, ihre ungerechte Verarmung und ihre Todesgefahr zu denken. Meine Bürgschaft mitsamt Auskünften liegt beim Committee.

                                        6. Dez. 1940
                                        264 Doheny Drive
                                        Beverly Hills, Calif.

Lieber Tommy,
gestern erfuhr ich durch Golo das glückliche Ereigniss. Es war eine wirkliche Erleichterung; ich hatte viel an Dich und Deine Sorge gedacht. Jetzt bitte ich Dich, Deiner Medi und ihrem Gatten meine Glückwünsche zu übermitteln. Ich freue mich mit Katia und Dir.

Umso besser, wenn die andere Nachricht sich bewahrheitet
und Ihr ernstlich an das Hierherkommen denkt.
Herzlich   H.

Liebe u. sehr verehrte Katja,
auch ich freue mich mit Ihnen über den neuen Familien-
Zuwachs u. wünsche Mädi alles Gute. Dass Sie wirklich u.
bald kommen ist fein. Wir sind noch ein bischen uneinge-
wöhnt u. fremd hier, haben aber ein ganz nettes Haus. Alles
Andere wird die Zukunft bringen. Wir denken oft u. gerne
an die schöne Zeit in Princeton
Herzliche Grüsse   Ihre Nelly

                                          23 Dez. 1940
                                          264 Doheny Drive
                                          Beverly Hills, Calif.
Lieber Tommy
meine besten Wünsche. Möge 1941 uns Freude bringen. Ei-
nige Bitterniss wird hineingemischt werden, das liegt in der
Natur der Wünsche, die erfüllt werden sollen. Möge 1941
Dich, Katja und Eure Kinder alle zufrieden stellen. Meines
Teils bin ich froh, wenn es mir gelingt auszusehen wie auf
dem beigelegten Bild, einer Aufnahme des begabten Mr.
Knopf.
Wann kommt Ihr hierher?
Herzlich   H.

Alle guten Wünsche für das neue Jahr, – hoffentlich kommen
Sie bald nach hier!?
herzliche Grüsse   Nelly

Lieber Tommy,

das war eine Überraschung, dieses neue Buch und schnelle Zwischenspiel! Eine »kleine« Unterhaltung war es nicht, obwohl unterhaltsam und sogar leicht, – wenn man anstatt leicht nicht sinnvoll, daher schwer sagen will. Das Buch vertauscht die Bedeutungen, wie Köpfe. Das Schmerzliche wird des Öfteren zum Lachen, der Genuss und Wert zu leben, schliesst die Hinneigung zum Tode mit ein, und die Vernichtung bekommt viel von einem galanten Spiel. Die Sinne werden verachtet und gefeiert in einem hin. Man stirbt nach sehr kurzer Überlegung, aber vor dem kleinen Nachkömmling liegt das klarste Dasein. Es erfreut – 1. die Begabung der Mitwirkenden, aus Allem das Beste zu machen; 2. die Allseitigkeit der Lebensvorgänge, und keiner wird dem anderen vorgezogen; 3. die Heiterkeit, die galante Nichtachtung alles Gefährlichen oder Anstössigen. Liebe oder Abschlachtung schweben leichthin, in einer hohen Gleichgültigkeit des Erlebens, vorüber, wie neulich bei Voltaire, als ich seine, gleichfalls orientalischen und sinnvollen Romane wiederlas. – Das kommt nicht oft. Es könnte sein, dass dieses kleine Buch den unbedingten Werken gleicht; ihrer sind wenige.

Ich freue mich sehr und bin dankbar. – Von mir ist nur zu sagen, dass ich nächsten Monat nun wirklich siebzig sein soll. Ich wundere mich beiläufig wie über den selbst abgehauenen Kopf, der aber auch nur eine vollzogene, daher glaubwürdige Tatsache darstellt.

Nimm mit Katja die besten Grüsse von mir und von Nelly, die stolz auf die Widmung ist.

Herzlich Dein   H.

Bermann-Fischer zeigt an: Adel des Geistes, Das Problem der Freiheit, Die schönsten Erzählungen. Meine in Nice verlassene Bibliothek wies diese Bücher nicht auf. Übrigens scheint sie in Spanien hängen geblieben; es wäre meine dritte verlorene Bibliothek. Mit den drei genannten Büchern würde ich gern die vierte beginnen, ein souvenir am Gedenktag.

23 Febr. 1941

Lieber Tommy,

nächstens werde ich nach Mexico fahren müssen, um von dort zu immigrieren. Keine Kleinigkeit, in Anbetracht der Kosten und der nicht vorhandenen Papiere. Aber ein hilfreicher Anwalt will uns begleiten. Unerlässlich ist nur das affidavit, das ich von Dir und sonst niemand erbitten soll. Ich tue es ungern, da ich nicht weiss, ob es nur eine Formsache, oder eine ernste Verpflichtung für Dich bedeutet. Jedenfalls werde ich mir Mühe geben, alle Folgen zu vermeiden. Ich schreibe auch an Knopf, damit er mir bestätigt, dass ich bei ihm verdient habe und wieder verdienen kann. Du wirst vielleicht wissen, wie ein solches Zeugniss – of the port, heisst es wohl – abzufassen ist. Wenn es Dir als harmlos erscheint, schicke es mir, bitte, sogleich. Sonst bist Du entschuldigt. Nimm für die Bemühung meinen besten Dank.

Meinen Brief über Dein Buch hast Du erhalten, als ich Deinen lieben Brief bekam. Über meinen Jahrestag sprich lieber nicht. Die Zahl ist mittlerweile zu hoch, um genannt zu werden, besonders für einen »writer«, auf dessen »job« die jungen Eingeborenen warten.

Grüsse, auch an Golo, dem ich für seine Nachrichten danke. Bald schicke ich ihm einige Notizen, die Voltaire und seinen Kritiker de Maistre beleuchten.

Herzlich   H.

Das affidavit müsste natürlich auch für Mrs. Nelly Mann gelten.

28. Febr. 1941
264 Doheny Drive
Beverly Hills, Calif.

Lieber Tommy,

meinen besten Dank für die Sorge, die Du meinetwegen übernimmst. Meine Nelly hatte inzwischen überlegt, dass ihre Verwandten allerdings die Nächsten für sie wären. Sie sind längst eingesessene Geschäftsleute und sozusagen gesichert, abgesehen von dem unbekannten Bankguthaben. Aber was ist nicht alles unbekannt. Wenn ich nicht gedrängt würde, ich bliebe wohl einfach visitor, in der Annahme, dass nach dem Ausbruch des integralen Nationalismus doch alle ins Lager wandern; Ausnahmen nur durch stärkste Protektion. Schon bin ich anonym angerufen worden: ich hätte sofort das Land zu verlassen. Telefon und Haus stehen jetzt unter Polizeiaufsicht. In 7$^{1}/_{2}$ Jahren Frankreich ist dieser Fall nie eingetreten, trotz Krieg und Niederlage. Dafür ist Los Angeles mit seinen Waffenfabriken überfüllt mit Nazi-Spionen. Einer war aus der Filmindustrie entlassen worden: die Kriegsindustrie hat ihn angestellt. Die Welt will sein was sie ist; zu ihren kleinen Schwächen sagt sie ein nachlässiges Ja. Die Folgen in sechs Jahren können auch nicht die Ewigkeit unterbrechen.

Im richtigen Augenblick hat der Musiker Friedrich Holländer einen Roman geschrieben, englisch sogar, und bittet mich, ihn Dir zu empfehlen. Ein Vorwort von Dir ist sein Traum. Ich antwortete ihm: »Schicken Sie nur. Grosse Mengen von Korrekturbogen werden derzeit nicht eingehen, wer kann sich Romane leisten.« Übrigens wer weiss, vielleicht ist ihm etwas eingefallen. Ich brachte es nicht gleich fertig, ihn vor der Sendung zu warnen, und hätte er sich denn dabei beruhigt?

Soviel für heute früh. Jetzt mache ich mich wieder an meinen Filmroman; das ist vorläufig eine erlaubte, ja, gebotene Gattung.

Herzlich   H.

[Telegramm]   Chicago Ill 20
                                          21. März 1941

Lieber Heinrich
Ein arges Dilemma Berkeley bot mir zur Begrueßung den
Dr. juris an anlaeßlich ihres Akademischen Tages genau am
27. Stop Ich lehnte ab aber sie insistieren derart daß es
schwer und aus verschiedenen Gruenden selbst bedenklich
waere sie durch hartnaeckige Weigerung vor den Kopf zu
stoßen Stop Wie macht man es unter diesen Umstaenden mit
dem Geburtstags-Dinner Stop Ich hoere es soll in einem
Privathaus und eher intimen Kreise stattfinden hoere auch
daß Du nicht gerade großes Gewicht darauf legst Stop
Schieben wir es auf mueßte es gleich um 10 bis 14 Tage sein
weil ich im noerdlichen Californien weitere Verpflichtungen
habe Stop Wuerde schmerzlich bedauern fehlen zu muessen
wuerde aber auch voellig verstehen wenn am Geburtstag
selbst festgehalten wird jedenfalls sehen wir uns am 26
Adresse Coloradosprings Colorado Broad Moore Hotel

                                  Herzlichst Tommy.

ANSPRACHE ZU HEINRICH MANNS SIEBZIGSTEM GEBURTSTAG
[gehalten am 2. Mai 1941]

So ist denn dies festliche Zusammensein doch noch zustande
gekommen, – sein Anlaß – ein wie rührender und würde-
voller Anlaß! – liegt schon so weit zurück, daß es fast
notwendig ist, an ihn zu erinnern. Es ist dein siebzigster
Geburtstag, lieber Bruder, den du am 27. März begingst,
und daß wir nicht früher zu seiner Feier zusammen kommen
konnten, ist meine Schuld, oder doch die Schuld von Umständen, die mich betrafen. Du deinerseits machtest deinen
Ehrentag zu einem Ehrentag für dieses Land: du vollzogst
die Zeremonie deiner Einwanderung; und da es die Stunde

291

der Glückwünsche ist, wollen wir dich auch dazu beglückwünschen, – dich beglückwünschen vor allem dazu, daß du
unter uns bist, daß du in Sicherheit bist, daß es gelang, dir
im letzten Augenblick den Weg zu uns zu bahnen, gerade
noch bevor das arme, gebrochene, sich selbst entfremdete
Frankreich von den niedrigen Menschenquälern und -schän-
dern, die heute Europa beherrschen, zur Erfüllung gräß-
licher Verpflichtungen gezwungen wurde.

Ich weiß wohl, und wir alle wissen, daß du ein Land verlassen mußtest, das du liebst, dessen Kultur deine eigene bilden
half, mit dessen Sprache du bis zur künstlerischen Beherr-
schung vertraut bist, und daß du dich auf dieser jungen Erde
hier notwendig in der Fremde fühlst. Aber schließlich, was
heißt heute Fremde, was Heimat? In Lübeck an der Trave
sind wir ohnedies lange nicht mehr. Wo die Heimat zur
Fremde wird, da wird die Fremde zur Heimat. Die tiefste
Fremde ist uns heute Deutschland, das verwildert abenteu-
ernde und aufgelöste Land unserer Herkunft und Sprache,
und verglichen mit seiner tödlichen Fremdheit wirkt jede
Fremde traulich. Die Welt ist klein und intim geworden, sie
ist überall derselbe Schauplatz ein und desselben Kampfes:
der Welt-Bürgerkrieg, in dem wir stehen, in dem wir unseren Mann zu stehen haben, hat nichts mit Nationen und
National-Kulturen zu tun, er ist zugleich Ursache und
Folge, er ist einfach Ausdruck der Vereinheitlichung der
Welt; und wenn es vor einem Menschenalter noch hieß: Europa will eins werden, so heißt es heute schon unmißver-
ständlich und unüberhörbar: die Welt will eins werden.

Einheit, Vereinheitlichung ist das Schlüsselwort der Zeit.
Schon Goethe wußte: »National-Literatur will heute wenig
sagen; Welt-Literatur ist an der Tagesordnung.« Er wüßte
und sagte heute: »National-Staaten und National-Kulturen
wollen nichts mehr besagen; Welt-Einheit und Welt-Kultur
ist die Forderung des Tages.« – Man hört heute viel vom
totalen oder totalitären Staat. Daß er nichts ist, als der totale
Krieg, wußten wir immer schon, und es hat sich erwiesen.

Der Grund ist, daß sich in dieser Mißidee das Neue, der Gedanke der Einheit, mit dem Alten, dem nationalen Gedanken vermischt, von dem nichts Gutes mehr kommen kann. Das Ergebnis ist ein schmutziger Greuel und eine Geschichtsmacherei, die nichts ist als blutiger Schaum. Was wir dem Unfug des totalen Staates entgegenstellen, ist der totale Mensch.

Die Zeiten sind längst vorbei, wo man das Menschliche in verschiedene Sphären eingeteilt sehen konnte, von denen eine die politische war: eine Sonder-Sphäre, um die man sich nicht zu kümmern brauchte. Die Frage des Menschen, das Problem der Humanität steht längst schon als ein unteilbares Ganzes vor unseren Augen und ist als Ganzes dem geistigen Gewissen auferlegt. Das Problem der Humanität aber schließt die politische Frage ein; sie ist nicht das Ganze, aber sie ist ein Teil, ein Segment, eine Seite davon, – ja, man kann sagen, daß die Frage des Menschen sich heute in wesentlich politischer Form darstellt, daß sie mehr, als vielleicht in jeder früheren Epoche, ein politisches Gesicht gewonnen hat. Das Problem der Humanität als Einheit, das Politische, mit umfaßt von der Frage des Menschen: das war es, wovon der bürgerliche Geist in Deutschland nichts wußte. Es war der verhängnisvolle Fehler dieser gebildeten deutschen Mittelklasse, zwischen Geist und Leben, Denken und Wirklichkeit, einen scharfen Trennungsstrich zu ziehen und von der Höhe einer absoluten Kultur verachtungsvoll auf die Sphäre des Sozialen und Politischen herabzublicken. Dies ist es, was dem bürgerlichen Geist in Deutschland seine heutige Erniedrigung eingetragen hat. Die Hilf- und Widerstandslosigkeit der Demokratie in Deutschland hat hier ihren Grund: in dem vielleicht fundamentalen Mangel an jenem Pragmatismus, der nichts weiter als Lebensfreundlichkeit, Lebensverbundenheit, Verantwortungsgefühl des Geistes ist für das Leben und für die Ergebnisse des Gedankens im Wirklichen, im gesellschaftlichen und politischen Leben der Menschen.

Neulich las ich den Aufsatz eines Engländers, Betrachtungen über Kultur und Freiheit, die eine Kritik an Natur und Schicksal des deutschen Geistes nicht vermeiden. »I feel«, sagt der Verfasser, »for German culture a sympathy which is deep and genuine. But at the same time this feeling of sympathy has always been accompanied by a feeling of despair. It is as though every road taken by German poets and philosophers led to the edge of an abyss – an abyss from which they could not withdraw, but must fall into headlong, – an abyss of intellect no longer controlled by any awareness of the sensuous realities of life. « – Das ist vorzüglich; und es ist unnötig zu sagen, daß die »Verzweiflung«, der Schmerz, die der fremde Liebhaber deutscher Kultur zugleich bei ihrem Anblick empfindet, uns Angehörigen dieser Kultur, die wir in ihrer Überlieferung stehen, nur zu vertraut sind. Es gibt etwas unter uns Deutschen, was es, glaube ich, bei anderen Völkern nicht gibt: das Leiden an unseren großen Männern.

Nehmen Sie Nietzsche, den Urheber wohl der faszinierendsten und farbenvollsten philosophischen oder lyrisch-kritischen Produktion unseres Zeitalters. Wo würde das Verhängnis, das über den Wegen des deutschen Geistes waltet, die Tendenz zum intellektuellen Abgrund, an dessen Rande alles Verantwortungsgefühl des Gedankens für seine Folgen im Menschlich-Wirklichen erlischt, deutlicher als bei ihm? Persönlich war er eine zarte, komplizierte, tief leidensfähige Künstlernatur, fremd aller Brutalität und primitiven Gesundheit, – eine christliche Natur, wenn nicht in der religiösen, so doch in der konstitutionellen Bedeutung des Wortes. Aber im heroischen Widerspruch zu sich selbst bildete er eine rauschvoll anti-humane Lehre aus, deren Lieblingsbegriffe Macht, Instinkt, Dynamismus, Übermenschentum, naive Grausamkeit, die »Blonde Bestie«, die amoralisch triumphierende Lebenskraft waren. Zuweilen, privat, in seinen Briefen, kam ein ganz anderer Nietzsche zum Vorschein, als der seiner Bücher. Als Kaiser Friedrich III., der englandfreundliche Liberale, am Krebs gestorben war, schrieb der Verherrlicher Cesare Borgias an einen Freund, dieser Tod sei ein großes, entscheidendes Unglück für Deutschland; die letzte *Hoffnung auf deutsche Freiheit* gehe damit zu Grabe. – Das ist der einfache, natürliche und unverstiegene Ausspruch eines geistigen Menschen, der als solcher die Freiheit liebt und auf sie angewiesen ist. Es ist die unwillkürlich und im Vergleich mit den hektischen Wagnissen seiner Philosophie sogar banale Äußerung von Nietzsches Verhältnis zur Wirklichkeit des Lebens, zu *seiner* Wirklichkeit im Gegensatz zu dem romantischen Poem, das sein Werk war. Wer zweifelt, daß er sich im Grabe umdrehen würde, wenn er dort unten erführe, was man aus seinem Macht-Philosophem gemacht hat? Und lebte er – sein persönliches Schicksal würde der einfachen und geistig natürlichen Briefstelle entsprechen, die ich anführte; mit seiner Lehre hätte es nichts zu tun. Er, der als Emigrant lebte, schon unterm Kaiserreich – wo wäre er heute? Bei uns wäre er, in Amerika.

Seit seine Kritik der Moral uns psychologisch erregte, hat die Zeit uns das Gewissen geschärft für die Verpflichtung des Gedankens auf Leben und Wirklichkeit, eine Verpflichtung, die durch das Harakiri des Geistes zu Ehren des Lebens sehr schlecht erfüllt wird. Es gibt Schauspiele im Denken und Dichten, die uns weniger eindrucksvoll, als früher, sondern eher instinktlos und frevelhaft vorkommen. Unverkennbar tritt heute der Geist in eine *moralische* Epoche ein, eine Epoche neuer religiöser und moralischer Scheidung von Gut und Böse. Das bedeutet eine gewisse Vereinfachung und Verjüngung des Geistes im Gegensatz zu allem müden und skeptischen Raffinement, – es ist *seine* Art, sich zu »rebarbarisieren«. Wir sind des Bösen in so äußerst niedriger und abschreckender Gestalt ansichtig geworden, daß Nietzsches Unterscheidung von Böse und *Schlecht* uns nichts mehr zu sagen hat: Das Schlechte, das ist das Böse, es ist das Allerböseste, und das Böse das Allerschlechteste, so haben wir's erlebt, und auf eine ganz unironische Weise, wie sie noch vor kurzem nicht für geistig gegolten hätte, haben wir uns zum Guten entschlossen. Freiheit, Wahrheit, Recht, Menschlichkeit – der Geist wagt es, wagt es wieder, diese Worte auszusprechen, er schämt sich nicht länger, wie er glaubte, es tun zu müssen, solange sie selbstverständlich schienen. Da sie in äußerster Gefahr sind, wird ihm bewußt, daß sie sein tägliches Brot, seine Lebensluft, sein Leben selbst sind, und er begreift, daß er für sie kämpfen muß und selbst untergehen.

Du, lieber Heinrich, hast diese neue Situation des Geistes früher geschaut und erfaßt, als wohl wir alle; du hast das Wort »Demokratie« gesprochen, als wir alle noch wenig damit anzufangen wußten, und die Totalität des Menschlichen, die das Politische einschließt, in Werken verkündet, die vornehmste Kunst und Prophetie sind in einem. Empfinden wir nicht Bücher wie den »Untertan«, den »Professor Unrat«, die »Kleine Stadt« heute als vollendete Prophetie? Wenn Genie Vorwegnahme ist, Vorgesicht, die leidenschaftliche Gestaltung kommender Dinge, dann trägt dein Werk den Stempel des Genialen, und über seine Schönheitswagnisse hinaus ist es ein moralisches Phänomen. Ich sprach von einer Vereinfachung und Verjüngung des Geistes, – deine Kampfschriften gegen das schlechthin Infame, das jetzt seinen blutigen Schaum schlägt, diese Kampfschriften in ihrer Mischung aus literarischem Glanz und einer – ich möchte fast sagen: märchenhaften Simplizität, einer menschheitlichen Volkstümlichkeit, sind das großartigste Beispiel dafür. Die Schul-Lesebücher der Zukunft, glaube ich, werden sie einer Jugend bieten, die das Leiden, den sublimen Haß nicht mehr nachempfinden kann, aus dem sie kamen, und der doch das Herz dabei höher schlagen wird.

Diese Zukunft, diese Jugend werden kommen, wir wollen uns dessen versichert halten. Unsere Deutschen glauben zu sehr an den kruden Erfolg, an die Gewalt, an den Krieg. Sie glauben, es gelte nur eiserne Tatsachen zu schaffen, vor denen die Menschheit sich schon beugen werde. Sie wird sich nicht davor beugen, weil sie es nicht kann. Man mag über die Menschheit noch so bitter-zweifelhaft denken – es ist, unter aller Erbärmlichkeit, ein göttlicher Funke in ihr, der Funke des Geistes und des Guten. Den endgültigen Triumph des Bösen, der Lüge und der Gewalt, kann sie nicht hinnehmen – sie kann damit einfach nicht leben. Die Welt, die das Ergebnis vom Siege des Hitler, wäre ja nicht nur eine Welt universeller Sklaverei, sondern auch eine Welt des absoluten Zynismus, eine Welt, die jedem Glauben an das Gute, das Höhere im Menschen Hohn spräche, eine durchaus dem Bösen gehörige, dem Bösen untertänige Welt. Das gibt es nicht, das wird nicht geduldet. Die Revolte des Menschentums gegen eine Hitler-Welt vollkommener Negierung dessen, was im Menschen zu Geiste strebt – diese Revolte ist die gewisseste der Gewißheiten; sie wird eine elementare Revolte sein, vor der »eiserne Tatsachen« zerbröckeln werden wie Zunder.

Vor einem Menschenalter, lieber Bruder, gabst du uns den Mythos vom Professor Unrat. Hitler ist kein Professor – weit davon. Aber Unrat ist er, nichts als Unrat, und wird bald ein Kehricht der Geschichte sein. Wenn du, wie ich vertraue, die organische Geduld hast, auszuharren, so werden deine alten Augen sehen, was du in kühner Jugend beschriebst: das Ende eines Tyrannen.

[New Orleans, Oct. 19, 1941]

Lieber Heinrich, Dir und Nelly einen schönen Gruß von einer Station unseres Kalvarienberges, leider erst der zweiten. Sie zeichnet sich durch feuchte Hitze aus. Aber es geht schon weiter, weiter. Auf Wiedersehn!

T.

Pacific Palisades, California
740 Amalfi Drive
30. XII. 41

Lieber Heinrich,

wir haben uns lange nicht gesehen. Es scheint, Du bist nicht wohl gewesen oder hast Schaden vermeiden wollen, indem Du Dich bei diesem unfreundlichen Wetter zu Hause hieltest. Sobald Dir nach einem Zusammensein zu Sinne ist, laß es uns wissen!

Zum Neuen Jahr wünschen wir Gesundheit und Alles, was sonst etwa vernünftiger Weise für diesmal erwünscht und erhofft werden kann. Das heißt: möge es schlecht und recht gehen. Bis man hoffen darf, daß es nur noch recht gehe, werden wir wohl noch ein, zweimal Neujahr begehen müssen.

Ueber Rußland ist ein außerordentlich interessantes Buch erschienen: »Mission to Moscow« von dem U.S. Ambassador I. E. Davies. Es sind vertrauliche Berichte an den Staatssekretär und den Präsidenten, auch Tagebuchstellen, aus der Zeit der Prozesse, der Exekutionen in der Roten Armee etc. Ich empfehle es Dir sehr.

Ueber das Fest ist unser Häuschen gerappelt voll: Außer Golo und der belebenden Erika ist auch mein Schwager von Berkeley, dazu unser Enkelsöhnchen da, das wir für einige Wochen aus San Francisco mitgebracht haben, ein reizendes Kind. Seine Gegenwart versetzt uns in junge Tage zurück.

Heute habe ich wieder einmal nach Deutschland gebroadcastet und bin ungewöhn[lich] ausfallend gegen Schicklgruber geworden. Es tut doch wohl.

Nimm mit Nelly unser Aller Grüße!

Herzlich   T.

Lieber Tommy,

Deine Wünsche erwidern wir von Herzen; wir hatten Euch telegraphiert, aber das Gute wünschen kann man nicht oft genug: es kommt so selten.

Arbeiten unternehme ich nach- und sogar durcheinander, je nachdem sie Lohn versprechen. Gehalten hat es noch keine. Äussersten Falles muss ich den Krieg und die nächsten Folgen des Krieges abwarten. Meine frühesten Bücher wurden mir 15 Jahre nach ihrem Erscheinen bezahlt. Dich versetzt Euer kleiner Enkel zurück, mich die Einsamkeit und Unbedanktheit: das war alles schon einmal, als ich noch gar nichts hinter mir hatte. Diese Feststellungen gewähren einige Seelenruhe: bis zu der Einbildung wieder jung zu sein, reichen sie nicht. Was ich Dir schulde und wofür ich Dir danke, müssen meine Erben begleichen, gesetzt, ich selbst hätte die Gelegenheit nicht mehr. Sie kann in wenigen Monaten eintreten, gleich oder gar nicht; da ich es nicht in der Hand habe, handelt der Zufall.

Meine Erkältung war bald vorbei, aber ich weiss, dass Ihr das Haus voll genug habt. Sowie es Euch passt, kommen wir gern. Grüsse und Dank an Katja.

Herzlich   H.

Liebe Katja,

ich bin voll Dankbarkeit für die erhaltenen Checks und in Sorge um den zuletzt abgegangenen, der nicht angekommen ist. Von Montag bis heute wäre er fünf Tage unterwegs: da bleibt nicht viel zu hoffen. Im besten Fall ginge er an Sie zurück. Das ist unwahrscheinlich, denn bei den Postämtern

Beverly Hills und Los Angeles haben wir nur zu oft um die Aushändigung ersucht.

Andere Briefe, leider nicht den gesuchten, haben wir von der Strasse aufgehoben, entweder vor unserer früheren Wohnung, oder in einem fremden Garten, 301 Swall Drive in Beverly Hills. Die Strasse namens Swall soll es viermal geben; die beiden fehlenden haben wir noch nicht gefunden.

Die Vermutung ist nicht mehr abzuweisen, dass Andere den Brief geöffnet und den Check benutzt haben. Vielleicht finden Sie es richtig, ihn bei Ihrer Bank zu sperren. Allerdings zahlt jede andere ihn ebenso gut aus. Inzwischen schulden wir die Miete und öffnen die Tür nur, wenn kein Gläubiger dahintersteht. So war es bestimmt, und wäre ohne Eure Güte noch schlimmer. – An Tommy meinen herzlichen Gruss.

Ihr Heinrich.

15. April 1942
301 S. Swall Drive
Los Angeles

Lieber Tommy,
Du hast mich sehr gerührt. Wohltuend ist das Bewusstsein, dass meine Lage einen Anderen, der einzig Du sein kannst, so ernst beschäftigt. Beschämt zu sein, verbietet mir unsere natürliche Verbundenheit, und auch meine – lieber sage ich Gottergebenheit als Resignation. Da die Umstände beständig wechseln, würde man vielleicht im falschen Augenblick verzichten. Russland, dieses Land des Schicksals, zeigt mir, dass auch ich nicht auf einmal überflüssig bin: sie lassen auch was ich getan habe, zu ihrer grossen Sache zu. Wenn sie mir überdies Geld geben, ist es wahrhaftig mehr Auszeichnung als Entgelt, und zählt für das Vielfache, bedenkt man ihre eigene, furchtbar gespannte Existenz.

Jetzt die platte Frage, wie weit die Summe reichen könnte.

Bis New York und etwas darüber, ich hoffe es, habe übrigens für die Übersiedlung dieselben Gründe, die Du nennst. Allerdings sind von den 750 Dollars, sobald sie eintreffen, mehrere notwendige Zahlungen abzurechnen, besonders der Zahnarzt, plötzlich eine lebenswichtige Gestalt. Zu ihm kam ich mit einer ungewöhnlich vorgeschrittenen Cyste; ihre Beseitigung soll nicht genügt haben, er entfernte sämtliche Spuren meines eigenen Gebisses, die kahlen Kiefern erwarten nunmehr das neue; das ganze Verfahren wird billigst mit 225 $ berechnet, ein harter Schlag. Auf Raten verteilt, würde die Forderung auf eine Bank übertragen werden, was die Kosten vermehrt und mich langfristig belastet: eine Angstpartie, wie ich seit dem Ankauf des Autos weiss. Von dem Auto selbst sind noch 300 $ zu bezahlen, vorher darf ich es nicht fortgeben. Die beiden Beträge sogleich abgezogen, blieben von den erwarteten 750 nur 225, aber nach der Reise, die im Wagen noch am Wenigsten kostet, würde man ihn dort verkaufen und hätte für einige Monate genug.

Mehr als einige gesicherte Monate darf ich nicht verlangen; dennoch wird mir etwas bange von den Fehlschlägen, die in diesem Lande hinter mir, daher möglicherweise auch vor mir liegen. Gern will ich Deine Annahme teilen; an Ort und Stelle sein, ist immer schon etwas; nur bin ich gerade jetzt nicht in der geeignetsten Verfassung, körperlich und in Betreff des unbefangenen Sinnes, womit man auftritt und sich zur Geltung bringt. Indessen ist daran nichts Ungewöhnliches; sogar die Jugend kennt jetzt dergleichen. Greifbarer hält es mich auf, dass drei unfertige Arbeiten daliegen und dass ich, hoffentlich nicht mehr lange, ihre Fortführung hinausschieben muss. Wenn der Fall einträte, dass jemand sie erwartet und honoriert, könnte mir davon früher wohl werden. Ich will denn hinreisen und es darauf ankommen lassen, ob der Glücksfall eintritt.

Lässt er aber warten, erhebt sich alsbald die Frage, ob ich Dich nochmals in Anspruch nehmen darf. Es ist schon hier eine Zumutung, in New York wäre es eine noch grössere. Ich weiss durchaus, was Du Dir und den Deinen schuldest; auch das Haus ist berechtigt, auf die Dauer wird nichts daran verloren sein. Aber selbst ein, wenn auch staatlicher Lektor sein müssen, und dann den Bruder erhalten sollen, das überschreitet eigentlich den erlaubten Zustand. Ich werde zusehen müssen, dass ich mich durchbringe und dass Dein monatlicher Beistand nicht wieder nötig wird, nachdem Litvinoff das Geld überwiesen hat. Herrn Litvinoff werde ich danken, sobald ich es bekomme.

In New York, wenn ich hingelange, werde ich Dich noch seltener sehen können; schon hier war es zu selten, obwohl ich immer Zeit hätte. Du bist beschäftigt, gewiss mit Leuten obendrein: mich lassen sie in Ruhe, was nichts ausmacht. Nur mit Dir ist etwas versäumt und nicht mehr nachzuholen, oder dies wäre eine unzeitgemässe Vorstellung. Mag sein, dass zuletzt die persönliche Gegenwart zurücktritt hinter die Erinnerungen. Ohne Vorsatz und kaum dass ich weiss warum, habe ich plötzlich angefangen, »Buddenbrooks« zu lesen.

Herzlich   H.

Pacific Palisades, California
19. Mai 1942.
Lieber Heinrich,
gut immerhin, daß das Geld da ist. Der Rubel war unberechenbar. Aber ich gebe Dir recht: moralisch ist es doch eine schöne Erfahrung, und eine Erleichterung ist es auch. Wenn Du glaubst, daß ich zunächst einmal, für den Juni, zurücktreten kann, nehme ich's dankend an. Du gibst mir einen Wink, sobald mein Einspringen wieder wünschenswert ist.
Auch darin hast Du recht, daß Euere Uebersiedlung nach New York verschoben werden sollte, bis sich dort dank der Tätigkeit Deiner Freunde entschiedene Möglichkeiten zei-

gen. Ueberhaupt ist mir der Gedanke, je näher der Sommer kommt, immer fremder und unangenehmer geworden. Dich dort in einer kleinen Wohnung in der feuchten Hitze zu denken, gar auf meinen Rat, ist unmöglich. Golo hatte neulich einen gescheiten Gedanken. Wenn schon verzogen werden solle, meinte er, warum dann nicht nach Mexiko? Das biete hohe Luft, die spanische Sprache statt des Yankeedoodles und eine sympathische politische Atmosphäre. Nicht dumm. Aber ich verstände es nur zu gut, wenn Du am liebsten bliebest, wo Du bist. Vielleicht ist im Herbst der Krieg zu Ende. Ich fürchte aber, er wird sich hinziehen. Die Russen allein können es nicht schaffen, und ich glaube an keinen Sieg, ohne daß in unseren Ländern Revolutionen kommen, die die reaktionären, vor dem Siege mehr bangenden als ihn wollenden Führer hinwegfegen und den Krieg in Aufrichtigkeit zu einem Freiheitskrieg der Völker machen. Herzlich   T.

1550 San Remo Drive
Pacific Palisades, California
31. VII. 42.

Lieber Heinrich:
Du wirst bemerken, daß der monatliche Check diesmal vom European Film Fund ausgestellt ist. Das wird Dich nicht verwirren. Die Sache verhält sich einfach so, daß wir mit vereinten Kräften einen Fond aufgebracht haben, der den hervorragenden, durch die augenblicklichen Umstände in ihrem Erwerb behinderten deutschen und oesterreichischen Schriftstellern zugute kommen soll. Er wird von dem European Film Fund verwaltet. Wir gehören zu den Beitragenden, die über die Verwendung zu bestimmen haben. Es ist nicht mehr als selbstverständlich, daß Du einer der Ersten bist, die berücksichtigt werden. Da mein Beitrag zu dem Fonds nicht dem bisherigen zu Deinem Haushalt gleich-

kommt und außerdem steuerlich angerechnet wird, ist dieser modus für mich eine Erleichterung, die ins Gewicht fällt und Dir keinerlei Nachteil bringt.

Wir haben große Personalnot, unsere Dunklen verlassen uns und neue sind teils unerschwinglich, teils unerträglich. Aber einmal werden wir ja wieder in Ordnung kommen und hoffen, dann Nelly und Dich recht bald einen Abend bei uns zu haben. Mit herzlichen Grüßen von uns beiden und den Kindern

Dein T.

25. Okt. 1942
301 So. Swall Drive
Los Angeles, Calif.

Lieber Tommy,

Dein Buch Order of the Day ist ein wundervolles Geschenk, es trifft sich, dass ich die Musse habe es zu geniessen. So las ich zuerst die vier von Dir bezeichneten Aufsätze und fand alles nicht nur bestätigt – was wir selbst vermögen – sondern tatsächlich erfüllt. Die Vorrede ist die berechtigte Zusammenfassung Deiner geistigen Erfolge, wie das höhere Alter sie klarzulegen sogar verpflichtet ist: nur die Lumpe sind bescheiden.

Europe beware ist eine endgültige Formgebung aller Warnungen, die in langen Zeiten versucht worden sind. Ich tat was ich konnte um nur Frankreich zu bearbeiten, 6 Jahre lang in beständiger Wiederkehr und natürlich vergebens. – Mir ist, als hätte ich auch Deine Worte über Niemöller schon gekannt; indessen sind sie je länger je eindrucksvoller geworden: so ergriffen, vergisst man sie nicht. – An die Kennzeichnung des fellow als A Brother ging ich etwas zage heran, in meiner Erinnerung an die Züricher Vorlesung war dem Burschen zu viel Ehre geschehen. Ich habe die freudige Überraschung, dass alles in Ordnung ist; einem Genie wie diesem ist nur zu wünschen, es wäre als Halbtalent hocken geblieben, noch besser, es wäre nie geboren. Einen Beleg für seinen dunklen Drang teilte neulich ein früherer Gast des Café Stephanie mit. Alltäglich um 12 Uhr erschien Hitler und ging in die Telephonzelle, die durchaus nicht abgedichtet war, seine hochverräterischen Geheimnisse konnte er weniger beachtet anderswo durchblasen. Aber es zog ihn an eine Stätte der Wortkünstler, soweit sie in künftigem Ruhm schwelgten und Eier im Glas assen.

Seine vorige Offenbarung, vielmehr die letzte von der wir hörten, sie soll 9 Tage vor Beginn dieses Krieges stattgefunden haben, war der Vergleich seines Genius mit Genghis Khan. Wie lehrreich, dass sogar hier die Selbsterkenntnis anklopft. Natürlich wird sie ins Lobenswerte gewendet. »Auch ich bin der Reue zugänglich« – war nur ein Wort des armen Wilhelm, der daher dem Anderen seinen Adjutanten v. Möller geschickt hat, um ihm vom Krieg abzuraten.

Ich danke Dir und begrüsse Dich herzlich.   H.

Pacif. Palis. 6. IV. 43

Lieber Heinrich,

diesen Brief aus Brasilien bekam ich zur Weitergabe an Dich.

Ich habe einen Glückwunsch geschickt und in Aussicht gestellt, ich würde mit der Zeit auch mal vorsprechen. Vielleicht reisen wir »nach dem Kriege« zusammen dorthin.

Ich bin noch müde von einer heftigen Erkältung, Husten und Rachen-Katarrh. Ihr kommt bald, sagt Katja. Es wäre besonders schön, wenn Du etwas zum Vorlesen mitbrächtest.

Herzlich   T.

[Telegramm]   11. Sep. 1943

Heinrich Mann
301 Swall Dr Hollywood Calif.

On behalf of U.S. Treasury Department may we enlist your
aid in promoting third war loan drive by contributing an
original published manuscript of your work to be auctioned
at war bond rally. Treasury Department intends to give na-
tionwide intensive publicity to gifts by you and other
distinguished immigrant authors. Artists, scientists, others,
as your special contribution to success of third war bond
drive. Your promptest response appreciated. Please advise
what you will contribute by collect wire to Julian Street, Jr.,
third war loan drive. Room 3005. RKO Building. 1270 sixth
avenue New York City. Ship your contribution by regis-
tered airmail or collect air express to Mr Street –
                Elizabeth Bergner   Albert Einstein
                Lotte Lehmann   Emil Ludwig   Thomas Mann
                Franz Werfel.

                        1550 San Remo Drive
                        Pacific Palisades, California
                        21. XII. 43
Lieber Heinrich,
neulich haben wir euch nachmittags erwartet. Es war eine
Verabredung zwischen Nelly und Katja. Aber nun höre ich,
daß Nelly inzwischen krank und sogar im Hospital war.
Hoffentlich war es trotzdem nichts Ernstes und ist völlig
überstanden.
Unter anderm hätte ich gern mit Dir über diesen Brief
Bruckners gesprochen und Dich um Deine Meinung gefragt. Ich bringe garkeine zustande, aus aufrichtiger Interes-
selosigkeit. Bruckner hat auch Dir geschrieben. Hast Du
geantwortet? Und wie? Ich erhielt den Brief schon vor Wo-

306

chen in New York, mochte mich aber nicht äußern, ohne Dein Verhalten zu kennen.

Ich höre, daß der Agent Fles, den ich nicht sonderlich schätzen zu sollen glaubte, sich in Deinem Fall wohl bewährt hat. Desto besser, und herzlichen Glückwunsch!

T.

Hotels Windermere, Chicago
24. März 44

Lieber Heinrich,

der 27. kommt heran, und es ist, wenn nicht hohe Zeit, so doch an der Zeit, daß wir beide, Katja und ich, Dir unsere herzlichen Wünsche zu dem festlichen, für viele Menschen hüben und drüben so bedeutsamen Tage senden. Die allgemeine Genugtuung war groß über die offenbar glänzend gelungene Vorfeier der New Yorker »Tribüne«. In Deiner Botschaft, die ich in einem Emigrantenblatt las, sprachst Du von dem phönixartigen Auferstehen Deines Werkes nach dem vorigen Kriege. Das betraf damals hauptsächlich Deutschland. Diesmal wird es sich, wenn nicht alles trügt, im Weltmaßstabe wiederholen. Noch gestern drückte ein amerikanischer Schriftsteller, Louis Bromfield, mir die Ueberzeugung aus, daß wir nach dem Kriege unfehlbar die vereinigten Sowjet-Republiken Europa's haben würden. Nun, da wäre denn doch noch ein ganz anderer Raum zum Phönix-Schwingen-Breiten als in der armen deutschen Republik.

Unsere Medi hat sehr rasch und glücklich ein zweites Töchterchen zur Welt gebracht, sieht aber noch blaß und spitz aus und ist entschieden zu früh wieder aktiv geworden. Wir hoffen, daß sie sich bei uns in Pacific Palisades erholen wird, denn Anfang September werden wir die kleine Familie wieder für drei Monate dort aufnehmen. Erika wird sich schon im April dort sehen lassen, bevor sie, wahrscheinlich, wieder nach Europa geht. Golo, nach England bestimmt, wird noch hier für einige Tage vorsprechen. Von Klaus haben wir spärliche Nachrichten aus Italien, die aber nach Wohlergehen und befriedigender Tätigkeit klingen, – persönlich; denn im Großen sieht es auf diesem Kriegstheater ja wenig befriedigend aus. News aus dem Jahre 1925: »The Russians enter Toulon. Fierce fighting continues near Cassino.« (Amerikanischer Volkswitz.)

Nun wünschen wir einen schönen, heiteren Tag, gute Gesundheit für euch Beide und die glücklichsten Fortschritte für alles Unternommene.

T.

1550 San Remo Drive
Pacific Palisades, California
29. Juli 44

Lieber Heinrich,

ich schicke Dir, da ich Deinen Brief an Katja las, gleich mein Handexemplar von »Joseph, der Ernährer«, um nicht das Eintreffen der bei Bermann bestellten Copien abwarten zu müssen.

Du wirst sehen, es ist ein durchaus humoristisches und populäres Buch, und nichts ist falscher, als die Beschreibung, die die meisten amerikanischen Kritiken davon geben, nämlich, daß es ein mit anspruchsvoller Weisheit überstopftes Werk sei.

Diese deutsche Ausgabe hat, wie so vieles heute, emergency-Charakter und wimmelt von dämlichen kleinen Druckfehlern, – immer »hatte« statt »hätte« und »dann« statt »denn«. Che vuole di questa gente!

Wie schade, daß ich die Seiten über die alten und neuen Tage nicht habe hören können! Ich freue mich herzlich darauf. Alte Tage werden mir jetzt auch wieder nahe gebracht, da ich meinen Musiker-Helden, der wie Nietzsche an langsam fortschreitender und hoch-erregender Paralyse leidet, für einige Zeit nach Palestrina zu unseren Bernardini's versetze.

Ein starkes Stück, da dieses Plätzchen ja in der »Kleinen Stadt« endgültig geschildert ist! Aber es ist bei mir nur eine vorübergehende Unterkunft.

Möge doch Deine Gesundheit sich rasch vollkommen bessern! Bibi und Gret gehen sehr mit dem Gedanken um, Dich dort oben zu besuchen.

Dein T.

2. Sept. 1944
c/o Ananda Ashrama
Box 577
La Crescenta, Calif.

Lieber Tommy,

Dein Buch beschäftigte mich wochenlang und ich brauche nur daran zu denken, um starke Eindrücke zurückzurufen. Der Gesamteindruck befriedigt dauernd, wie jede erreichte, relativ erreichte Vollendung. Das Erste sind die Gestalten: die rührendste, der Pharao, die festeste, Joseph selbst. Das Gegenüber der Beiden führt bis zu Höhen, wo viel auf einmal erlebt wird, die ganze Begegnung zweier Personen von seltenem Rang, wie sie einander entdecken, wie daraus Geschichte, diese Geschichte wird.

Die Nebenfiguren! »Aber die Witwe Pittelkow!« sagt Fontane, nachdem er andere »man so so« genannt hat. Da ist, bei Dir, auf vier Seiten Mut-em-enet, der fraglose Abschluss eines Lebens, das einmal interessant war, bis es sich jetzt aufklärt, nüchtern, obwohl gehoben. Die Skepsis der Betrachtung, von Deinen bürgerlichen Stoffen übertragen auf einen verführerisch unkontrollierbaren, ergibt alle menschliche Glaubwürdigkeit. Als der bescheidene Vertreter des angewendeten Stils erscheint mir »der ruhige Mann«: er ist auf alles gefasst, da kann Unnatürliches nicht vorkommen.

Gerade lese ich eine alte Zeitschrift mit dem Abdruck des »Juif errant« (von Eugène Sue). Kunst beiseite, schwer er-

träglich ist die grundsätzliche Übertriebenheit, als romantisch empfunden, wie mehrere europäische Geschlechter sie
wirklich empfunden haben. Dergleichen Versuchungen hattest Du nicht. Deine lange und innig erworbene Sache war
es, das Alt-Ungeheure auf die menschlichen Masse zurück-
zuführen, das Fabelhafte in die Nähe zu rücken.

Die realistische Enthüllung einer Welt, die man unberührbar
fern glaubte, lässt dennoch zu, dass sie ehrwürdig bleibt: sie
wird es erst recht. Der ganze Grund ist, dass sie selbst, Ein-
geweihte und Masse, jeder auf seine Art, das Geistige achten, vor dem Unfassbaren mehr Respekt haben als vor den
»wässerigen Dingen«, wie eine Kapitel-Überschrift sagt.
Das »drollige« Ägypten erweist sich, mit dem Vater »im
Himmel«, nicht weniger heilig – unter Schwierigkeiten heilig – als Israel. Dies war mein entscheidender Eindruck.

Die Intellektualität (für Heiligkeit) drückt sich weltlich in
der sozialen Gesetzgebung eines Judäo-Ägypters aus. Das ist
aber ein Vorgang wie wir ihm beiwohnen, angesichts von
Roosevelt, Churchill (der Gesetzentwurf seines Beveridge,
der die Not einen Skandal nennt), und als erste Zeitgenossen
der Soviet-Union. Mein eigenes Buch will die Ehre dieses
Zeitalters retten: es ist nicht nur greulich, es hat das seltene
Phänomen des Intellektuellen an der Macht.

Das finde ich bei Dir wieder, und mein verwandtes Interesse
macht mir den letzten Band Deines grossen Werkes so wert
der Liebe und des Dankes.

Herzlich   H.

19. Mai 1945
301 So. Swall Drive
Los Angeles 36, Calif.

Lieber Tommy,
die Lektüre deines Vortrages hat mich überrascht. Obwohl
ich viel erwartete, dies ist noch mehr. Ich will mich so stark
ausdrücken wie ich es meine. Der Satz »Das böse Deutsch-

land, das ist das fehlgegangene gute, das gute im Unglück, in Schuld und Untergang« – dieser Grundgedanke, ihn gefunden zu haben in seiner unvergesslichen Prägnanz, würde jeden Autor rechtfertigen sein Leben lang. Der Autor aber bist Du allein. Das hatte niemand gewusst.

Vor deinen Hörern wirst du in der Haltung des Bekenners stehen. »Ich habe es auch in mir«. Das ist eine Haltung, die an das Gefühl rührt, wenn der Verstand der Leute nicht willig wäre. Die gute Aufnahme scheint gesichert, Glück muss nicht erst gewünscht werden.

Für den 6. Juni hält Beermann-Fischer die gesammelten Glückwünsche bereit, meiner ist auch dabei. Hiermit gute Reise und auf Wiedersehen!

H.

MEIN BRUDER
Aus ›Ein Zeitalter wird besichtigt‹

Als mein Bruder nach den Vereinigten Staaten übersiedelt war, erklärte er schlicht und recht: »Wo ich bin, ist die deutsche Kultur.« Wirklich erfassen wir erst hier die Worte ganz: »Was du ererbt von deinen Vätern hast, erwirb es, um es zu besitzen!« Das ist unser mitbekommener Inhalt an Vorstellungen und Meinungen, Bildern und Gesichten. Sie ändern sich im ganzen Leben nicht wesentlich, obwohl sie bereichert und vertieft werden. Endlich sind sie an keine Nation mehr gebunden.

Unsere Kultur – und jede – hat die Nation unserer Geburt als Ausgang und Vorwand, damit wir vollwertige Europäer werden können. Ohne Geburtsstätte kein Weltbürgertum. Kein Eindringen in andere Sprachen, Literaturen gar, ohne daß gleichzeitig unser angeborenes Idiom, gedruckt und mündlich, von uns erlebt worden ist bis zur Verzweiflung, bis zur Seligkeit. Anfangs seiner zwanziger Jahre war mein

Bruder den russischen Meistern ergeben, mein halbes Dasein bestand aus französischen Sätzen. Beide lernten wir deutsch schreiben – erst recht darum, wie ich glaube.

Ihn sehe ich an meiner Seite, wir beide jung, meistens auf Reisen, zusammen oder allein: an nichts gebunden – hätte man gesagt. Man weiß nicht, wieviel unerbittliche Verpflichtung ein Gezeichneter, der sein Leben lang hervorbringen soll, als Jüngling überall hin und mit sich trägt. Es war schwerer, als ich mir heute zurückrufen kann. Später wäre der Zustand der Erwartung unerträglich gewesen. Wir bedurften der ganzen Widerstandskraft unserer Jugend.

Ich möchte nicht zu weit vordringen; die Untersuchung eigener Schmerzen habe ich damals, aus Furcht, sie für immer festzulegen, auf bessere Zeiten verschoben. Die guten Zeiten kommen nie, aber mit den Schmerzen, die übrigens in reicher Auswahl wechseln, auszukommen lernen, ist eigentlich die Lehre, wie man lebt. Mein Bruder verstand dies früher als ich.

Wir stiegen, nach der Hitze des Sommertages, von unserem römischen Bergstädtchen – zehn Jahre darauf die Dekoration meiner »Kleinen Stadt« – auf die Landstraße hinab. Vor uns, um uns hatten wir den Himmel aus massivem Gold. Ich sagte: »Die byzantinischen Bilder sind goldgrundiert. Das ist kein Gleichnis, wie wir sehen, es ist eine optische Tatsache. Nur noch der schmale Kopf der Jungfrau, und ihre viel zu schwere Krone, die aus ihrem plastischen Zenit unbeteiligt niederblicken!« Meinem Bruder mißfiel die Schönseligkeit. »Das ist der äußere Aspekt«, sagte er.

Niemals ließ er seinen kleinen Hund zu Hause. »Sollen wir wirklich allein gehen?« fragte er, wenn Titino nicht zur Stelle war. Wir hatten ihn auf einem Heuhaufen gefunden. Sein Gehaben in allen Lagen, die Äußerungen seiner kleinen Instinkte, dieselben wie unsere, nur unbefangener, es gewährte ihm Trost und gab ihm Unterricht. Titino, der Realist, war eine muntere Berichtigung, wenn das junge Gemüt seines Herrn sich verdüstern wollte.

Die beste Gegenkraft hieß »Buddenbrooks, Verfall einer Familie«. In unserem kühlen, steinernen Saal, auf halber Höhe einer Treppengasse, begann der Anfänger, mit sich selbst unbekannt, eine Arbeit, – bald sollten viele sie kennen, Jahrzehnte später gehörte sie der ganzen Welt. In dem Entwurf, den er unternahm, war es einfach unsere Geschichte, das Leben unserer Eltern, Voreltern, bis rückwärts zu Geschlechtern, von denen uns überliefert worden war, mittelbar oder von ihnen selbst.

Die alten Leute haben bedachtsamer als wir ihre Tage gezählt, sie führten Buch. Die Geburten im Familienhaus, ein erster Schulgang, die Krankheiten und was sie die Etablierung ihrer Kinder nannten, Eintritt in die Firma, Verheiratung, alles wurde schriftlich aufbewahrt, besonders eingehend die Kochrezepte, mit den erstaunlich niedrigen Preisen der Lebensmittel – die Urgroßmutter klagte dennoch über Teuerung. Diese Dinge waren, als wir einander daran erinnerten, hundert Jahre vergangen, unsere miterlebten keine zehn.

Wenn ich mir die Ehre beimessen darf, habe ich an dem berühmten Buch meinen Anteil gehabt; einfach als Sohn desselben Hauses, der auch etwas beitragen konnte zu dem gegebenen Stoff. Hätte aber hinter uns ein abgeschiedener Herr gestanden im gestickten Kleid, mit gepudertem Haar, er hätte mehr als ich zu sagen gehabt. Der junge Verfasser hörte hin: die Einzelheiten der Lebensläufe zu wissen war unerläßlich. Jede forderte inszeniert zu werden. Das wesentliche, ihr Zusammenklang, die Richtung, wohin die Gesamtheit der Personen sich bewegte – die Idee selbst gehörte dem Autor allein.

Nur er begriff damals den Verfall; erfuhr gerade durch seinen eigenen, fruchtbaren Aufstieg, wie es geht, daß man absteigt, aus einer zahlreichen Familie eine kleine wird und den Verlust eines letzten tüchtigen Mannes nie mehr verwindet. Der zarte Junge, der übrig ist, stirbt, und gesagt ist alles für die ganze Ewigkeit. In Wirklichkeit, wie sich dann herausstellte, blieb vieles nachzutragen, wenn für keine Ewigkeit, doch für die wenigen Jahrzehnte, die wir kontrollieren. Die »verrottete« Familie, so genannt von einem voreiligen Pastor, sollte noch auffallend produktiv sein.

Dies war die tatkräftige Art eines neu Beginnenden, sich zu befreien von den Anfechtungen seines ungesicherten Gemütes. Als sein Roman mitsamt dem Erfolg da waren, habe ich ihn nie wieder am Leben leiden gesehen. Oder er war jetzt stark genug, um es mit sich abzumachen. Der letzte tüchtige Mann des Hauses war keineswegs dahin. Mein Bruder bewies durchaus die Beständigkeit unseres Vaters, auch den Ehrgeiz, der seine Tugend war. Der Ehrgeiz veredelt die Selbstsucht, wenn er nicht von ihr ablenkt.

Nach sechzig Jahren höre ich wieder meinen Vater, seine Antwort auf die Bemerkung eines Mitbürgers, sein Name werde natürlich auch diesmal genannt. »Ja. Ich bin überall dabei, wo nichts zu verdienen ist.« Der Kaufmann legte Wert auf unbezahlte Arbeiten, die gemeinnützig dienten. Die Steuerpflichtigen seines Stadtstaates kosteten ihn mehr Mühe und Zeit, als ein Mitglied des regierenden Senates ersetzt bekam. Ich glaube nicht, daß er, obwohl 25 Jahre Chef der Firma, ihr Vermögen vermehrt hat.

Sein Geschäft war, Getreide zu kaufen, es zu lagern und es zu verschiffen. Als Knaben nahm er mich auf die Dörfer mit. Damals hoffte er noch, ich könnte ihm nachfolgen. Er ließ mich ein Schiff taufen, er stellte mich seinen Leuten vor. Das alles schlief ein, als ich zuviel las und die Häuser der Straße nicht hersagen konnte. Über Land fuhren wir im gemieteten Wagen. Niemand, kaum die Millionäre, hielt sich damals den eigenen, den jetzt Besitzlose haben. Beim Getrappel der Pferde trat der Bauer vor seinen Hof, und der Kauf wurde ohne Besichtigung abgeschlossen, beiderseits bestand Vertrauen. Gerade um die gute Freundschaft frisch zu erhalten, reiste mein Vater.

Seine Popularität, die groß und aufrichtig war – aufrichtig erworben und dargebracht –, erscheint mir, wenn ich die außerordentliche Namhaftigkeit meines Bruders bedenke, als ihre Vorgestalt. Er fing früher an, als er selbst zugegen war. Er ist namhaft außer jeder Reihe, in der Art eines Patriziers, der seine Tradition mitbringt. Vorurteile, die ihr anhängen, werden dem Abkömmling nachgesehn. Auch sind sie mit Skepsis verbunden. Eine unbeherrschte Abneigung gegen Neuheiten, die ihnen Gefahr bringen, ist, sozial gesprochen, bei Neureichen, geistig, bei Ungesicherten.

Unser Vater arbeitete mit derselben Gewissenhaftigkeit für sein Haus wie für das öffentliche Wohl. Weder das eine noch das andere würde er dem Ungefähr überlassen haben. Wer erhält und fortsetzt, hat nichts anderes so sehr zu fürchten wie das Ungefähr. Um aber erst zu gestalten, was dauern soll, muß einer pünktlich und genau sein. Es gibt kein Genie außerhalb der Geschäftsstunden. Die feierlichsten Größen der Vergangenheit haben mit ihren Freunden gelacht und Unsinn geschwatzt. Man halte seine Stunden ein. In unserer Macht steht übrigens nicht das Genie: nur die Vollendung, gesetzt, wir wären stark und zuverlässig.

Wenn ich richtig sehe, wird meinem Bruder, noch mehr als seine Gaben, angerechnet, daß er, was er machte, fertig machte. Die ganz erreichte Vollendung ginge über menschliches Vermögen. Sich ihr unermüdlich anzunähern, ist schon die erlaubte Höchstleistung. Der uneigennützige Ehrgeiz, selbstlos, weil er das Werk will, und bliebe es unbedankt, er befremdet und bezwingt sowohl die Leute wie die Völker. Denn beide, soviel sie selbst betrifft, nehmen sich eher nachlässig. Solange wie möglich machen sie es sich bequem.

Hiermit wäre unvollständig erklärt, daß viele Amerikaner, sein neueres Publikum, übereingekommen sind, Thomas Mann den ersten Schriftsteller der Welt zu nennen. Wenn wir zurückdenken, hatten die meisten Deutschen dieselbe Meinung und waren nur unterschiedlich gehemmt, sie auszusprechen. Damit ein einzelner dieses unbezweifelte Ansehen erwirbt, muß er mehr darstellen als nur sich selbst: Ein Land und seine Tradition, noch mehr, eine gesamte Gesittung, ein übernationales Bewußtsein vom Menschen. Eins wie das andere trug bis zu diesen Tagen den Namen Europas. Es war Europa selbst.

Die Amerikaner sind, wohl mit Recht, überzeugt von ihrer künftigen Bestimmung, mitzubilden an der Kultur der Welt. Einiger Zweifel, ob dies so leicht getan wäre, erweist sich in ihrer vorbehaltlosen Anerkennung des Mannes, der deutsch schreibt, deutsch ist. Wollte er es auch, er könnte nichts gegen seine Herkunft und lebenslange Schulung. Jetzt gebraucht er täglich, auch öffentlich, das Englische. Ich hörte ihn aber das Deutsche seine »sakrale« Sprache nennen.

Erasmus von Rotterdam, dessen Bildnis schon vor Zeiten, als Vorahnung, neben dem Schreibtisch meines Bruders hing, schrieb lateinisch. Das Deutsche ist – auf wie lange? – tot. Wir müssen übersetzt werden, wenn man uns lesen soll. Leibniz, obwohl der gelehrten Sprache mächtig, drückte sich lieber gleich für die Laien französisch aus. Wer, Leibniz oder Erasmus, befolgte den höheren Ehrgeiz? Es ist erstaunlich, wie viele zugereiste Autoren nach kurzer Pause ihre Gedanken jetzt englisch äußern – ein ungefähres Englisch und ungefähre Gedanken. Der geachtetste aller Schriftsteller bleibt deutsch und wird sakral.

Man kann es sich im Alter erlauben, nach vielen abgelegten Proben, gegen das Ende einer bedeutenden Repräsentation. Seine Natur, sagt er, sei gewesen zu repräsentieren. Nicht, zu verwerfen. Er hat Deutschland, wie es war, vormals gehalten gegen die Wut der Welt und gegen eigene Bedenken. Sein Gewissen hatte einen schweren Weg, bis es gegen sein Land entschied. Um so höher wird ihm sein Entschluß vergolten, hier mit Liebe, dort mit Haß. Er ist ein Zeuge außerhalb der Reihe. Und er ist nicht lau.

Die Prinzessin von Oranien, Madame d'Orange, wie ihr Jahrhundert sie nannte, legt durch meine Vermittlung ihr Bekenntnis ab. »Ich gehe durch die Ereignisse als immer gleiche: das ist ein großer Mangel. Wir sollen mit Gebrechen behaftet sein, damit wir sie heilen können durch Erkenntnis und Willenskraft. Ich hatte gar nichts abzulegen, weder Hochmut noch Ehrgeiz noch Eigennutz« . . . Zum Abschluß wiederholt die Prinzessin: »Und das alles kostet mich nichts. Ich kämpfe nicht, mich lenkt ein heiterer Starrsinn, den man aus Irrtum tugendhaft nennt.«

Die Christin sucht offenbar ihre Genugtuung in ihrer Härte gegen sich selbst; sie spricht: »Niemals irren, bei unserem Herrn im Himmel heißt das Lauheit.«

Nun verkennt sie hierin die Idealisierung ihrer eigenen Fehlerhaftigkeit. Wie sie sich haben will, ist sie nie gewesen. Dieses Maß von Unbeteiligtheit an den allgemeinen Leidenschaften kennen wir nicht. Indessen bestehen Abstufungen für die Ergriffenheit oder Lauheit. Heute ist der Ergriffene mein Bruder. Ihn mußte, mehr als die meisten, sein Deutschland enttäuschen. Was es seither aus sich gemacht hat – oder wie es erlaubt hat, daß man es zeige – Feind der Vernunft, des Gedankens, des Menschen: ein Anathem, das traf ihn persönlich, je später es ihn traf. Er fühlte sich verraten.

Als er noch wenig veröffentlicht hatte, bezog er sich einmal auf das Wort eines anderen, das ich nicht mehr genau weiß: mir im Rücken atmet ein Volk, – war der Sinn. Er wünschte schon damals, allein vor seinem Blatt Papier, daß eine Nation ihm über die Schulter blicke und zustimme. Sein Bedürfnis war, neu und tief, aber für eine Gesamtheit von Zeitgenossen neu und tief zu sein. Wie erst, als die Nation ihn wirklich der Welt als einen Meister anbot! Wenn keine Nation uns anbietet, erfährt die Fremde von uns spät oder nie.

Die Dinge sind indessen dahin gediehen, daß einige fremde Länder ihn kennen dürfen, nicht mehr alle, und nur zuletzt das seine. Gerade ihm hatte er immer sein Wort zugedacht; die anderen erreichte es, dank seiner Vorzüglichkeit unter den deutschen Worten. Es ist wahr, daß die Gipfel der europäischen Literatur oberhalb der Nationen einander nahe sind. Ihr Grund und Ansatz hat sich den Blicken entzogen.

Das betrifft wahrhaftig kein einzelnes Land mehr, wenn unter der Hand eines Autors die Josephslegende zum Gleichnis der alten, im Wesen unveränderlichen Menschheit wird. Das spielt für alle. Es spielt in uns allen.

Aber der »Joseph« ist, wie vorher der »Zauberberg«, ein Erziehungsroman: seit dem »Wilhelm Meister« die deutsche Erscheinung des Romans schlechthin. Wenn nicht »L'Ingénu«, von Voltaire, schon vorher erschienen wäre, mit seinem Schlußkapitel, das ein Zaubermärchen der Moral und die Einfachheit selbst ist.

Im »Zauberberg« wird auch nur leben gelernt. Zu leben lehren ist die Absicht der Literatur, der Theologie und Medizin. Alle drei, und noch einige Disziplinen hinzu, muß ein Phantasiebegabter von jedem seiner Bücher zum nächsten nüchtern studieren, damit er sozusagen erfinden kann. »Ich habe eigentlich gar nichts erfunden«, meinte dieser Autor, so sehr überzeugen ihn seine Geschichten.

Einer erzieht schreibend sich selbst, umfaßt vom Leben mehr mit jedem Buch, gelangt über das von Mal zu Mal erweiterte Wissen zu der Weisheit, die das Ziel ist. Was soll da Deutschland? Dem Werk gibt es nichts und kann ihm nichts nehmen. Ja, aber es steht da, wenn auch mit eingestürzten Häusern. Das alte Haus, aus dem er kam, ist in seiner Erinnerung aufrecht, und so das Land, wie es war, wie er gewollt hat, daß es sei. Der Schmerz über einen sittlichen Zusammenbruch ist stärker, als wenn Städte untergehen. Er hatte Deutschland sittlich gesichert geglaubt. Daher ein Zorn, der nichts nachgibt.

Das Verhältnis zum eigenen Land gestaltet sich manchmal anders. Jemand kann vor der Zeit mit ihm zusammenstoßen, ungewiß warum. Vielleicht vermöge seiner jugendlichen Einfühlung in andere Zonen, oder aus Ursachen, die bis hinter seine Geburt reichen. Ich hatte mein zeitgenössisches Deutschland früh angezweifelt, zum berechtigten Unwillen meines Bruders. Aber was vermag einer gegen seine lebendigen Eindrücke.

1906 in einem Café Unter den Linden betrachtete ich die gedrängte Menge bürgerlichen Publikums. Ich fand sie laut ohne Würde, ihre herausfordernden Manieren verrieten mir ihre geheime Feigheit. Sie stürzten massig an die breiten Fensterscheiben, als draußen der Kaiser ritt. Er hatte die Haltung eines bequemen Triumphators. Wenn er gegrüßt wurde, lächelte er – weniger streng als mit leichtsinniger Nichtachtung.

Ein Arbeiter wurde aus dem Lokal verwiesen. Ihm war der absonderliche Einfall gekommen, als könnte auch er, für dasselbe billige Geld wie die anders gekleideten, hier seinen Kaffee genießen. Unter einer Decke, von der lebensgroße Stuckfiguren hingen! Zwischen den schlecht gemalten Militärparaden an beiden Längswänden! Obwohl der Mann keine Gegenwehr leistete, fanden der Geschäftsführer und die Kellner lange ihr Genüge nicht, bis der peinliche Zwischenfall aus der Welt war.

Ich brauchte sechs Jahre immer stärkerer Erlebnisse, dann war ich reif für den »Untertan«, meinen Roman des Bürgertums im Zeitalter Wilhelms des Zweiten. Der Roman des Proletariates, »Die Armen« benannt, kam im Krieg 1916 zustande. An die leitenden Gestalten des Kaiserreiches ging ich erst im Sommer 1918, wenige Monate vor seinem Zusammenbruch – dessen Zeitpunkt bis zuletzt unbestimmt war. Für meinen ersten Entwurf des Romans »Der Kopf« fand ich es noch geraten, die Handlung in ein Land mit ausgedachtem Namen zu verlegen.

Früh war ich nicht aufgestanden, meine Eingebung hatte nichts von Prophetie. Allerdings begann ich, als die Tatsachen noch dämmerten. Als Sonnen sind sie nicht gerade aufgegangen. Litt ich an meinen Erkenntnissen, die zu der gleichen Zeit ein jeder hätte empfangen können? War ich ein Kämpfer? Ich gestaltete, was ich sah, und suchte mein Wissen überzeugend, wenn es hoch kam, auch anwendbar zu machen.

Es ist nicht angewendet worden. Nach dem Kaiserreich betrachtete ich die Republik und hielt von ihr ziemlich genau so viel, wie sie wert war. Der Zustand, der sie abgelöst hat, das durchaus grauenhafte Fazit der früher durchlaufenen Zustände, dieses Hitlerdeutschland, mußte mich anwidern wie jedes andere Individuum von Geschmack, Selbstachtung und Mitgefühl. Erduldet habe ich, dank Hitler, seiner Herrschaft, seinem Krieg Ängste, Schmerzen, die tiefste Erniedrigung meines Daseins.

Nicht eigentlich Zorn. Der Zorn überrascht uns. Wir müssen die Menschen, die uns erbittern, für unfähig ihrer Schande gehalten haben. Nur den Milden bringen sie wahrhaftig außer sich. Wir dürfen die Vorzeichen, Vorstufen ihrer Schande nicht zu deutlich verzeichnet haben, wenn wir eines bösen Tages den Zorn kennenlernen sollen. Mein Bruder kennt ihn jetzt.

Das bedeutet: er war gütig. Ihn verlangte, an die Deutschen zu glauben – gewiß um seiner Arbeit willen, sie bedurfte des sittlichen deutschen Bodens, der viel ehrliches Werk hervorgebracht hat. Aber er vertraute den Deutschen auch aus Freundlichkeit. Wie hätte er anders ihnen helfen, wie ihren guten Namen, nicht seinen nur, hinaustragen dürfen. Der Seelenkenner, der er ist, gründet sein Wissen auf keine schwierige Gesamtheit. Die einzelnen Deutschen – Goethe unterscheidet sie von der Nation – waren oft tugendhaft.

Ein Überraschter in seinem Zorn muß wohl achtgeben, damit er nicht mit wenigen Bösewichtern, oder mit einem gerade lebenden Geschlecht von Boshaften, die Nation verwirft. Wenn wir nunmehr besprechen, was dieses Zeitalter tut, seine ganze schöne Bescherung – wir reden selten und knapp: aber eher bin ich es, der in dem unglücklichen Land unseres Ursprunges keinen monströsen Einzelfall erblickt.

Wohlverstanden weiß auch ich, was dieses eine Land verschuldet oder doch veranlaßt hat. Von seiner tristen Entartung habe ich Beispiele, die mir und anderen zugestoßen, gerade genug.

Nur mache ich geltend, daß dieser nicht der erste Versuch einer Welteroberung ist und nicht der letzte bleiben wird. Der Realist Stalin sagt: »Kriege wird es immer geben.« Was sind aber Kriege in einer räumlich leichter beherrschbaren Welt? Sie können nur die Unterwerfung der Menschheit durch eine oder zwei Mächte sein. Das muß sich wiederholen – wenn Napoleon, der allen hätte genügen sollen, sich dennoch wiederholen konnte. Diesmal traf das Los der Geschichte auf Deutschland. Der nächste ist vielleicht nicht weit. »Die Füße derer, die dich forttragen werden, sind vor der Tür.«

Oh! die Eroberer sind einander unähnlich in der Gesinnung und im Lebensgefühl. Das Frankreich, das mit seinem Kaiser antrat, brachte den Völkern das Beste, die Menschenrechte, die Freiheit – gesichert durch kaiserliche Festungen. Davon wird man wunderbar geschwellt, jahrelang atmet man Bewunderung ein, und eine wirkliche Überlegenheit strömt der Freund der Völker aus.

Wie anders hat es sich für die verhaßten Deutschen gewendet. Vielmehr wartete ihre übernommene Rolle nicht den letzten Akt ab, um abscheulich zu werden. So war sie gleich angelegt. Sie hatten auf ihrem Blitz durch die Welt nichts, gar nichts mitzunehmen für sich und andere, was die Herzen hebt. Ihr Atem war Lüge, und die Vernichtung nennt sich ihre Amme. Schrecklich, wie? Aber abgesehen davon, daß sie nach Rache lechzten und einen verkommenen Stolz ausgebrütet hatten, wären sie vielleicht edle Menschen geworden, gesetzt, einmütig hätte man sie empfangen als die ersehnten Einiger und Schützer des Kontinentes.

Was nicht wohl denkbar ist, und sie wußten es. Daher waren sie greulich und wurden immer greulicher. Der nächste Eroberer wird wieder voll reinster Absichten sein. Vertrauen wir darauf! Die Motive wechseln ab, nach diesen Deutschen sind entgegengesetzte geboten. Leider können sie an den Ergebnissen nichts ändern. Der währende Krieg ist auf dreißig Millionen direkter Opfer, bei längerer Dauer auf fünfzig zu berechnen; – die mittelbaren folgen. Der nächste würde einer unerbittlich vorgeschrittenen Technik die größere Hälfte der lebenden Menschheit darbringen.

Kein Wort von dem allen weiß ich wirklich. Ich habe nur gesehen, daß im Verlauf meines miterlebten Zeitalters jedes Ding seinen Weg bis an das äußerste Ende machte: es mußte nur ein verderbliches Ding sein. Das beweist nichts, meine Skepsis hat unrecht. Der Irrationalismus, der mich aus meinem Lande, und noch weiter, fortwies, ist ausgekostet. Nächstens soll die Vernunft – nicht allmächtig sein, aber zugelassen, als ein Versuch, der den Reiz der Neuheit und auch sonst einiges verspricht.

Nicht mein Bruder würde diese Zweifel äußern an der unbedingten, so gut wie zusammenhanglosen Verschuldung der Deutschen und an der nachhaltigen Belehrung des ganzen Planeten. Auch ich sollte meine Bedenken still und für mich tragen. Es ist nur, meine Lauheit zu bekennen. Ich habe getan, was kämpfen heißt – ohne daß ich eines Kampfes bewußt war. Dafür haßte ich nicht blind genug und wurde vom Zorn nicht überrascht. Ich habe inständig geliebt, das ist wahr. Aber meine Liebe? Wo ist sie hin, wo ihre Spur?

Noch in der ersten Hälfte unserer Tätigkeit teilten mein Bruder und ich einander denselben heimlichen Gedanken mit. Wir hätten ein Buch gemeinsam schreiben wollen. Ich sprach als erster, aber er war vorbereitet. Wir sind niemals darauf zurückgekommen. Vielleicht wäre es das merkwürdigste geworden. Nicht umsonst hat man den frühesten, mitgeborenen Gefährten. Unser Vater hätte in unserer Zusammenarbeit sein Haus wiedererkannt. Nachgerade vergesse ich, daß er seit mehr als fünfzig Jahren abberufen ist.

3. Juni 1945
301 So. Swall Drive
Los Angeles 36, Calif.

Lieber Tommy,

an dem festlichen Tage wünsche ich Dir Glück, in der Bedeutung, dass Du das Glück, das da ist, glücklich empfangen
mögest. Woran ich nicht zweifle. Wir sind im Grunde heiter
begabt.

Von dem Columnisten Marquis Childs las ich den Artikel
über Dich. Wie viele Amerikaner dessen gleichen wohl gesagt bekommen? Keiner, wahrscheinlich. Meine Feststellungen in der Neuen Rundschau müssen mehr als Ahnungen
gewesen sein; sie erweisen sich als wirklich.

>Geniesse froh was dir beschieden,
Entbehre gern was du nicht hast!<
(Stammbuch-Vers)

In herzlicher Gesinnung   H.

The St. Regis
New York
9. Juni 45

Lieber Heinrich,

Deine Briefzeilen, die Du dem großartigen Aufsatz in der
»Rundschau« noch hinzufügtest, habe ich so wenig wie diesen ohne Tränen lesen können. Laß mich Dir danken, so gut
es in dem nicht gesuchten, aber doch eben auch nicht vermiedenen – aus »Freundlichkeit« nicht vermiedenen – Trubel dieser Tage gehen will, für all Deine Liebe und Treue, die
mich nicht so ergreifen würde, wenn nicht ihresgleichen aus
meinem Herzen ihr innig antwortete.

Im Uebrigen ist es nicht so einfach, bei alldem, was die
guten Leute mir jetzt erweisen, äußerlich und innerlich die
rechte Haltung einzunehmen. Rührung ist auch schon komisch. Man muß es mehr als eine Nervenleistung auffassen
und seinen Mann dabei stehen trotz gründlicher Skepsis, ja

melancholischen Besserwissens. Joseph weiß sehr gut, daß sein Leben »Spiel und Anspiel aufs Heil« war, »aber nicht ganz im Ernste berufen und zugelassen«. Andererseits ist da Juda, der bei sich sagt: »Wer hätt' es gedacht. Auf mein Haupt träufelt's. Gott helfe mir, aber ich bin's!« Aus beidem spricht ein Teil Erfahrung.

Dein Beitrag ist selbstverständlich das größte Stück in Bermanns Heft, reizend im Persönlichen, ergreifend besonders durch die Erinnerungen an Papa, an den auch ich so oft im Leben habe denken müssen, und ein wundervolles Dokument, wo es unser brüderlich-variierendes Verhältnis zum Deutschtum darstellt. Die Prosa ist einzigartig. Ich habe nicht zum ersten Mal das Gefühl, daß diese kondensierte und intellektuell federnde Schlichtheit die Sprache der Zukunft, der neuen Welt ist.

Auf Wiedersehn, sobald wir zurück sind!

T.

[Handschriftliches Konzept eines Telegramms]

[Frühjahr 1946]

Mrs Katia Mann
c/o Professor Antonio Borgese
Chicago

Doctor Rosenthal gave me exakt report stop I fight to have confidence and I ask Tommy to retain his admirable courage stop my beloved brother you must have the strength to live and you will stop you are indispensable to your great purposes and to all persons who love you stop there is one who would feel vain to continue without you stop this is the moment for confessing you my absolute attachment stop may my ardent wishes help you to support the danger and to recover health stop

Faithfully yours Heinrich

Sender: H. M.

Lieber Heinrich,

einen Gruß aus dieser ehrwürdigen Hauptstadt noch bevor wir sie wieder verlassen, – als Zeichen des Gedenkens im Trubel der Welt. Warum man sich in diesen stürzt, statt weislich »zu Hause« zu bleiben, – Gott weiß es. Es war wohl das Gefühl, daß ich mich einmal auf andere Weise anstrengen müsse nach langer Anstrengung auf der Schreib-Unterlage. Bunt genug geht es zu. Schon die 10 Tage New York waren übertrieben lebhaft nach dem gewohnten Gleichmaß. Die Ueberfahrt auf dem Riesenschiff gestört durch seinen zu hohen Bau, der ein Rollen verursacht, das einen nicht zur Ruhe kommen läßt. Die Ankunft in Southampton mit 2000 Menschen und ihren Massen von Gepäck konfus bis zum Katastrophalen. Ich hatte hier die ersten Tage mit einer Magen- und Darmaffektion zu kämpfen, der zum Trotz ich alles durchführte: Interviews, Press Conferences, Receptions, Broadcasts und, unter großem Zudrang, die lecture in der London University. Der Nietzsche-Vortrag, simpel wie er ist, hat sich hier wie in Washington und New York gut bewährt. In Zürich wird man kritischer sein und merken, daß er für unwissende Anglosaxons gemacht ist.

Nach Zürich fliegen wir am Samstag Morgen. Hoffentlich erwartet uns dort ein wärmerer Frühling. Hier war es dunkel und kalt die ganze Zeit. London wirkt recht mitgenommen, und trotz fleißiger Reparaturen sind überall die Spuren der schweren Prüfungen sichtbar, durch die die Stadt hindurchgegangen, Lücken in den Straßen, geschwärzte Mauerreste. Die Nervenbelastung durch die Bomben und V-Geschosse muß zeitweise kaum zu ertragen gewesen sein, und es ist fraglich, ob irgend ein anderes Volk sie ertragen hätte, ohne nach Frieden um jeden Preis zu schreien. An die unbedingte Notwendigkeit der Erhaltung der Labor-Regierung glaubt jedermann, außer faschistischen Straßenrednern, von denen ich einem zuhörte. Ich sah nur gleichgültige oder angewiderte Gesichter. Selbst Konservative, wie Harold Nicolson, treten der Partei bei.

Möge es Dir wohl ergehen! Herzliche Grüße von Katja und Erika.

T.

Vulpera, Engadin
14. Juli 1949

Lieber Heinrich,

die unterschiedlichen Anstrengungen und Aufregungen (kindisch, über deutsche Gemeinheiten, beabsichtigten Besuch in Weimar etc.) während all dieser Wochen haben zusammen mit dem niedrigen Druck hier wieder ein paar tüchtige Nasenblutungen (gesprungene Vene) produziert, deren letzter der Badedoktor hier in $1^1/_2$ Stunden kaum Herr werden konnte. Uebrigens habe ich von Blut eher zuviel, sodaß das Ganze als ein nicht unerwünschter, nur sehr störender und alles verschmierender Aderlaß aufzufassen ist. Recht gut fühle ich mich aber schon lange nicht (seit »dem Außenbleiben meines Sohnes«) und habe hier eine Rede für Frankfurt unter großen Mühen zustande bringen müssen. Daher schrieb ich, gegen meine Wünsche, so lange nicht, behalte übrigens auch jetzt Erzählungen vom Reiseverlauf dem Mündlichen vor.

Ein Mann namens Großhut in Schweden schickte mir eine hoch gestimmte Besprechung des »Atems«, die in »Expressen« erschienen ist. Er bittet um Uebermittelung. Das Buch ist seit einigen Tagen bei uns, und Katja und ich lesen es abwechselnd. Unnütz zu sagen, daß es etwas Einziges und Unvergleichliches darstellt in moderner Literatur oder besser: den modernen Literaturen, über die es sich, nicht mehr national, erhebt, sodaß man erfährt: Ueber den Sprachen ist die Sprache. Man hat da, in äußerster Weitergetriebenheit einer persönlichen Linie, einen Greisen-Avantgardismus, den man von bestimmten großen Fällen her (Parsifal, Goethe, auch Falstaff) kennt, der aber doch hier und so als ganz neues Vorkommnis wirkt. Dazu pflegen Avantgardisten heute reaktionär zu sein, und Du machst die Ausnahme (Lukács würde vielleicht sagen: ähnlich wie ich als Traditionalist eine Ausnahme mache). Uebrigens fehlt es ja auch bei Dir nicht an Tradition: von Balzac her die grandiose Uebertriebenheit und geniale Aufschneiderei in der politischen Intrige, deren Abenteuerlichkeit doch durchaus *realistisch* und der Zeit angemessen ist. Sehr bösartig und aufregend. Ich denke seither an nichts als »Synarchismus« und an alles, was in diesem Stil noch kommen mag. Wir wollten fragen, ob Du das Wort erfunden hast oder ob die Verschwörung wirklich so hieß und heißt. Ich machte dagegen geltend, daß managerial revolutionaries und Volksverräter des Kapitalismus die Anonymität lieben. – Es ist phantastisch, wie der harte, ja schneidende, klare und doch hintergründige, kühle und überkonzentrierte Essayismus des Vortrags sich lyrisch verklären kann und das Aufregende bewegend wirkt.

Dies sind ein paar halb steckengebliebene, auch wohl vorbeigehende Notizen. Nimm vorlieb! – Wir werden vom 19. bis 22. noch in Zürich sein und fahren mit Schweizer Freunden am 23. im Auto über Basel nach Frankfurt. Große Liebenswürdigkeit des Military Permit Office zu meiner Ueberraschung. Military facilities! Andererseits holen die Russen mich im Auto *von Frankfurt* nach Weimar ab. Nicht zu glauben. Für den 5. August haben wir auf der »New Amsterdam« belegt, hoffen also Mitte des Monats zu Hause zu sein.

Noch einmal, nimm vorlieb!

Herzlich   T.

ANHANG

ANMERKUNGEN

Zitiert wird nach:

Thomas Mann, Gesammelte Werke in dreizehn Bänden. Frankfurt: S. Fischer 1974 [Band und Seite].

Heinrich Mann, [Ausgewählte Werke in Einzelausgaben]. Hamburg: Claassen 1958 ff. [Titel und Seite].

Thomas Mann, Briefe 1889–1936; Briefe 1937–1947; Briefe 1948 bis 1955; hrsg. von Erika Mann. Frankfurt: S. Fischer 1961; 1963; 1965 [Br., Band und Seite].

Thomas Mann, Briefe an Paul Amann 1915–1952, hrsg. von Herbert Wegener. Veröffentlichungen der Stadtbibliothek Lübeck, Neue Reihe, Bd. 3, Lübeck 1959.

Thomas Mann an Ernst Bertram. Briefe aus den Jahren 1910–1955, hrsg. von Inge Jens. Pfullingen 1960.

Hermann Hesse–Thomas Mann, Briefwechsel, hrsg. von Anni Carlsson. Frankfurt 1968.

Heinrich Mann, Briefe an Karl Lemke und Klaus Pinkus. Hamburg [1964].

Heinrich Manns Briefe an Maximilian Brantl, hrsg. von Ulrich Dietzel, in: Weimarer Beiträge, Jg. 14, H. 2, Weimar 1968, S. 393–422.

Viktor Mann, Wir waren fünf. Bildnis der Familie Mann. 2., rev. Auflage. Konstanz 1964 [1. Aufl. 1949].

Als Hilfsmittel dienten:

Hans Bürgin, Das Werk Thomas Manns. Eine Bibliographie unter Mitarbeit von Walter A. Reichart und Erich Neumann. Frankfurt: S. Fischer 1959.

Klaus W. Jonas, Die Thomas-Mann-Literatur, Bd. 1. Bibliographie der Kritik 1896–1955, Berlin 1972. – Bd. 11, 1956–1975, Berlin 1979.

Thomas Mann. Eine Chronik seines Lebens, zusammengestellt von Hans Bürgin und Hans-Otto Mayer. Frankfurt: S. Fischer 1965.

Edith Zenker, Heinrich-Mann-Bibliographie. Werke. Berlin und Weimar: Aufbau-Verlag 1967.

Rosemarie Eggert, Vorläufiges Findbuch der Werkmanuskripte von Heinrich Mann (1871–1950), hrsg. und vervielfältigt von der Abteilung Literatur-Archiv der Deutschen Akademie der Künste zu Berlin. Berlin 1963 [Findbuch].

André Banuls, Heinrich Mann. Le poète et la politique. Paris: C. Klincksieck 1966 [mit Chronik und Bibliographie].

Klaus Schröter, Heinrich Mann in Selbstzeugnissen und Bilddokumenten. Rowohlts Monographien, Bd. 125. Reinbek: Rowohlt 1967 [mit Zitaten aus bisher unveröffentlichten Werken Heinrich Manns].

24. 10. 1900

3 1] *Erfolg:* Heinrich Mann, ›Im Schlaraffenland. Ein Roman unter feinen Leuten‹. Das Buch erschien 1900 in 2000 Exemplaren bei Langen in München. Das 3.–4. Tausend kam 1901 beim gleichen Verlag heraus. – Der Roman wurde im Januar 1898 in Rom begonnen und im März 1900 in Riva abgeschlossen. »1897 in Rom, Via Argentina 34, überfiel mich das Talent, ich wusste nicht, was ich tat. Ich glaubte einen Bleistiftentwurf zu machen, schrieb aber den beinahe fertigen Roman.« (Heinrich Mann am 29. 1. 1947 an Karl Lemke.)

2] *Piepsam:* Hauptfigur in Thomas Manns Novelle ›Der Weg zum Friedhof‹, Simplicissimus, Jg. 5, Nr. 30, München, 20. 9. 1900, S. 238–239.

3] *Dr. von Staat:* In den ›Betrachtungen eines Unpolitischen‹ (XII 247) schreibt Thomas Mann: »Als Knabe personifizierte ich mir den Staat gern in meiner Einbildung, stellte ihn mir als eine strenge, hölzerne Frackfigur mit schwarzem Vollbart vor, einen Stern auf der Brust und ausgestattet mit einem militärisch-akademischen Titelgemisch, das seine Macht und Regelmässigkeit auszudrücken geeignet war: als General Dr. von Staat.«

4 4] *Kaserne:* Thomas Mann war am 1. 10. 1900 als Einjährig-Freiwilliger beim Königlich-Bayerischen Infanterie-Leibregiment einberufen worden. Im Dezember erfolgte seine Entlassung wegen Dienstuntauglichkeit. »Schon nach einem Vierteljahr, noch vor Weihnachten, wurde ich mit schlichtem Abschied entlassen, da meine Füsse sich nicht an jene ideale und männliche Gangart gewöhnen wollten, die Parademarsch heisst« (XI 331). Vgl. auch Brief vom 27. 4. 1912.

5] *Otto Grautoff* (1876–1937): Klassenkamerad und engster Jugendfreund von Thomas Mann, Mitherausgeber der Schülerzeitschrift ›Der Frühlingssturm‹ (1893). Ihm ist das Schulkapitel der ›Buddenbrooks‹ gewidmet. Schrieb ›Exzentrische Liebes- und Künstlergeschichten‹ (Leipzig 1907), mit gedruckter Widmung: »Thomas Mann, dem Menschen und dem Dichter für viele Jahre treuer Freundschaft«; der Held der ersten Novelle, Hans Pahlen, trägt Züge von Thomas Mann. – Grautoff wurde Kunsthistoriker, studierte in München, Paris und in der Schweiz; Dr. phil., Dozent an der Lessing-Hochschule und an der Handelshochschule in Berlin. Gründete 1925 die Deutsch-französische Gesellschaft in Berlin. Starb 1937 in Paris. Unter seinen Werken: ›Moritz von Schwind‹ (1904); ›Auguste Rodin‹ (1908); ›Lübeck‹, Stätten der Kultur, Bd. 9, Leipzig (1908), mit gedruckter Widmung an Frau Julia Löhr, geb. Mann; ›Die neue Kunst‹ (1920); ›Zur Psychologie Frankreichs‹ (1922); ›Das gegenwärtige Frankreich‹ (1926); ›Franzosen sehen Deutschland. Begegnungen, Gespräche, Bekenntnisse‹ (1931). – Vgl. ›Thomas Mann, Briefe an Otto Grautoff 1894–1901‹, hrsg. von Peter de Mendelssohn, Frankfurt 1975.

6] *Savonarola:* Thomas Mann war damals mit den Vorarbeiten zu ›Fiorenza‹ beschäftigt.

7] *Riva:* Vgl. Brief vom 29. 12. 1900.

8] *Studienfahrt nach Florenz:* Thomas Manns Reise nach Florenz kam erst im Mai 1901 zustande.

9] *Arthur Holitscher* (1869–1941): Schriftsteller. Hatte bis dahin folgende Werke veröffentlicht: ›Leidende Menschen‹, Erzählungen (1893); ›Weisse Liebe‹, Roman (1896); ›An die Schönheit‹, Trauerspiel (1896); ›Der vergiftete Brunnen‹, Roman (1900). In den Frühzeit guter Bekannter von Thomas Mann. In seiner ›Lebensgeschichte eines Rebellen‹ (1924) schreibt Holitscher über Thomas Manns damalige Wohnung: »Ein Pianino stand in dem Arbeitszimmer, auf dem Schreibtisch war ein mit dünnem Kranz geschmücktes Porträt Tolstojs zu sehen, grosse, mit präziser, steiler Schrift bedeckte Manuskriptblätter lagen, zu beträchtlicher Höhe getürmt, vor dem Bild. Es war das fast vollendete Manuskript der ›Buddenbrooks‹. Mann geigte vorzüglich und ich begleitete ihn, so gut ich konnte.« Holitscher fühlte sich verletzt, als er sich in Detlev Spinell, dem Schriftsteller in ›Tristan‹, wiedererkannte.

10] *»Buddenbrooks«:* Thomas Mann hatte das Romanmanuskript im August an Samuel Fischer gesandt und wartete nun auf einen Bericht des Verlegers.

2. 11. 1900   5

1] *Dr. von Staat:* Vgl. Brief vom 24. 10. 1900, Anm. 3.

2] *Ferrarenser Karte:* Nicht ermittelt.

3] *Samuel Fischer* (1859–1934): Thomas Manns Berliner Verleger. Vgl. 6 Thomas Mann, ›S. Fischer zum siebzigsten Geburtstag‹ (x 458) und ›In memoriam S. Fischer‹ (x 472). – Thomas Mann spielt auf Samuel Fischers Brief vom 26. 10. 1900 an.

4] *Piepsam:* Hauptfigur von Thomas Manns Novelle ›Der Weg zum 7 Friedhof‹.

5] *Reinhold Geheeb* (1872–1932): Seit März 1900 verantwortlicher

Schriftleiter des ›Simplicissimus‹. Bruder des Landschulpädagogen Paul Geheeb. Vgl. Thomas Mann, ›Glückwunsch an den Simplicissimus‹ (x 850), ferner Thomas Mann, ›Lebensabriß‹ (xi 105 f.).

25. 11. 1900

8 1] *Herzogstraße:* Die damalige Wohnung von Thomas Manns Mutter befand sich in der Herzogstraße 3 in München (vgl. Viktor Mann, ›Wir waren fünf‹, S. 79–92).

9 2] *Hofrath [Richard] May* (1863–1936): Münchner Arzt. 1886 promoviert, 1894 habilitiert, 1901 außerordentlicher Professor, 1911 Ordinarius für innere Medizin und Geschichte der Medizin an der Universität München. Im ›Krull‹ als Sanitätsrat Düsing karikiert. Vgl. Brief vom 27. 4. 1912, Anm. 3.

3] ›*Schlaraffenland‹:* Vgl. Brief vom 24. 10. 1900, Anm. 1.

4] *Grautoff:* Vgl. Brief vom 24. 10. 1900, Anm. 5.

5] *Sternberg:* Vermutlich August Sternberg, ein Bankier in Berlin, der in Korruptionsprozesse verwickelt war. Vgl. Brief vom 17. 12. 1900.

6] *Richard Schaukal* (1874–1942) hatte damals bereits mehrere Gedichtbände veröffentlicht, dazu das Drama ›Rückkehr‹ (1894). In der ›Wiener Abendpost‹ vom 24. 1. 1902 besprach er die ›Buddenbrooks‹. Thomas Mann lernte ihn im September 1902 persönlich kennen und widmete ihm im Novellenband ›Tristan‹ die Erzählung ›Luischen‹. (Schaukal besprach den Band in der ›Wiener Abendpost‹ vom 25. 7. 1903). Der Bruch erfolgte nach Schaukals abschätziger ›Fiorenza‹-Kritik im ›Zeitgeist‹, der Beilage zum ›Berliner Tageblatt‹ vom 5. 3. 1906 (vgl. Thomas Manns Brief vom 13. 3. 1906, Anm. 1). In den Notizen zu ›Geist und Kunst‹ wendet sich Thomas Mann wiederholt gegen Schaukal, insbesondere gegen dessen bekanntes Werk ›Leben und Meinungen des Herrn Andreas von Balthesser‹ (1907).

7] *Lobgott Piepsam:* Vgl. Brief vom 24. 10. 1900, Anm. 2.

10 8] ›*Der König von Florenz‹:* Ursprünglich für ›Fiorenza‹ vogesehener Titel.

9] ›*Cultur der Renaissance‹:* Hauptwerk von Jacob Burckhardt (1860), eine der Quellen zu ›Fiorenza‹. Thomas Mann besaß die 7. Auflage, 1899 (vgl. Brief vom 17. 12. 1900).

10] ›*Herzogin‹:* Heinrich Mann, ›Die Göttinnen oder die drei Romane der Herzogin von Assy‹, München: Langen 1903. Konzipiert in Riva, 1899–1900. ›Diana‹: Beginn der Niederschrift in Florenz, November 1900; ›Minerva‹/›Venus‹: München, Ulental u. a., 1901–1902. Auslieferung: Nov./Dez. 1902.

334

17. 12. 1900

1] *Florenzfahrt:* Vgl. Brief vom 24. 10. 1900, Anm. 8. 11

2] *Sternberg:* Vgl. Brief vom 25. 11. 1900, Anm. 5.

3] *Ludwig Ewers* (1870–1946): Schriftsteller, Journalist, Kritiker. In Lübeck Klassenkamerad von Heinrich Mann; stand mit beiden Brüdern in freundschaftlicher Verbindung. Redakteur der ›Bonner Zeitung‹, seit 1902 der ›Leipziger Allgemeinen Zeitung‹, später der ›Königsberger Allgemeinen Zeitung‹, seit 1913 der ›Hamburger Nachrichten‹. Unter seinen Werken: ›Kinderaugen‹, Skizzen (1896); ›Frau Ingeborgs Liebesgarten‹, Roman (1906); ›Geschichten aus der Krone‹, Novellen (1913); ›Die Großvaterstadt‹, Roman (1926). – Der Artikel ›Ein neuer sozialer Roman‹ erschien in der ›Bonner Zeitung‹ vom 28. 10. 1900.

4] *Eduard Engels* (1869–1958): Münchner Journalist. Die Weihnachtsbücherliste erschien unter dem Titel ›Briefe an eine Münchener Dame‹ in der ›Münchener Zeitung‹ vom 15. 12. 1900. Neben Heinrichs ›Schlaraffenland‹ wird auch d'Annunzios ›Feuer‹ genannt.

5] *bruciamento delle vanità:* ›Verbrennung der Eitelkeiten‹ an den Florentiner Karnevalen von 1497 und 1498 (vgl. Villari, Bd. II, S. 107, S. 199). Vgl. auch ›Gladius Dei‹ (VIII 212 ff.).

6] *Broschüre über Sternberg:* Nicht ermittelt.

29. 12. 1900

1] *Hartungens:* Dr. Christoph Hartung von Hartungen (1849–1917) lei- 12
tete in Riva am Gardasee ein Erholungsheim für Nervenkranke und Diabetiker. Die Brüder Mann weilten wiederholt bei ihm zur Kur. Heinrich hat ihn in den ›Göttinnen‹ als Dr. von Männigen porträtiert.

2] *die Löhr'schen Herrschaften:* Julia Mann (1877–1927), die Schwester der Brüder, verheiratete sich 1900 mit Dr. Josef Löhr, Direktor der Bayerischen Handelsbank, München.

3] *Dr. von Staat:* Vgl. Brief vom 24. 10. 1900, Anm. 3. 13

4] ›Savonarola‹: Neben ›Der König von Florenz‹ einer der für ›Fiorenza‹ vorgesehenen Titel.

5] *Novelle bitter-wehmütigen Charakters:* ›Tonio Kröger‹.

6] *Copieen-Ausstellung:* Dem Ausstellungskatalog, herausgegeben vom Verein bildender Künstler Münchens, ›Secession‹, entnehmen wir u. a. folgende Angaben: Jacopo della Quercia (1374–1438); Andrea Pisano (1273–1349); Giovanni Pisano (1240–ca. 1321); Niccolò Pisano (1206–1278); Andrea della Robbia (1435–1525); Luca della Robbia (1399–1482); Mino da Fiesole (1431–1484).

7] *Krafft Tesdorpf* (1842–1902): Lübecker Kaufmann, Amtsvormund 14
von Thomas Mann.

14 1] *zwischen zwei Kerzen:* Anspielung auf die »zwei Kerzen«, bei deren Schein Konsul Buddenbrook »kalt und aufmerksam« seine Vermögensrechnung aufstellt (1 48, 50).

2] *Vicco:* Viktor Mann (1890–1949), jüngster Bruder von Heinrich und Thomas Mann. Verfasser von ›Wir waren fünf, Bildnis der Familie Mann‹, 1. Aufl., Konstanz 1949.

3] *»Du fragst – o frage mich nicht, warum«:* Aus Platens ›Liedern und Romanzen‹:

> Ich schleich' umher
> Betrübt und stumm,
> Du fragst, o frage
> Mich nicht, warum?

15 4] *Was ich jetzt schreibe:* ›Tonio Kröger‹ (vgl. Brief vom 29. 12. 1900).

5] *Richard Strauss* (1864–1949): Seit 1894 Erster Kapellmeister an der Hofoper. Ging am 1. 5. 1898 als Hofkapellmeister nach Berlin. Dirigierte gelegentlich als Gast in München.

6] *Ludwig Wüllner* (1858–1938): Schauspieler, Sänger und Rezitator. Trat wiederholt im Münchner Hoftheater auf; besonders gefeiert als Shylock und Hamlet.

7] *Aufführungen der Litterarischen Gesellschaft:* Die Gesellschaft wurde am 19. 12. 1897 von Ernst von Wolzogen und Ludwig Ganghofer gegründet.

8] *Novellen:* Thomas Mann unterbrach kurz darauf die Arbeit am ›Tonio Kröger‹, um ›Tristan‹ zu schreiben (vgl. Brief vom 13. 2. 1901). Wohl Ende 1899, im 3. Notizbuch, hatte sich Thomas Mann auch schon ›Gladius Dei‹ vorgemerkt: »Der christliche Jüngling im Kunstladen. (Psychol. Vorstudie zum Savonarola)«. Die genaue Entstehungszeit der Novelle ist nicht bekannt. Sie wurde am 12./19. 7. 1902 in der Wiener Wochenschrift ›Die Zeit‹ publiziert.

9] *Burckhardt:* Vgl. Thomas Manns Brief vom 25. 11. 1900, Anm. 9.

10] *Pasquale Villari* (1827–1917): ›Die Geschichte Girolamo Savonarolas und seiner Zeit‹, nach neuen Quellen dargestellt, unter Mitwirkung des Verfassers aus dem Italienischen übersetzt von Moritz Berduschek, 2 Bde., Leipzig 1868. Eine der Hauptquellen zu ›Fiorenza‹ (in Thomas Manns Nachlaßbibliothek erhalten).

11] *Holitscher:* Vgl. Brief vom 24. 10. 1900, Anm. 9.

12] *Leo Greiner* (1876–1928): Schriftsteller, Mitglied des Münchner Überbrettls ›Die elf Scharfrichter‹; später Leiter der Theater-Abteilung des S. Fischer Verlags. – Bei der Besprechung handelt es sich um: Leo Greiner, ›Neue Romane‹ [Arthur Holitscher, ›Der vergiftete Brunnen;

Heinrich Mann, ›Im Schlaraffenland‹; Kurt Aram, ›Unter Wolken‹], Münchener Zeitung, 1. 12. 1900.

13] *Albert Langen* (1869–1909): Bekannter Münchner Verleger. Heraus- 16 geber des ›Simplicissimus‹. Bei ihm arbeitete Thomas Mann von 1898–1900 als Lektor und Korrektor. Langen brachte einige der frühen Romane Heinrich Manns heraus: ›Die Göttinnen‹ (1903); ›Die Jagd nach Liebe‹ (1903); ›Professor Unrat‹ (1905).

14] *Ferdinand Grautoff* (1871–1935): Schriftsteller, Dr. phil., politischer Redakteur der ›Leipziger Neuesten Nachrichten‹; Bruder von Thomas Manns Jugendfreund Otto Grautoff.

15] *Samuel Fischer* (1859–1934): Vgl. Brief vom 2. 11. 1900, Anm. 3.

16] *Wechselbalg:* ›Buddenbrooks‹.

21. 1. 1901

1] *Der irre Hymnus:* Die ›Münchner Neuesten Nachrichten‹ brachten 16 am 19. 1. 1901 folgende Besprechung: »Im Akademisch-dramatischen Verein trugen am Donnerstag [17. 1. 1901] die Herren Kurt Martens und Thomas Mann eigene Dichtungen vor. [...] Thomas Mann beschloß den Abend mit seiner prachtvollen Novelle: ›Der Weg zum Friedhof‹. Diese Schöpfung schlägt durch ihre Mischung von sublimer Symbolik mit burleskenhafter Komik, vorgetragen in einem individuellen, temperamentvollen Stil, einen ganz neuen, eigenartigen Ton in der deutschen Literatur an, in pikantem Raffinement weiß Mann mit seiner Komik zu ergreifendem Ernst hinüberzuleiten und uns die Hintergründe des Daseins aufzuhellen. Beide Autoren – insbesondere Mann – ernteten reichen Beifall.« Der Artikel ist ungezeichnet, stammt aber offenbar von Otto Grautoff.

2] *J. Georg Stollberg* (1853–1926): Regisseur. Begann als Statist am Theater in der Josefstadt zu Wien. In Berlin Schüler von Otto Brahm; mitbeteiligt an der berühmten Inszenierung der ›Weber‹ am Deutschen Theater. Inszenierte 1891/92 am Belle-Alliance-Theater in Berlin zehn moderne Stücke für die Berliner Freie Volksbühne. Auch am Weimarer Tivoli-Theater setzte er einen modernen Spielplan durch. 1895 am Deutschen Theater in München. Gründete 1898 mit Schmederer zusammen das Münchener Schauspielhaus in der Neuturmstraße. Die Aufführung von Wedekinds ›Erdgeist‹ führte zu einem Skandal. 1901–1919 Direktor des Schauspielhauses an der Maximilianstraße. (Eröffnung am 19. 4. 1901 mit der Aufführung von Sudermanns ›Johannes‹; am 2. 3. 1919 verabschiedete sich Stollberg mit der 250. Aufführung von Max Halbes ›Jugend‹.)

3] *Korfiz Holz* (1872–1942): Schulkamerad von Thomas Mann und sein »Vorturner« am Lübecker Katharineum. Arbeitete unter dem Pseudonym »Anthropos« an der Schülerzeitschrift ›Der Frühlingssturm‹ mit. In München Redakteur am ›Simplicissimus‹. Leiter, seit 1918 Teilhaber des Albert Langen Verlages. Verfasser von Romanen, Novellen und des Erinnerungsbuches ›ich – kleingeschrieben, Heitere Erlebnisse eines Verlegers‹ (1932). 1905 erschien seine Übersetzung von Dostojewskis Roman ›Ein Werdender‹, die in Thomas Manns Nachlaßbibliothek steht. – Vgl. ›Lebensabriß‹ (XI 105).

17 4] *Alfred Capus* (1858–1922): Französischer Schriftsteller und Journalist. Sein Roman ›Qui perd gagne‹ (›Wer zuletzt lacht . . .‹) erschien 1901 in der Übersetzung von Heinrich Mann bei Langen.

25. 1. 1901

17 1] *Die Yriarte'schen Bücher:* Charles Yriarte, ›Un condottiere au XVe siècle: Rimini, Etudes sur les lettres et les arts à la cour des Malatesta‹ (Paris 1882) steht in Heinrich Manns Nachlaßbibliothek (Heinrich-Mann-Archiv, Berlin).

2] *Rieger:* Die Rieger'sche Münchener Universitätsbuchhandlung, Odeonsplatz 2.

3] *Kurt Martens* (1870–1945): Schriftsteller, Dr. iur. Feuilletonredakteur der ›Münchner Neuesten Nachrichten‹. War etwa 1900–1905 Thomas Manns vertrautester Freund. Widmete ihm 1904 seinen Novellenband ›Katastrophen‹. Veröffentlichte am 24. 3. 1906 im ›Leipziger Tageblatt‹ den Aufsatz über ›Die Gebrüder Mann‹ (vgl. Thomas Manns Brief vom 28. 3. 1906, Br. I 61). Über Heinrich Manns Roman ›Im Schlaraffenland‹ äußerte sich Martens in seinem Buch ›Literatur in Deutschland‹ (Berlin 1910, S. 129–130). Der erste Band seiner ›Schonungslosen Lebenschronik‹ erschien 1921 (vgl. Thomas Manns Besprechung ›Ein Schriftstellerleben‹, X 613). Martens ließ sich später in Dresden nieder. Unter seinen Werken: ›Roman aus der Décadence‹ (1898); ›Die Vollendung‹, Roman (1902); ›Kaspar Hauser‹, Drama (1903); ›Kreislauf der Liebe‹, Roman (1906); ›Die alten Ideale‹ [›Deutschland marschiert‹ – ›Pia‹ – ›Hier und drüben‹], Romantrilogie (1915); ›Schonungslose Lebenschronik‹, Autobiographie (1921/24); ›Die deutsche Literatur unserer Zeit‹ (1921); ›Abenteuer der Seele‹, Novelletten (1923); ›Gabriele Bach‹, Roman (1935); ›Die junge Cosima‹, Roman (1937); ›Verzicht und Vollendung‹, Roman (1941).

18 4] *das Buch über englische Kunst:* Nicht bekannt.

13. 2. 1901

18 1] *Giorgio Vasari* (1511–1574): Italienischer Maler, Baumeister und Schriftsteller. Autor der ›Vite de' più eccellenti pittori, scultori ed architetti italiani‹, 1550; 2. erw. Ausg. 1568. Thomas Mann benützte

338

möglicherweise: Giorgio Vasari, ›Sammlung ausgewählter Bio-graphien‹, Zum Gebrauche bei Vorlesungen hrsg. von Carl Frey, 4 Bde., Berlin 1885–87. – Vgl. Heinrich Mann, ›Die Göttinnen‹, Nach-wort von Alfred Kantorowicz, S. 712.

2] *bewegten Winter:* Die schwierige Freundschaft mit dem Maler Paul Ehrenberg (1878–1949). Ehrenberg war ein Schüler von Zügel. Als Mitglied der Luitpoldgruppe und der Künstlergenossenschaft war er mit seinen Porträts, Landschaften, Stilleben und Tierbildern auf allen großen Münchener Ausstellungen vertreten. Sein Bild ›Die Hetzjagd‹ hing eine Zeitlang in Thomas Manns Zimmer. Ehrenberg verheiratete sich später mit der Malerin Lilly Teufel. Er geigte vorzüglich und schwankte ursprünglich zwischen Musik und Malerei. Hans Hansen im ›Tonio Kröger‹, der Maler in der Novelle ›Die Hungernden‹ und Rudi Schwerdtfeger im ›Doktor Faustus‹ tragen Züge Paul Ehrenbergs. – Vgl. auch Thomas Manns Brief vom 17. 11. 1950 an Richard Braungart: »Zu den Zügel-Schülern gehörte auch mein jüngst verstorbener Ju-gendfreund Paul Ehrenberg, Bruder des an der Münchener Musik-Akademie tätigen Professor Carl E.. Paul malte damals, vor 50 Jahren, ein Portrait von mir. Wir nannten das Bild immer ›Schriftsteller in der Sonne‹.«

3] *Brief von S. Fischer:* Der Brief vom 4. 2. 1901 ist abgedruckt in: Paul [19] Scherrer, ›Bruchstücke der Buddenbrooks-Urhandschrift und Zeug-nisse zu ihrer Entstehung 1897–1901‹, Die Neue Rundschau, Jg. 69, H. 2, Frankfurt 1958, S. 278 f.

4] *Novellenband:* ›Tristan‹, Thomas Manns zweiter Novellenband, er-schien im Frühjahr 1903 bei S. Fischer. Er enthielt: ›Der Weg zum Friedhof‹, ›Tristan‹, ›Der Kleiderschrank‹, ›Luischen‹, ›Gladius Dei‹, ›Tonio Kröger‹.

5] *›Litteratur‹:* ›Tonio Kröger‹. (Die Novelle wurde im Herbst 1899 [20] konzipiert: im September war Thomas Mann nach Dänemark gereist, vor Weihnachten trug er die ersten Gedanken ins 3. Notizbuch ein. Mit der Niederschrift begann Thomas Mann vielleicht unmittelbar nach Abschluß der ›Buddenbrooks‹. Nach verschiedenen Unterbrechungen und Neuansätzen wurde das Manuskript im Spätherbst 1902 abge-schlossen.)

28. 2. 1901

1] *Übersetzung des Schlaraffenlandes:* ›Au pays de Cocagne‹, Paris [20] 1903.

2] *Typhus:* Vgl. ›Buddenbrooks‹, I 751.

7. 3. 1901

21 1] »*Rittersmann«:* ›Buddenbrooks‹, 1 618.

2] *Typhus:* Anspielung auf den Tod des Hanno Buddenbrook (1 751 ff.).

3] »*Wunderreich der Nacht«:* ›Tristan und Isolde‹, II. Akt, Liebesduett.

22 4] *Freundschaft:* Vgl. Thomas Manns Brief vom 13. 2. 1901, Anm. 2.

5] *Märchenbuch:* Nicht ermittelt.

25./27. 3. 1901

22 1] *Glückwunsch zum Geburtstage:* Heinrich Mann wurde am 27. 3. 1901 dreißig Jahre alt.

2] *Frühlingskribbeln:* Ironische Anspielung auf ›Tonio Kröger‹ (VIII 294).

23 3] *Läben:* Anspielung auf das ›Bilderbuch für artige Kinder‹, das Thomas und Heinrich Mann im Winter 1897 in Rom gezeichnet und geschrieben haben (vgl. Viktor Mann, ›Wir waren fünf‹, S. 46–61. Thomas Manns Zeichnung ›Das Läben‹ ist dort gegenüber S. 56 abgebildet).

4] *Bild:* Paul Ehrenbergs Thomas Mann-Porträt ist nicht erhalten. Vgl. Brief vom 1. 4. 1901.

5] *Platen:* Die (ungenau) zitierten Verse stammen aus dem Gedicht ›Antwort‹, das zu den ›Liedern und Romanzen‹ gehört. Bei Platen lauten die Verse:

> Dem frohen Tage folgt ein trüber,
> Doch alles wiegt zuletzt sich auf.

Aus Platen zitiert Thomas Mann auch im Brief vom 8. 1. 1901 (vgl. ferner Br. III 444). Eine Zeitlang beabsichtigte er, den ›Buddenbrooks‹ eine Strophe aus Platens ›Romanzen und Jugendliedern‹ voranzustellen:

> So ward ich ruhiger und kalt zuletzt,
> Und gerne möcht’ ich jetzt
> Die Welt, wie außer ihr, von ferne schau’n:
> Erlitten hat das bange Herz
> Begier und Furcht und Grau’n,
> Erlitten hat es seinen Theil von Schmerz,
> Und in das Leben setzt es kein Vertrau’n;
> Ihm werde die gewaltige Natur
> Zum Mittel nur,
> Aus eigner Kraft sich eine Welt zu bau’n.

Die Strophe ist mit Bleistift auf das erste Blatt der ›Buddenbrooks‹-Handschrift geschrieben, wurde aber nicht abgedruckt. Thomas Mann zitiert sie in den ›Betrachtungen eines Unpolitischen‹ (XII 191). Im 3. Notizbuch, S. VII, merkte sich Thomas Mann um die Jahreswende

1898/99 »Platens Tagebücher« zur Lektüre vor. (Sie erschienen 1896 bis 1900 bei Cotta.) In seiner Bibliothek sind Platens Werke in 2 Bänden, hrsg. von C. A. Wolff und V. Schweizer, Meyers Klassiker-Ausgaben, Leipzig [1895] erhalten. 1926 erhielt Thomas Mann von Ernst Bertram die Cotta'sche Platen-Ausgabe in 5 Bänden geschenkt. – Auch Heinrich befaßte sich gegen Ende der neunziger Jahre mit Platen; im Heinrich-Mann-Archiv liegt ein ungedruckter Text, ›Platen in Italien‹, datiert vom 22. 3. 1899. In einem Brief vom 18. 11. 1900 an Richard Schaukal schreibt Heinrich: »Platen und die Emaux et Camées liegen immer auf meinem Tisch.« (Vgl. André Banuls, ›Heinrich Mann‹, Paris 1966, S. 52, 123.)

6] *Briefe von Fischer und seinem Lector:* S. Fischers Brief vom 23. 3. 1901　24 ist abgedruckt in: Paul Scherrer, ›Bruchstücke der Buddenbrooks-Ur-handschrift und Zeugnisse zu ihrer Entstehung 1897–1901‹, Die Neue Rundschau, Jg. 69, H. 2, Frankfurt 1958, S. 282 f.

7] *Moritz Heimann* (1868–1925): Essayist, Erzähler, Dramatiker. Lektor des S. Fischer Verlags. Sein essayistisches Werk ist jetzt z. T. wieder zugänglich in: ›Die Wahrheit liegt nicht in der Mitte‹, Frankfurt 1966.

8] *Gipprigkeit:* Im Brief vom 18. 2. 1905 schreibt Thomas Mann von einem »Gipper-Roman«, den er mit seinem Bruder zusammen in Pa-lestrina ausgedacht habe. (Auch das Verb »gippern« kommt in frühen Briefen vor. Es ist in den uns zugänglichen Wörterbüchern nicht aufge-führt, bedeutet aber wohl »verulken«.)

1. 4. 1901

1] *neue Novelle:* Wohl ›Tonio Kröger‹. Im 7. Notizbuch, S. 41, merkt　25 sich Thomas Mann zum Anfang der Novelle vor (vgl. VIII 271): »Es fiel eine Art von weichem Hagel, nicht Eis, nicht Schnee.« Diese Notiz dürfte noch auf die Zeit vor der Italienreise (Mai/Juni) anzusetzen sein. Vgl. Thomas Manns Brief vom 13. 2. 1901.

2] *der gute Junge:* Paul Ehrenberg.

3] *einen Abschnitt von ›Buddenbrooks‹:* Thomas Mann hat Paul Ehrenberg　26 in der Erstausgabe den Neunten Teil gewidmet: »Paul Ehrenberg, dem tapferen Maler, zur Erinnerung an unsere Münchener musikalisch-litterarischen Abende.«

4] *Buch von Schaukal:* Vermutlich ›Intérieurs aus dem Leben der Zwan-zigjährigen‹, Leipzig 1901 (Bibliothek Tiefenbach, Bd. 19).

7. 5. 1901

1] *Verleger:* Zusammenhang unbekannt.　　　　　　　　　　　　　27

2] *Papyria:* Nicht ermittelt.

3] *Miß Edith und Miß Mary [Smith]:* Im ›Lebensabriß‹ (XI 117) berichtet Thomas Mann, daß sich damals zu Mary »ein zärtliches Verhältnis entwickelte, von dessen ehelicher Befestigung zwischen uns die Rede war«. Er hat ihr die Novelle ›Gladius Dei‹ gewidmet: »To M. S. in remembrance of our days in Florence.«

15. 9. 1903

28 1] ›*Hedda Gabler‹:* Eleonora Duse gastierte mit ihrer Truppe im Gärtnertheater. Die im Brief erwähnten Erstaufführungen im Schauspielhaus ließen sich nicht mit Sicherheit ermitteln: am 10. 10. 1903 wurde Eduard von Keyserlings ›Peter Hawel‹ uraufgeführt; am 31. 10. 1903 folgte Max Halbes ›Strom‹.

2] *Artikel:* Richard Schaukal, ›Thomas Mann‹, Rheinisch-Westfälische Zeitung, Essen, 9. 8. 1903.

5. 12. 1903

28 1] *Ich bin jetzt wieder »mein König auch«:* Nicht ermittelt.

29 2] *Terminarbeit/Studie:* Thomas Mann, ›Ein Glück‹, Die neue Rundschau, Jg. 15, H. 1, Berlin, Jan. 1904, S. 85–93.

3] *Berlin:* Thomas Mann hatte sich vom 20.–27. Oktober 1903 in Königsberg und Berlin aufgehalten (im Hause des Verlegers Samuel Fischer erstes Zusammentreffen mit Gerhart Hauptmann).

4] *Aufsatz:* Thomas Mann, ›Das Ewig-Weibliche‹, Freistatt, Kritische Wochenschrift für Politik, Literatur und Kunst, München, 21. 3. 1903 (Besprechung von Toni Schwabes Roman ›Die Hochzeit der Esther Franzenius‹).

5] *ausgerutscht:* Vgl. Thomas Manns Briefe an Carl Ehrenberg vom 20. 11. 1903 (Br. III, 447): »Gestern habe ich mein Manuskript fortgeschickt, froh, es los zu sein, aber angewidert und enttäuscht. Die Arbeit ist mir infolge von schlechtem Wetter und Stimmungslosigkeit total ausgerutscht, und es wäre wohl wünschenswerth, dass sie nie ans Licht käme. Etwas Neues sollte sie übrigens nicht bringen und ist als Gelegenheits- und Bestellungsarbeit ja deutlich genug gekennzeichnet.«

6] *Vorlesung:* Thomas Mann las in der Königsberger ›Literarischen Gesellschaft‹ aus ›Tonio Kröger‹.

30 7] *Ida Springer:* Erzieherin im Hause des Senators Mann.

8] *Grossmama:* Elisabeth Mann, geb. Marty (1811–1890).

9] *Ludwig Ewers* (1870–1946): Vgl. Brief vom 17. 12. 1900, Anm. 3. – Heinrich Mann, ›Briefe an Ludwig Ewers 1889–1913‹, hrsg. von Ulrich Dietzel und Rosemarie Eggert (1980).

10] *Leipzig:* Ewers war 1902 Redaktor der ›Leipziger Allgemeinen Zeitung‹ gewesen.

11] *Ferdinand Grautoff* (1871–1935): Vgl. Brief vom 8. 1. 1901, Anm. 14.

12] *Phantastischer Roman:* Es handelt sich wohl um ›Frau Ingeborgs Liebesgarten‹ (1906).

13] *Gedichte:* Unbekannt. Mit dem Gedicht an das Meer könnte allenfalls »Zweimaliger Abschied« gemeint sein (VIII 1102). Der Walnussbaum begegnet in den frühen Erzählungen wiederholt, z. B. VIII, 274.

14] *Üz:* Nicht ermittelt.

15] *»Rose Bernd«:* Gerhart Hauptmann: ›Rose Bernd, Schauspiel in fünf Akten‹ (Berlin: S. Fischer 1903).

16] *Schlaraffenland-Komik:* In seinem Roman ›Schlaraffenland‹ (1900) *31* hatte Heinrich Mann die Berliner Literaturszene karikiert.

17] *Otto Brahm* (1856–1912): Kritiker und Bühnenleiter. Mitbegründer der Berliner ›Freien Bühne.‹ 1894–1904 Leiter des Deutschen Theaters. 1904–1912 Leiter des Lessingtheaters.

18] *Roman:* Heinrich Mann, ›Die Jagd nach Liebe‹ (München: Langen 1903). Der Roman wurde im Januar 1903 am Gardasee konzipiert. Beginn der Niederschrift in Florenz, Februar 1903; beendet in Polling, Sommer 1903.

19] *Claude's Meditation:* ›Die Jagd nach Liebe‹, S. 437.

20] *plebejisch:* In der ›Freistatt‹-Besprechung (vgl. Anm. 4) waren die *32* folgenden Sätze auf Heinrich Manns ›Göttinnen‹ gemünzt: »Was ich sagen wollte, ist dies: Uns armen Plebejern und Tschandalas, die wir unter dem Hohnlächeln der Renaissance-Männer ein weibliches Kultur- und Kunstideal verehren, die wir als Künstler an den Schmerz, das Erlebnis, die Tiefe, die leidende Liebe glauben und der schönen Oberflächlichkeit ein wenig ironisch gegenüberstehen: uns muss es wahrscheinlich sein, dass von der Frau als *Künstlerin* das Merkwürdigste und Interessanteste zu erwarten ist, ja, dass sie irgendwann einmal zur Führer- und Meisterschaft unter uns gelangen kann. [...] Es ist nichts mit dem, was steife und kalte Heiden ›die Schönheit‹ nennen.« Im Abschnitt vorher steht der Satz: »Denn wer die Liebe kennt, kennt auch das Leid. (Wer sie aber nicht kennt, der kennt höchstens ›die Schönheit‹.)«

21] *Attacken auf des Lesers Interesse:* In der oben erwähnten Besprechung hebt Thomas Mann die »sanfte Gehobenheit« der Schwabe von der Aufdringlichkeit gewisser moderner Romane ab: »Nichts von wütenden und verzweifelten Attaquen auf des Lesers Interesse. Ein beseeltes Wort, das betroffen und glücklich aufhorchen ließ. Ein lebendiges Detail, das plötzlich irgendwo zart erglänzte und vorwärts lockte. Und bei jeder Zeile verstärkte sich die Gewissheit, dass dies etwas sei. Und zwar Kunst. Und zwar auserlesene Kunst ...«

22] *Blasebalg:* In der gleichen Besprechung hatte Thomas Mann ge-

343

schrieben: »Eine zarte Eindringlichkeit der Wirkungen wird erzielt, die, um es näher zu bezeichnen, ungefähr das Gegenteil ist von jener Blasebalg-Poesie, die uns seit einigen Jahren aus dem schönen Land Italien eingeführt wird. Zuweilen bei Storm kommen Stellen, wo ohne den geringsten sprachlichen Aufwand die Stimmung sich plötzlich verdichtet, wo man die Augen schliesst und fühlt, wie die Wehmut einem die Kehle zusammenpresst.« Blasebalg-Poesie: Das wendet sich gegen die von d'Annunzio und Balzac entfachten Lohen in Heinrich Manns Stil (vgl. auch VI 181). – Die Kritik in der ›Freistatt‹ wandte sich ursprünglich gegen Heinrich Manns ›Göttinnen‹. Thomas Mann erhebt im Brief vom 5. 12. 1903 den gleichen Vorwurf auch gegen ›Die Jagd nach Liebe‹. Am 30. 12. 1903 schreibt er an Kurt Martens, er habe mit seinem Bruder eine ›sehr ernste und tief gehende Korrespondenz über sein neuestes Buch [›Die Jagd nach Liebe‹] gehabt: »Kennen Sie es? Was sagen Sie? Ich bin rathlos.«

23] *Ernst Ritter von Possart* (1841–1921): Schauspieler, Regisseur. 1895 bis 1905 Generalintendant der Königlich Bayerischen Hofbühnen. – Vgl. Thomas Manns ›Erinnerungen ans Münchner Residenz-Theater‹ (XI 517). Possart war wegen des »drastischen Virtuosentums« (XIII 284) auch seiner Privatauftritte zur anekdotenumwobenen Figur geworden.

33 24] ›*Salome‹/Cavalleria:* Oscar Wilde, ›Salome‹, Tragödie in einem Akt. Entstanden 1891 in französischer Sprache. 1894 englische Uebersetzung von Lord Alfred Douglas. 1903 deutsche Übersetzung von Hedwig Lachmann (danach Oper von Richard Strauss, Uraufführung 9. 12. 1905). – Pietro Mascagni, ›Cavalleria rusticana‹ (1890).

25] ›*Königliche Hoheit‹:* Thomas Manns Pläne zur ›Königlichen Hoheit‹ gehen auf das Jahr 1903 zurück.

26] *das ›Wunderbare‹:* Heinrich Mann, ›Das Wunderbare‹. Novelle, Pan, Jg. 2, H. 3 (Berlin, Nov. 1896), 193–204.

34 27] *Otto Grautoff* (1876–1937): Vgl. Brief vom 25. 11. 1900, Anm. 4.

28] *Grautoffs Flunkerei:* ›Die Jagd nach Liebe‹, S. 32–34.

29] *Riva:* Das bezieht sich wohl auf den gemeinsamen Aufenthalt der Brüder in Riva vom Dezember 1901. Möglicherweise hat Heinrich Mann seinen Bruder auch im Oktober 1902 dort besucht, auf der Durchreise nach Florenz.

30] ›*Die Geliebten‹:* Thomas Mann plante seit Winter 1901/02 eine Novelle mit dem Titel ›Die Geliebten‹. Der Plan wurde später ein Teil des ›Maja‹-Projekts, eines Münchner Gesellschaftsromans. Vgl. Hans Wysling: ›Zu Thomas Manns Maja-Projekt‹, in ›Thomas-Mann-Studien‹ I, 23–47.

31] ›*Die Göttinnen‹:* Heinrich Mann, ›Die Göttinnen oder Die drei Romane der Herzogin von Assy‹ (München: Langen 1903). – In den ›Geliebten‹ hätte Thomas Mann seine Liebe zum Maler Paul Ehrenberg verschlüsselt dargestellt. In Heinrich Manns ›Göttinnen‹ gehört Nino zu den Geliebten, Siebelind zu den Ungeliebten. Siebelind trägt Züge von Thomas Mann (vgl. ›Die Göttinnen‹, S. 434).

32] *Alexander von Fielitz* (1860–1930)*:* Komponist und Dirigent. In *36* Thomas Manns Jugend erster Kapellmeister am Lübecker Stadttheater. – Vgl. Thomas Mann, ›Erinnerungen ans Lübecker Stadttheater‹ (XI 417).

33] *Richard Schaukal* (1874–1942)*:* Vgl. Brief vom 25. 11. 1900, Anm. 6.

34] *Sterbebett:* ›Die Jagd nach Liebe‹, S. 48 ff. *37*

35] *Frà Girolamo:* In Thomas Manns ›Fiorenza‹ der asketische Gegenspieler von Lorenzo de' Medici.

36] *Wort Börne's:* »Aufrichtigkeit ist die Quelle aller Genialität, und die Menschen wären geistreicher, wenn sie sittlicher wären.« Der Satz steht in Börnes Aufsatz ›Die Kunst, in drei Tagen ein Original-Schriftsteller zu werden‹ (1823), in ›Gesammelte Schriften‹ von Ludwig Börne, Neue vollständige Ausgabe, Hamburg 1862, Bd. 1, S. 245.

37] *Matteo Maria Boiardo* (ca. 1440–1494)*:* Dichter und Uebersetzer. *38* Thomas Mann spielt hier wohl auf das Epos ›Orlando innamorato‹ (1495) an. – *Luigi Pulci* (1432–1484): Aus Florenz gebürtiger Dichter, anfänglich mit Lorenzo de' Medici befreundet. ›Il morgante‹, ein tragikomisches Ritterepos in 28 Gesängen (1483), umkreist ebenfalls die Geschicke Karls des Grossen und seiner Paladine.

38] *Thränen:* Aus Goethes ›Prometheus‹.

23. 12. 1903

1] *Buchbesprechung in der ›Freistatt‹:* Vgl. Brief vom 5. 12. 1903. *41*

2] *Studien:* ›Das Wunderkind‹, Neue Freie Presse, Wien, 25. 12. 1903. – ›Ein Glück‹, Die neue Rundschau, Januar 1004, S. 85–93.

8. 1. 1904

Die kursiv gedruckten Stellen hat Heinrich Mann am Rande mit Blaustift angestrichen.

1] *Zeilen von neulich:* Brief vom 23. 12. 1903. *41*

2] *Gleichgültigkeit:* Der Brief ist nicht erhalten. – In ihrem Brief an *42* Heinrich vom 20. 11. 1904 spielt Julia Mann auf die ›Jagd nach Liebe‹ an (abgedruckt in: André Banuls, ›Heinrich Mann‹, Paris 1966, S. 593 f.): »Nun mein lieber Heinrich zum anderen Thema, über welches Du mir in dankenswerter Weise aufrichtig schreibst (Nebenhergesagt habe ich wieder Deinen famosen Stil des Briefes bewundert, umso mehr, da Du

Dich doch ganz Deiner Stimmung hingabst). Aber Heinrich mich betrübt eben diese Stimmung, die doch sicher auf Dein Gemüt wirken muß. Wenn es noch dabei sein Bewenden hätte, daß T. u. L[öhr]s wie ein großer Theil des lesenden Publikums Deine letzten Romane scharf verurtheilen, – aber daß Du Dich von den Geschwistern abwendest, thut mir für dich sehr leid. Halte Dich zu ihnen, mein lieber Heinrich, schicke ihnen ab und zu einige freundliche Zeilen und Kritiken, u. zeige ihnen nicht, daß Du Dich von der litterarischen Welt nicht so anerkannt fühlst als es T. momentan ist, – oder wenn dann so daß Dich das Gefühl nicht verstimmt. Du hast der Welt einen Spiegel vorhalten wollen, hast stellenweise Undank u. Unwillen geerntet (zugegeben: weil sie sich zu sehr getroffen fühlt), – zugleich aber auch in dieser Weise jetzt genügend ausgesprochen (nach meiner Meinung) u. gehst auf ein anderes Geleise, nicht wahr? Doch ich fühle, lieber Heinrich, daß es anmaßend von mir ist, Dir in Deiner Kunst Vorschriften machen zu wollen, möchte nur offen Dir gegenüber sein. Auf voriges zurückkommend: ich finde, solange die persönliche Fühlung unter Geschwistern und Freunden, Mutter u. Kindern nicht gestört ist, hält das Band; ich habe solche Erfahrungen gemacht, u. zu solchen Zeiten alles gethan, was einer Mutter möglich ist, um das Band nicht reißen zu lassen, u. es hat sich bewährt. Bitte, bitte lieber Heinrich, befolge meinen Rat und ziehe Dich nicht von T. u. L.s zurück; behalte persönliche Liebenswürdigkeit bei, u. zeige von nun an wieder, daß Du auch der sensibleren Classe von Lesern gerecht zu werden befähigt bist. Man darf nicht zu sehr Idealist sein, denn man wird ja vom kleinsten Theil der Mitmenschen verstanden. Und auch Tommy weiß ja, daß nicht Jeder ihn unbedingt rühmt, u. nicht alles was er schreibt seinen Anhängern gefällt. Uebrigens bei meiner Mittheilung an ihn, daß Du mir gute Kritiken geschickt habest, antwortete er ungefähr: Sei nur stolz daß H. Dir sie schickt, ich u. auch L.s bekommen nichts dergl. von ihm mehr, – H. muß doch am besten wissen wie hoch ich ihn einschätze, trotzdem ich Vieles in seinen letzten Romanen nicht goûtire – Das ist nun doch nicht unbillig, nicht wahr? – Daß Du in der ›Jagd n. Liebe‹ in zu gewagter Weise Münchener bekannte Persönlichkeiten hineinzogst, ist Löhr in seiner Stellung etwas unangenehm; [...] aber was wird nicht Alles geschrieben u. wie wird nicht auch mit der Feder herausgefordert u. Krieg geführt; da stehst Du nicht vereinzelt da. Doch nochmals, mein lieber Heinrich, das Andere was Du nach dieser Uebersetzung schreibst, soll wieder weniger starke Unsittlichkeiten aufdecken, nicht wahr? Ich wünschte so von ganzer Seele daß auch Dir die äußerliche Anerkennung zu Theil würde, denn leider kann der Schriftsteller nicht ohne sie fertig werden, u. mir persönlich als Eure Mutter gehen abfällige Urtheile über einen von Euch jedesmal durch und durch; so wie mich anerkennende Kritiken, wie die mir gesendete, u. mündliche Lobeserwähnungen, u. pecuniäre Fortschritte bei Euch, jedesmal hoch erfreuen. Mit den Uebersetzungen stehst Du Dich ja auch recht gut, nicht? u. das ist etwas was auch nicht Jeder kann. Ihr seid beide gottbegnadete Menschen, lieber Heinrich, – laß das persönliche Verhältnis zu T. u. L.s nicht getrübt werden; wie konnten 1½ Jahre es so ändern blos weil Deine letzten Arbeiten nicht durchwegs gefielen. Das hat doch mit d. geschwisterl. Verhältnis nichts zu thun! Ich schwiege ihnen gegenüber von Deinem Briefe an mich, dann Du selber kannst alles wieder in's Geleise bringen, – d. h. nur wenn Du mich bittest, T. zu unterbreiten, warum Du den ganzen Winter fern bleibst, oder Löhr-s zu sagen, daß Du Dich innerlich Tommy entfremdet fühlst, – dann vielleicht thäte ich es; aber ich finde, das würde wieder nichts offenes Deinerseits ihnen gegenüber sein, daher es besser ist, was ich oben riet.«

3] *Friedrich Wilhelm Lebrecht Mann* (1847–1926): Äußeres Modell zu Christian Buddenbrook. Onkel Friedl hat am 28. 10. 1913 in einem Inserat der Lübeckischen Anzeigen den gleichen Vorwurf erhoben (vgl. Brief vom 11. 11. 1913, Anm. 1). An den Rand schreibt Heinrich Mann mit Blaustift: »Ida Springer«.

4] *Hans Müller,* Pseud. Müller-Einigen (1882–1950): Dr. iur., Drama- 43 tiker, Erzähler, Chefdramaturg. Lebte zuletzt in Einigen am Thunersee. – Unter seinen Werken: ›Dämmer‹, Gedichte (1900); ›Das stärkere Leben‹, Einakterzyklus (1900); ›Die lockende Geige‹, Gedichte (1904); ›Der Garten des Lebens‹. Eine biblische Dichtung (1904); ›Buch der Abenteuer‹, Novellen (1905); die Novelle »Die Rosen des heiligen Antonius« ist in dieser Sammlung enthalten. – Der Anfang des Zitats ist am linken Rande blau angestrichen. – Schaukals Brief ist uns nicht erhalten, auch nicht die hier erwähnte Beilage.

5] *Gerhard Ouckama Knoop* (1861–1913): Schriftsteller. Unter seinen Werken: ›Die Dekadenten‹, Roman (1898); ›Das Element‹, Roman (1901); ›Outsider‹, Novellen (1901); ›Die Grenzen‹, Roman in zwei Bänden (1903–05).

6] *›Renate‹:* Jakob Wassermann, ›Die Geschichte der jungen Renate Fuchs‹ (1900).

7] *»Nicht gelten lassen-wollen«:* Zitate aus Heinrich Manns Antwort auf 44 den Brief vom 23. 12. 1903.

8] *Lucifer und Clown:* Die Formel »Mischung aus Lucifer und Clown« begegnet wieder in ›Geist und Kunst‹, Notiz 59 (›Thomas-Mann-Studien‹ I 182), in ›Der alte Fontane‹ (IX 18) und in Thomas Manns Brief vom 13. 6. 1910 an Samuel Lublinski.

9] *»Gang vors Thor«:* Heinrich Mann, ›Ein Gang vors Tor‹, Die Insel, Jg. 3, Bd. 1 (Okt./Dez. 1901), S. 137–149.

10] *Löhrs:* Josef Löhr, Thomas Manns Schwager, und Julia Löhr-Mann, Thomas Manns Schwester.

46 11] *Gestalt des Pico:* Die Stelle »Reaktionen in mir [...] sondern muss eine« ist am linken Rande mit Blaustift angestrichen, »Gestalt des Pico« ist zusätzlich unterstrichen. – Die Figur des Pico della Mirandola in ›Fiorenza‹ trägt Züge von Paul Ehrenberg.

12] *Buch über Börne:* Heine unterscheidet in ›Ludwig Börne‹ zwischen »Nazarenern« (Juden und Christen) und »Hellenen« (Sämtliche Werke, 1876, XII 21): »[...] alle Menschen sind entweder Juden oder Hellenen, Menschen mit ascetischen, bildfeindlichen, vergeistigungsüchtigen Trieben, oder Menschen von lebensheiterem, entfaltungsstolzem und realistischem Wahn. [...] Börne war ganz Nazarener, seine Antipathie gegen Goethe ging unmittelbar hervor aus seinem nazarenischen Gemüthe [...].«

13] *Heine's Buch:* Heinrich Heine, ›Ludwig Börne‹, S. 22.

14] *Gelegenheitsarbeiten:* Thomas Mann: ›Das Wunderkind‹. Novelle, Neue Freie Presse (Wien, 25. 12. 1903). – Thomas Mann: ›Ein Glück‹. Studie, Die neue Rundschau (Berlin, Jan. 1904), S. 85–93.

47 15] *Gabr. Reuters neuen Roman:* Thomas Mann, ›Gabriele Reuter‹, Der Tag (Berlin 14. und 17. 2. 1904). Insbesondere eine Besprechung ihres Romans ›Liselotte von Reckling‹.

27. 2. 1904

47 1] *Novelle:* ›Fulvia‹. Die Entstehungszeit des Manuskripts ist nicht genau feststellbar. Die Novelle erschien erstmals in: Heinrich Mann, ›Flöten und Dolche‹, München: Langen 1905.

2] *)Jagd nach Liebe‹:* Heinrich Mann, ›Die Jagd nach Liebe‹, München: Langen 1903.

48 3] *Essay:* Thomas Mann, ›Gabriele Reuter‹, Der Tag, Berlin, 14. und 17. 2. 1904.

4] *Dialoge:* ›Fiorenza‹, Drei Akte von Thomas Mann, Die neue Rundschau, Berlin, Juli und August 1905, S. 785 ff., 944 ff.

49 5] *›Wunderkind‹:* Thomas Mann, ›Das Wunderkind‹, Neue Freie Presse, Wien, 25. 12. 1903.

6] *›Neuen Verein‹:* Am 28. 11. 1903 hatte der Senat der Universität das Verbot des ›Akademisch-Dramatischen Vereins‹ ausgesprochen. Am 11. 12. 1903 erfolgte die Gründung des ›Neuen Vereins‹, einer freien literarisch-künstlerischen Gesellschaft, die den akademischen Behörden nicht mehr unterstellt war. Vorstand und Ausschuß: Josef Ruederer, Dr. Wilhelm Rosenthal, Otto Falckenberg und Dr. Philipp Witkop.

7] *Bernsteins:* Max Bernstein (1854–1925), Rechtsanwalt, Schriftsteller. Seit 1881 in München. Lange Jahre Theaterkritiker der ›Münchner Neuesten Nachrichten‹. Schrieb vor allem Lustspiele.

Elsa Bernstein, geb. Porges, Pseud. Ernst Rosmer (1866–1949), Schriftstellerin. Gattin von Max Bernstein. Ihr Märchenspiel ›Königskinder‹ (1895) wurde 1897 im Hoftheater uraufgeführt (später von Humperdinck vertont); es hat möglicherweise ›Königliche Hoheit‹ beeinflußt. Unter ihren übrigen Werken: ›Dämmerung‹, Schauspiel (1893); ›Themistokles‹, Tragödie (1897); ›Nausikaa‹, Tragödie (1906); ›Maria Arndt‹, Schauspiel (1908); ›Achill‹, Tragödie (1910).

Im ›Lebensabriß‹ (XI 116) schreibt Thomas Mann: »Immerhin begann ich in ein paar Münchener Salons von literarisch-künstlerischer Atmosphäre zu verkehren, vor allem in dem der Dichterin Ernst Rosmer, der Gattin des berühmten Verteidigers Max Bernstein. Von hier ging der Weg in das Pringsheim'sche Haus in der Arcisstraße [...]«

8] *Pringsheims:* Alfred Pringsheim (1850–1941), Ordinarius für Mathematik an der Universität München. Passionierter Wagnerianer, Kunstsammler. Sein Haus an der Arcisstraße war eines der kulturellen Zentren Münchens.

Hedwig Pringsheim-Dohm (1855–1942), Tochter von Ernst Dohm, dem Gründer und Herausgeber des Berliner Witzblattes ›Kladderadatsch‹ und der Hedwig Dohm, Schriftstellerin und Frauenrechtlerin (vgl. ›Lebensabriß‹, XI 116 f. und ›Little Grandma‹, XI 467).

Katja Pringsheim (1883–1980).

9] *Franz von Lenbach* (1836–1904): Münchner Bildnismaler. (Malte u. a. Ludwig I., Liszt, Papst Leo XIII., die Duse, Paul Heyse, Bismarck, Moltke, Kaiser Wilhelm I.)

10] *giallo antico:* Gelber Marmor. In der Erzählung ›Beim Propheten‹ (VIII 366) heißt es von der »reichen Dame« (Hedwig Pringsheim): »Sie war [...] aus ihrem prachtvollen Hause mit [...] in den Türumrahmungen aus Giallo antico hierhergekommen [...].«

11] *Hans Thoma* (1839–1924): Maler. Lebte von 1870–1876 in München, wo er Leibl, Steinhausen und Böcklin nahestand. 1899–1919 Akademieprofessor in Karlsruhe. Der hier erwähnte Wandfries ist abgebildet in: ›Thoma, Des Meisters Gemälde in 874 Abbildungen‹, hrsg. von Henry Thode, Stuttgart und Leipzig 1909.

12] *fürstliches Talent zum Repräsentiren:* Thomas Manns Pläne zu ›Königliche Hoheit‹ gehen auf das Jahr 1903 zurück; am 5. 12. 1903 schrieb er an Walter Opitz: »Man führt, möchte ich sagen, ein symbolisches, ein repräsentatives Dasein, ähnlich einem Fürsten, – und, sehen Sie! In diesem Pathos liegt der Keim zu einer ganz wunderlichen Sache, die ich einmal zu schreiben gedenke, einer Fürsten-Novelle, einem Gegenstück zu ›Tonio Kröger‹, das den Titel führen soll: ›Königliche Hoheit‹ . . .«

50 13] *Klaus Pringsheim* (1883–1972): Zwillingsbruder von Katja Pringsheim. Kapellmeister. Schüler Gustav Mahlers, zeitweilig musikalischer Leiter der Reinhardt-Bühnen. Wirkte jahrzehntelang in Tokio.

14] *Klumpe-Dumpe:* In Andersens Märchen ›Der Tannenbaum‹ erzählt der »kleine, dicke Mann« die Geschichte von »Klumpe-Dumpe, der die Treppe hinunterfiel und doch auf den Ehrenplatz kam und die Prinzessin erhielt«.

15] *»nach meinem Werke«:* Zitat aus Nietzsches ›Zarathustra‹.

27. 3. 1904

52 1] *meine große Lebensangelegenheit:* Im 7. Notizbuch, S. 129, findet sich der Eintrag: »Sonnabend d. 9ten April: Große Ausspr[ache] mit K[atja] P[ringsheim].« Auf S. 132 folgt der Eintrag: »Montag d. 16. Mai: Zweite große Aussprache mit K. P. Mit Donnerstag d. 19. Mai begann die Wartezeit.« In die Wartezeit fallen zur Hauptsache jene Briefe an Katja, die Thomas Mann später z. T. abgeschrieben hat, um sie für ›Königliche Hoheit‹ zu benutzen (Br. 1 42–57).

2] *von »Katja« rede:* Vgl. ›Beim Propheten‹ (VIII 370): »[. . .] und dabei las er mit Spannung in ihrer Miene, wie sie es aufnehmen werde, daß er einfach von ›Sonja‹, nicht von ›Fräulein Sonja‹ oder von ›Fräulein Tochter‹ sprach.«

23. 12. 1904

54 1] *Verlobung:* Sie fand am 3. 10. 1904 statt.

2] *Berlin:* Thomas Mann reiste am 28. 11. 1904 mit Frau Pringsheim und Katja nach Berlin und wurde dort der Großmutter seiner Braut, der Schriftstellerin Hedwig Dohm, vorgestellt. Er las am 29. 11. 1904 im ›Verein für Kunst‹ aus ›Tonio Kröger‹, ›Das Wunderkind‹ und ›Ein Glück‹.

3] *Lübeck:* Thomas Mann las am 2. 12. 1904 in der ›Literarischen Gesellschaft‹, Lübecker Leseabend von 1890‹ aus ›Fiorenza‹ und ›Das Wunderkind‹. Auf der Rückreise über Berlin traf er mit Oscar Bie, dem Redakteur der ›Neuen Rundschau‹, zusammen.

55 4] *Löweneckerchen:* Julia Löhr-Mann vergleicht Katja mit der Lerche aus dem Märchen ›Das singende springende Löweneckerchen‹, das in den ›Kinder- und Hausmärchen‹ der Brüder Grimm enthalten ist.

18. 2. 1905

56 1] *meiner Frau:* Die Hochzeit mit Katja Pringsheim fand am 11. 2. 1905 in München statt. Die Hochzeitsreise führte in die Schweiz.

350

2] *Carla:* Schwester von Thomas Mann (1881–1910), Schauspielerin. Heinrich Mann, der ihr von allen Geschwistern am nächsten stand, hat die weibliche Hauptperson des Romans ›Die Jagd nach Liebe‹ (1903) und die Heldin der ›Schauspielerin‹ (1906) nach ihr gezeichnet. Carla beging am 30. 7. 1910 in der Wohnung ihrer Mutter zu Polling Selbstmord. Heinrich Mann schrieb im Gedenken an sie das Drama ›Schauspielerin‹ (1911); Thomas Mann hat ihr Schicksal im ›Lebensabriß‹ (XI 119 ff.) und im XXXV. Kap. des ›Doktor Faustus‹ dargestellt (VI 503 ff.).

3] *Tiergartenstraße:* An der Berliner Tiergartenstraße befand sich das Haus der Familie Hermann Rosenberg-Pringsheim (Rosenberg, Direktor der Berliner Handelsgesellschaft, war mit Else Pringsheim, Katja Manns Tante, verheiratet). »Es war prunkvoll«, erinnert sich Erika Mann, die als Kind wiederholt in der Tiergartenstraße weilte. »Im Dachgeschoß hatte Hedwig Dohm ihre kleine Wohnung, weswegen denn auch dies Haus mit einem lautlosen Lift versehen war. Autos gab es zwar längst, doch fuhren die feinen Rosenbergs ausschließlich in ihrer zweispännigen Equipage. – Das Geschenk aus der Tiergartenstraße war keineswegs protzig, vielmehr ging es da einfach um unser silbernes Teeservice, eben jenes, welches wir heute noch benutzen. Doch Thomas Mann, dem Heiner gegenüber irgendwie beschämt, weil er ein wohlhabendes Mädchen geehlicht, liebte es, die Gaben aus dieser Gegend herabzusetzen.«

4] *Palestrina:* In der Casa Bernardini hatten die Brüder 1895 und 1897 einige Sommerwochen verbracht. Dort hatte Thomas Mann mit den Vorarbeiten zu den ›Buddenbrooks‹ begonnen. Leverkühns Gespräch mit dem Teufel (›Doktor Faustus‹, VI 281 ff., 294 ff.) ist hierher verlegt.

5] *Gipper-Roman:* Vgl. Brief vom 27. 3. 1901, Anm. 8.

6] *Guido Biermann* (1846–?): Versicherungskaufmann, Gatte von Alice Haag, einer Cousine der Brüder. In ›Buddenbrooks‹ tritt er als Hugo Weinschenk auf (vgl. I 438, 524, 553, 640).

7] *Lübeck:* Vgl. Thomas Manns Brief vom 23. 12. 1904, Anm. 3.

8] *Baur au lac:* Aus einer späteren Notiz zum Hochstapler-Roman geht 57 hervor, daß Thomas Mann daran dachte, Felix Krull als Kellner im Baur au Lac, Zürich, auftreten zu lassen.

9] *Solneß-Absturz:* Anspielung auf Ibsens Tragödie ›Baumeister Solneß‹, die damals im Münchner Schauspielhaus wieder aufgeführt wurde.

10] *Oscar Bie* (1864–1938): Kunst- und Musikschriftsteller. Seit 1894 Redakteur der ›Neuen Rundschau‹. Thomas Mann hatte ihm im Dezember 1896 das Manuskript zum ›Kleinen Herrn Friedemann‹ zugestellt. Bie bat ihn daraufhin, alles bisher Geschriebene einzusenden. Er setzte sich auch für die Herausgabe der ›Buddenbrooks‹ ein. Thomas Mann besuchte ihn im Dezember 1904 in Berlin. – Zusammen mit Emil Faktor und Herbert Ihering gehörte Bie zur Kritikergruppe des ›Berliner Börsen-Couriers‹. Er war seit 1890 Privatdozent, später Professor für Kunstgeschichte an der Technischen Hochschule in Berlin. Unter seinen Werken: ›Der Tanz‹ (1906); ›Die Oper‹ (1913); ›Franz Schubert‹ (1925).

58 11] *Hermann Bahr* (1863–1934): Wiener Schriftsteller und Kritiker. Studierte in Wien, Berlin und an anderen Orten Nationalökonomie, daneben Jura und klassische Philologie. Während seiner Berliner Zeit (1884–1887) Bekanntschaft mit Arno Holz. Leitete 1890 neben Otto Brahm die ›Freie Bühne‹. Seit 1894 Kritiker in Wien, zeitweilig eine der Hauptfiguren des »Jungen Wien«, Mitherausgeber der liberalen Zeitschrift ›Die Zeit‹. 1906/07 Spielleiter bei Reinhardt in Berlin. Lebte ab 1912 in Salzburg, war 1918/19 Erster Dramaturg am Wiener Burgtheater. Ab 1922 in München. Unter seinen frühen Werken: ›Die neuen Menschen‹, Schauspiel (1887); ›Die Mutter‹, Drama (1891); ›Neben der Liebe‹, Roman (1891); ›Theater‹, Roman (1897); ›Der Meister‹, Komödie (1904). Der junge Thomas Mann war von Bahrs »nervöser Romantik« beeindruckt und widmete ihm die Prosa-Skizze ›Vision‹ (in: Der Frühlingssturm, 1893; VIII 9). Auch Bahrs ›Kritik der Moderne‹ (1890) und ›Die Überwindung des Naturalismus‹ (1891) haben auf ihn gewirkt. Als es sich zeigte, daß Bahr mit seinem theatralischen Naturell allen Richtungen gerecht werden wollte, wandte sich Thomas Mann von ihm ab (vgl. Brief an Kurt Martens vom 11. 1. 1910, Br. I 79). – Die zitierte Stelle stammt aus Hermann Bahrs ›Dialog vom Marsyas‹ (Die neue Rundschau, Berlin 1904, S. 1187).

12] *Schauspielerin*: Novelle von Heinrich Mann (Leipzig 1906); vgl. Thomas Manns Brief vom 17. 1. 1906, Anm. 1 und 2.

13] *Hermione von Preuschen,* eigentlich Hermine von Zitelmann (1857 bis 1918): Malerin und Schriftstellerin. Heinrich Mann ist vermutlich in der Novelle ›Monte Brè‹ portraitiert, die 1901 in dem Sammelband ›Lebenssphinx‹ erschien.

15./17. 10. 1905

59 1] *Rudolf Johannes Schmied* (1878–1935): Schriftsteller. Bruder von Ines Schmied, der damaligen Freundin Heinrich Manns. Schmied wurde in Buenos Aires geboren. Von seinem Leben weiß man wenig. In Berlin war er häufig Gast im Café Größenwahn (dem Romanischen Café) und im Café des Westens, wo er im Kreise der Paul Scheerbart, Ludwig Rubiner, van Hoddis und Else Lasker-Schüler als geistreicher Anekdo-

tenerzähler bewundert wurde. Die letzten Jahrzehnte seines Lebens verbrachte er in Südamerika. Er starb am 2. Mai 1935 in Trinidad, Paraguay. – Schmied las am 12. 10. 1905 im Neuen Verein, München, aus seinem Buch ›Carlos und Nicolas, Kinderjahre in Argentinien‹, das 1906 bei Piper erschien. (Heinrich Mann besprach das Werk unter dem Titel ›Doppelte Heimat‹, in: ›Mnais und Ginevra‹, München: Piper 1906, S. 77–80.) Der zweite Teil, ›Carlos und Nicolas auf dem Meere‹, erschien 1909.

2] *Riva:* Dr. von Hartungens Sanatorium in Riva am Gardasee.

3] *Hans von Gumppenberg* (1866–1928): Schriftsteller, Theaterkritiker der ›Münchner Neuesten Nachrichten‹. Mitglied des Überbrettls ›Die elf Scharfrichter‹. – Gumppenbergs Bericht über Schmieds Vortragsabend steht in den ›Münchner Neuesten Nachrichten‹ vom 13. 10. 1905.

4] *Felix Salten,* eigentlich Siegmund Salzmann (1869–1947): Schriftsteller. Wurde Burgtheaterkritiker der ›Wiener Allgemeinen Zeitung‹, später Feuilletonredakteur der ›Zeit‹, 1906 der ›Berliner Morgenpost‹, zuletzt Theaterreferent der ›Neuen Freien Presse‹ in Wien. Emigrierte 1933 in die USA. Unter seinen Werken: ›Die kleine Veronika‹, Novelle (1903); ›Der Schrei der Liebe‹, Novelle (1904); ›Wiener Adel‹, Essays (1905); ›Das Buch der Könige‹, Karikaturen (1905); später: ›Bambi‹ (1923). – Saltens Aufsatz ›Gottes Segen bei Bong‹ (über: Edward Stilgebauer, ›Götz Krafft, Die Geschichte einer Jugend‹, Berlin 1904/1905) stand in der ›Zeit‹, Wien 1. 10. 1905.

5] *Georg [Freiherr] von Ompteda* (1863–1931): Schriftsteller. Publizierte (zunächst unter dem Decknamen Georg Egerstorff) Romane, die damals sehr populär waren. Übersetzte Maupassant. Seine ›Erinnerungen‹ erschienen 1927/28 in ›Velhagen & Klasings Monatsheften‹.

6] *Schaukal:* Der Brief an Schaukal ist uns nicht erhalten. Schaukal hatte Thomas Mann ein »dickes Manuskript« geschickt, damit er es bei Fischer unterbringe (vgl. Thomas Manns Brief vom 13. 3. 1906).

7] *Verlobungsanzeige:* Paul Ehrenberg hatte sich mit der Malerin Lilly 60 Teufel verlobt (vgl. ›Die Hungernden‹, VIII 263).

8] ›*Fiorenza‹:* Buchausgabe bei S. Fischer, Berlin 1906.

9] *Julie Wassermann-Speyer* (1876–1963): Erste Frau von Jakob Wassermann. Schrieb ›Jakob Wassermann und sein Werk‹ (1923) und ›Das lebendige Herz, Roman einer Ehe‹ (1928). – Aufsatz nicht ermittelt.

10] *Zukunft-Beitrag:* Heinrich Mann, ›Jungfrauen‹, Novelle, Die Zukunft, Berlin, 7. 10. 1905, S. 31–37. Wieder abgedruckt in ›Stürmische Morgen‹, München: Langen 1906. Die kleinen Mädchen Ada und Claire sind möglicherweise nach Julia und Carla Mann gezeichnet.

11] *Tiergarten-Novelle:* Die Novelle ›Wälsungenblut‹ spielt, wie Hein- 61 rich Manns ›Schlaraffenland‹, im Berliner Tiergarten-Viertel. Im Brief

353

vom 27. 2. 1904 bezeichnet Thomas Mann das Pringsheimsche Haus an der Arcisstraße als »Tiergarten mit echter Kultur« (vgl. Brief vom 18. 2. 1905, Anm. 3).

12] ›Versuchungen‹: Gustave Flaubert, ›Die Versuchung des heiligen Antonius‹, Deutsche Übertragung von F. Paul Greve, Minden: Bruns 1905.

13] Geburt des Kindes: Erika Mann, geb. 9. 11. 1905, gest. 27. 8. 1969; vgl. Thomas Manns Brief vom 20. 11. 1905.

14] Kunstreise: Thomas Mann reiste im Dezember 1905 nach Dresden und Breslau, um vorzulesen.

22. 10. 1905

61 1] dies Werk: ›Fiorenza‹.

62 2] Feuilleton: Editha du Rieux, ›Renaissance‹, Fremden-Blatt, Wien, 15. 10. 1905. ›Fiorenza‹ wird hier als »höchst interessante Arbeit des klug abwägenden, verständigen Norddeutschen« bezeichnet.

20. 11. 1905

1] Abschnitt in ›Buddenbrooks‹: Thomas Mann hatte seinem Bruder den Achten Teil des Romans gewidmet: »Meinem Bruder Heinrich, dem Menschen und dem Schriftsteller, zu Ehren.« Er beginnt mit der Weinschenk-Episode, die einst als ›Gipper-Roman‹ von den Brüdern gemeinsam geplant worden war (vgl. Thomas Manns Brief vom 18. 2. 1905). Heinrich Mann nimmt in seinem Lebensrückblick, ›Ein Zeitalter wird besichtigt‹ (Berlin: Aufbau-Verlag 1947, S. 218), auf dieses gemeinsame Vorhaben Bezug.

2] Novelle: ›Abdankung‹, Simplicissimus, München, 22. 1. 1906, S. 508 f. und S. 511. Widmung: »Meinem Bruder Thomas«. Vgl. Thomas Manns Brief vom 22. 1. 1906.

3] ein Mädchen: Erika Mann wurde am 9. 11. 1905 geboren.

63 4] ›Wälsungenblut‹: Zum ursprünglichen Schluß dieser Novelle vgl. Thomas Manns Brief vom 5. 12. 1905, Anm. 2.

64 5] Gustav Frenssen (1863–1945): Schriftsteller. Studierte Theologie. 1890–1902 Pfarrer in Hennstedt und Hemme (Dithmarschen). In ›Jörn Uhl‹ (1901) schilderte er den niederdeutschen Menschen und begründete damit seinen Ruhm als Verfasser von Heimatromanen; vgl. Thomas Manns Brief vom 16. 10. 1902 an Kurt Martens (Br. 1 36) und ›Lebensabriß‹ (XI 114). 1902 freier Schriftsteller in Meldorf, 1906 bis 1912 in Blankensee, seit 1916 in Barlt. Bei dem hier erwähnten Roman dürfte es sich um ›Hilligenlei‹ (1905) handeln. Unter seinen weiteren Werken: ›Der Pastor von Poggsee‹, Roman (1921); ›Lebensbericht‹ (1940).

354

5. 12. 1905

1] *Reise:* Thomas Mann las in Prag, Dresden und Breslau (vgl. Brief 64 vom 17. I. 1906).

2] *›Wälsungenblut‹:* Die Novelle hätte im Januar-Heft 1906 der ›Neuen Rundschau‹ erscheinen sollen, wurde aber von Thomas Mann auf Wunsch seines Schwiegervaters zurückgezogen. Die Buchausgabe erschien erst 1921 im Phantasus-Verlag, München, mit Steindrucken von Th. Th. Heine. Der dort abgedruckte Schluß entspricht der hier erwogenen Variante, die nun auch aus den Gesammelten Werken in zwölf Bänden, Frankfurt 1960, bekannt ist (VIII 410). Der von Bie beanstandete Schluß wurde als ›Textvariante‹ beigegeben: »›Nun‹, sagte er, und einen Augenblick traten die Merkmale seiner Art sehr scharf auf seinem Gesichte hervor, ›was wird mit ihm sein? Beganeft haben wir ihn, – den Goy!‹« (Der jiddische Ausdruck ›beganeft‹ bedeutet soviel wie ›übertölpeln, hintergehen‹. ›Goi‹ (Volk) bezeichnet in der biblischen Sprache jedes Volk, auch das jüdische; später dient es hauptsächlich zur Bezeichnung des fremden, nicht-jüdischen Volkes und wird häufig abschätzig gebraucht.)

Die auf Bies Wunsch abgeänderte Fassung lag Ende 1905 bereits gedruckt vor. Die Bogen wurden schließlich als Packmaterial verwendet, und durch Zufall erkannte der Münchner Buchhändlerlehrling Rudolf Brettschneider, daß sie einen Text von Thomas Mann enthielten. Er hat später einen Bericht über seine Entdeckung geschrieben (Die Bücherstube, München 1920, S. 110–112):

»Eines Tages packte ich wieder einen dickbäuchigen Ballen aus und erntete hiebei eine ganze Menge solcher Makulaturbogen mit Tiemann-Initialen. Zu Mittag nahm ich sie mit nach Hause, und während ich meine Suppe löffelte, begann ich unwillkürlich die vor mir auf dem Tisch liegenden verdrückten Bogen zu lesen. Ich lese eine Seite und eine zweite. Ein teuflisch guter Stil! denke ich. Von wem mag das wohl sein? Ich lese weiter, aufmerksam und gespannt. Beim Kompott angelangt glaubte ich meiner Sache sicher zu sein: das war Thomas Mann. Ich suchte alle Bogen ab. Nirgends ein Titel, nirgends ein Anfang, weit und breit kein Autor ersichtlich. Na schön! Die Hauptsache ist, daß ich mein Tiemann-Alphabet um 12 Buchstaben bereichert habe. Ich zündete meine Zigarette an und ging wieder in meinen Buchladen.

Am nächsten Sonntag war ich bei Dr. F. B. zum Tee geladen. Dort traf man stets einen kleinen Kreis von Künstlern und Literaten, und es wurde, wie das schon ist, von nichts anderem als von Kunst und Literatur gesprochen. Kritik, Projekte, boshafte Anekdoten, Tratsch-

Geschichten aus Schwabing, witzige und manchmal auch recht spitzige Worte. Da fällt auf einmal der Name Thomas Mann. Irgend jemand erzählt von einer neuen Novelle des Meisters, einer Novelle, die in der ›Neuen Rundschau‹ hätte erscheinen sollen, die aber aus Gründen privater Natur aus dem Druck zurückgezogen worden sei. Fischer habe sich verpflichtet, die Auflage zu makulieren und einzustampfen. Eine ganze Weile beschäftigte sich das Gespräch mit diesem interessanten Thema. Einer der Anwesenden wußte sogar den Titel der Novelle zu sagen: ›Wälsungenblut‹, so sollte sie heißen. – Ich saß schweigsam in meinem Fauteuil und lauschte mit offenen Ohren jedem Wort. Meine Makulaturbogen fielen mir ein. Donnerwetter! das wäre so ein Fang! Eine unveröffentlichte Novelle von Thomas Mann zu besitzen. Ein Exemplar, ein Unikum dieser eingestampften ersten Auflage! Und es bestand kein Zweifel, die zerknitterten Bogen, die ich in meinem Schreibtisch verwahrte, enthielten ein Bruchstück der kuriosen Novelle; war mir doch spontan bei der flüchtigen Lektüre der Name Thomas Mann eingefallen. Auch mochte das, was ich gelesen hatte, recht wohl zu dem Titel ›Wälsungenblut‹ passen. Vermutlich aber hatte ich nur einen kleinen Teil des Schriftwerkes in Händen. Vielleicht auch sollte die Novelle in mehreren Fortsetzungen erscheinen? – Ich verabschiedete mich bald, denn ich konnte es kaum erwarten, zu Hause nochmals meine Makulaturbogen zusammenzustellen und auf ihre Vollständigkeit zu überprüfen. Soweit ich es beurteilen konnte, fehlte nichts als die Anfangsseiten. [...]
Der nächste Tag war ein Montag, da mußte wieder ein Bücherballen aus Leipzig eintreffen. Zu hoffen, daß darin neuerlich Makulaturbogen der Novelle von Thomas Mann sein könnten und noch dazu gerade die, die mir fehlten, war geradezu absurd, der helle Wahnsinn, ein Ding der Unmöglichkeit. – Und doch trat diese absurde, wahnsinnige Unmöglichkeit ein. Zwei Pakete des Verlags S. Fischer enthielt dieser Ballen und das eine davon war in den mir fehlenden Bogen eingepackt. Meine Freude kannte keine Grenzen, entzückt betrachtete ich das zerdrückte und doch so kostbare Blatt Papier. ›Wälsungenblut. Novelle von Thomas Mann‹ stand als Überschrift auf der ersten schön gedruckten und mit einer großen Tiemann-Initiale geschmückten Seite. Nun war mein Unikum komplett. Zu Hause stellte ich die Bogen sorgfältig zusammen, feuchtete sie ein, preßte sie und heftete sie in einen Umschlag aus hübschem Buntpapier.
Das ›Wälsungenblut‹ war eine Zeit lang ohne Zweifel der kostbarste Besitz meiner damals noch recht bescheidenen Bibliothek.«
Vgl. Thomas Manns Brief vom 6. 2. 1906 an Samuel Fischer. Vgl. ferner

den ausführlichen Bericht von Klaus Pringsheim, ›Ein Nachtrag zu ›Wälsungenblut‹‹, Neue Zürcher Zeitung, 17. 12. 1961.

3] *neuer Roman:* Heinrich Mann, ›Zwischen den Rassen‹, Leipzig: Langen 1907. Begonnen 1905 in Rossholzen bei Brannenburg; beendet 1907. – Die Memoiren der Mutter kamen später als Buch heraus: Julia Mann, ›Aus Dodos Kindheit‹, Konstanz 1958. 65

4] *Artikel für die M. Neuesten Nachrichten:* ›Bilse und ich‹, Münchner Neueste Nachrichten, 15./16. 2. 1906 (X 9–22). 66

5] *Replik in den Lübecker Anzeigen:* Thomas Mann, ›Ein Nachwort‹, Lübecker Generalanzeiger, 7. 11. 1905. – Der Schriftsteller Richard Dohse aus Lübeck schrieb einen Roman, in dem Leute aus Tondern allzu ähnlich porträtiert waren. Rechtsanwalt Ritter aus Tondern verklagte den Schriftsteller. Die Vertretung der Klage wurde von dem Lübecker Rechtsanwalt Enrico von Brocken übernommen. Dieser zog, zur Stützung seiner Klage gegen Dohse, die ›Buddenbrooks‹ heran und nannte sie dabei einen »Roman à la Bilse«. Fritz Oswald Bilse (Fritz von der Kyrburg) war der Verfasser des Romans ›Aus einer kleinen Garnison, Ein militärisches Zeitbild‹ (Braunschweig 1903). Thomas Mann schätzte es nicht, mit Bilse verglichen zu werden, und protestierte mit dem Artikel ›Ein Nachwort‹ (XI 546–549). Kurz darauf ließ er noch den Aufsatz ›Bilse und ich‹ folgen (vgl. Anm. 4).

6] *Maximilian Harden,* urspr. Maximilian Felix Ernst Witkowski (1861 bis 1927): Berliner Essayist und Publizist. Gründete 1892 die führende Wochenschrift ›Die Zukunft‹, in der er die Politik Wilhelms II. scharf bekämpfte. Sein unablässiges Eintreten für den demokratischen Gedanken verschaffte ihm viele Gegner in den Reihen der radikalen Nationalisten und Antisemiten. 1923 gab er seine publizistische Tätigkeit auf und zog sich in die Schweiz zurück. Unter seinen frühen Schriften: ›Literatur und Theater‹ (1896); ›Kampfgenosse Sudermann‹ (1903); ›Köpfe‹, Essays, 4 Bde. (1905–1915).

7] *Frank Wedekind* (1864–1918): Dramatiker und Schauspieler. Jugend auf Schloß Lenzburg/Aargau. Studium der Rechte, Journalistik. 1886 Reklamechef der Firma Maggi in Kemptthal bei Zürich. 1888 Sekretär beim Zirkus Herzog. Dann freier Schriftsteller in Zürich, Paris; seit 1890 meist in München. 1896 Mitarbeiter am ›Simplicissimus‹ (1899/1900 Festungshaft wegen Majestätsbeleidigung). 1901/02 Regisseur, Rezitator und Lautensänger im Kabarett ›Die elf Scharfrichter‹. 1906 Heirat mit der Schauspielerin Mathilde (Tilly) Newes. 1906 Mitglied des Deutschen Theaters Berlin; dann wieder in München. Hatte bis dahin u. a. geschrieben: ›Frühlingserwachen‹, Drama (1891); ›Der Erdgeist‹, Tragödie (1895, 1903 unter dem Titel ›Lulu‹); ›Der Marquis von Keith‹, Drama (1901); ›Die Büchse der Pandora‹, Tragödie (1904);

›Hidalla‹, Drama (1904). Die Brüder Mann, vor allem Heinrich, waren mit ihm befreundet. Sie wandten sich 1911 zusammen mit andern Schriftstellern gegen die Polizei- und Zensurmaßnahmen, mit denen Wedekinds Werk behelligt wurde. Beide beteiligten sich auch an dem Aufruf ›Für Frank Wedekind‹ zu dessen 50. Geburtstag am 24. 7. 1914. Heinrich Mann schrieb einige Aufsätze über Wedekind, darunter: ›Über Wedekind, Wie ich ihn kennenlernte‹, Das Forum, Jg. 1, H. 4, Berlin, Juli 1914, S. 246–247; ›Zu Ehren Wedekinds‹, Berliner Tageblatt, 22. 3. 1918 (Nachruf); ›Erinnerung an Frank Wedekind‹, Neue Zürcher Zeitung, 20./21. 6. 1923; ›Wedekind und sein Publikum‹, Frankfurter Zeitung, 13. 3. 1928 (Gedenkrede zu Wedekinds 10. Todestag, gehalten am 13. 3. 1928 im Münchner Schauspielhaus). In ›Ein Zeitalter wird besichtigt‹ zählt er Wedekind zu seinen »Gefährten«; in der Komödie ›Das Strumpfband‹ (geschrieben 1902) hatte er ihn in der Gestalt des Bohemiens Killich auftreten lassen. Thomas Mann schrieb 1914 den Aufsatz ›Über eine Szene von Wedekind‹ (x 70).

8] ›Friedrich‹: Die ersten Notizen zu dem geplanten Roman stehen auf den letzten Seiten des 7. Notizbuchs (neben Einträgen zu ›Maja‹ und zum ›Hochstapler‹), sie sind also wohl auf Ende 1905 zu datieren. In den Jahren 1906–1912 hat Thomas Mann ein besonderes Exzerpt-Buch zu ›Friedrich‹ geführt (53 beschriebene Seiten, Thomas-Mann-Archiv, Zürich).

9] Carlyle's ›Friedrich der Große‹: Wahrscheinlich benützte Thomas Mann die gekürzte Ausgabe in 1 Bd., besorgt und eingeleitet von Karl Linnebach, Berlin 1905 (vgl. x 568). Im 9. Notizbuch, S. 9 f. (1906) hält Thomas Mann fest: »Friedrich. Tüchtig heruntergemacht wird er bei Macaulay. Dabei lernt man. Was mein Buch auszeichnen soll, ist eine radikale, ehrliche und naturalistische Psychologie der Größe. Meine Gerechtigkeit u. psychologische Freiheit soll bis zur Gehässigkeit gehen. (Das hat Carlyle nicht!) Maria Theresia soll überaus rein, lieblich, sympathisch und verehrungswürdig erscheinen, als rührendes Opfer einer dämonischen Existenz.« – Vgl. Thomas Manns spätere Besprechung ›Carlyle's ,Friedrich'‹, Frankfurt Zeitung, 24. 12. 1916 (x 567).

10] Gehässigkeit: Was »Gehässigkeit der Erkenntnis« ist, hatte Thomas Mann vor allem in Nietzsches Wagner-Kritik erfahren. Im 9. Notizbuch, S. 58 f. (1908), bemerkt er dazu: »Nichts von brennenderem Interesse, als die Kritik der Modernität: Das fühlte ich schon mit neunzehn, als ich zum ersten Mal Nietzsche's Wagner-Kritik las. [...] Es fehlt in Deutschland an Psychologie, an Erkenntnis, an Reizbarkeit, Gehässigkeit der Erkenntnis, es fehlt an kritischer Leidenschaft ...«. Der Passus wird in der Polemik gegen Theodor Lessing verwendet (vgl. xi 723).

11] *der Prinz von Preußen, der die Voss liebte:* August Wilhelm, Prinz von Preußen (1722–1758); Sophie Marie Gräfin von Voss (1729–1814), Hofdame beim König von Preußen.

12] *Münchener Ereignis:* Bahrs Münchner Pläne wurden nicht verwirklicht; unter dem Datum des 14. 3. 1906 meldet Hans Wagners ›Münchner Theaterchronik‹ (München 1958): »Unter den unliebsamen Fall Hermann Bahr wird der Schlußstrich gesetzt. Die Verpflichtung des Schriftstellers als Dramaturg wird endgültig gelöst. Bahr tritt zurück und erhält eine Abfindung von 24 000 Mark.«

17. 1. 1906

1] *Weihnachtsgeschenk:* Heinrich Mann, ›Schauspielerin‹, Novelle, Wien: 67 Wiener Verlag 1906 (Bibliothek moderner deutscher Autoren, Bd. 12). Heinrich Mann spielt darin auf sein Verhältnis zu seiner Schwester Carla an.

2] *in Zeitungsausschnitten:* Ein Vorabdruck der ›Schauspielerin‹ ist nicht bekannt. Vgl. Thomas Manns Brief vom 18. 2. 1905.

3] *Bahr:* Vgl. Brief vom 5. 12. 1905. 69

4] *Tante Elisabeth:* Maria Elisabeth Hippolythe Haag, geb. Mann (1838 bis 1917). Schwester des Senators Mann, Modell zu Tony Buddenbrook. Vgl. Viktor Mann, ›Wir waren fünf‹, S. 39 f.

5] *Volksthümlichkeit:* Thomas Mann befaßt sich später im ›Versuch über 70 das Theater‹, dann wieder in den Notizen zu ›Geist und Kunst‹ mit diesem Thema.

6] *Würde:* Am Rande links hat Heinrich mit Bleistift vermerkt: »Und den ›großen Männern‹ sollte die Würde ihres Gegenstandes, ihrer Menschen, ihrer Ideen, gleich sein?«

7] *Großstadt-Roman:* Thomas Mann sammelte damals Material zu einem in München spielenden Gesellschaftsroman, der wohl als Gegenstück zu Heinrichs ›Schlaraffenland‹ gedacht war. Das Werk hätte den schopenhauerischen Titel ›Maja‹ tragen sollen; das Illusionäre von Leben und Welt wäre sein Thema gewesen. Thomas Mann hat den geplanten Roman später an Gustav von Aschenbach abgetreten. Das zu ›Maja‹ gesammelte Material verwertete er schließlich doch noch selbst, in den Münchener Kapiteln des ›Doktor Faustus‹.

8] *›Schiller‹:* Thomas Mann, ›Schwere Stunde‹, Simplicissimus, München, 9. 5. 1905.

9] *Skepsis:* Randbemerkung Heinrich Manns: »Es giebt den enthusiastischen Skeptiker.«

10] *[Schillers] Briefe an Goethe:* Am 29. 12. 1797 schreibt Schiller: »Wenn das Drama wirklich durch einen so schlechten Hang des Zeitalters in Schutz genommen wird, wie ich nicht zweifle, so müßte man die

Reform beim Drama anfangen und durch Verdrängung der gemeinen Naturnachahmung der Kunst Luft und Licht verschaffen. Und dies, deucht mir, möchte unter andern am besten durch Einführung symbolischer Behelfe geschehen, die in allem dem, was nicht zu der wahren Kunstwelt des Poeten gehört und also nicht dargestellt, sondern bloß bedeutet werden soll, die Stelle des Gegenstandes verträten. Ich habe mir diesen Begriff vom Symbolischen in der Poesie noch nicht recht entwickeln können, aber es scheint mir viel darin zu liegen. Würde der Gebrauch desselben bestimmt, so müßte die natürliche Folge sein, daß die Poesie sich reinigte, ihre Welt enger und bedeutungsvoller zusammenzöge und innerhalb derselben desto wirksamer würde.

Ich hatte immer ein gewisses Vertrauen zur Oper, daß aus ihr wie aus den Chören des alten Bacchusfestes das Trauerspiel in einer edlern Gestalt sich loswickeln sollte. In der Oper erläßt man wirklich jene servile Naturnachahmung, und obgleich nur unter dem Namen von Indulgenz, könnte sich auf diesem Wege das Ideale auf das Theater stehlen. Die Oper stimmt durch die Macht der Musik und durch eine freiere harmonische Reizung der Sinnlichkeit das Gemüt zu einer schönern Empfängnis; hier ist wirklich auch im Pathos selbst ein freieres Spiel, weil die Musik es begleitet, und das Wunderbare, welches hier einmal geduldet wird, müßte notwendig gegen den Stoff gleichgültiger machen.« (›Briefwechsel zwischen Schiller und Goethe‹, mit Einführung von Houston Stewart Chamberlain, Jena 1905, Bd. 1, S. 511 f.)

71 11] *Freundschaft und Familienverkehr:* Heinrich Mann verkehrte damals mit den Geschwistern Rudolf und Ines (Nena) Schmied.

72 12] *Artikel:* ›Bilse und ich‹, Münchner Neueste Nachrichten, 15./16. 2. 1906.

22. 1. 1906

72 1] *Novelle:* Heinrich Mann, ›Abdankung‹, Simplicissimus, München, 22. 1. 1906, S. 508 ff. Widmung: »Meinem Bruder Thomas«.

2] *Klösterlein:* Erika Mann schrieb uns dazu: »Gemeint ist ein schreibender Herr Achim von Klösterlein, der sich bei uns durch die Vorlesung einer selbstgedichteten Novelle unsterblich gemacht hat. Der erste Satz dieser Novelle – sehr bedeutungsvoll vorgetragen – lautete: ›Der Jordan stinkt.‹ Ob das Klösterlein je publiziert hat, wissen wir nicht. Auch sonst wissen wir rein gar nichts von ihm.«

13. 3. 1906

73 1] *Schaukal:* Im ›Zeitgeist‹ (Beiblatt zum ›Berliner Tageblatt‹, 5. 3. 1906) veröffentlichte Schaukal unter dem Titel ›Thomas Mann und die Renaissance‹ eine vernichtende Kritik über ›Fiorenza‹. Der zweite Abschnitt lautet:

»Aber es will mich dünken, als sei die Beziehung des brillanten Romanciers zu diesem so inbrünstig geliebten Motiv: ›Welt-Teufelinne wider den Geist‹ der heißesten, der nicht erwiderten Passion zu vergleichen: in beiden Fällen, in der Novelle und im ‚Drama‘, bleibt das Thema dem unermüdlichen Werber gegenüber kühl. ›Gladius dei‹ hinterläßt einen halbschlächtigen Eindruck, den man mit der saloppen Formel: ‚nicht warm und nicht kalt‘ bezeichnen kann, ›Fiorenza‹ wirkt überhaupt nicht: eine frostige Kälte strömt von dem Werk aus. Nur der Autor ist – und doppelt und dreimal redselig scheint's bei diesen Gegensätzen – am Worte; aber die Geliebte, Fiorenza, will sich dem Wortreichen nicht ergeben. Woran liegt dieses völlige Versagen? Warum konnte Thomas Mann, der Erschaffer, der Gestalter, der unübertreffliche Dirigent seiner Geschöpfe, hier nicht über den unsichtbaren Grenzstrich hinübergelangen, der im Reiche der Kunst Lebendiges vom Maskenhaften scheidet? Liegt's am Stoffe nur? Dann müßte Mann, der Künstler, doch wenigstens ganz klar umrissen bestehen bleiben, man müßte, indem sich die Sympathie für den bisher so Siegreichen Genüge täte an seinem gewinnenden Anblick, darüber den offenbaren Mißerfolg des Savonarola-Dichters verwinden können. Aber dem ist durchaus nicht so. Auch Mann verliert, und nicht nur um der Stellung willen, die er gedemütigt als Unterliegender einnimmt. Der Dichter des ›Tonio Kröger‹ ist kaum an einigen blaß vorüberhuschenden, charakteristischen Momenten zu erkennen. Er gebärdet sich diesmal (befremdet gesteht sich's sein Verehrer) wie einer der in guter Gesellschaft so übelberüchtigten neuen Epigonen: literarisch bis aufs Mark. Wäre dies ein bisher verborgen gebliebener Wesenszug an dem sonst so maß- und taktvollen Autor? ›Gladius dei‹ gibt die Antwort: Mann ist nicht à son aise, er fühlt sich befangen und verbirgt seine Befangenheit hinter faltigen Worten. An der Beziehung liegt's, die als unfruchtbar sich erweist. Und eines wird klar: Mann ist keiner, der uns immer wieder überraschen wird, kein Proteus, kein Vielseitiger. Wo er nicht liebenswürdig-bequem ganz er selbst sein kann, da wird er unfehlbar enttäuschen. Uhland, Geibel, Saar als Dramatiker, Grillparzer, Kleist als Lyriker, Hebbel als Novellist: es gibt eben Grenzen. Dies ist nicht so zu verstehen, als ob Mann uns nicht noch ein ausgezeichnetes Drama schreiben könnte; nicht das Versagen im Dramatischen: es ist das durch die Gewaltsamkeit der Unternehmung bedingte völlige Versagen des Dichterischen, das hier mit Bedauern festgestellt werden soll. Daß in ›Fiorenza‹ kein ‚Drama‘ vorliegt, hat wenig zu besagen. Auch die wundervolle Penthesilea Kleists, auch Grabbes Napoleon, die Renaissanceszenen des Grafen Gobineau sind, auf ihre Bühnengerechtsamkeit geprüft, unzulänglich. Mann als Dichter ist in ›Fiorenza‹ – man wird dessen (verblüfft) beim stockenden Weiterlesen mehr und mehr inne – ohnmächtig; und was betont werden muß, nicht etwa ‚dilettantisch‘ wirkt er, das hieße immerhin warmblütig, sondern dünn, arm, leblos, eben ‚literarisch‘. In der Manier d'Annunzios und seiner Nachahmer staut sich zwischen den Gesprächen szenische Wortmalerei. Langwierige Expektorationen, Selbstbiographien, wie auf Bandstreifen aus automatisch sich öffnenden Lippen gleitend, ersetzen das Charakterisieren, das Ausinnenherausgestalten. Vorn der mehr oder weniger gleichgültige historische Name, hintendrein ein geringelter Schweif von behutsam geklebten ‚Lesefrüchten‘, von emsiger Lektüre zeugend, aber seelenloses Geredsel, Material bloß, und – nicht eben unzugängliches. Und das Ganze immer wieder in stilisierten Schnörkeln gebrochen, in der drangsalierten Sprache, wie sie halbwüchsige Snobs der ‚Moderne‘ heute allüberall pflegen. Selbst die bei der geflissentlichen Schnörkelung mit dem höhnischen Kichern des ‚Objekts‘ unterlaufenden stilistischen Nachlässigkeiten, die groben Verstöße gegen die grammatischen Regeln fehlen nicht [...].

In seinem Brief vom 28. 3. 1906 an Kurt Martens bezieht sich Thomas Mann auf diese Kritik (Br. 1 64). Obwohl Heinrich Mann des Bruders Ausfälle gegen ›Die Göttinnen‹ und ›Die Jagd nach Liebe‹ noch nicht vergessen haben konnte, kam er seinem Bruder zu Hilfe und bezog in einem öffentlichen Brief an Maximilian Harden gegen Schaukal Stellung: ›Mache‹, Die Zukunft, Berlin, 31. 3. 1906, S. 500–502. Ein Nachspiel folgte in der ›Zukunft‹ vom 14. 4. 1906: ein öffentlicher Brief von Richard Schaukal (S. 74–76) und Heinrich Manns Antwort darauf (S. 76).

74 2] *Brief von damals:* Vgl. Thomas Manns Brief vom 15. 10. 1905, Anm. 6.

3] *Dresden:* Thomas Mann begab sich im Mai 1906 ins Sanatorium Weißer Hirsch zur Kur. Vgl. den Eingang der Erzählung ›Das Eisenbahnunglück‹ (VIII 416). Er nahm auf die Reise die Notizen und den Anfang des Manuskripts zur »Fürsten-Novelle« mit.

4] *Venedig:* Die Reise scheint nicht zustande gekommen zu sein. Während des sommerlichen Aufenthalts in Oberammergau schrieb Thomas Mann an der ›Königlichen Hoheit‹, die er sich inzwischen als Roman zurechtgelegt hatte (vgl. Brief vom 15. 7. 1906 an Samuel Fischer, Br. III 451).

21. 3. 1906

75 1] *Artikel:* Heinrich Mann, ›Mache‹, Die Zukunft, Berlin, 31. 3. 1906, S. 500–502. Vgl. Thomas Manns Briefe vom 13. 3. 1906 an Heinrich und vom 20. 3. 1906 an Maximilian Harden (ungedruckt, TMA).

2] *Samuel Lublinski* (1868–1910)*:* Dramatiker und Kritiker. Zu seiner
Zeit galt er neben Paul Ernst und Wilhelm von Scholz als der namhaf-
teste Vertreter des neuklassischen Dramas. Nach naturalistischen Frühwerken schrieb er historische Tragödien, die ihn in Hebbels Fußstapfen
zeigen: ›Der Imperator‹ (1901); ›Hannibal‹ (1902); ›Elisabeth und Essex‹
(1903); ›Peter von Rußland‹ (1906); ›Gunther und Brunhild‹ (1908);
›Kaiser und Kanzler‹ (1910). – Lublinski hatte 1901, als einer der ersten,
im ›Berliner Tageblatt‹ die ›Buddenbrooks‹ lobend besprochen. In seiner ›Bilanz der Moderne‹ (1904) nannte er Thomas Mann den schlechthin bedeutendsten Romandichter der Zeit. Sein zeitkritisches Werk,
›Ausgang der Moderne‹ (1909), bestätigte seinen Ruf, einer der geschei-
testen Kriker des Naturalismus und der Neuromantik zu sein. Seit 1904
stand Thomas Mann mit ihm in Briefwechsel. Als Lublinski 1910 von
Theodor Lessing angegriffen wurde, setzte sich Thomas Mann in einigen polemischen Aufsätzen für ihn ein (vgl. ›Der Doktor Lessing‹, XI
719 ff., und ›Thomas-Mann-Studien‹ I, Bern und München 1967,
S. 108 ff.).

7./8. 6. 1906

1] ›*Stürmische Morgen*‹*:* Novellenband von Heinrich Mann, München: 76
Langen 1906; darin enthalten: ›Heldin‹, ›Der Unbekannte‹, ›Jungfrauen‹, ›Abdankung‹.

2] *das mir gewidmete:* ›Abdankung‹.

3] *Björnson:* Maximilian Harden zitiert in einem Aufsatz über ›Ibsen‹   77
(Die Zukunft, Berlin, 2. 6. 1906) aus einem Aufsatz, den Björnstjerne
Björnson schon Jahre vorher in der gleichen Zeitschrift hatte erscheinen
lassen (S. 311 f.): »Die Gedankenkraft des Dramatikers kommt wohl
am Stärksten in seiner Psychologie zur Geltung; und diese besitzt bei
Ibsen nicht immer einen sicheren Untergrund. Der Aufbau ist stets
musterhaft; so, zum Beispiel, in ›Nora‹; aber das Fundament, auf dem
er ruht: nämlich, daß Nora (die lügt, – und wer ist weltklüger als Die,
die lügen können?) nicht wissen sollte, was eine Wechselfälschung ist,
läßt viel zu wünschen übrig. Die Voraussetzung für die Handlung der
›Wildente‹ ist, daß die vierzehnjährige Märtyrerin ihrem Vater glaubt,
obwohl dieser Schwätzer kaum ein wahres Wort zu sagen vermag. Nun
wissen wir aber Alle, daß Niemand rascher als ein Kind erfassen kann,
ob man auf die Worte Dessen, von dem man abhängt, Etwa geben darf.
Seit ihrem vierten Jahr hat Hedwig sicher Bescheid gewußt; wenn Jemand zweifelt, so denke er an die Mutter! Wie der gute, von Damen
erzogene Professor in ›Hedda Gabler‹ dazu kommen konnte, Hedda als
sein Weib heimzuführen, das ist gewiß eben so unfaßlich wie der Um-
stand, daß diese mit Dynamit geladene Dame es ungefähr dreißig Jahre

aushalten konnte, ohne daß es zu der geringsten Explosion kam und ohne daß die Umgebung merkte, wie es um Hedda stand. Dazu kommt die gewagte, manchmal geradezu falsche Anwendung der Studien über Suggestion, Hypnotismus und Erblichkeit. Die noch wenig aufgeklärte Macht der Erblichkeit hält Ibsen für größer als die der Erziehung, mit der er gar nicht rechnet.«

78   4] *Lothar Brieger-Wasservogel,* eigentlich Brieger (1879–1949): Berliner Buchhändler und Kunstkritiker. Unter seinen Werken: ›Max Klinger‹ (1902); ›Auguste Rodin‹ (1902); ›Deutsche Maler‹ (1903); ›Plato und Aristoteles‹ (1905); ›Der Fall Liebermann. Über das Virtuosentum in der bildenden Kunst‹ (1906); ›Die Darstellung der Frau in der modernen Kunst‹ (1906). – Möglicherweise ist hier die Reihe ›Aus der Gedankenwelt grosser Meister‹ gemeint, die Brieger-Wasservogel seit 1906 herausgab.

5] *Georg Hirschfeld* (1873–1942): Dramatiker und Erzähler. Von Brahm, Hauptmann und Fontane gefördert. Hatte damals u. a. schon geschrieben: ›Dämon Kleist‹, Novelle (1895); ›Zu Hause‹, Drama (1896); ›Die Mütter‹, Drama (1896); ›Agnes Jordan‹, Drama (1897); ›Der Weg zum Licht‹, Märchenspiel (1902); ›Nebeneinander‹, Drama (1904).

6] *Hugo Salus* (1866–1929): Lyriker und Erzähler. Seit 1895 Frauenarzt in Prag. Hatte bis dahin u. a. geschrieben: ›Gedichte‹ (1898); ›Susanna im Bade‹, Schauspiel (1901); ›Ernte‹, Gedichte (1903); ›Novellen des Lyrikers‹ (1904).

7] *Toni Schwabe* (1877–1951): Schriftstellerin. Lebte bis 1950 in Bad Blankenburg, zuletzt in Weimar. Unter ihren frühen Werken: ›Ein Liebeslied‹ (1900); ›Die Hochzeit der Esther Franzenius‹, Roman (1. Aufl. 1902, 2. Aufl. 1905); ›Die Stadt mit lichten Türmen‹, Roman (1903). – Vgl. Thomas Manns Brief vom 5. 12. 1903.

11. 6. 1906

79   1] *Deine Verlobte:* Ines Schmied, Sängerin, 1883 in Buenos Aires geboren, Schwester von Rudolf Schmied, war von ca. 1905–1910 mit Heinrich Mann befreundet; sie galt als seine Verlobte. Julia Mann, die Mutter, schrieb am 20. 4. 1908 an Ludwig Ewers: »Heinrich, der Sonderling der er ist, hat sich vor 1½ Jahren in Florenz verlobt ohne uns es mitzuteilen, er stellte mir in München vor ca. 3 Wochen plötzlich seine Braut, Ines Schmied aus Buenos Aires vor, mittelgroß, zierlich, goldblond, goldbraune Augen, Teint wie Milch u. Blut, liebenswürdig, wie eine gute Fee. Vor kurzem fuhren sie nach Meran Hotel-Pension Windsor. In nicht langer Zeit werden sie ebenso geräuschlos heiraten, wie sie sich gefunden haben!« Viktor Mann berichtet in ›Wir waren fünf‹ (S. 291 f.): »Wenn Heinrich in jenen Jahren nach München kam, was

nicht oft geschah, wohnte er in einer Pension an der Türkenstraße, und wir sahen uns meist nur bei Mama. Einmal aber traf ich ihn im Foyer eines Varietés und wurde einer Frau von solcher Schönheit vorgestellt, daß sie geradezu als Schock wirkte. Ich mußte sofort an die Senhoras da Silva und an die Lola aus ›Zwischen den Rassen‹ denken. Tatsächlich erfuhr ich, die Dame stammte aus Südamerika. Leider bin ich ihr später nie mehr begegnet.« Die Heirat kam nicht zustande. Ines Schmied gilt als Modell zur jungen Branzilla, zu Lola (›Zwischen den Rassen‹) und zu Flora Garlinda (›Die kleine Stadt‹).

2] *Zieblandstraße:* Wann Heinrich Mann in der Münchener Zieblandstraße gewohnt hatte, ließ sich nicht ermitteln.

3] *Eckerthal:* Heinrich Mann hielt sich damals im Harz auf.

4] *›Maja‹:* Vgl. Thomas Manns Brief vom 17. 1. 1906, Anm. 7.　　　　*80*

5] *Novellen:* Zu den damals geplanten Novellen gehören die ›Bekenntnisse des Hochstaplers Felix Krull‹.

6] *Otto Erich Hartleben* (1864–1905): Schriftsteller. Mitarbeiter an der Kunst- und Literatur-Zeitschrift ›Pan‹. Seit 1901 meist in München. Unter seinen Werken: ›Angele‹, Komödie (1891); ›Die Geschichte vom abgerissenen Knopfe‹, Erzählungen (1893); ›Vom gastfreien Pastor‹, Erzählungen (1895); ›Die sittliche Forderung‹, Komödie (1897); ›Der römische Maler‹, Erzählungen (1898); ›Rosenmontag‹, Tragödie (1900); ›Meine Verse‹ (1902); ›Liebe kleine Mama‹, Erzählungen (1904); ›Diogenes‹, Szenen einer Komödie in Versen (1905); ›Tagebuch‹ (1906).

27. 5. 1907

1] *Gr. Hôtel:* Bezieht sich wohl auf Thomas Manns Reise nach Venedig　*80*
(Mai 1907), wo er Heinrich Mann getroffen zu haben scheint.

2] *›Fiorenza‹:* Die Uraufführung fand am 11. 5. 1907 im Schauspielhaus Frankfurt statt. Thomas und Katja Mann wohnten am 23. 5. 1907 einer Vorstellung bei.

3] *›Zwischen den Rassen‹:* Roman von Heinrich Mann, München:　*81*
Langen 1907.

4] *Carl Busse* (1872–1918): Schriftsteller, Kritiker. Seit 1893 meist in Berlin. Im ›Zwanzigsten Jahrhundert‹ (Jg. 6, H. 1, Oktober 1895, S. 468–472) war ein Artikel erschienen, in dem sich der Verfasser – vermutlich Heinrich Mann – über ›Des Form-Lyrikers Busse niedliches Talent‹ lustig macht. Busse schrieb im November 1906 in ›Velhagen & Klasings Monatsheften‹ (Jg. 21, H. 3, S. 383): »Hochgepeitschte Phantasie bei innerer Kälte ... Und die Dichtungen, die dabei herauskommen, ob sie nun ›Die Göttinnen‹ oder ›Die Jagd nach Liebe‹, ›Flöten und Dolche‹ oder ›Professor Unrat‹, ›Stürmische Morgen‹ oder sonst wie heißen, und ob sie im einzelnen noch so viel ‚Kunst‘ enthalten, – sie gehören in die Kategorie jener Werke, die ich bis zum letzten Atemzuge bekämpfen werde.« (Heinrich Mann erinnert sich noch in seinem Brief vom 20. Juli 1947 an Karl Lemke an diese Kritik.) Thomas Mann bezieht sich in Notiz 9 zu ›Geist und Kunst‹ auf Busse.

5] *Hesse:* Die Besprechungen, auf die sich Thomas Mann hier bezieht, konnten nicht ermittelt werden. Den Novellenband ›Tristan‹ hatte Hesse in der ›Neuen Zürcher Zeitung‹ vom 5. 12. 1903 besprochen.

7. 6. 1907

81   1] *Du hast wieder etwas fertig:* ›Die Branzilla‹ oder ›Der Tyrann‹. Beide Novellen wurden gemeinsam veröffentlicht in: Heinrich Mann, ›Die Bösen‹, Leipzig: Insel-Verlag 1908. ›Die Branzilla‹ war vermutlich um die Jahreswende 1906/07 schon in der Wiener Wochenschrift ›Die Zeit‹ erschienen (nicht nachweisbar).

2] *mit Deinem Letzten:* ›Zwischen den Rassen‹.

82   3] *unser Haushalt löst sich auf:* Thomas Mann verbrachte den Sommer mit seiner Familie in Seeshaupt am Starnberger See, wo Heinrich Mann ihn im August besuchte.

4] *›Kgl. Hoheit‹:* Vgl. Thomas Manns Brief vom 25. 3. 1909, Anm. 1.

83   5] *Polling:* Dorf bei Weilheim (im ›Doktor Faustus‹ Pfeiffering genannt). Frau Julia Mann hatte dort Wohnung genommen.

19. 6. 1907

83   1] *Lula:* Julia Löhr-Mann (1877–1927). Verheiratete sich 1900 mit dem Münchner Bankdirektor Josef Löhr. Thomas Mann widmete ihr den Dritten Teil der ›Buddenbrooks‹: »Meiner Schwester Julia sei dieser Teil zur Erinnerung an unsere Ostseebucht von Herzen zugeeignet.« Julia nahm sich 1927 das Leben.

22. 6. 1907

83   1] *Paul Busching:* Politischer Redakteur der ›Münchner Neuesten Nachrichten‹.

2] *Emil Grimm:* Feuilleton-Redakteur der ›Münchner Neuesten Nachrichten‹.

84   3] *Versuch über das Theater:* Erstmals in ›Nord und Süd‹, Jg. 32, H. 370/371, Berlin, Jan./Febr. 1908. In seiner ›Mitteilung an die literarhistorische Gesellschaft in Bonn‹ (XI 713) schreibt Thomas Mann: »Vor einiger Zeit veranstaltete die Zeitschrift ›Nord und Süd‹ eine Enquete über das Theater. [...] Und so saß mir nun die Theaterfrage wie ein Widerhaken im Fleisch: in einem erregten, gereizten, dialektischen Zustande ging ich umher, räsonierte, disputierte, komponierte, warf mit heißem Kopf einzelne Pointen aufs Papier ... kurz, ich beschloß, den

Roman, an dem ich schreibe, ,auf ein paar Tage' zu unterbrechen und
der Zeitschrift die beste Antwort zu geben, die sie überhaupt bekommen würde. Was zustande kam, war ein Manuskriptum von einund-
dreißig Groß-Quart-Seiten, betitelt: ›Versuch über das Theater‹. Ich
habe nicht Tage, sondern Wochen damit im Kampfe gelegen; mehr als
einmal war ich der Sache bis zur Verzweiflung überdrüssig; mehr als
einmal wollte ich angesichts der Widersprüche, die sich bei der Behandlung des Verhältnisses eines künstlerischen Menschen zum Theater
notwendigerweise auftun, die Hände sinken lassen, aber ich hatte mich
engagiert und gehorchte meinem kategorischen Imperativ ,durchhal-
ten'!«

4] *Harden:* Thomas Mann spielt hier auf zwei Artikel zur Eulenburg-
Affäre an: Maximilian Harden, ›Nur ein paar Worte‹, Die Zukunft,
Berlin, 15. 6. 1907, S. 367–374; ›Die Freunde‹, Die Zukunft, Berlin,
22. 6. 1907, S. 405–425.

5. 7. 1907

1] *Flaubert bei Müller:* Die Ausgabe kam offenbar nicht zustande. Da- *84*
gegen erschien 1907–1909 bei J. C. C. Bruns in München die »erste
deutsche, von den Rechtsnachfolgern Flauberts autorisierte Gesamtausgabe« in 10 Bänden, hrsg. von E. W. Fischer; Heinrich Mann war nicht
an ihr beteiligt.

2. 10. 1907

1] *Otto Eisenschitz*, eigentlich Eisenschütz (1863 – um 1943, KZ There- *84*
sienstadt): Wiener Dramaturg, Publizist, Schriftsteller. Lange Jahre
Feuilleton-Korrespondent der ›Frankfurter Zeitung‹. Dramaturg des
Josefstädter und später des Parisiana-Theaters in Wien.

2] *Fiorenza:* Die Münchner Aufführung fand am 17. 12. 1907 im Resi- *85*
denztheater statt. Regie führte nicht Otto Falckenberg, sondern, unter
dem künstlerischen Beirat von Otto Hierl-Deronco, der Schauspieler
Albert Heine, der statt Matthieu Lützenkirchen auch den Lorenzo gab.
Den Savonarola spielte Emil Höfer, die Fiore Josefine Rottmann.

3] *Otto Falckenberg* (1873–1947): Dramatiker und Regisseur. Er kam
1896 nach München, führte bei vielen Aufführungen des Akademisch-
Dramatischen Vereins Regie, war 1901 Mitbegründer der ›Elf Scharfrichter‹ und schließlich, von 1916–1944, Leiter der Münchner Kammerspiele.

15. 1. 1908

1] *Gabriele d'Annunzio* (1863–1938): Heinrich Mann war von d'Annun- *86*
zios Renaissance-Kult beeinflußt: ›Minerva‹, der zweite Teil der ›Göt-

tinnen‹, spielt im Venedig d'Annunzios, dessen Roman ›Il Fuoco‹ 1900 in deutscher Übersetzung bei Langen/Müller in München erschien und damit Heinrich Mann bereits als Muster dienen konnte. Thomas Mann kommt in ›Geist und Kunst‹ (Notiz 12) und in den ›Betrachtungen‹ auf die »Schönheits-Großmäuligkeit des d'Annunzio« (XII 106) zu sprechen und nennt ihn dort »den Affen Wagners« (XII 577). Gegen Heinrichs »hysterische Renaissance« (XII 540) wendet er sich schon im ›Tonio Kröger‹ und in ›Fiorenza‹; in Axel Martini und Helmut Institoris werden »Renaissance-Männer« (vgl. Brief vom 5. 12. 1903, Anm. 20) karikiert. – Auf welche Begebenheit Thomas Mann in diesem Brief anspielt, ist nicht klar; d'Annunzio ging 1908 freiwillig ins Exil nach Frankreich.

2] *Prozeß:* Philipp Fürst zu Eulenburg und Hertefeld (1847–1921), der Vertraute Wilhelms II., war in der Presse, vor allem in Hardens ›Zukunft‹, beschuldigt worden, er übe einen unheilvollen Einfluß auf den Kaiser aus. Harden beschuldigte ihn überdies homosexueller Verfehlungen. Noch ehe dieser Vorwurf untersucht war, gab der Kaiser deutlich zu erkennen, daß Eulenburg in Ungnade gefallen sei. Der Strafprozeß gegen Eulenburg konnte nie zu Ende geführt werden, weil der Angeklagte schwer erkrankte. Die heutigen Historiker vertreten die Meinung, daß Eulenburg unschuldig gewesen sei. Der Vorwurf, daß er einen unheilvollen Einfluß auf Wilhelm II. ausgeübt habe, sei mit Sicherheit unberechtigt; denn Eulenburg habe sich immer wieder bemüht, den Kaiser von unbesonnenen Schritten zurückzuhalten. In der Öffentlichkeit erweckte der Eulenburg-Skandal damals jedoch den Eindruck, daß der deutsche Kaiser sich jahrelang von einem sittlich minderwertigen Menschen in seinen politischen Entschlüssen habe beeinflussen lassen (nach Bruno Gebhart, ›Handbuch der deutschen Geschichte‹, 8. Aufl., Stuttgart 1960, S. 302). – Thomas Mann veröffentlichte am 13. 12. 1907 im Berliner ›Morgen‹ eine Äußerung ›Über Maximilian Harden‹. Er nimmt auch in ›Geist und Kunst‹ auf den Eulenburg-Prozeß Bezug.

6. 2. 1908

87 1] *Dräge:* Nicht ermittelt. Vielleicht hatten die Brüder 1897 in Rom einen Unbekannten nach ihrem Lübecker Zeichenlehrer Georg Heinrich Wilhelm Drege (1841–1919) benannt.

2] *Genzano:* Römer Restaurant, in dem die Brüder, wie Thomas Mann im ›Lebensabriß‹ (XI 103) berichtet, 1897/98 verkehrt hatten.

3] *›Luischen‹:* Novelle von Thomas Mann, erschien erstmals in der ›Gesellschaft‹, Jg. 16, Bd. 1, Leipzig 1900. Mit ‚Villa B.' ist wohl die Villa Borghese gemeint. Vgl. ›Buddenbrooks‹ (I 32): Jean Jacques Hoffstede

»sprach von der Villa Borghese, wo der verstorbene Goethe einen Teil seines ›Faust‹ geschrieben habe, er schwärmte von Renaissance-Brunnen, die Kühlung spendeten, von wohlbeschnittenen Alleen, in denen es sich so angenehm lustwandeln lasse [...].«

4] *Prozeß-Einzelheiten:* Eulenburg-Prozeß (vgl. Thomas Manns Brief 88 vom 15. 1. 1908, Anm. 2). Graf Kuno von Moltke hatte inzwischen gegen Harden Privatklage eingereicht; sie führte dazu, daß Harden in München wegen Verleumdung vor Gericht gestellt wurde. Justizrat Bernstein übernahm Hardens Verteidigung. Vgl. Hardens Darstellung in der ›Zukunft‹: ›Der zweite Prozeß‹, 15. 2. 1908; ›Der zweite Prozeß II‹, 29. 2. 1908; ›Der zweite Prozeß III‹, 21. 3. 1908. (In diesem Artikel berichtet Harden über Frau Lily von Elbe, frühere Gräfin von Moltke.)

5] *Magnus Hirschfeld* (1868–1935): Arzt. Gründer des Instituts für Sexualwissenschaft in Berlin. Hirschfeld wurde häufig als Sachverständiger zu Sexualprozessen hinzugezogen.

6] *Siegfried Jacobsohn* (1881–1926): Berliner Kritiker. Seit 1905 Herausgeber der ›Schaubühne‹. Schrieb eine Monographie über Reinhardt. Antipode zu Alfred Kerr. Vgl. Günther Rühle: ›Theater für die Republik‹, Frankfurt 1967, S. 1169 f.

7] *Hermann Georg Stilke* (1870–1928): Verleger. Übernahm 1904 die Leitung des 1872 von seinem Vater Georg Stilke gegründeten Verlags (seit 1872 ›Gegenwart‹, seit 1877 ›Nord und Süd‹, seit 1896 auch die ›Preußischen Jahrbücher‹, denen später Hardens ›Zukunft‹ folgt; 1882 erste Bahnhofbuchhandlung bei der Berliner Stadtbahn).

8] *›Werdandi-Bund‹:* Der Werdandi-Bund – nach einer der drei Nornen benannt – hatte den Zweck, den »Künstlern, deren Kunst auf gesunder deutscher Gemütsgrundlage beruht, größeren und unmittelbaren Einfluß auf die Kultur zu verschaffen« (Kürschners Deutscher Literatur-Kalender 1909). Organ des Bundes war die ›Werdandi-Zeitschrift‹. Dem Ehrenbeirat gehörten u. a. an: Henry Thode, Hans Thoma, Ernst von Wildenbruch, Siegfried Wagner. Thomas Mann polemisiert auch in der 18. Notiz zu ›Geist und Kunst‹ gegen den Werdandi-Bund.

9] *Oncle Friedl:* Friedrich Wilhelm Lebrecht Mann (1847–1926) war das Modell zu Christian Buddenbrook. Dieser erzählt seiner Schwester Tony von einer »Dame«, die jeweilen das Lied »That's Maria!« gesungen habe – »Maria ist die Allerschlimmste« (I 263).

10] *Henry Thode* (1857–1920): Kunsthistoriker. Schrieb ›Wie ist R. Wagner vom deutschen Volk zu feiern?‹ (1903). Vgl. ›Geist und Kunst‹, Notiz 19.

11] *Richard Nordhausen,* Ps. Caliban (1868–?): Berliner Schriftsteller. 89 Stand dem ›Werdandi-Bund‹ nahe. Unter seinen Werken: ›Vestigia Leonis‹, Epos (1893); ›Die rote Tinktur‹, Roman (1895); ›Deutsche Lieder‹ (1896); ›Was war es?‹, Roman (1898); ›Zwischen Vierzehn und Achtzehn‹ (1910, 1. Bd. der ›Werdandi-Bücherei‹); ›Die versunkene Stadt‹, Roman (1911). Gemeint ist hier Nordhausens ›Berliner Brief‹, Münchner Neueste Nachrichten, 23. 1. 1908.

12] *in der ›Neuen Revue‹:* Walter Behrend, ›Heinrich Mann, ein Künstlerproblem‹, Neue Revue, Halbmonatschrift für das öffentliche Leben, hrsg. von Josef Ad. Bondy und Fritz Wolff, Jg. 1, 2. Januarheft, Berlin 1908, S. 448–454. Der erste Satz des George-Schülers lautet: »Der Schöpfer der flammenden Historien der Herzogin von Assy wurde in Lübeck geboren, der nordischen Stadt, deren gotisches Zackenwerk, wie es der schlaue und stolze Geist kriegerischer Handelsherrengeschlechter heischte, in schwere Meeresluft stößt, in ergrauter Herrlichkeit, die trotzig und traumhaft in den Azur greift.«

13] *ausführliche Besprechung:* ›Thomas Mann‹, Nuova antologia di lettere, scienze ed arti, vol. 133, serie 5, Roma, 16 gennaio 1908, p. 346–348. (Der Verfasser wird nicht genannt.)

14] *Arams Kritik:* Kurt Aram, eigentlich Hans Fischer (1869–1934), Dramatiker und Erzähler. Lebte seit 1904 in München-Schwabing. Herausgeber der Halbmonatsschrift ›März‹. Seit 1908 Redakteur am ›Berliner Tageblatt‹. Unter seinen Werken: ›Wetterleuchten‹, Drama (1898); ›Unter Wolken‹, Roman (1900); ›Pastorengeschichten‹, Novellen (1906); ›Jugendsünden‹, Roman (1908). – Angespielt wird hier auf: Kurt Aram, ›Literarischer Monats-Bericht‹, Nord und Süd, Jg. 32, Bd. 124, H. 370, Berlin, Januar 1908, S. 176–182 (über ›Mnais und Ginevra‹, S. 181).

15] *Aufsatz:* Heinrich Mann, ›Flaubert und die Kritik‹, Nord und Süd, Jg. 32, Bd. 124, H. 370, Berlin, Januar 1908, S. 142–148.

16] *Anfang meiner Sache:* Der erste Abschnitt von Thomas Manns ›Versuch über das Theater‹ erschien im Januarheft von ›Nord und Süd‹ (S. 116–119); die Abschnitte II bis VI folgten im Februarheft (S. 259–290).

29. 4. 1908

90 1] *Ines:* Ines Schmied.

2] *Hugo Isenbiel:* Oberstaatsanwalt (vgl. Maximilian Harden, ›Der zweite Prozeß‹, Die Zukunft, Berlin, 15. 2. 1908, S. 218).

3] *der bon juge Meyer:* Oberlandesgerichtsrat Wilhelm Meyer.

91 4] *Insel-Verlag:* Von Heinrich Mann erschien 1908 im Insel-Verlag, Leipzig: ›Die Bösen‹ (Inhalt: ›Die Branzilla‹, ›Der Tyrann‹).

370

30. 9. 1908

1] *Deinen Roman:* Heinrich Mann, ›Die kleine Stadt‹, Leipzig: Insel-   92
Verlag 1909. (Der Roman erschien nicht in der ›Neuen Rundschau‹; vgl.
Brief vom 7. 12. 1908.)

2] *›Antonius und Kleopatra‹:* Shakespeares Drama wurde damals im Hoftheater aufgeführt.

3] *Wiese:* Theresienwiese, wo alljährlich das Münchner Oktoberfest
stattfindet.

10. 11. 1908

1] *Dein M[anuskrip]t:* ›Die kleine Stadt‹.

2] *Interpellation im Reichstag:* Am 10./11. 11. 1908 kam im Reichstag die   92
›Daily-Telegraph‹-Affäre zur Sprache. (In einem Interview hatte Wilhelm II. erklärt, während des Burenkrieges habe er eine Kontinental-
Liga gegen England verhindert; er sei ein Freund Englands, sehe sich
aber in dieser Haltung nur von einer Minderheit des deutschen Volkes
bestärkt. Das Interview entfesselte in Deutschland einen Sturm der Entrüstung. Unter der Schockwirkung der allgemeinen Kritik mußte
Wilhelm eine Woche später dem Reichskanzler von Bülow zugestehen,
daß er künftig die verfassungsmäßigen Verantwortlichkeiten in der Politik des Reiches wahren wollte.) – Heinrich Mann spielt in seinem
Roman ›Der Kopf‹ (1925) auf diese Affäre an.

3] *Bernhard von Bülow* (1849–1929): 1879 Staatssekretär des Auswärtigen Amts. Von 1900–1909 Reichskanzler. Stand Kaiser Wilhelm II.
freundschaftlich nahe, bis die Daily-Telegraph-Affäre seine Stellung er-
schütterte. Nach dem Scheitern der Reichsfinanzreform erhielt er am
14. 7. 1909 seine Entlassung. Seine nachgelassenen ›Denkwürdigkeiten‹
(1930/31) entfesselten wegen ihrer Entstellungen eine heftige Polemik.

7. 12. 1908

1] *N[eue] Fr[eie] Pr[esse]:* Thomas Mann, ›Das Eisenbahnunglück‹,   93
Neue Freie Presse, Wien, 6. 1. 1909.

2] *Wiener Ausflug:* Ende November bis Anfang Dezember hielt sich
Thomas Mann in Wien auf. Begegnungen mit Schnitzler, Wassermann
und Hofmannsthal.

3] *am Rande der Erschöpfung:* Die Formulierung ist in den ›Tod in Venedig‹ eingegangen (VIII 453).

4] *Roman:* Heinrich Mann hatte ›Die kleine Stadt‹ 1907 in Florenz begonnen und 1909 in Meran abgeschlossen.

5] *Wilhelm Herzog* (1884–1960): Schriftsteller und Publizist. Von jung
auf pazifistischer Sozialist. Jahrzehntelang Heinrich Manns nächster
Freund. Lektor bei Paul Cassirer; brachte im ›Pan‹ verschiedene Arbei-

ten Heinrich Manns heraus. 1912 Redakteur der Münchner Wochen-schrift ›März‹, 1914/15 gab er die Monatsschrift ›Das Forum‹ heraus (sie wurde wegen ihrer kriegsfeindlichen Haltung verboten), 1916 gründete er in Gemeinschaft mit Walter Hirth das Wochenblatt ›Die Weltlitera-tur‹. Nach der Revolution entstand unter seiner Leitung die sozialisti-sche Tageszeitung ›Die Republik‹. Reisen in die Sowjetunion und nach Südamerika. Seit 1929 in Sanary-sur-Mer. 1933 bis 1939 Mitarbeiter der ›Nation‹ und der Basler ›National-Zeitung‹. 1941–1945 auf der Insel Trinidad, 1945–1947 in den USA. Später wieder in München, wo er die kulturpolitische Gesellschaft ›Forum 52‹ gründete. Über sein Verhältnis zu den Brüdern Mann berichtet Herzog ausführlich in ›Menschen, de-nen ich begegnete‹ (1959). Herausgeber von Lichtenbergs Schriften (1907), von Kleists Werken und Briefen (1908–1911); unter seinen Wer-ken: ›Im Zwischendeck nach Südamerika‹ (1924); ›Die Affaire Dreyfus‹, Schauspiel (1929); ›Panama‹, Schauspiel (1931); seit 1950 arbeitete Herzog an einer ›Kritischen Enzyklopädie‹.

27. 12. 1908

94 1] *Gedichte:* In Thomas Manns Nachlaßbibliothek steht nur noch ein Widmungsexemplar der Ausgabe von 1911.

25. 3. 1909

95 1] *›K. H.‹:* ›Königliche Hoheit‹ wurde am 13. 2. 1909 abgeschlossen. Der Vorabdruck erschien 1909 in der ›Neuen Rundschau‹, die Buchaus-gabe folgte im Oktober.

2] *Neuausgabe:* Thomas Mann, ›Der kleine Herr Friedemann und an-dere Novellen‹, Berlin: Fischer 1909.

3] *›Die Hungernden‹:* Novelle von Thomas Mann. Lag im Oktober 1902 abgeschlossen vor (vgl. Brief vom 22. 10. 1902 an Paul und Carl Eh-renberg, Thomas-Mann-Archiv, Zürich). Die Studie erschien erstmals am 21 .1. 1903 in Hardens ›Zukunft‹.

4] *›Das Eisenbahnunglück‹:* Vgl. Thomas Manns Brief vom 7. 12. 1908.

5] *Essay:* ›Geist und Kunst‹. Der Essay wurde nicht geschrieben; nur Thomas Manns Notizen dazu sind erhalten. (Sie sind ediert in: ›Tho-mas-Mann-Studien‹ I, Bern und München 1967, S. 152–223).

6] *Novelle:* ›Bekenntnisse des Hochstaplers Felix Krull‹.

7] *»18. Jahrhundert«:* Anspielung auf Thomas Manns Vorarbeiten zum ›Friedrich‹-Roman.

8] *Katja's Niederkunft:* Angelus Gottfried Thomas (Golo) Mann wurde am 27. 3. 1909 geboren.

1. 4. 1909

1] *Die siebzehn Stunden mit Katja:* Golo Manns Geburt; vgl. Brief vom 95
25. 3. 1909.

2] *die Ines-Lula-Sache:* Julia Löhr-Mann, die streng-bürgerliche, dabei
aber sehr labile Schwester der Brüder, vertrug sich schlecht mit Ines
Schmied. – Auf Rückseite zu 1. 4. 1909 Entwurf der Antwort:
»Ines ist schuldlos, hat nichts gewußt.
Deine Schwiegereltern – aber Lula und ihre Schwägerin!
Herzlichkeit: ich bin es, der sie sucht.
Warum alle Vorwürfe für mich. Die schlechte
Behandlung ist ganz einseitig
Keine gesellschaftliche Sache, die Schwester«

3] *›K. H.‹:* ›Königliche Hoheit‹ erschien damals in Fortsetzungen in der 97
›Neuen Rundschau‹. In Albrecht, dem älteren Bruder von Klaus Heinrich, hat Thomas Mann seinen Bruder Heinrich porträtiert; Ditlind
trägt Züge von Julia Mann.

4] *Beckergrube No. 52:* 1881 erwarb Senator Mann das Grundstück Bek- 98
kergrube 52 und errichtete dort ein repräsentatives Haus. Thomas
Mann berichtet darüber in seinem ›Lebensabriß‹ (XI 98): »Meine Kindheit war gehegt und glücklich. Wir fünf Geschwister, drei Knaben und
zwei Schwestern, wuchsen auf in einem eleganten Stadthause, das mein
Vater sich und den Seinen erbaut hatte, und erfreuten uns eines zweiten
Heims in dem alten Familienhause bei der Marienkirche, das meine
Großmutter väterlicherseits allein bewohnte und das heute als ‚Budden-
brook-Haus‘ einen Gegenstand der Fremdenneugier bildet.«

5] *das Zeppelin'sche Luftschiff:* Thomas Mann hat sich später – in den
Notizen zu ›Geist und Kunst‹ – darüber mokiert, daß Graf Zeppelin
zum deutschen Nationalhelden proklamiert wurde.

6] *Max Osborn* (1870–1946): Kritiker. Von 1900–1909 neben Karl Fren-
zel an der ›National-Zeitung‹, vorübergehend Redakteur von ›Nord
und Süd‹, 1910 Kunstkritiker der ›BZ am Mittag‹, 1914 der ›Vossischen
Zeitung‹. Später Theaterreferent der ›Berliner Morgenpost‹. Emigrierte
nach Frankreich, dann in die USA. Starb in New York. Vgl. Thomas
Manns Brief zum 75. Geburtstag (Br. II 394), der Osborns Memoiren,
›Der bunte Spiegel‹ (1945), als Vorwort diente.

7] *Mucki:* So wurde in ihren ersten Jahren Erika Mann genannt.

5. 4. 1909

1] *Taine:* Samuel Saenger, ›Der Kampf um Taine‹, Die Zukunft, Berlin, 98
3. 4. 1909, S. 3–13.

2] *Gogol:* Dimitrij Mereschkowskij, ›Gogol‹, Die Zukunft, Berlin,
3. 4. 1909, S. 29–33.

3] *Artikel:* Karl Scheffler, [Besprechung von Georg Hirths] ›Wege zur Heimat‹, Die neue Rundschau, Berlin 1909, S. 617 f.

99 4] *Felix Mottl* (1856–1911)*:* Dirigent. Seit 1903 Generalmusikdirektor an der Münchener Hofoper, seit 1907 ihr Direktor.

5] *Friedrich August von Kaulbach* (1850–1920)*:* Maler. 1886–1891 Direktor der Akademie der bildenden Künste in München. Auf seinem Bild ›Kinderkarneval‹ sind die Pringsheim-Kinder dargestellt (reproduziert in: Katia Mann, ›Meine ungeschriebenen Memoiren‹, hrsg. von Elisabeth Plessen und Michael Mann, Frankfurt 1974).

6] *Thomas Knorr* (1851–1911)*:* Verleger und Publizist. Übernahm nach dem Tode seines Vaters Julius Knorr (gest. 1881) zusammen mit seinem Schwager, Dr. Georg Hirth, den Verlag Knorr und Hirth. Herausgeber der ›Münchner Neuesten Nachrichten‹ und der Zeitschrift ›Jugend‹. Sein Haus an der Briennerstraße 18 war Mittelpunkt des Münchner kulturellen Lebens. (Richard Wagner hatte 1864/65 als Gast in diesem Hause gewohnt.)

7] *Hugo von Maffei* (1836–1921)*:* Münchner Industrieller.

8] *Albert Frh. von Speidel* (1858–1912)*:* Generalintendant des Münchner Hoftheaters. – Eine Notiz zum ›Krull‹ nimmt auf diese Gesellschaft Bezug (›Thomas-Mann-Studien‹ v 414).

10. 5. 1909

99 1] *Bircher-Benner:* Privatklinik von Dr. med. Maximilian Oskar Bircher-Benner in Zürich. Behandlung durch Rohkost, Licht- und Luftbäder, Kalt- und Warmwasseranwendungen, Heilgymnastik. – In den Notizen zu einem Kapitel über Krulls Leben im Zuchthaus wird Bircher-Benner, das »hygienische Zuchthaus«, wieder genannt: »Er kann, auf Veranlassung des Arztes, G a r t e n a r b e i t bekommen. (Bircher.)«

3. 6. 1909

99 1] *Martini-Scene:* In seinem Brief vom 25. 7. 1909 (Br. 1 76 f.) schreibt Thomas Mann an Hugo von Hofmannsthal: »Ich habe mich während des Schreibens auf den Dialog in den ›Kronprätendenten‹ zwischen Skule und dem Skalden berufen – vielleicht mit Unrecht.«

2] *›Die Gabe des Schmerzes‹:* In den ›Kronprätendenten‹, iv. Akt, sagt der Skalde Jatgejr zu König Skule: »Ich empfing die Gabe des Leids, und da ward ich Skalde.«

100 3] *Weber:* Vitale Gegenfigur zu Martini (ii 179 ff.).

4] *Arbeit:* Thomas Mann arbeitete damals an seinem ›Litteratur-Essay‹; daneben befaßte er sich mit den Vorarbeiten zu ›Friedrich‹ und zu ›Felix Krull‹.

30. 9. 1909

1] *Vorlesung:* Heinrich Mann las an einem von der Allgemeinen Vereini-   *100*
gung deutscher Buchhandlungsgehilfen veranstalteten Autorenabend
ein Kapitel aus ›Die Jagd nach Liebe‹ und das Einleitungskapitel aus ›Die
kleine Stadt‹.

2] *Arbeit:* Notizen zu ›Geist und Kunst‹. Am 26. 8. 1909 schreibt Thomas Mann an Walter Opitz (Br. I 77): »Ich habe mich da auf eine Sache
eingelassen, etwas Kritisches, eine Abhandlung, und daran zermürbe
ich mir jeden Vormittag die Nerven so sehr, daß ich nachmittags dem
Blödsinn näher bin als der Epistolographie. Ja, Schiller hat recht, wenn
er sagt, daß es schwerer sei, einen Brief des Julius zu schreiben, als die
beste Szene zu machen!«

3] *Messe im Dom:* Thomas Mann bespricht hier Szenen aus Heinrich   *101*
Manns neuem Roman ›Die kleine Stadt‹.

23. 10. 1909

1] *Bilderbuch:* Vielleicht ›Der Kinder Wundergarten‹ (vgl. Thomas   *101*
Manns Brief vom 18. 9. 1910).

12. 12. 1909

1] *›Fiorenza‹:* Das Stück wurde erst am 3. 1. 1913 in Berlin aufgeführt   *102*
(vgl. Brief vom 16. 1. 1913).

2] *zwei Ausschnitte:* Es handelt sich um zwei Besprechungen der ›Königlichen Hoheit‹: Franz Servaes, ›Königliche Hoheit‹, Literarisches
Echo, Jg. 12, H. 5, Berlin, 1. 12. 1909, S. 356–358; Carl Busse, ›Neues
vom Büchertisch‹, Velhagen & Klasings Monatshefte, Jg. 24, H. 4,
Bielefeld, Dez. 1909, S. 612–616.

3] *Bahr:* Gemeint ist Hermann Bahrs Besprechung der ›Königlichen
Hoheit‹ (Die neue Rundschau, Berlin 1909, S. 1803–1808). Vgl. Thomas
Manns Brief vom 11. 1. 1910 an Kurt Martens (Br. I 79).

4] *Wassermann:* Gemeint ist Jakob Wassermanns Essay ›Der Literat oder
Mythos und Persönlichkeit‹, Leipzig 1910. (Ein Teildruck erschien in
der ›Neuen Rundschau‹, 1910, S. 1236–1246, unter dem Titel ›Der Literat als Psycholog‹.) Wassermann behandelt in seinem Essay ähnliche
Themen wie Thomas Mann in ›Geist und Kunst‹.

5] *Ewers:* Heinrich Manns Jugendfreund besprach unter dem Titel ›Die
Gebrüder Mann‹ die eben erschienenen Romane der Brüder (Bonner
Zeitung, 2. 12. 1909; Königsberger Blätter für Literatur und Kunst,
Beilage der Königsberger Allgemeinen Zeitung, 10. 12. 1909).

18. 12. 1909

1] *einen italienischen Artikel:* G. Caprin, ›Altezza Reale‹, Marzocco,   *102*
Jg. 14, Florenz 1909.

30. 12. 1909

103 1] *›Pester Lloyd‹:* ›Die kleine Stadt‹, Pester Lloyd, Budapest, 12. 12. 1909 (signiert M. J. E-r).

2] *B.Z. am Mittag:* Karl Georg Wendriner, ›Die kleine Stadt, Ein Satyrspiel von Kunst und Liebe‹, BZ am Mittag, 21. 12. 1909.

104 3] *Alfred Walter Heymel* (1878–1914): Lyriker, Verleger. Gründete 1899 mit Otto Julius Bierbaum und Rudolf Alexander Schröder die Zeitschrift ›Die Insel‹. Seit 1909 in München. Unter seinen Werken: ›Ritter Ungestüm‹, Erzählung (1900); ›Der Tod des Narcissus‹, Drama (1901); ›Spiegel, Freundschaft, Spiele‹, Studien (1908); ›Gesammelte Gedichte 1895–1914‹ (1914). O. J. Bierbaum läßt Heymel in ›Prinz Kuckuck‹ (1907) auftreten, Jakob Wassermann in ›Christian Wahnschaffe‹ (1919); aber auch Claude Marehn in ›Die Jagd nach Liebe‹ trägt Züge von Heymel. Vgl. R. A. Schröder: ›Zum Gedächtnis Alfred Walter Heymels‹, Das Inselschiff, Leipzig 1925, S. 5.

10. 1. 1910

104 1] *Leitartikel in der Frankfurter:* In einem ungezeichneten Artikel der ›Frankfurter Zeitung‹ vom 8. 1. 1910 wird ›Königliche Hoheit‹ mit Prof. Dr. Wilhelm Münchs Buch über Fürstenerziehung verglichen: »Nichts ist natürlicher«, heißt es in diesem Artikel, »als daß ein Dichter einen Roman und ein Professor ein Lehrbuch schreibt. Aber manchmal wird das Unnatürliche Ereignis, und dann ist der Roman das Lehrbuch und das Lehrbuch, wenn schon kein Roman, so doch eine Art von Belletristik. Das Buch von Münch wird die Lehrkonkurrenz mit der ›Königlichen Hoheit‹ von Mann nicht aushalten können.«

2] *Schickele'sche Aktion:* Zusammenhang nicht ermittelt.

3] *Heinrich Jaffé* (1862–1922): Münchner Buchhändler. Vgl. Thomas Manns ›Brief an Herrn Jaffé‹, in: ›1903–1913, Katalog der Buchhandlung Jaffé‹, München 1912 (x 843).

4] *des Hochstaplers:* ›Bekenntnisse des Hochstaplers Felix Krull‹.

5] *Alfred Kerr,* eigentlich Alfred Kempner (1867–1948): Kritiker. Kerr hatte am 10. 10. 1909 im ›Tag‹ (Berlin) ›Königliche Hoheit‹ abschätzig besprochen (vgl. den Wiederabdruck in: Alfred Kerr, ›Gesammelte Schriften‹, Bd. 4, Berlin 1917, S. 266). Der hier zitierte Satz stammt aus seinem Aufsatz ›Shaws Anfang und Ende‹, Die neue Rundschau, Berlin 1910, S. 115–125.

105 6] *Hermann Sudermann* (1857–1928): Studierte in Königsberg und Berlin Philosophie. Lebte als freier Schriftsteller in Königsberg und Dresden, seit 1896 in Berlin oder auf seinem Landsitz Blankensee bei Trebbin. Wurde durch seinen autobiographischen Roman ›Frau Sorge‹ (1887) bekannt. Sein Sozialdrama ›Die Ehre‹ (1889) wurde kurz nach Hauptmanns ›Vor Sonnenaufgang‹ von der revolutionären ›Freien Bühne‹ aufgeführt. Unter seinen frühen Werken: ›Der Katzensteg‹, Roman (1890); ›Sodoms Ende‹, Trauerspiel (1891); ›Heimat‹, Schauspiel (1893); ›Morituri‹, 3 Einakter (1896); ›Johannisfeuer‹, Schauspiel (1900); ›Es lebe das Leben!‹, Drama (1902); ›Das Blumenboot‹, Schauspiel (1905); ›Das Hohe Lied‹, Roman (1908); ›Strandkinder‹, Schauspiel (1909). – Kerr hatte Sudermann in dem Pamphlet ›Herr Sudermann, der D … Di … Dichter. Ein kritisches Vademecum‹ (Berlin 1903) erstmals angegriffen.

26. 1. 1910

1] *Monty Jacobs* (1875–1945): Journalist und Theaterkritiker. 1905 bis ¹⁰⁵ 1910 am ›Berliner Tageblatt‹; 1914–1918 als Nachfolger von Arthur Eloesser an der ›Vossischen Zeitung‹; 1921–1933 Chef des Feuilletons. – Der hier erwähnte Artikel, ›Heinrich Manns Kleinstadtroman‹, erschien am 19. 1. 1910 im ›Berliner Tageblatt‹.

2] *Hedda Sauer* (1875–1953): Prager Lyrikerin. Stand mit F. v. Saar, M. Ebner-Eschenbach, R. M. Rilke, M. Mell u. a. in Briefwechsel. Verfasserin einiger Gedichtbände. – Der erwähnte Aufsatz konnte nicht ermittelt werden. Vgl. Hedda Sauer, ›Heinrich Mann‹, Literarisches Echo, Jg. 11, H. 1, Sp. 16–21, Berlin, 1. 10. 1908.

3] *Lucia Dora Frost* (1882–?): Kritikerin, Frauenrechtlerin. Veröffentlichte am 22. 1. 1910 in der ›Zukunft‹ eine Besprechung des Romans ›Die kleine Stadt‹. Heinrich Mann antwortete ihr in der gleichen Zeitschrift am 19. 2. 1910. Vgl. Thomas Manns Brief vom 20. 2. 1910.

4] *Max Reinhardt* (1873–1943): Über den berühmten Regisseur und ¹⁰⁶ Theaterleiter äußert sich Thomas Mann auch in den Notizen zu ›Geist und Kunst‹, vgl. vor allem Notiz 102. Am 15. 12. 1943 hielt Thomas Mann an der Max-Reinhardt-Gedenkfeier eine ›Gedenkrede auf Max Reinhardt‹ (X 490).

5] *das »strenge Glück«:* Die Schlußformel von ›Königliche Hoheit‹ kommt schon in Heinrich Manns ›Jagd nach Liebe‹ vor (›Gesammelte Romane und Novellen‹, Leipzig 1917, Bd. 5, S. 328).

6] *Referat der Litterarhistorischen Gesellschaft Bonn:* Ernst Bertram: ›Thomas Mann, Zum Roman ‚Königliche Hoheit'‹, Mitteilungen der Litterarhistorischen Gesellschaft Bonn, Jg. 4, H. 8, Dortmund, 16. 11. 1909. – Mit Ernst Bertram (1884–1957) war Thomas Mann später lange Jahre freundschaftlich verbunden (vgl. Thomas Mann, ›Briefe an Ernst Bertram‹, hrsg. von Inge Jens, Pfullingen 1960).

7] *ein bischen populär verlogen:* Ähnlich schrieb Thomas Mann am 28. 1. 1910 an Ernst Bertram.

8] *›Friedrich‹:* Vgl. Thomas Manns Brief vom 5. 12. 1905.

17. 2. 1910

107 1] *das psychologische Material:* Zu den zunächst als Novelle geplanten ›Bekenntnissen des Hochstaplers Felix Krull‹.

2] *Goethe-Voltaire-Kapitel:* Heinrich Mann, ›Französischer Geist‹ (später unter dem Titel ›Voltaire-Goethe‹), Der Sozialist, Jg. 2, Nr. 11, Berlin, 1. 6. 1910. Vgl. ›Voltaire-Goethe‹, in: Heinrich Mann, ›Macht und Mensch‹, München: Wolff 1919, S. 10–16.

20. 2. 1910

107 1] *Brief in der Zukunft:* Heinrich Mann, ›Die kleine Stadt, Brief an Fräulein Lucia Dora Frost‹, Die Zukunft, Berlin, 19. 2. 1910.

2] *Essay:* Vermutlich Heinrich Mann, ›Geist und Tat‹, Pan, Jg. 1, Nr. 5, Berlin, 1. 1. 1911, S. 137–143 (vgl. ›Essays‹, S. 7–14).

16. 3. 1910

108 1] *Trophäen:* Besprechungen von Heinrich Manns Drama ›Der Tyrann‹. Der Einakter war am 2. 3. 1910 im Neuen Deutschen Theater zu Berlin aufgeführt worden.

2] *Theodor Lessing* (1872–1933): Philosoph, Schriftsteller, Feuilletonist. Am Lyceum Hannover Freundschaft mit Ludwig Klages. 1892 Beginn eines Medizinstudiums in Freiburg, 1893/1894 Fortsetzung in Bonn und in München, zusammen mit Philosophie. Hier wieder mit Ludwig Klages zusammen (Bruch 1899). Verkehrt in Münchner Literatenkreisen. 1899 Dr. phil. in Erlangen. 1902 Lehrer im Landerziehungsheim Haubinda. 1903 Bruch mit der Schule. 1904 wieder in München. Scheidung von Maria von Stach. Vorträge in Dresden (Schopenhauer, Wagner, Nietzsche). Habilitationsgesuch in Dresden abgelehnt. 1907 PD, später Professor in Hannover. 1914 wird er als Arzt eingezogen. 1926 wegen Kritik an Hindenburg aus dem Lehramt entlassen. Emigriert 1933 in die Tschechoslowakei (Lessing war jüdischer Herkunft). Am 31. 8. 1933 in Marienbad von nationalsozialistischen Häschern ermordet. (Zur Biographie vgl. Ekkehard Hieronimus, ›Theodor Lessing, Otto Meyerhof, Leonard Nelson, Bedeutende Juden in Niedersachsen‹, Hannover 1964, S. 5–57.) Unter seinen Werken: ›Comödie‹, Roman in 2 Bänden (1893); ›Laute und leise Lieder‹ (1896); ›Die Nation‹, Drama (1896); ›Weiber! 301 Stosseufzer über das »schöne« Geschlecht‹ (1897); ›Das Recht des Lebens‹, Drama (1898); ›Einsame Gesänge‹ (1899); ›Schopenhauer, Wagner, Nietzsche, Einführung in die moderne Philosophie‹ (1906); ›Theater-Seele, Studie über Bühnenästhetik und Schauspielkunst‹ (1907); ›Studien zur Wertaxiomatik, Untersuchungen über reine Ethik und reines Recht‹ (1908); ›Weib, Frau, Dame‹, Essay (1910); ›Der fröhliche Eselsquell. Gedanken über Theater, Schauspieler, Drama‹

378

(1912); ›Philosophie als Tat‹ (1914); ›Europa und Asien‹ (1914); ›Geschichte als Sinngebung des Sinnlosen‹ (1919); ›Nietzsche‹ (1925); ›Der
jüdische Selbsthass‹ (1936); ›Einmal und nie wieder‹, Autobiographie
(1935). – Theodor Lessing hatte den Kritiker Samuel Lublinski öffentlich angegriffen. Thomas Mann nahm im ›Literarischen Echo‹ für
Lublinski Stellung (1. März, 1. April 1910). Zu dieser Kontroverse vgl.
Hans Wysling, ›Ein Elender‹, Zu einem Novellenplan Thomas Manns,
in: Thomas-Mann-Studien 1, Bern und München 1967, S. 106–122.

3] *Ines' Bruder:* Rudolf Schmied. Schon am 6. 1. 1909 hatte Ines
Schmied an Heinrich Mann geschrieben (HMA): »Immer noch sehe ich
das Gesicht Deines Bruders wie er so kalt, gleichmütig und doch mit
einer Art Unbehagen in die Luft guckt. Dazu diese nüchterne poesielose
Gegend [Tölz]. Ein Klex Berge, ein Klex Wiese, ein Klex Wald, von
allem ein bischen. Nichts Großes, nichts Schönes, mit einem Wort
nüchtern, bürgerlich, kalt ... Daß Deine Verwandten mich nicht leiden
mögen ist kein Wunder, aber daß ich sie auch nicht leiden mag, auch
keins.«

20. 3. 1910

1] *ein erbärmlicher Tropf:* Theodor Lessing.   109
2] *ein thörichter Sprudler:* Rudolf Schmied (vgl. Brief vom 16. 3.
1910).
3] *Die Sache mit Reinhardt:* Reinhardts Plan, Szenen aus ›Fiorenza‹ zusammen mit Heinrich Manns Einakter ›Der Tyrann‹ zur Aufführung zu
bringen, kam, soweit wir sehen, nicht zustande. Die Berliner Aufführung von ›Fiorenza‹ fand erst am 3. 1. 1913 statt.
4] *Deine Novelle:* Heinrich Mann, ›Das Herz‹, Neue Freie Presse, Jg.   110
47, Wien, 27. 3. 1910.

16. 6. 1910

1] *freudiges Ereignis:* Heinrich Mann hatte am 14. 6. 1910 mit dem Ber- 110
liner Verleger Paul Cassirer einen Verlagsvertrag abgeschlossen, der als
Honorar 25% des Ladenpreises und die Zusicherung eines Jahresein-
kommens von DM 6000,–, zahlbar in monatlichen Raten zu DM 500,–
vorsah.

4. 8. 1910

1] *Photographien von Carla's Leiche:* Carla Mann hatte sich am 30. 7.   111
1910 in Polling das Leben genommen (vgl. Viktor Mann. ›Wir waren
fünf‹, S. 305–315). – Sie hatte Heinrich Mann von allen Geschwistern
am nächsten gestanden: »Das Wesen, das ich mir am nächsten gewußt
habe, war meine Schwester. Sie war Schauspielerin, schön und elegant,
ein Kind des Lebens, voll Bereitschaft, es ganz durch ihr Herz gehen zu

lassen, und doch nahm sie es im tiefsten nur wichtig als beherrschtes Spiel; und da sie dies endlich aus dem Auge verlor, und vollkommen ‚ernst‘ sein wollte, mußte sie sterben.« (›Autobiographischer Abriß‹, Florenz, 21./22. Februar 1911). Ute, in der ›Jagd nach Liebe‹, und Leonie, in ›Schauspielerin‹ – Novelle von 1906 und Drama von 1911 – sind nach ihr gezeichnet (26. 10. 1948 an Karl Lemke): »Die große Novelle ›Schauspielerin‹ und das Drama gleichen Titels sind beide sie selbst, in zweierlei Führung des Schicksals. Das Buch erschien 1911 in Wien, es hatte wohl Erfolg, dies aber ist ein Fall, wo das Theater seinen weltlichen Vorrang vor der Literatur behauptet. Fremde Leute sprechen einen Autor auf der Straße nicht an, weil er etwas geschrieben, erst wenn er es öffentlich gezeigt hat. Eine große Frau, Tilla Durieux, spielte das Stück auf großartigen Gastreisen; nicht nur ein Dichter erblickte seine Gestalt, der Bruder sah seine Tote zurückbeschworen von dort, wo sie noch lebt, das ist sein Herz. Ihr eigenes schlug, als sie ›Die Jagd nach Liebe‹ las. ‚Da find ich alles wieder, auch auf meiner Kommode den Schädel Nathanael.‘ Ein Zusammensein erlaubten die Theaterferien; er holt sie aus dem Engagement ab, sie wohnen auf einem wilden Berg Südtirols; in Venedig am Lido mit Thomas und seiner Frau; lange über die Piazza Signoria. Gerade Florenz hat ihm für später eine Entdeckung vorbehalten: in einer Vorstadtstraße, hinter der Glastür eines armen Papiergeschäftes hingen ihre Ansichtskarten, überall diese Figur, koloriert und mit Blumen.«

2] *Cousine:* Käte Rosenberg (1883–1960), Übersetzerin aus dem Russischen.

3] *Tante E[lisabeth]:* Vgl. Thomas Manns Brief vom 17. 1. 1906, Anm. 4.

112 4] *Lula:* Heinrich Mann hatte sich mit seiner Schwester Julia Löhr-Mann überworfen, als er sah, daß Ines Schmied von ihr nicht akzeptiert wurde. Zu den Spannungen mochte beitragen, daß er in der Münchener Gesellschaftssatire ›Die Jagd nach Liebe‹ Bekannte von Josef Löhr als Modell verwendet hatte.

7. 8. 1910

112 1] *einen langen Brief:* Das Konzept ist nicht erhalten. Zu den Familienzwistigkeiten vgl. Thomas Manns Briefe vom 16. 3. 1910 und vom 4. 8. 1910.

18. 9. 1910

112 1] *Kerr:* In seinem Artikel ›Gedanken und Erinnerungen Wedekinds‹ (Die neue Rundschau, Berlin 1910, S. 1300–1302) schreibt Alfred Kerr: »... Er tritt für gute Besoldung der Kritiker ein. Doch er denkt an

380

Provinzfälle. Er weiß nicht, daß der Kritiker heute manchmal so viel erwirbt wie ein Schauspielerstar, jede Laune stillen kann, ein Reiterleben in den Weltteilen führen und als Genießer, unabhängig wandelnd, auf ein Kunstwerk blickt. (So muß es auch sein.)«

2] *Ida ihr Pinger:* So sprach die kleine Julia Mann den Namen Ida Springer aus.   *113*

3] *›Der Kinder Wundergarten‹:* Märchen aus aller Welt, mit 80 in den Text gedruckten Holzschnitten von C. v. Binzer, Oscar Pletsch, Ludwig Richter u. a., hrsg. von Friedrich Hoffmann, Leipzig 1904 (36. Aufl. als Volksausgabe; die 1. Aufl. erschien 1874 als »Prachtausgabe«). Dazu Erika Mann: »›Der Kinder Wundergarten‹ haben wir natürlich besessen. Es war wunderschön, doch kam es anno 33 abhanden.«

4] *Komödie:* Vermutlich Heinrich Mann, ›Varieté‹, Berlin: Cassirer 1910. (Erstmals in: Pan, Jg. 1, Nr. 1, Berlin, 1. 11. 1910, S. 16–30; Nr. 2, 15. 11. 1910, S. 51–59.)

5] *Mahler-Symphonie:* Die Uraufführung der 8. Symphonie von Gustav Mahler hatte am 12. 9. 1910 stattgefunden. Nach dem Konzert war Thomas Mann mit Mahler und Reinhardt zusammengewesen. Gustav von Aschenbach, der Held der Venedig-Novelle, trägt Mahlers Vornamen und auch seine Gesichtszüge.

6] *Weltspiegel:* Im ›Weltspiegel‹, der illustrierten Halbwochen-Chronik des ›Berliner Tageblattes‹ war am 25. 8. 1910 zu Prof. Pringsheims 60. Geburtstag eine Notiz mit dem Porträt des Gefeierten erschienen.

5. 10. 1910

1] *Fontane:* Die Bemerkung bezieht sich vielleicht auf ›Theodor Fontanes Briefwechsel mit Wilhelm Wolfsohn‹, hrsg. von Wilhelm Wolters [Wilhelm Wolfsohn], Berlin 1910. Thomas Mann schrieb im Juli den Essay ›Der alte Fontane‹ (am 1. 10. 1910 in der ›Zukunft‹ veröffentlicht).   *113*

2] *Korrektur:* Vermutlich der Nachdruck von Heinrich Manns Novelle ›Contessina‹ in ›Deutsches Novellenbuch‹. Hrsg. von Hermann Beuttenmüller; Leipzig und Berlin: Moeser 1910.

3] *umgezogen:* Der Umzug in die neue Wohnung am Herzogpark, Mauerkircherstraße 13, fand am 1. 10. 1910 statt.

4] *Taufe:* Monika Mann, geb. am 7. 6. 1910.

5] *Georg Martin Richter* (1875–1941)*:* Kunsthistoriker, Schriftsteller. Damals wohnhaft in München-Schwabing und in Feldafing, später in Florenz. Emigrierte 1933 nach London, 1939 nach den USA. Taufpate von Michael Mann, Thomas Manns jüngstem Sohn.

16. 11. 1910

113 1] *Weimar:* Vortragsreise im November 1910.

114 2] *zwei Zeitungsbeiträge:* ›Peter Schlemihl‹, Berliner Tageblatt, 25. 12. 1910 (wieder abgedruckt in ›Blätter der Thomas-Mann-Gesellschaft‹, Nr. 5, Zürich 1965, S. 17–21). Mit dem zweiten Beitrag ist wohl die Erzählung ›Wie Jappe und Do Escobar sich prügelten‹ gemeint, die Thomas Mann am 11. 12. 1910 im Familienkreis vorlas und die im Februar 1911 in den ›Süddeutschen Monatsheften‹ erschien.

3] *die drei Sachen:* Vgl. Thomas Manns Brief vom 24. 11. 1910, Anm. 1.

4] *im Vitzthum'schen Hause:* Thomas Mann war in Weimar Gast eines ehemaligen Schulkameraden, des Grafen Vitzthum von Eckstädt, der 1893 an der Schülerzeitschrift ›Der Frühlingssturm‹ mitgearbeitet hatte.

24. 11. 1910

114 1] *Berliner Ereignis:* Die Uraufführung von Heinrich Manns Einaktern ›Varieté‹, ›Die Unschuldigen‹, ›Der Tyrann‹ hatte am 21. 11. 1910 im Berliner Kleinen Theater stattgefunden. Kerrs Kritik erschien am 24. 11. 1910 in ›Der Tag‹. Der ›Pan‹ druckte in Jg. 1, Nr. 3 (1. 12. 1910, S. 99–101) die Kritiken der wichtigsten Berliner Tageszeitungen im Auszug ab; in der gleichen Nummer schrieb Lucia Dora Frost über ›Heinrich Manns Einakter‹ (S. 83–86).

23. 12. 1910

115 1] *Liste:* Zusammenhang nicht ermittelt.

2] *Vicco:* Viktor Mann.

26. 1. 1911

115 1] *Auszug aus ›Geist und That‹:* Heinrich Mann, ›Geist und Tat‹, Pan, Jg. 1, H. 5, Berlin, 1. 1. 1911, S. 137–143.

2] *›D[eutsche] Tageszeitung‹:* Artikel nicht ermittelt.

3] *Onkel Friedels Maria:* Vgl. Thomas Manns Brief vom 6. 2. 1908 Anm. 9.

116 4] *Reise:* Vortragsreise ins Ruhrgebiet und nach Westfalen. In Mülheim a. d. Ruhr besuchte Thomas Mann vermutlich Adeline Stinnes-Coupienne (1844–1925), Gattin des Industriellen und Reeders Hugo Stinnes (1842–1887). – In dem satirischen Märchen ›Kobes‹ (Berlin: Propyläen-Verlag 1925; mit 10 Lithographien von George Grosz) bezieht sich Heinrich Mann auf ihren zweiten Sohn, den Großindustriellen Hugo Stinnes (1870–1924); vgl. Raphael Gaston, ›Hugo Stinnes, der Mensch, sein Werk, sein Wirken‹, Berlin 1925.

5] *Melchior Lechter* (1865–1937): Maler und Buchkünstler aus dem George-Kreis.

6] *Lublinski:* Vgl. Thomas Manns Brief vom 21. 3. 1906, Anm. 2. Lublinski starb am 26. 12. 1910. Theodor Lessings Nachruf erschien in der ›Schaubühne‹, Jg. 7, Bd. 1, Berlin 1911, S. 41–46.

24. 3. 1911

1] *die ›Rückkehr vom Hades‹:* Novelle von Heinrich Mann, zuerst erschienen in: Pan, Jg. 1, Nr. 9, Berlin, 1. 3. 1911, S. 292–301; Nr. 10, 15. 3. 1911, S. 333–346. Dann in: ›Die Rückkehr vom Hades‹, Novellen, Leipzig: Insel-Verlag 1911.   *117*

2] *Dreiakter:* Heinrich Mann, ›Schauspielerin‹, Drama in 3 Akten, Berlin: Cassirer 1911.

3] *Affaire Pan-Jagow:* Der Berliner Polizeipräsident von Jagow hatte Nr. 6 des ›Pan‹ beschlagnahmen lassen, weil darin »unzüchtige« Auszüge aus Flauberts Tagebüchern abgedruckt waren; Nr. 7 wurde aus dem gleichen Grunde zensuriert. Kerr griff ihn daraufhin wegen Verletzung der Pressefreiheit an: ›Jagow, Flaubert, Pan‹ (Pan, Jg. 1, Nr. 7, 1. 2. 1911, S. 217–223). In seinem ›Vorletzten Brief an Jagow‹ (Pan, Jg. 1, Nr. 9, 1. 3. 1911, S. 287–290) spielte Kerr die »Affäre« des Polizeipräsidenten mit der Schauspielerin Tilla Durieux, der Gattin des ›Pan‹-Mitherausgebers und -Verlegers Paul Cassirer, hoch. In zwei Erklärungen distanzierte sich Cassirer von Kerr, sicherte ihm aber das Recht zu, »die öffentlich-rechtliche Seite des Falles zu besprechen«. Kerr schloß seine Polemik in der 10. Nummer (15. 3. 1911, S. 321–326) mit einem Artikel unter dem Titel ›Nachlese‹ fürs erste ab. Über den von Kerr angestrengten Prozeß berichtet Wilhelm Herzog in Nr. 18 (1. 8. 1911, S. 587–590); Kerr steuerte seine ›Prozeß-Ballade‹ bei. Der Fall hatte noch einige Nachspiele, die hier zu verzeichnen sich nicht lohnt. Ende 1911 schied Kerr aus der Redaktion des ›Pan‹ aus.

4] *Dalmatinische Reise:* Anspielung auf Hermann Bahrs ›Dalmatinische Reise‹, die 1909 in der ›Neuen Rundschau‹ erschienen war. Die Reise führte Thomas Mann nach Brioni und Venedig (Konzeption der Novelle ›Der Tod in Venedig‹).

3. 10. 1911

1] *Dein Werk:* Heinrich Mann, ›Schauspielerin‹, Drama in 3 Akten, Berlin: Cassirer 1911. Dem Werk lag das Schicksal seiner Schwester Carla zugrunde.   *118*

17. 2. 1912

1] *Schwiegervater:* Prof. Dr. Alfred Pringsheim.   *119*

2. 4. 1912

120 1] *Injektionskur:* Katja Mann weilte vom 10. 3.–25. 9. 1912 im Wald-
sanatorium Davos (Leitung: Dr. Friedrich Jessen). Thomas Mann besuchte sie dort vom 15. 5.–12. 6. 1912 (›Lebensabriß‹, XI 125) und
sammelte bei dieser Gelegenheit die ersten Eindrücke zum ›Zauberberg‹.

2] *der ›Tod in Venedig‹:* Die Novelle erschien im Sommer 1912 als ›Hundertdruck‹ in Hans von Webers Hyperionverlag, München.

3] *Dein Drama:* Heinrich Mann, ›Die große Liebe‹, Drama in 4 Akten,
Berlin: Cassirer 1912.

4] *Bernhard von Jakobi* (1880–1914): Schauspieler der Königlich Bayerischen Hofbühnen.

27. 4. 1912

121 1] *Vollendung des Dramas:* ›Die große Liebe‹.

2] *Novelle:* ›Der Tod in Venedig‹.

3] *Das Militärische:* Vgl. Thomas Manns Briefe vom 25. 11. 1900 und
17. 12. 1900. Thomas Mann hat die Eindrücke seiner Militärzeit in den
›Bekenntnissen des Hochstaplers Felix Krull‹ (VII 349–372) verwertet;
Heinrich Mann stützt sich im ›Untertan‹ (S. 47–56) auf den Bericht
seines Bruders.

8. 6. 1912

123 1] *Erfolg Deines Stückes:* ›Die große Liebe‹, Berlin 1912.

2] *Ewers:* Thomas Manns Mutter versuchte vergeblich, dem in Königsberg tätigen Ludwig Ewers eine Redaktionsstelle in München zu verschaffen. Ewers wurde 1913 Redakteur an den ›Hamburger Nachrichten‹. Vgl. Thomas Manns Brief vom 14. 6. 1912.

14. 6. 1912

124 1] *Eugenie Schäuffelen:* Nahe Freundin des Hauses Pringsheim, Tauf-
patin von Katja Mann.

17. 7. 1912

124 1] *Dein Stück:* ›Die große Liebe‹.

2] *Bruno Frank* (1887–1945): Schriftsteller. Naher Freund von Thomas
Mann. Bis 1933 in München; später in Österreich, in der Schweiz, in
Frankreich und England; ab 1938 in Kalifornien. Dort wieder Nach-
bar von Thomas Mann, wie einst im Münchner Herzogpark (vgl.
X 484, 497, 566). Vor 1912 hatte Bruno Frank u. a. veröffentlicht:
›Aus der goldenen Schale‹, Gedichte (1905); ›Die Nachtwache‹, Roman
(1909).

3. 11. 1912

1] *Novelle:* Thomas Mann, ›Der Tod in Venedig‹, Die neue Rundschau, *125* Berlin 1912, S. 1368 ff., S. 1499 ff.

17. 11. 1912

1] *Alexander Moissi* (1880–1935)*:* Schauspieler am Deutschen Theater in *126* Berlin. Moissi spielte 1909 in München unter Reinhardt den Hamlet, 1911 gastierte er in der Rolle des Oswald im Volkstheater.

16. 1. 1913

1] *Berliner Abenteuer:* Die Premiere von ›Fiorenza‹ fand am 3. 1. 1913 in *126* Berlin statt. Eduard von Winterstein (1871–1961) führte Regie, Paul Wegener (1874–1948) spielte den Lorenzo. – Kerrs Kritik erschien am 5. 1. 1913 in der Berliner Zeitung ›Der Tag‹. Thomas Mann erbat sich die Besprechung zurück, um für die geplante psychologische Studie ›Ein Elender‹ die nötigen Unterlagen zur Hand zu haben. Vgl. Briefe vom 9. 1. 1913 an Hugo von Hofmannsthal (Br. 1 100) und vom 30. 1. 1913 an Ernst Bertram: »[...] und wenn der Essay über Geist und Kunst wohl ein Werk meines verstorbenen Freundes G. v. Aschenbach bleiben wird, so wird die Geschichte vom ›Elenden‹ mit ziemlicher Sicherheit eines Tages geschrieben werden. Habe ich Studien gemacht!! Es könnte eine wirklich gute ‚Charakter‘-Novelle werden.«

2] *Herzog:* Vgl. Thomas Manns Brief vom 7. 12. 1908, Anm. 5.

3] *Deine Première:* ›Die große Liebe‹ wurde, mit Tilla Durieux in der Hauptrolle, im Berliner Lessing-Theater uraufgeführt. (Das Datum der Aufführung war nicht zu ermitteln.)

8. 11. 1913

1] *dem ›Unterthanen‹:* Heinrich Manns Roman ›Der Untertan‹ wurde im *127* Juli 1914 abgeschlossen. Vorabdrucke einzelner Abschnitte erschienen in ›Licht und Schatten‹ (1912), im ›Simplicissimus‹ (1911/12), im ›März‹ (1913), in ›Zeit im Bild‹ (1914). Der Verleger Kurt Wolff gab 1916 einen Privatdruck (10 Exemplare) heraus. 1918 erschien die erste Massenauflage. Die russische Übersetzung von Adele Polotsky hatte schon seit 1914 vorgelegen. – Zur Entstehung des Romans schreibt Heinrich Mann am 3. 3. 1943 an Alfred Kantorowicz: »[...] meine ersten Notizen für den ›Untertan‹ sind von 1906. Geschrieben wurde er 1912 bis 14; (erschien bis zum Ausbruch des Krieges in einer Zeitschrift, als Buch erst Dezember 1918; hatte in 6 Wochen 100 000 Auflage).« Zur Entstehungsgeschichte vgl. auch ›Weimarer Beiträge‹, 1960, S. 112–131.

2] *Eißi:* Klaus Mann (1906–1949), Thomas Manns ältester Sohn. Schriftsteller. Herausgeber der Zeitschriften ›Die Sammlung‹ (Amsterdam: Querido, 1933–1935) und ›Decision‹ (New York, 1941 bis 1942). Diente während des Kriegs in der amerikanischen Armee. Nahm sich 1949 in Cannes das Leben. Autobiographien: ›Kind dieser Zeit‹ (1932); ›The Turning Point‹ (1942); ›Der Wendepunkt‹ (1952, erweiterte Fassung von ›The Turning Point‹). Andere Werke: ›Der fromme Tanz‹, Roman (1926); ›Alexander‹, Roman (1929); ›Symphonie pathétique‹, Roman (1935); ›Mephisto‹, Roman (1936); ›Der Vulkan‹, Roman (1939); ›André Gide and the Crisis of Modern Thought‹ (1943). Vgl. Thomas Manns Brief über den Roman ›Der Vulkan‹ (x 766); ›Vorwort zu einem Gedächtnisbuch für Klaus Mann‹ (xi 510).

3] *Grundstück:* Thomas und Katja Mann kauften am 25. 2. 1913 das Grundstück Poschingerstraße 1 in München.

4] *Arbeitskraft und -Lust:* Thomas Mann hatte im Juli 1913 den Hochstapler-Roman erneut zur Seite geschoben und mit den Vorarbeiten zum ›Zauberberg‹ begonnen.

11. 11. 1913

128 1] *Onkel Friedls Ausschreitung:* Friedrich Mann hatte in den ›Lübeckischen Anzeigen‹ vom 28. 10. 1913 folgendes Inserat erscheinen lassen:
> Es sind mir im Laufe der letzten 12 Jahre durch die Herausgabe der
> ›Buddenbrocks‹,
> verfaßt von meinem Neffen, Herrn Thomas Mann in München, dermaßen viele Unannehmlichkeiten erwachsen, die von den traurigsten Konsequenzen für mich waren, zu welchen jetzt noch die Herausgabe des Alberts'schen Buches ›Thomas Mann und seine Pflicht‹ tritt.
> Ich sehe mich deshalb veranlaßt, mich an das lesende Publikum Lübecks zu wenden und dasselbe zu bitten, das oben erwähnte Buch gebührend einzuschätzen.
> Wenn der Verfasser der ›Buddenbrocks‹ in karikierender Weise seine allernächsten Verwandten in den Schmutz zieht und deren Lebensschicksale eklatant preisgibt, so wird jeder rechtdenkende Mensch finden, daß dieses verwerflich ist. Ein trauriger Vogel, der sein eigenes Nest beschmutzt.
> Friedrich Mann, Hamburg

Die Anzeige wurde in vielen deutschen Zeitungen publiziert und kommentiert. Mit dem Alberts'schen Buch ist gemeint: Wilhelm Alberts, ›Thomas Mann und sein Beruf‹ (1913).

2] *ich bin ja jetzt Jude:* In ›Deutsche Dichtung der Gegenwart‹ (Leipzig 1910, S. 307 f.) hatte Adolf Bartels geschrieben: »Die Gebrüder Mann, Heinrich und Thomas, von denen der letztere mit den ›Buddenbrooks‹ einen großen Erfolg hatte, sind nach Thomas' Aussage keine Juden, aber auch ihre Kunst erscheint wesentlich jüdisch.« Am 8. 12. 1912 publizierte die ›Staatsbürgerzeitung‹, Berlin, einen Brief Thomas Manns vom 5. 12. 1912, in dem er sich gegen die Behauptung wandte, er gehöre zu den jüdischen Autoren des S. Fischer Verlags. Am 15. 12. 1912 erschien unter dem Titel ›Das Rassenbekenntnis Thomas Manns‹ in derselben Zeitung ein weiterer Brief Thomas Manns, datiert vom 12. 12. 1912; er enthielt die Antwort auf einen Angriff, den Adolf Bartels in ›Deutsche Stimme‹ veröffentlicht hatte.

3] *Befehl des Arztes:* Katja Mann reiste am 15. 11. 1913 zu einem Kur-   *129* aufenthalt nach Meran.

7. 1. 1914

1] *Sturm von »weltlichen Geschäften«:* Vgl. ›Der Tod in Venedig‹ (VIII 457).   *129*

2] *mit den Kindern ins Haus gezogen:* Poschingerstr. 1. Vgl. Brief vom 6. 1. 1914 an Ernst Bertram: »Ich bin sehr bekümmert, daß meine Frau nicht mit mir Einzug halten konnte. Sie ist seit vorgestern in Arosa: Man verlangte abermals einen mehrmonatigen Hochgebirgsaufenthalt. Es ist hart.«

3] *Dein Drama:* Heinrich Mann, ›Madame Legros‹, Berlin: Cassirer 1913.

4] *Das Oppenheimer'sche Bild:* Die Radierung von Max Oppenheimer (Dezember 1913) ist abgebildet in: Theo Piana, ›Heinrich Mann‹, Leipzig 1964, S. 31. Das bei Thannhauser ausgestellte Bild konnte nicht ermittelt werden. Max Oppenheimers Thomas-Mann-Portrait ist wiedergegeben in: Heinz Saueressig, ›Die Entstehung des Romans ,Der Zauberberg'‹, Biberach an der Riß 1965, nach S. 20. – Max Oppenheimer, genannt Mopp (1885–1954) gehörte zum Freundeskreis von Heinrich Mann (vgl. Viktor Mann, ›Wir waren fünf‹, S. 427). Thomas Mann veröffentlichte am 12. 1. 1926 im ›Berliner Tageblatt‹ einen Aufsatz über ihn: ›Symphonie‹ (X 877). – Die Moderne Galerie von Heinrich Thannhauser befand sich an der Theatinerstraße 7.

5] *verheiratet:* Heinrich Mann verheiratete sich am 12. 8. 1914 mit der jüdischen Schauspielerin Maria (Mimi) Kanova (1886–1946) aus Prag, die er während der Proben seines Stückes ›Die große Liebe‹ kennengelernt hatte. 1916 wurde die Tochter Carla Maria Henriette Leonie geboren – Leonie heißt auch Carla Manns Abbild in der Novelle ›Schauspielerin‹. Nach der Scheidung (um 1930) kehrte Maria Kanova in die Tschechoslowakei zurück. Während der Besetzung des Landes verbrachte sie 5 Jahre im Konzentrationslager von Theresienstadt. Sie starb kurz nach der Aufhebung des Lagers.

130 6] *Novelle:* ›Der Zauberberg‹.

30. 7. 1914

130 1] *Vollendung Deines großen Werkes:* ›Der Untertan‹; vgl. Thomas Manns Brief vom 8. 11. 1913, Anm. 1.

2] *12. August:* Hochzeit Heinrich Manns mit Maria Kanova.

3] *Vicco:* Die Kriegstrauung Viktor Manns mit Magdalena (Nelly) Kilian aus München fand am 1. 8. 1914 statt.

7. 8. 1914

131 1] *Katja's Bruder:* Heinz Pringsheim (1882–1974), ursprünglich Archäologe, dann Musikkritiker in München.

2] *Maximilian Brantl* (1881–1959): Münchner Rechtsanwalt. Freund von Heinrich und Thomas Mann. Betätigte sich auch als Schriftsteller.

3] *Trauung:* Thomas Mann nahm an der Trauung seines älteren Bruders nicht teil. Das neuvermählte Paar wohnte in der Leopoldstraße 59 in München.

132 4] *daß Du eben fertig bist:* Vgl. Brief vom 30. 7. 1914. Die Erstausgabe des ›Untertans‹ trägt den Vermerk: »Abgeschlossen Anfang Juli 1914.«

5] *meine Aufgabe:* Gemeint ist vermutlich die Arbeit am ›Zauberberg‹. Im August 1914 begann Thomas Mann sodann den Artikel ›Gedanken im Kriege‹, der im November 1914 in der ›Neuen Rundschau‹ erschien. Im September folgte die Niederschrift des Essays ›Friedrich und die große Koalition, Ein Abriß für den Tag und die Stunde‹ (Der neue Merkur, München und Berlin, Jan./Febr. 1915).

13. 9. 1914

132 1] *wirtschaftlich so sehr engagiert:* Durch den Bau des Hauses in der Poschingerstraße 1 in München.

2] *Emma Gramman:* Durch Crolls und Martys mit der Familie Mann verwandt.

30. 12. 1917
[Handschriftlicher Entwurf]

134 1] *Artikel im B. T.:* Thomas Mann, ›Weltfrieden?‹, Berliner Tageblatt, 27. 12. 1917. Wir geben hier den vollen Wortlaut, wieder:
»Weltfriede ... Wir Menschen sollten uns nicht allzu viel Moral einbilden. Wenn wir zum Weltfrieden, zu einem Weltfrieden gelangen – auf dem Wege der Moral werden wir nicht zu ihm gelangt sein.

Scheidemann sagte neulich, die Demokratie werde auf Grund der allgemeinen Erschöpfung reißende Fortschritte machen. Das ist nicht sehr ehrenvoll für die Demokratie – und für die Menschheit auch nicht. Denn die Moral aus Erschöpfung ist keine so recht moralische Moral.

Außerdem aber – ich weiß genau, was sich gehört, aber außerdem könnte bezweifelt werden, daß die Begriffsverbindung ‚demokratischer Weltfriede‘ eine besonders unlösbare Verbindung sei. Daß Volksherrschaft Herrschaft der Vernunft oder gar des Geistes, daß sie sicheren Frieden bedeute, ist nicht erhärtet – so weit ich sehe, nicht. Die Völker wollen den Frieden, und zwar unbedingt, wenn der Krieg sehr lange gedauert hat und sehr schwer war. Bevor dies der Fall, steht es um ihre Tugend so-so. Die Rousseau-Lehre vom ‚guten Volk‘, der revolutionäre Optimismus überhaupt, das heißt: der Glaube an die Politik, an den Ameisenbau, den Sozialismus und die république démocratique, sociale et universelle – ich weiß genau, was sich heute gehört, aber meiner Natur und Erziehung nach kann ich dieser Lehre nicht anhängen und diesen Glauben nicht teilen. Russischer und deutscher Geist, Dostojewski und Schiller stimmen darin überein, daß die Frage des Menschen überhaupt nicht politisch, sondern nur seelisch-moralisch zu lösen ist: durch Religion, durch die christliche Selbstvervollkommnung d e s e i n z e l n e n – so will es der eine; durch die Kunst, durch ‚ästhetische Erziehung‘ und Befreiung d e s e i n z e l n e n – so will es der andere. In Richard Dehmels neuem merkwürdigen, dreistrophigen Drama sagt jemand, der sich auf Gewissensangelegenheiten versteht: ‚Selbst das größte Gefühl wird klein, wenn es sich aufputzt mit großen Begriffen; ein bißchen Güte von Mensch zu Mensch ist besser als alle Liebe zur Menschheit.‘ So ist es, glaube das nur! Die rhetorisch-politische Menschheitsliebe ist eine recht periphere Art der Liebe und pflegt am schmelzendsten verlautbart zu werden, wo es im Zentrum hapert. Werde besser du selbst, weniger hart, weniger rechthaberisch-dünkelhaft, weniger angreiferisch-selbstgerecht, bevor du den Philanthropen spielst ...

Es mag einer großen Sukzeß haben, der sehr schön zu sagen versteht: ‚Ich liebe Gott!‘ Wenn er aber unterdessen ‚seinen Bruder hasset‘, dann ist, nach dem Johannes-Evangelium, seine Gottesliebe nichts als schöne Literatur und ein Opferrauch, welcher nicht steigt.

Weltfriede ... Keinen Tag, auch in tiefster nationaler Erbitterung nicht, bin ich des Gedankens unfähig gewesen, daß der Haß und die Feindschaft unter den Völkern Europas zuletzt eine Täuschung, ein Irrtum ist – daß die einander zerfleischenden Parteien im Grunde gar keine Parteien sind, sondern gemeinsam, nach Gottes Willen, in brüderlicher Qual an der Erneuerung der Welt und der Seele arbeiten. Ja, es ist erlaubt, von einem begütigten und versöhnten Europa zu träumen – wenn Güte und höhere Eintracht auch nur der Erschöpfung werden zu danken sein und jener Sensitivität und Verfeinerung, die durch großes Leiden erzeugt wird. Denn die Verfeinerung durch Leiden ist höher und menschlicher, als die durch Glück und Wohlleben; ich glaube daran, und auch an jenes zukünftige Europa glaube ich in guten Stunden, welches, einer religiösen Menschlichkeit und duldsamen Geistigkeit zugetan, seines heutigen verbissenen Weltanschauungszankes sich nur mit Scham und Spott wird erinnern können. Undoktrinär, unrechthaberisch und ohne Glauben an Worte und Antithesen, frei, heiter und sanft möge es sein, dieses Europa, und für ,Aristokratie' oder ,Demokratie' nur noch ein Achselzucken haben. Es war ein dramatisches Tagesprodukt, über das Goethe bemerkte, die Idee des Ganzen drehe sich nur um Aristokratie und Demokratie, und dieses habe kein allgemein menschliches Interesse . . . So sprach ein antipolitischer Künstler; und wird es nicht antipolitisch und künstlerisch sein, das nachkriegerische Europa? Wird es nicht, denen zum Trotz, die nach Alleinherrschaft der Politik, nach ›politischer Atmosphäre‹ schreien, Menschlichkeit und Bildung zu Leitsternen nehmen?

Einem Aristokratismus freilich möge es huldigen: seinem eigenen. Es möge auf sich halten lernen in Dingen der Kultur und des Geschmacks, wie es das vordem nicht verstand, möge dem geilen Ästhetizismus und Exotismus, dem selbstverräterischen Hang für Barbarei entsagen, dem es zügellos fröte, Verrücktheiten in seiner Kleidermode, närrische Infantilismen in seiner Kunst verpönen und gegen Anthropophagenplastik und südamerikanische Hafenkneipentänze eine Gebärde vornehmer Ablehnung sich zu eigen machen. Dergleichen tut nicht gut. Solange Europa auf diese Weise zum Unfug neigt, so lange wird es immer auch wieder in Krieg fallen können, das ist sicher. Wird es nicht vorderhand übrigens a r m sein, unser Europa, werden die Entbehrungen, die es sich bereitete, es nicht gelehrt haben, das Simple und Natürliche köstlich zu finden und eine Mahlzeit aus Eiern, Schinken und Milch dankbarer zu genießen als irgendwelche Vomitoriumsvöllerei von ehedem? Ja, denken wir es uns von Widerwillen erfüllt gegen seine negerhafte Genußsucht und zivilisierte Knallprotzerei von früher, denken wir uns einfach und anmutig von Sitten und einer Kunst hingegeben, die reiner Ausdruck seines Zustandes wäre: zart, schmucklos, gütig, geistig, von höchster humaner Noblesse, formvoll, maßvoll und kraftvoll durch Intensität ihrer Menschlichkeit . . .

Ich fürchte, der ‚europäische Intellektuelle' wird mir das Recht bestreiten auf solche Träume. Es ist wahr, ich fand mich nationaler, als ich gewußt hatte, daß ich sei; aber ein Nationalist, ein ‚Heimatskünstler' war ich ja niemals. Ich fand es unmöglich, mich den Krieg ‚nichts angehen' zu lassen, – etwa, weil Krieg nichts mit Kultur zu tun habe, was eine sehr gewagte Behauptung ist. Erschüttert, aufgewühlt, gellend herausgefordert, warf ich mich in den Tumult und verteidigte disputierend das Meine. Aber wohler, Gott weiß es, wird mir sein, wenn meine Seele wieder, von Politik gereinigt, Leben und Menschlichkeit wird anschauen dürfen, besser als jetzt wird mein Wesen sich bewähren können, wenn die Völker hinter gefriedeten Grenzen in Würden und Ehren beieinander wohnen und ihre feinsten Güter tauschen: der schöne Engländer, der polierte Franzose, der menschliche Russe und der wissende Deutsche.«

Vgl. ›Betrachtungen‹, Kap. ›Einiges über Menschlichkeit‹, XII 478, 487. Im Frühjahr 1916 hatte sich Thomas Mann notiert (Notizbuch 10, S. 42): »1. Joh. 4, 20–21: So jemand spricht: Ich liebe Gott und hasset seinen Bruder, der ist ein Lügner. Denn wer seinen Bruder nicht liebet, den er siehet, wie kann er Gott lieben, den er nicht siehet?«

2] »Güte von Mensch zu Mensch«: In seiner Ausgabe von Dehmels 135 Drama ›Die Menschenfreunde‹ (Berlin 1917) hat sich Thomas Mann den Satz unterstrichen, dem das Zitat entnommen ist (S. 77): »Selbst das größte Gefühl wird klein, wenn es sich aufputzt mit großen Begriffen; ein bißchen Güte von Mensch zu Mensch ist besser als alle Liebe zur Menschheit.« Zu Richard Dehmel vgl. Thomas Manns Brief vom 3. 1. 1918, Anm. 7.

3] ›Freistatt‹: Thomas Mann, ›Das Ewig-Weibliche‹, Freistatt, Jg. 5, H. 12, 21. 3. 1903. Vgl. Thomas Manns Brief vom 23. 12. 1903.

4] Dein jüngstes Buch: Wohl Thomas Mann, ›Betrachtungen eines Unpolitischen‹, Berlin: Fischer 1918; Vorabdrucke einzelner Abschnitte waren bereits erschienen: ›Der Taugenichts‹, Die neue Rundschau, Berlin, November 1916; ›Kunst und Politik‹, Münchner Neueste Nachrichten, 16. 2. 1917; ›Einkehr‹, Die neue Rundschau, Berlin, März 1917; ›Palestrina‹, Die neue Rundschau, Berlin, Oktober 1917; ›Das unliterarische Land‹, Berliner Tageblatt, 26. 9. 1918.

5] ›Zola‹: Heinrich Mann, ›Zola‹, Die weißen Blätter, Jg. 2, H. 11, Nov. 1915. Darin, gleich zu Beginn, der Satz: »Sache derer, die früh vertrocknen sollen, ist es, schon zu Anfang ihrer Zwanzigerjahre bewußt und weltgerecht hinzutreten.« Thomas Mann, der am 8. 11. 1913, in einer Stunde des Unmuts, Heinrich gegenüber ähnliche Befürchtungen geäußert hatte – »Ich bin ausgedient, glaube ich, und hätte wahrscheinlich nie Schriftsteller werden dürfen« –, reagierte ungemein scharf auf diesen Satz. Als er Maximilian Brantl am 18. 6. 1916 die November-Nummer der ›Weißen Blätter‹ zurücksandte, schrieb er dazu: »Ich schicke Ihnen endlich die Weißen Blätter zurück und bitte tausend mal um Entschuldigung wegen der Bleistiftstriche. Ich habe angefangen zu radieren, fürchtete aber, die Sache dadurch zu verschlimmern. Übrigens gehören Bleistiftstriche beinahe zu diesem Artikel; es scheint, daß die trefflichsten Doppelsinnigkeiten von den meisten Lesern nicht bemerkt werden.« Die Radierspuren neben dem zweiten Satz des Essays sind in dem aus Brantls Nachlaß erhaltenen Exemplar (Thomas-Mann-Archiv, Zürich) noch heute deutlich sichtbar. Thomas Mann zitiert den Satz in einer gegen den Bruder gerichteten Passage der ›Betrachtungen‹ (XII 190); in seinem Brief vom 3. 1. 1918 nennt er ihn einen »unmenschlichen Exzeß«. Heinrich Mann hat »aus dem Zola-Essay für spätere Drucke einige persönlich gezielte Sätze« gestrichen (vgl. Brief Thomas Manns vom 1. 7. 1954 an Alfred Kantorowicz).

136 6] *Geburt unseres Kindes:* Carla Maria Henriette Leonie Mann wurde am 10. 9. 1916 geboren.

7] *Deine neueste Klage:* Der eingangs genannte Artikel ›Weltfrieden?‹.

8] *Dann mögest Du erfahren [...]:* Statt dieses letzten Satzes hatte Heinrich Mann zunächst geschrieben: »Hat sie andere Gründe, muß ich mich bescheiden und kann nur bitten, diesen Brief, statt ihn mißzuverstehen, einfach als ungeschrieben zu betrachten. In meinem Fall glaube ich, daß es für Dich erfreulich oder aussichtsvoll wäre, mich schon jetzt wieder sprechen zu hören. Ich wollte nur sagen, Du brauchst meiner nicht als eines Feindes zu denken.«

3. 1. 1918

136 1] *Reise:* Vortragsreise nach Hamburg und Lübeck.

137 2] *mich verglichen:* Vielleicht eine Anspielung auf das zweite Motto der ›Betrachtungen‹: »Vergleiche dich! Erkenne, was du bist! (Goethe, ›Tasso‹)«.

3] *Galeeren-Arbeit:* Anspielung auf das erste Motto der ›Betrachtungen‹: »Que diable allait-il faire dans cette galère? (Molière, ›Les Fourberies de Scapin‹)«.

4] *Schmarotzer:* Anspielung auf Heinrich Manns ›Zola‹-Essay. Der Ausdruck wird in den ›Betrachtungen‹ zitiert (XII 194, 199).

138 5] *Stifter:* Der Satz steht in Stifters Brief vom 22. 2. 1850 an Joseph Türck. Thomas Mann zitiert ihn erstmals in dem Brief vom 25. 12. 1917 an Ernst Bertram: »In einer Besprechung der Briefe Stifters fand ich gestern folgende Stelle, die Sie mir nicht angezeigt haben, und die unbedingt in meinem Buche stehen müßte, wenn sie nicht mit anderen Worten ohnedies darin stünde: ›Meine Bücher sind nicht Dichtungen allein ..., sondern als sittliche Offenbarungen, als mit strengem Ernste bewahrte menschliche Würde haben sie einen Wert, der bei unserer elenden, frivolen Literatur länger bleiben wird als der poetische.' Gut, gut. Für die ,frivole Literatur' von damals könnte man unseren Expressionismus setzen, der zur Schluderei verführt und die Prosa verdirbt.« Er führt das Zitat dann in einer gegen Heinrich gerichteten Tirade der ›Betrachtungen‹ wieder an (XII 220). Bertram seinerseits zitiert den Satz (abgekürzt) in seinem Vortrag über ›Adalbert Stifter‹ (Bonn 1919, S. 66 f.).

6] *contrat social:* Anspielung auf die ›Betrachtungen‹ (XII 219): »Ich stand nicht da, eine Hand auf dem Herzen, die andere in der Luft, und rezitierte den Contrat social.« (Heinrich Mann hatte Rousseau in ›Geist und Tat‹ gehuldigt.)

7] *Richard Dehmel* (1863–1920): Seit 1895 freier Schriftsteller in Berlin. Von Nietzsche stark beeinflußt, trieb er die naturalistische Revolution gegen die Heyse-Schule weiter voran als der ihm nahestehende Detlev von Liliencron. Ließ sich 1901 in Blankenese nieder. Unter seinen Werken: ›Erlösungen‹, Gedichte (1891); ›Aber die Liebe‹, Gedichte (1893); ›Weib und Welt‹, Gedichte (1896); ›Zwei Menschen‹, Roman in Romanzen (1903); ›Gesammelte Werke‹, 10 Bde. (1906–09); ›Die Verwandlungen der Venus‹, Gedichte (1907); ›Michel Michael‹, Komödie (1911); ›Die Menschenfreunde‹, Drama (1917); ›Mein Leben‹ (1922). – Dehmel hatte Thomas Manns Erstlingsnovelle, ›Gefallen‹, günstig beurteilt; Thomas Mann sandte ihm daraufhin die Manuskripte zu ›Der kleine Professor‹ und ›Walter Weiler‹ zur Begutachtung ein (vgl. Briefe an Dehmel von 1894/95, Br. 1 5 f.). Am Ersten Weltkrieg nahm Dehmel als Kriegsfreiwilliger teil; er sandte Thomas Mann einen »Gruß aus dem Felde« (vgl. Thomas Manns Antwort vom 14. 12. 1914, Br. 1 114).

8] *meinen ersten Kriegsartikel:* ›Gedanken im Kriege‹; Die neue Rundschau, Jg. 25, H. 11, Berlin, November 1914.

5. 1. 1918
[Handschriftliche Notizen und Entwurf einer Antwort]
1] *Nicht abgeschickt:* Selbst die Mutter glaubte damals nicht mehr daran, eine Versöhnung zwischen den Brüdern herbeiführen zu können. Am 7. 1. 1918 schrieb sie an Heinrich folgenden Brief:

Lieber Heinrich!

Das hat mir eine traurige Enttäuschung bereitet! Dein Brief war mein letzter Hoffnungsanker.

Lasse nun auch bitte Mimi mich nicht mehr nach dem Befinden der Geschwister fragen, was gewöhnlich den Anlaß zu Erörterungen gab.

Nun glaube ich auch nicht mehr, daß mein Tod Euch alle wieder vereinigen wird, da es Carla's Tod nicht einmal vermochte; nun mußt Du, sowie ich, uns mit dem Gedanken abfinden, daß das, was nun noch von Deiner Seite geschah, das Letzte, deutlich Gutes wollende, war*. Nun bitte ich Dich recht herzlich, alles, auch in Schriften, ruhen zu lassen, u. nicht die Spur einer Kritik den Augen Unberufener, die nur Sensation aus dem Zwist zweier großer Brüder machen, auszusetzen. Mit Dir sprach ich nun zuletzt über diese für mich so traurige Sache, mit T. nicht mehr, so lieb ich ihn habe. Ich hätte doch erwartet, daß er auf gegenseitige Verzeihung hin, Versöhnung willkommen heißen werde.**

Also, lieber guter Heinrich, ich bleibe Dir, was ich war, u. nie aufgehört habe zu sein u. hoffe, Dich bald wiederzusehen.

Mit herzlichen Grüßen! Deine Mama

* Aber es war gut daß Du es tatest!
** Ich hörte vor längerer Zeit, u. las ja auch selber einmal so etwas, was mich anstieß, daß Du Dich öffentlich sehr unangenehm über T. äußertest, – es geschah gar wohl in der ersten Aufregung nach einem Auftritt; – aber es scheint daß T. dies nicht überwinden kann, u. es nicht für möglich hält, wieder dauernd brüderlich neben- oder miteinander zu leben, obgleich ich es für möglich hielt, daß man beiderseits gemachte Fehler gutmachen könnte, wenn man wollte.

Ob die Gewürze aus Lübeck schon eintrafen? Ist kein ganzer Zimt mitgekommen, so kann ich damit aushelfen.

Die Brüder scheinen sich in diesen Jahren nur zweimal gesehen zu haben, 1917 anläßlich eines Vortrags von Karl Kraus (vgl. ›Über Karl Kraus‹, x 847) und im März 1918, als Heinrich Mann die Grabrede auf Wedekind hielt (vgl. ›Betrachtungen‹, xii 535).
Noch am 6. 4. 1921 schrieb Thomas Mann an Ludwig Ewers:
Lieber Ludwig Ewers:
Dein schöner Artikel zu Heinrichs 50. Geburtstag hat mich sehr gerührt und gefreut, und gewiß ist bei dem Gefeierten das Gleiche der Fall gewesen. Heinrich wird jetzt durch ungemessene Ehrungen für alles entschädigt, was er in jungen Jahren bitterer, als ich mir früher träumen ließ, entbehrt hat. Der innere Entstehungsherd des Giftes, das sein Dichtertum zu zersetzen drohte, war sicher hier. War er durch Vernachlässigung so bestimmbar, so wird er es durch die Huldigungen von heute nicht weniger sein. Ich halte ihn für einen gesättigten, mit der Welt und sogar mit dem Vaterlande versöhnten Menschen, der Deine Freundschaft heute im Grunde seiner Seele der-

jenigen seiner jüdisch-radikalen Galoppins und Verkünder vielleicht wieder vorzieht. Wie es zwischen uns Brüdern steht, wirst Du wissen. Der Krieg mußte die Gegensätze zwischen uns akut machen. Was mich betrifft, so kennst Du meine Natur gut genug, um zu glauben, daß ich das Verhältnis um Lebens und Sterbens willen gern gefristet hätte. Aber Heinrich hat sich damals, auf hochliterarische Weise, in seinem Zola-Essay, dessen Lektüre mich für Wochen krank machte, feierlich und ausdrucksvoll von mir getrennt und hätte mich kaum sehr achten können, wenn ich auf einen überlegenen Wiederannäherungsversuch, den er vor einiger Zeit, als eben mit Deutschland seine kühnsten Wünsche sich erfüllten, unternahm, gutmütig-leichtsinnig eingegangen wäre. Zuletzt, man soll einen Zwist wie den unseren in Ehren halten, ihm den toternsten Akzent nicht nehmen wollen. Vielleicht sind wir, getrennt, mehr einer des anderen Bruder, als wir es an gemeinsamer Festtafel wären.

Dein Thomas Mann

2] *via Argentina trenta quattro:* Die Brüder hatten während ihres Römer   *140*
Aufenthalts von 1897/98 an der Via Torre Argentina 34 gewohnt.

3] *Stück:* ›Madame Legros‹ (Berlin: Cassirer 1913) wurde im Februar   *142*
1917 gleichzeitig in den Münchner Kammerspielen und im Lübecker Stadttheater aufgeführt. Am 27. 8. 1917 schrieb Thomas Mann an Paul Amann: »Das Stück meines Bruders (ein Berliner Witzblatt nannte es ›Mme Engros‹, von wegen der vielen Aufführungen) ist zweifellos ein starker Wurf. [...] Das Verhältnis zwischen meinem Bruder und mir, zart seit Jahren, war nach Kriegsausbruch nicht länger haltbar. Ich hätte es um Lebens und Sterbens willen gern gefristet; aber die politische Leidenschaft meines Bruders ist stärker, als seine Menschlichkeit: er verabscheut Deutschland oder doch das Deutschland dieses Krieges zu sehr, als daß er nicht mein Verhalten als Verbrechen gegen Recht und Wahrheit brandmarken und den Trennungsstrich hätte ziehen müssen. Eine melancholische und blamable Sache. Die Ehre, zu glauben, daß auch er darunter leidet, erweise ich ihm gern.« Im Brief vom 21. 2. 1917 an Philipp Witkop (ungedruckt, TMA) schreibt er: »Das neueste kulturelle Ereignis ist ein glänzender Theatererfolg meines Bruders Heinrich mit seinem Drama »Madame Legros« in den hiesigen »Kammerspielen«. Es handelt sich um kein Kriegsprodukt, aber eigentlich doch; denn mein Bruder war ja schon vor dem Kriege durchaus »Entente«, und das Stück ist durchaus antideutsch, eine Apotheose des französischen Revolutionsidealismus, was aber niemand merkte oder woran doch niemand den leisesten Anstoß nahm, – eine jener kerndeutschen Thatsachen, von denen man nie weiss und nie wissen wird, ob man sich ihrer freuen oder darüber verzweifeln soll. Etwas Entsprechendes wäre die Aufführung

eines Luther- oder Bismarck-Drama's zu Paris, jetzt im Kriege. Die
Aufnahme wäre ein wenig geteilt, denke ich mir fast. Sie war es hier,
wie gesagt, nicht im mindesten: Der stärkste Theatererfolg der letzten
Jahre, glaube ich, an dem meiner Überzeugung nach nicht die vorhandenen dichterischen Schönheiten, sondern die der Geistigkeit des Pre-
mierenpublikums der »Kammerspiele« entgegenkommende Revolu-
tionsethik den größten Anteil hatte. Über diese Tendenzen ließe sich
vieles sagen. Von dem Ereignis glaubte ich Ihnen doch kurz erzählen zu
sollen.«

31. 1. 1922

142 1] *schwere Tage:* Am 2. 2. 1922 schrieb Thomas Mann an Ernst Bertram:

»Mein Bruder [...] erkrankte vor einigen Tagen schwer: Grippe,
Blinddarm- und Bauchfellentzündung, Operation bei Bronchial-Ka-
tarrh, der Lungen-Komplikation befürchten ließ. Auch vom Herzen
her drohten Gefahren, und drei, vier Tage lang war die Lage sehr
ernst. Sie können sich denken, was da alles aufgeregt wurde. Meine
Frau besuchte die seine. Man meldete ihm meine Teilnahme, meine
täglichen Erkundigungen und berichtete mir von der Freude, die er
darüber gezeigt habe. Diese Freude soll auf ihren Gipfel gekommen
sein, als ich ihm, sobald dergleichen nicht mehr schaden konnte,
einen Blumengruß und einige Zeilen sandte: Es seien schwere Tage
gewesen, aber nun seien wir über den Berg und würden besser gehen, – zusammen, wenn es ihm ums Herz sei, wir mir. Er ließ mir
Dank sagen und wir wollten uns nun – Meinungen hin und her –, nie
wieder verlieren‘.
Freudig bewegt, ja abenteuerlich erschüttert, wie ich bin, mache ich
mir doch keine Illusionen über die Zartheit und Schwierigkeit des
neu belebten Verhältnisses. Ein modus vivendi menschlich-anständiger Art wird alles sein, worauf es hinauslaufen kann. Eigentliche
Freundschaft ist kaum denkbar. Die Denkmale unseres Zwistes bestehen fort, – übrigens versichert man mir, daß er die ›Betrachtungen‹ niemals gelesen hat. Das ist gut – und auch wieder nicht; denn
von dem, was ich durchgemacht, weiß er also nichts. Das Herz will
sich mir umkehren, wenn ich höre, daß er nach dem Lesen einiger
Sätze im ›Berl. Tageblatt‹, in denen ich von Solchen sprach, die Gottesliebe verkünden und ihren Bruder hassen, sich hingesetzt und
geweint habe. Aber mir ließ der Jahre lange Kampf um Gut und
Blut, den ich bei physischer Unterernährung zu führen hatte, zu
Thränen keine Zeit. Davon, und wie die Zeit mich zum Manne
schmiedete, wie ich dabei wuchs und auch anderen zum Helfer und

Führer wurde, – von alldem weiß er nichts. Vielleicht wird ers irgendwie fühlen, wenn wir wieder zusammen kommen. Noch darf er niemanden sehen.

Er soll weicher, gütiger geworden sein in diesen Jahren. Unmöglich, daß seine Anschauungen nicht irgendwelche Korrektur erlitten haben. Vielleicht kann von einer gewissen Entwicklung zu einander hin doch die Rede sein: Mir ist so zu Mute, wenn ich mich erinnere, daß der mich zur Zeit eigentlich beherrschende Gedanke der einer neuen, persönlichen Erfüllung des Humanitätsgedankens ist [...].«

Die Ziele dieser Entwicklung suchte Thomas Mann in seiner Rede ›Von deutscher Republik‹ (XI 809) genauer zu bestimmen.

19. 4. 1922
1] *Badehotel:* Heinrich Mann erholte sich in Überlingen von der Operation, der er sich Ende Januar in München hatte unterziehen müssen. *143*
Nachher begab er sich geschäftlich nach Berlin und hielt sich, zusammen mit Thomas Mann, einige Tage an der Ostsee auf.

20. 10. 1922
1] *Berliner Abenteuer:* Am 15. Oktober 1922 hielt Thomas Mann im *143*
Beethovensaal zu Berlin seine Rede ›Von deutscher Republik‹. Mit der Niederschrift hatte er im Juli 1922 begonnen. Am 6. 10. 1922 las er sie seinem Bruder und einigen Freunden – Kurt Martens, Emil Preetorius und Björn Björnson – erstmals vor. Er hielt die Rede darauf in verschiedenen Städten des In- und Auslandes. Im Brief vom 1. 3. 1923 an Félix Bertaux nennt Thomas Mann die ›Betrachtungen‹ ein »Kriegsprodukt, an dem mir selbst heute manches Periphere unhaltbar erscheint, dessen apolitische Humanität aber nur grobes Mißverstehen ins politisch Reaktionäre umdeuten konnte. Eine gewisse anti-liberale Tendenz dieser Bekenntnisschrift erklärt sich aus meinem Verhältnis zu Goethe und Nietzsche, in denen ich meine höchsten Meister erblicke, – wenn es nicht unverschämt ist, sich zum Schüler solcher Wesen zu ernennen. Über meine Idee der Humanität versuchte ich Auskunft zu geben in der Schrift ›Von deutscher Republik‹, die mir als Abfall vom Deutschtum und Widerspruch zu den ›Betrachtungen‹ verübelt worden ist, während sie innerlich ihre gerade Fortsetzung bildet.«

2] *Wahlredner für Eberten:* Friedrich Ebert (1871–1925), während des Weltkriegs Führer der Mehrheitssozialisten, war am 11. 2. 1919 von der Weimarer Nationalversammlung zum vorläufigen Reichspräsidenten gewählt worden; er behielt dieses Amt auch nach dem Inkrafttreten der Weimarer Verfassung. Um einen Wahlkampf in kritischer Zeit zu vermeiden, verlängerte der Reichstag durch verfassungsänderndes Gesetz vom 27. 10. 1922, unter Verzicht auf die unmittelbare Volkswahl, Eberts Amtszeit bis zum 30. 6. 1925.

17. 2. 1923

144 1] *Vortragsreisen:* Thomas Mann hatte in Dresden aus dem ›Zauberberg‹ gelesen, der jetzt wieder sein »Hauptgeschäft« war. In Berlin hatte er wegen einer Verfilmung der ›Buddenbrooks‹ verhandelt. In Augsburg las er am 27. Februar 1923 den Aufsatz ›Okkulte Erlebnisse‹. (Er hatte im Dezember und Januar an drei spiritistischen Sitzungen im Hause des Freiherrn von Schrenck-Notzing teilgenommen).

2] *Details von der Ruhr:* Besetzung des Ruhrgebietes durch französische und belgische Truppen im Januar 1923.

1. 4. 1923

144 1] *Abreise:* Auf seiner österlichen Vortragsreise nach Wien, Budapest und Prag las Thomas Mann wieder den Aufsatz ›Okkulte Erlebnisse‹ (Die neue Rundschau, Berlin, März 1924).

145 2] *Arthur Schnitzler* (1862–1931)*:* Österreichischer Schriftsteller, Arzt. Gehörte mit Hermann Bahr, Peter Altenberg, Richard Beer-Hofmann und Hugo von Hofmannsthal zur ‚Wiener Moderne'. Seine Stücke behandeln vor allem psychologische und sozialkritische Fragen. Am bekanntesten: ›Liebelei‹, Schauspiel (1896); ›Lieutenant Gustl‹, Novelle (1901); ›Reigen‹, Schauspiel (1903); ›Der Weg ins Freie‹, Roman (1908); ›Casanovas Heimfahrt‹, Novelle (1918); ›Komödie der Verführung‹ (1924). Vgl. Thomas Manns Huldigungen zu Schnitzlers 50. und 60. Geburtstag (x 406, 428).

3] *Raoul Auernheimer* (1876–1948)*:* Burgtheater-Kritiker, Feuilletonist, Redakteur der ›Neuen Freien Presse‹. Emigrierte 1939 nach Amerika. Schrieb Romane und Lustspiele.

4] *Mimi:* Maria Mann-Kanova.

5] *Hofmannsthal:* Vgl. Thomas Mann, ›Hofmannsthals Lesebuch‹ (x 636); ›In memoriam Hugo von Hofmannsthal‹ (x 453); Thomas Mann/Hugo von Hofmannsthal, ›Briefwechsel‹, Fischer-Almanach, Das 82. Jahr, Frankfurt 1968.

17. 10. 1923

145 1] *Hauptmann:* Thomas Mann konzipierte damals die Gestalt des Mijnheer Peeperkorn: »Ich trachtete nach einer Figur, die notwendig und kompositionell längst vorgesehen war, die ich aber nicht sah, nicht hörte, nicht besaß. Unruhig, besorgt und ratlos auf der Suche kam ich nach Bozen – und dort, beim Weine, bot sich mir an, unwissentlich, was ich, menschlich-persönlich gesehen, nie und nimmer hätte anneh-

398

men dürfen, was ich aber, in einem Zustande herabgesetzter menschlicher Zurechnungsfähigkeit, annahm, annehmen zu dürfen glaubte, blind von der begeisterten Überzeugung, der Voraussicht, der Sicherheit, daß in meiner Übertragung (denn natürlich handelt es sich nicht um Leben, sondern um eine der Wirklichkeit innerlich überhaupt fremde und äußerlich kaum noch verwandte Übertragung und Einstilisierung) die auf immer merkwürdigste Figur eines, wie ich nicht länger zweifle, merkwürdigen Buches daraus werden würde.« (Brief an Hauptmann vom 11. April 1925; XI 597 ff.)

2] *den schlimmen, instinktlosen Kindern:* Erika und Klaus Mann.

6. 5. 1924

1] *Amsterdam:* Als Gast des Letterkundige Kring hielt Thomas Mann *145*
eine Tischrede über ›Demokratie und Leben‹ (Vossische Zeitung, Berlin, 23. 5. 1924). In London war Thomas Mann Ehrengast des PEN-Clubs. Galsworthy, damals Präsident des Clubs, hielt die Begrüßungsrede.

2] *John Galsworthy* (1867–1933): Romanschriftsteller und Dramatiker. Sein bekanntestes Werk ist die Romantrilogie ›The Forsyte Saga‹ (1906–1921).

3] *Herbert George Wells* (1866–1946): Romanschriftsteller und Essayist. Wurde nach Galsworthy Präsident des PEN-Clubs. Berühmt geworden durch seine ersten Romane, naturwissenschaftliche Phantasien in der Art Jules Vernes, z. B. ›The Time Machine‹ (1895).

4] *George Bernard Shaw* (1856–1950): Schriftsteller, Dramatiker, Kritiker. Trat 1884 der sozialistischen Fabian Society bei. Stand als Gesellschaftskritiker zunächst in der Nachfolge Ibsens; hatte damals eben ›Saint Joan‹ (1923) geschrieben.

5] *Katia:* Nachsatz von Frau Katja Mann.

16. 11. 1924

1] *›Abrechnungen‹:* Sammelband mit neuen Novellen von Heinrich *146*
Mann, Berlin: Propyläen-Verlag [1924]. Darin enthalten: ›Der Gläubiger‹, ›Szene‹, ›Der Bruder‹, ›Die Verjagten‹, ›Liebesspiele‹, ›Ehrenhandel‹, ›Die Tote‹.

11. 12. 1924

1] *Dein Buch:* Thomas Mann, ›Der Zauberberg‹, Berlin: Fischer *146*
1924.

2] *in dem meinen:* Heinrich Mann, ›Der Kopf‹, Berlin u. a.: Zsolnay 1925. Vgl. Thomas Manns Besprechung in ›The Dial‹ (XIII 309–312).

18. 3. 1925

146 1] *Griechenland:* Vom 2.–25. 3. 1925 unternahm Thomas Mann auf Einladung der Stinnes-Linie auf M.S. ›General San Martin‹ eine Mittel-
meerreise, die ihn auch nach Ägypten, dem Schauplatz seines nächsten
großen Werkes, führte. Am 4. 2. 1925 hatte er an Ernst Bertram geschrieben: »Auf diese Weise werde ich etwa 4 Wochen unterwegs sein,
[...] in denen es mir, ohne den humanistischen Punkten zu nahe treten
zu wollen, hauptsächlich um Ägypten zu tun ist. Ich werde einen Blick
auf die Wüste, die Pyramiden, die Sphinx werfen, dazu habe ich die
Einladung angenommen, denn das kann bestimmten, wenn auch noch
etwas schattenhaften Plänen, die ich im Geheimen hege, nützlich sein.«
– Vgl. ›Unterwegs‹ (XI 355).

22. 4. 1925 [Thomas Mann schrieb versehentlich: 22. V. 1925]

146 1] *Dein Roman:* ›Der Kopf‹.

147 2] *Florenz:* Thomas Mann las anläßlich der Internationalen Kulturwo-
che (9.–16. 5. 1925) den Vortrag ›Goethe und Tolstoi‹.

3] *Wien:* Während seines Wiener Aufenthalts (8.–11. 6. 1925) las Thomas Mann im PEN-Club den Vortrag ›Natur und Nation‹. Am Fest-
bankett hielt er eine Tischrede (›Zum Problem des Österreichtums‹,
Neue Freie Presse, Wien, 11. 6. 1925).

24. 8. 1925

147 1] *Salzburg:* Vom 20.–30. 8. 1925 besuchte Thomas Mann die Salzburger Festspiele.

2] *Aufsatz:* Heinrich Mann, ›Victor Hugo und ,1793'‹, Der neue Merkur, Jg. 8, Bd. 2, H. 10, Stuttgart und Berlin, August 1925, S. 861 bis
870.

17. 5. 1926

147 1] *Arosa:* Thomas Mann hielt sich vom 6.–28. Mai 1926 in Arosa auf.
Arbeit an der Festrede zur 700-Jahrfeier seiner Heimatstadt: ›Lübeck als
geistige Lebensform‹ (Lübeck: Quitzow 1926). Am 1. August 1926
schreibt er an Félix Bertaux: »Ich sitze tief in den Vorarbeiten zu einem
kleinen, schwierigen, aber überaus reizvollen Roman: ›Joseph in Ägypten‹. Es ist die biblische Geschichte selbst, die ich real und humoristisch
wiedererzählen will.«

15./16. 3. 1927

147 1] *Warszawa:* Die Reise nach Warschau (8.–15. 3. 1927) erfolgte auf
Einladung des polnischen PEN-Clubs. Thomas Mann sprach über
›Freiheit und Vornehmheit‹.

400

2] *Censur-Protest:* Anfang März verlas Thomas Mann an einer Sitzung der Preußischen Akademie der Künste, Sektion für Dichtkunst, Heinrich Manns Protest gegen das Zensurgesetz, das damals im Reichstag vorbereitet wurde. Die Sektion für Dichtkunst war am 27. 10. 1926 gegründet worden; vgl. Thomas Manns ›Rede zur Gründung der Sektion für Dichtkunst der Preußischen Akademie der Künste‹ (x 211). Heinrich Mann nahm 1928 in Berlin Wohnsitz und wurde 1931 Präsident der Sektion.

3] *Danzig:* Thomas Mann las im Kunstverein den Vortrag ›Freiheit und *148* Vornehmheit‹.

19. 8. 1927

1] *Sylt:* Hier weilte die Familie Thomas Mann vom 10. 8.–11. 9. 1927 *148* zur Erholung.

23. 8. 1927

1] *Ponten:* Pontens Brief an Heinrich Mann ist uns nicht bekannt. Vgl. *148* Thomas Manns Antwort an Heinrich (S. 153 f.).

2] *Comoedia:* Milano 1919–1934. Die Stelle wurde nicht ermittelt. *149*

3] *des bisherigen Präsidenten:* Max Liebermann. Vgl. Brief vom 6. 8. [9.] 1927, Anm. 1.

4] *Programm:* Vgl. Heinrichs Brief vom 6. 8. 1927, Anm. 2.

5] *Sekretär:* Alexander Amersdorffer. *150*

6] *Herrn Ponten:* Vgl. Thomas Manns Brief an Josef Ponten vom *151* 30. 8. 1927, Anm. 3.

29. 8. 1927

1] *Wilhelm Schäfer* (1868–1952): Seit 1898 freier Schriftsteller in Berlin, *152* mit Dehmel befreundet. 1900 in Vallendar, Herausgeber der Zeitschrift ›Die Rheinlande‹. Seit 1918 in Ludwigshafen am Bodensee, später in Überlingen. Von Schäfer waren damals u. a. schon erschienen: ›Winckelmanns Ende‹, Novelle (1925); ›Hölderlins Einkehr‹, Novelle (1925); ›Huldreich Zwingli‹, Roman (1926); ›Neue Anekdoten‹ (1926).

2] *Josef Ponten* (1883–1940): Erzähler und Reiseschriftsteller. Seit 1920 in München. Thomas Mann hatte seinen Roman ›Der Babylonische Turm‹ (1918) gelobt (vgl. Briefe an Ponten vom 9. 1. und 6. 6. 1919). In einem ›Offenen Brief an Thomas Mann‹ (Deutsche Rundschau, Jg. 51, H. 1, Berlin, Oktober 1924) wandte sich Ponten gegen Thomas Mann, weil dieser sich in seinem Aufsatz ›Zum sechzigsten Geburtstag Ricarda Huchs‹ gegen die »feindseligen Tröpfe« (x 432) verwahrt hatte, welche, »die Nase im Sande«, nicht aufhörten, »das tote Gewäsch vom deut-

schen Dichter und vom unvölkischen Schriftsteller zu wiederholen«. –
»Ist es nötig«, hatte er gefragt, »die heillose Abgeschmacktheit der Antithese von Dichtertum und Schriftstellertum auszusprechen [...]? Es sollte nicht nötig sein.« (Vgl. Thomas Manns Briefe an Ponten vom 21. 1. und 22. 4. 1925.)

3] *Aktion:* In der Preußischen Akademie der Künste waren Stimmen laut geworden, die sich gegen Max Liebermann, deren achtzigjährigen Präsidenten, wandten. Wilhelm Schäfer und Josef Ponten hatten Thomas Mann angefragt, ob er eine Kandidatur annehmen würde. Am 21. 8. 1927 schrieb Thomas Mann noch an Ponten: »So unbedingt wohl, wie gesagt, ist mir ja nicht bei der Sache. Es könnte aussehen, als sei die von mir gezeichnete Aktion die planmäßige Vorbereitung für diese gewesen. Auch hätte vielleicht die Idee eines auswärtigen Sektionspräsidenten den Angegangenen etwas ausführlicher plausibel gemacht werden müssen.« Nach Heinrichs Intervention vom 23. 8. 1927 sandte er Ponten am 30. 8. 1927 folgenden Brief:

Lieber Ponten,

ich muß gleich noch einmal schreiben, denn ich habe von meinem Bruder, der ja unter den Empfängern Ihrer Rundfrage ist, einen langen Brief, worin er sich mit sachlichen und starken Gründen gegen meine Kandidatur wendet und sie mir ausredet. Natürlich würde er, um nicht banalen Mißverständnissen sich auszusetzen, Ihren Antrag äußerlich unterstützen, mißbilligt ihn aber in Wirklichkeit, weil er einen in Berlin wohnhaften Präsidenten oder vielmehr Direktor für notwendig hält, der auf Jahre hinaus den größten Teil seiner Arbeitskraft frei hat für die Aufgaben der Akademie. Er wendet sich dagegen, daß der Posten zu einer Ehrung für Einzelne gemacht wird. Statt aller Repräsentation brauche die Akademie vielmehr einen Direktor oder Generalsekretär, der arbeite und Gehalt dafür beziehe. Dergleichen wollen Sie ja wohl auch; nur daß Sie außerdem die Repräsentation wollen. Der Mangel an Ausführlichkeit, den Ihr Rundschreiben aufwies, und auf den ich Sie gleich aufmerksam machte, hat sich wenigstens im Falle meines Bruders sogleich gerächt. Darin aber hat er unbedingt recht, daß die Repräsentation eine Angelegenheit zweiter Ordnung ist, und daß es vor allem darauf ankommt, in oder außer der Akademie den Mann zu finden, der entschlossen ist, etwas zu tun. Mit meiner Wahl wäre sachlich wenig gebessert, und wenn ich denke, man könnte annehmen, wir hätten mit der von mir gezeichneten Aktion nichts weiter angestrebt, als sie, so kriege ich einen heißen Kopf. Außerdem wäre es mir höchst widerwärtig, meinen Bruder zu zwingen, äußerlich mitzutun, während er innerlich Nein sagt. Es bleibt also garnichts übrig, als den Adressaten Ihrer

Rundfrage mitzuteilen, daß diese gegenstandslos geworden sei, da ich nach näherer Überlegung den Antrag abgelehnt hätte. Ich bitte Sie, dies sofort zu tun. Es genügt ein Satz »An Alle«.

Ihr Thomas Mann

4] *Ludwig Fulda* (1862–1939): Schriftsteller. Studium der Germanistik. *153* 1884–1888 freier Schriftsteller in München, später in Berlin. Mitbegründer der Freien Bühne, die Sudermann und Hauptmann zum Erfolg verhalf. Setzte sich auch für Arno Holz und Arthur Schnitzler ein. Übersetzer von Molière, Rostand, Beaumarchais, Petöfi. Unter seinen Werken: ›Das Recht der Frau‹, Komödie (1884); ›Das verlorene Paradies‹, Schauspiel (1892); zahlreiche Gesellschaftssatiren: ›Des Esels Schatten‹ (1921); ›Die Gegenkandidaten‹ (1924); ›Filmromantik‹ (1928); ›Die verzauberte Prinzessin‹ (1930) u. a.

5] *München:* Aus den Jahren 1928–1930 sind keine Briefe erhalten. 1930 *154* erschien in Berlin bei Kiepenheuer Heinrich Manns Roman ›Die große Sache‹ (Manuskript: Heringsdorf, 1929 – Nice, Berlin 1930). Thomas Manns ›Anmerkung zur ‚Großen Sache‘‹ erschien am 12. 12. 1930 in der ›Literarischen Welt‹ (Berlin). Sie zeigt, daß er seine grundsätzlichen Bedenken gegen Heinrichs Kunst nicht aufgegeben hat:

Wir leben von Reizen, und die Kunst ist unter den lebenerregenden, lebenerhöhenden Kräften die stärkste, weil ihre Reizsendungen geistig-sinnlicher Art sind, das Gesamtsystem des Lebens treffen und erregen. ‚Reiz‘ ist ein biologischer Begriff erster Ordnung und geheimnisvoll doppeldeutig in bezug auf das Leben, zu dem er wahrscheinlich nicht erst in einem aufrufenden und aktivierenden, sondern zugleich schon in einem hervorrufenden, organzeugenden, schöpferischen Verhältnis steht, – doppeldeutig auch in seiner Beziehung auf Lust und Unlust, zu denen er sich indifferent verhält und deren fließende Grenze sich individuell nach Dauer und Grad des Reizes bestimmt. Hier unterscheidet der Kunstreiz sich nicht von irgendeinem physiologischen. Er kennt eine Dauer-Intensität, die äußerst schmerzhaft und nach ihrer Wirkung von allem Behagen so weit entfernt ist, daß, – gesetzt, es handle sich um Epik, – eine Art von Widerspruch zwischen dieser Wirkung und dem Wesen der Kunstform entsteht; denn wir sind gewohnt, mit der Idee des Epischen die einer gewissen Behaglichkeit und Güte, um nicht zu sagen: Gutmütigkeit zu verbinden.

Der neue Roman von Heinrich Mann, ›Die große Sache‹, ist – aber es war immer so bei diesem großen Künstler – in einem Grade reizgeladen und reizüberladen, daß die Lust, die er bereitet, jeden Augenblick im Begriffe ist, zur Pein zu werden; seine Lektüre tut weh – desto schlimmer also, daß es eine hinreißende Lektüre ist. Wirklich, kehrt man von ihr zu irgendwelcher anderen Erzählung von moderner Merkwürdigkeit zurück, in der man sich vielleicht zu seinen Ehren unterbrach, zu Hemingway, Hamsun oder auch Döblin, so spürt man das Nachlassen der Reizspannung, unter der man eine Weile, fliegenden Atems, gelächtervoll, peinvoll, bewunderungsvoll, gelebt hat: Es geht mäßiger zu, bei aller Verwegenheit, beschaulicher, epischer im friedlich ausgebreiteten, wohlignarrativen Sinne des Wortes; selbst Döblin, der doch für einen sehr radikalen Schriftsteller gilt, selbst sein ›Alexanderplatz‹, an den ›Die große Sache‹ jargonweise zuweilen erinnert, wirkt gutmütig in diesem Vergleich, – wobei es sich selbstverständlich nicht um ein Mehr an menschlich-geistiger, sozusagen persönlicher Güte handelt. Welche überlegene und wissende Vatergüte in der Figur dieses sonderbaren alten Magiers und Mystifikators von Oberingenieur namens Birk, der in jeder Beziehung die Seele und treibende Kraft des Buches ist, und hinter dessen Maske – ein wenig – des sechzigjährigen Dichters Antlitz sich verbirgt! Welches Vibrato von Güte in den Worten, die er, ein Sterbender schon, »über die Freude nachsinnend«, den jungen Leuten inständig zudenkt: »Lernt euch freuen. Die große Sache existiert nicht, die erfindet man. Wirklich sind eure Herzen, – die noch gesund sind!« Es ist schon biblisch-weihnachtlich. »Und abermals sage ich: Freuet euch!« Es ist übrigens viel verlangt, – auf Seite 404 eines überwahrheitsgetreuen Hexensabbaths von mörderischer Geschäftswut, naßkalter Existenzangst und purzelbaumschlagender Schurkerei. Aber die Geistesgüte, die sich hier – und nicht nur hier – zu den Zwanzigjährigen, zu ihrer Angst und Keßheit neigt, ist etwas anderes, als das, was man epische Güte nennen würde.

Diese fehlt. Schon das Tempo des Romans ist erbarmungslos und läßt nicht zu Atem kommen; an ein Sichlosmachen vom Lesen ist nicht zu denken; gereizt und gebannt von einem Stil, der an edler Schmissigkeit nicht seinesgleichen hat, einer Mischung aus Saloppheit und Glanz, Tages-Argot und intellektueller Hochspannung, wird man von Wirbel zu Wirbel gerissen und landet betäubt vom Drunter und Drüber leidenschaftlich-burlesker Abenteuer und krasser Travestieen, erschöpft vor Lachen über ihre vornehme Unwahrscheinlichkeit und zu Tränen ergriffen von Geistesgüte.

Auch sie, diese Güte, hat gespannten Glanz, der strengste Reiz kommt von ihr. Ich liebe sie brüderlich; aber vielleicht sind die Reize letzter Skurrilität und hochparodischen Ulks, von denen das Werk mit einem gefährlichen Knistern sprüht, noch mehr danach angetan, brüderliche Erinnerung und Rührung in mir zu wecken. Da ist zum Beispiel Mörder Mulle – dieser selbst betitelte sich so. »Ich bin Mörder Mulle, stellte er sich stolz den Leuten vor.« – Als wir jung waren, malten wir unserer Schwester ein blödsinniges Bilderbuch mit Erläuterungen wie: »Die Ermordung des Regierungsbeamten Hagemann durch den Raubmörder Georg Schandpfahl. Der Täter betritt das Zimmer des schlafenden Opfers.« Davon hat Mörder Mulle viel und nicht nur er ... Die Körper altern und man wächst in den Ernst für eine oder die andere große Sache. Auch bringt eine Lehre wie »Freuet euch!« nur das Alter fertig, und die Jungen stehen etwas verlegen. Mörder Mulle aber lehrt, daß wir im Grunde geblieben sind, die wir waren: zum Ulk gestimmt über das Heiligste, – denn was wäre heiliger im Ursinne des Wortes als der Mord?

»Das ist mein Opfer«, sagt Mulle und zeigt auf den daliegenden Schattich, einen unglaublichen Generaldirektor und ehemaligen Reichskanzler. »Gleich kommt die Olle dran, ich bin der nachweislich jüngste Doppelmörder«, behauptet er vorweg, »ich schlage den Rekord. Sind Herren von der Presse da?« Mord, Rekord und Presse. Dahin ist es mit dem Urheiligen, dem Morde, gekommen, unter dem zersetzenden Einfluß der Zivilisation, daß sein erster Gedanke die Presse ist. Wie gefällt euch die Bitterkeit, ihr Konservativen? Hättet Ihr sie erwartet von dieser Seite? Sie verbindet sich jedoch mit der Verulkung auch des Urphänomens in der Person Mörder Mulles, die denn freilich doch durch gehaltvolle Anzüglichkeit ihren jugendlichen Vorgänger im Bilderbuch tief in Schatten stellt. »Wieso machen Sie das ganze Theater?« fragt man ihn. Er antwortet: »Und mein Erbe ist gar nichts? Ich bin sein Sohn, er hat meine Mutter enteignet und mich enterbt, das ist ein Dolchstoß in den Rücken der bestehenden Gesellschaftsordnung.« Die nationale Zeitungsphrase gehört zu Mörder Mulles Rotwelsch, und er stellt sie in den Dienst seiner Verehrung für die bestehende Gesellschaftsordnung, – auf welche immerhin ein zweifelhaftes Licht fällt durch solche Parteigängerschaft. Wie soll ein geradsinniger Konservativismus sich daraus vernehmen?

Verwirrung gibt es auch sonst. Der Roman, der seinem Gattungsnamen durch ausgelassenste ‚Handlung‘ auf eine fast atavistische Weise Ehre macht, weist einen magisch-okkulten Einschlag auf, der zu denken gibt. Jener Oberingenieur Birk, krank infolge eines Unglücksfalles, aber man weiß nicht recht, wie, wie sehr und ob überhaupt, bringt es dahin, aus sich herauszugehen und mit mühsamer Geisterhand in die Geschehnisse einzugreifen, wo sie am turbulentesten sind, während sein Körper im Krankenhaus liegt. Seine Tochter – die eine, es sind zwei, sehr liebevoll modellierte Frauengestalten – wird am Telephon kraft eines technisch-parapsychologischen Vorgangs auf hellseherische Weise an den großen Sportpalast angeschlossen, wo eben in Gegenwart wichtiger Personen ein sensationeller Boxmatch vonstatten geht – eine Massenszene von grotesker Kraft und Komik übrigens, wohl die lebensvollste des Buches, an der also Margo mit Augen und Ohren teilnimmt, als sei sie nicht ganz woanders. Wie vertragen sich solche Wunder mit dem rational-humanitären Ruf des Autors? Müßte er nicht fürchten, durch Zulassung des Außervernünftigen dem Bösen, wie er es versteht, Tür und Tor zu öffnen? Handelt es sich um einfallenden Altersmystizismus? Um Konnivenz gegen den Modehaß der Zeit auf alles was ratio heißt, – einen Haß, von dem er doch wohl weiß, daß er seine politische Seite hat? Wir müssen Unzuverlässigkeit feststellen, Dichter-Unzuverlässigkeit in Dingen der humanitas, eine skeptische Waghalsigkeit, die auf der gediegen anti-humanen Gegenseite – und das ist ihre Stärke – durchaus unbekannt ist. Verdient die Freiheit den Namen eines Prinzips? Lange Zeit nicht; bis zum äußersten nicht. Und erst ganz zuletzt plötzlich: ja.

Was ist ›Die große Sache‹? Der Titel ist dem Geschäftsjargon entnommen, die große Sache ist eine Millionenangelegenheit, die jeder an sich zu bringen sucht, eine Mystifikation übrigens, Birks »Erfindung«. Zuweilen ist sie die Liebe, zuletzt der Tod. Aber ganz zuletzt und schon außerhalb des Buches ist sie die Freiheit, unendliche Kritik, der Geist selbst, in Kunst vermummt und in das gegen seine eigene Unglaublichkeit gleichgültige Abenteuer. Das Verhältnis des Autors zu der Welt, die er in verzweifelten und unverantwortlichen Späßen wirbeln läßt, ist bedenkenswert. Dieser Gesellschaftsphantast, der zugleich ein Gesellschaftsprophet ist, hat es erlebt, daß die Zeit sich seinem durchaus sozial und politisch orientierten Talent fügte. Natürlich haßt er den Krieg; aber er müßte ihm dankbar sein für das, was er aus Deutschland gemacht, dafür, daß er es wider alles Erwarten aus der autoritären Starre gelöst, in Fluß gebracht, republikanisiert, die demokratische Heimsuchung, die Beteiligung aller am Staatsschicksal bewirkt hat. Krisis, Umschichtung, soziales Abenteuer, Politisierung bis ins Mark – es fehlt nicht an Leben in der Bude, und der Gesellschaftsromancier ist in seinem Element. Er, der dies wollte und sah, als wir es höchstens sahen, aber nicht zu wollen wagten, will es, eben weil es sich erfüllt hat, so unbedingt nicht mehr. Den Jungen, in all dies Hineingeborenen sagt er: »Wirklich sind nur eure Herzen – die noch gesund sind.« Der Satz ist es wert, von einem politischen »Hört, hört!« begleitet zu werden. Es ist ein Führersatz und bedeutet ein Einlenken, eine Wendung. Das Herz, die »Freude«, das ist ja das Individuum. Wer hätte es gedacht. Die große

Sache – das Herz. Wie abhängig ist die Wahrheit von ihrem Augenblick!

Was die republikanische Gesellschaft betrifft, so könnte kein Todfeind der Freiheit mehr Hohn über sie ausschütten und sie klamaukhafter darstellen, als es in diesem Roman geschieht. Wer soll's denn auch leisten, wenn nicht die Freiheit selbst? Der Gegnerschaft fehlt das Talent. Aber man lasse sich nicht täuschen: Die Selbstkritik der Freiheit führt kein Wasser auf die Mühlen ihrer Feinde. Ihre skeptische Waghalsigkeit geht bis zum Äußersten, – um im letzten Augenblick zu erklären: dies alles muß sein, die Korruption, der leidvolle Klamauk müssen sein; sie sind viel besser, viel menschlicher und auch viel sittlicher als tote Ordnung.

Es geht zu –! Ich sagte schon ungefähr, wie. Die wölfische Raffgier, die namenlose Primitivität der Instinkte, die Unbildung, die auf den Namen Sachlichkeit hört, die schauerlich-rührende Reduziertheit einer Menschheit, die alles verloren und vergessen hat, – sie wird, der Wirklichkeit wohlbekannt, zur Farce gesteigert durch einen Ästhetizismus, der der Gemeinheit nur vorzuwerfen hat, daß sie nicht gemeiner ist und sie ins Überwirkliche hebt. Diese geistige Steigerung und Entwirklichung herrscht überall, macht bis in die Dialoge hinein alles imaginär und abstrakt, so daß man schwankt, ob diese in Wirklichkeit oder nur im Geiste geführt werden. Realversöhnlich und anheimelnd wirkt die schon erwähnte Existenzangst, von der alle Welt feuchte Hände hat, nicht nur Boxer Brüstung, sondern auch Generaldirektor Schattich und wahrscheinlich selbst »Karl der Große«, der unfaßliche Obergott des »Konzerns«, in dessen Bannkreis sich alles abspielt. Ein hellerer Lichtpunkt ist die Liebe ...

Gesellschaftsgeist ist erotischer Geist; seine Beziehung zur Natur ist die zum Geschlecht. Geist mit Geschlecht, phallischer Geist, der Geist als Künstler. Man glaube hier an keine Beschränktheit seiner Sensibilität. Bei einer tollen Geschäftskonferenz in Sachen der Vierzig-Millionen-Erfindung bietet der junge Emanuel für den Älteren seiner beiden Partner »auch gleich seinen Jugendreiz auf, er lächelte ihm auffordernd in die Augen«. Das nenne ich eine Geschäftssitzung menschlich beleben. Der Ältere bleibt denn auch wirklich nicht unzugänglich, »es überraschte ihn selbst. Seine Tochter war erwachsen, sein Geschäft stand vor dem Absterben; er hatte es nötig, seinem Gefühlsleben eine neue Wendung zu geben; hier kündigte sie sich noch undeutlich an.« Vorzüglich. Aber ganz glänzend ist die Figur Nora Schattichs, eine Figur wie von Toulouse Lautrec, grell, gefährlich, eine ‚Dame‘ von vor der Flut, mit erotischen Traditionen, überlegen, anti-primitiv und schlimm, sehr farbig und komisch gesehen.

Noch einmal, das alles ist streng, noch im Jux und noch in der Güte, streng und schmerzhaft, einsam in seiner Gesellschaftlichkeit, wissend und ahnungslos, faszinierend und schwer erträglich, rührend und beleidigend wie was? Wie das Genie.

6. 8. [wohl 9.] 1927

154 1] *der bisherige Präsident:* Max Liebermann (1847–1935). Impressionistischer Maler. Gründete 1898 die Berliner Sezession. 1920–1932 Präsident der Preußischen Akademie der Künste. Zeichnete in S. Fischers Auftrag eine Porträtstudie von Thomas Mann für die zehnbändige Werkausgabe, die zum 50. Geburtstag des Autors (1925) erschien. Vgl. Thomas Mann, ›Max Liebermann zum achtzigsten Geburtstag‹ (x 442).

2] *Programm-Entwürfe:* Vgl. Inge Jens, ›Dichter zwischen rechts und links‹. Die Geschichte der Sektion für Dichtkunst der Preußischen Akademie der Künste dargestellt nach Dokumenten, München: Piper 1971. In Anhang iii sind hier Thomas und Heinrich Manns Antworten (3. und 6. 12. 1926) auf die Umfragen über Ziel und Aufgabe einer Sektion für Dichtkunst abgedruckt (S. 244–248).

3] *Schickele:* Vgl. Brief vom 14. 5. 1939, Anm. 10.

4] *Wilhelm von Scholz* (1874–1969): Schriftsteller. Gymnasium in Berlin. Ab 1890 in Konstanz. 1897 Dr. phil. in München. 1916–1922 Dramaturg und Spielleiter am Hoftheater in Stuttgart. 1944 Dr. h. c. der Universität Heidelberg. 1949 Präsident des Verbandes Deutscher Bühnenschriftsteller. Lebte zuletzt auf Gut Seeheim bei Konstanz. Unter seinen zahlreichen Werken: ›Frühlingsfahrt‹ (1896); ›Hohenklingen‹, Gedichte (1898); ›Der Jude von Konstanz‹ (1900); ›Der Bodensee‹ (1907); ›Die Unwirklichen‹, Erzählungen (1916); ›Zwischenreich‹, Erzählungen (1922). Zu seinem Leben vergleiche seine Darstellungen ›Lebensjahre‹ (1939) und ›Lebenslandschaft‹ (1943).

18. 4. 1931

165 1] *Statuten-Entwurf:* Neue Statuten der Preußischen Akademie der Künste, Sektion für Dichtkunst.

2] *Paul F. Hübner:* Ministerialdirektor im Ministerium für Wissenschaft, Kunst und Volksbildung.

3] *Feier in der Akademie:* Am 27. 3. 1931 war in der Preußischen Akademie der Künste zu Berlin Heinrich Manns 60. Geburtstag gefeiert worden. (Reden von Kultusminister Adolf Grimme, Gottfried Benn, Lion Feuchtwanger und Thomas Mann.) Vgl. ›Heinrich Mann, Fünf Reden und eine Entgegnung zum sechzigsten Geburtstag‹, Berlin: Kiepenheuer 1931. Thomas Manns Rede ›Vom Beruf des deutschen Schriftstellers in unserer Zeit‹ erschien auch in der ›Neuen Rundschau‹, Berlin, Mai 1931.

408

4] *Pelzer:* Weinrestaurant in der Tauentzienstraße 12 b, Berlin.   *166*

5] *Max Liebermann:* Vgl. Brief vom 6. 8. 1927, Anm. 1.

6] *Carl Heinrich Becker* (1876–1933): Preußischer Minister für Wissenschaft, Kunst und Volksbildung.

7] *Adolf Grimme* (1889–1963): Beckers Nachfolger als Preußischer Kul-   *167*
tusminister.

8] *Erwin Guido Kolbenheyer* (1878–1962): Seit 1919 freier Schriftsteller,   *168*
zuerst in Tübingen, ab 1932 in München-Solln; 1926 Mitglied der Preußischen Akademie der Künste, 1928 Mitbegründer des faschistischen Kampfbundes für deutsche Kultur. Wurde nach dem Zweiten Weltkrieg mit einem Schreibverbot belegt. Vor allem durch seine ›Paracelsus‹-Trilogie (1917, 1922, 1926) bekannt.

9] *Alfred Döblin* (1878–1957): Berliner Schriftsteller und Arzt. Sohn eines jüdischen Kaufmanns aus Stettin. 1910 Mitbegründer und Mitarbeiter der Expressionistenzeitschrift ›Der Sturm‹. Ende 1914 Militärarzt. Entwickelte einen freiheitlichen humanistischen Sozialismus. Wurde berühmt durch seinen Großstadtroman ›Berlin Alexanderplatz‹ (1929). 1933 floh er über Zürich nach Paris, 1940 über Spanien, Portugal nach New York und Los Angeles. Konvertierte auf der Flucht zum Katholizismus. Wurde 1945 Leiter des literarischen Büros der Direction de l'éducation publique in Baden-Baden, später Mainz. 1946–1951 Herausgeber der literarischen Zeitschrift ›Das goldene Tor‹. Fand sich als Dichter in Deutschland vergessen und isoliert. Ging 1951 wieder nach Paris. Vom März 1956 bis zu seinem Tode in Sanatorien bei Freiburg i. Br. Unter seinen Werken: ›Die Ermordung einer Butterblume‹, Erzählungen (1913); ›Die drei Sprünge des Wang-lun‹, Roman (1915); ›Wadzeks Kampf mit der Dampfturbine‹, Roman (1918); ›Wallenstein‹, Roman (1920); ›Berge, Meere und Giganten‹, Roman (1924); ›Manas‹, Epos (1927); ›Babylonische Wandrung‹, Roman (1934); ›Pardon wird nicht gegeben‹, Roman (1935); ›Das Land ohne Tod‹, Romantrilogie (1937–1948); ›November 1918‹, Romantrilogie (1948 bis 1950); ›Schicksalsreise, Bericht und Bekenntnis‹ (1949); ›Hamlet‹, Roman (1956); ›Die Zeitlupe‹, Kleine Prosa aus dem Nachlaß (1962). – Vgl. Thomas Mann, ›An Alfred Döblin‹ (x 489 f.); Heinrich Mann, ›Der Dichter Alfred Döblin‹, Freies Deutschland, Jg. 2, Nr. 12, Mexiko, November 1943.

10] *[Austritt] Hesses:* Hermann Hesse war zur gleichen Zeit wie Kolbenheyer und Schäfer – jedoch mit anderer Begründung – aus der Akademie ausgetreten; Thomas Mann versuchte ihn mit seinem Brief vom 27. 11. 1931 zum Wiedereintritt zu bewegen (vgl. Hermann Hesse – Thomas Mann, ›Briefwechsel‹, S. 11–18).

11] *Max Halbe* (1865–1944): Begann als naturalistischer Dramatiker, schrieb später psychologische Romane. Seit 1888 freier Schriftsteller in

Berlin, seit 1895 ständig in München; mit Wedekind, Hartleben, Eduard Graf Keyserling und Thoma befreundet. Unter seinen Werken: ›Jugend‹, Drama (1893); ›Jahrhundertwende, Geschichte meines Lebens 1893–1914‹ (1935).

12] *Der literarische Senat:* Die Senatsabteilung für Dichtkunst konstituierte sich am 8. 10. 1931. Es wurden berufen: Heinrich Mann, Thomas Mann, Ricarda Huch, Walter von Molo, Alfred Döblin und Ludwig Fulda.

13] *Oskar Loerke* (1884–1941): Lyriker, Schriftsteller. Von 1917 bis zu seinem Tod Lektor beim S. Fischer Verlag in Berlin, Mitarbeiter der ›Neuen Rundschau‹. 1927 Senator und Dritter Ständiger Sekretär in der Sektion für Dichtkunst der Preußischen Akademie der Künste. Unter seinen Werken: ›Wanderschaft‹, Gedichte (1911); ›Gedichte‹ (1916; Neuauflage unter dem Titel ›Panmusik‹, 1929); ›Der Oger‹, Roman (1921); ›Der längste Tag‹, Gedichte (1926); ›Atem der Erde‹, Gedichte (1930); ›Tagebücher 1903–1939‹, hrsg. von Hermann Kasack (1955); ›Reden und kleinere Aufsätze‹, hrsg. von Hermann Kasack (1957); ›Gedichte und Prosa‹, hrsg. von Peter Suhrkamp (1958); ›Der Bücherkarren, Besprechungen im Berliner Börsen-Courier 1920 bis 1928‹, hrsg. von Hermann Kasack (1964); ›Literarische Aufsätze aus der ‹Neuen Rundschau›‹, hrsg. von Reinhard Tgahrt (1967).

14] *Julius Petersen* (1878–1941): Literarhistoriker. 1909 Privatdozent in München, 1913 Professor in Basel, 1915 in Frankfurt a. M., seit 1920 in Berlin.

15] *Theaterintendant:* Als Kontaktmann zu den Preußischen Staatstheatern Berlins wurde Ernst Legal in die Senatsabteilung für Dichtkunst gewählt.

16] *Jurist:* Paul F. Hübner.

17] *Alexander Amersdorffer* (1875–1946): Von 1910–1946 Erster Ständiger Sekretär der Königlichen und späteren Preußischen Akademie der Künste zu Berlin.

18] *Ricarda Huch* (1864–1947): Schriftstellerin. Schulbesuch in Braunschweig. 1892 Dr. phil. in Zürich, 1891–1898 Angestellte der Zentralbibliothek Zürich. 1906 in Triest, später hauptsächlich in München, Berlin, Heidelberg, Freiburg, Jena, Schönberg (Taunus). Trat 1933 unter Protest aus der Preussischen Akademie der Künste aus. Begann vor ihrem Tod ein Buch über die dt. Widerstandsbewegung: ›Der lautlose Aufstand‹. Unter ihren Werken: ›Erinnerungen von Ludolf Urslen dem Jüngeren‹, Roman (1893); ›Aus der Triumphgasse‹, Roman (1902); ›Seifenblasen‹, Erzählungen (1905); ›Der große Krieg in Deutschland‹ (1912/14). Ferner literaturhistorische Arbeiten: ›Die Blütezeit der Romantik‹ (1899); ›Die Romantik‹ (1908); ›Gottfried Keller‹ (1904).

15. 6. 1931

1] *Rede:* Thomas Mann, ›Vom Beruf des deutschen Schriftstellers in 170
unserer Zeit‹ (vgl. S. 155 ff.). In: ›Heinrich Mann. Fünf Reden und eine
Entgegnung zum sechzigsten Geburtstag‹, Berlin: Kiepenheuer 1931.

2] *Attersee:* Thomas Mann schrieb am 29. 7. 1896 von Unterach am 171
Atterssee, Salzkammergut, Hotel »Zur Post«, eine Postkarte an Otto
Grautoff. (Der von Heinrich vorgeschlagene gemeinsame Urlaub kam
nicht zustande; Thomas Mann hielt sich von Mitte Juli bis Anfang September 1931 in seinem Sommerhaus zu Nidden auf.)

3] *Vollsitzung der Sektion:* Heinrich Mann war zu Beginn des Jahres 1931
zum Vorsitzenden der Sektion für Dichtkunst der Preußischen Akademie der Künste gewählt worden.

4] *Föderation:* Die »Schriftsteller-Internationale« tagte vom 26. bis
28. 5. 1931 im Hôtel de Massa in Paris. Vgl. Heinrich Manns Bericht in
der Sammlung ›Das öffentliche Leben‹, Berlin u. a. 1932.

5] *Gespräch mit Briand:* Heinrich Mann wurde am 3. 6. 1931 in Paris
von Aristide Briand empfangen. Er berichtete darüber in der Zeitschrift
›Europe‹, Bd. 29, Paris 1931, S. 34–39. Vgl. ›Gespräch mit Briand‹, in:
›Das öffentliche Leben‹, Berlin u. a. 1932.

31. 5. 1932

1] *Buch:* Heinrich Mann, ›Das öffentliche Leben‹ Berlin u. a.: Zsolnay 171
1932.

2] *Barbarei:* Vgl. dazu Heinrich Manns Artikel ›Die Entscheidung‹, Berliner Tageblatt, 27. 3. 1932, und ›Autoritäre Demokratie‹, Vossische
Zeitung, 21. 4. 1932.

3] *Heinrich Brüning* (1885–1970): 1924 bis 1933 Reichstagsabgeordneter 172
als Mitglied des Zentrums. Deutscher Reichskanzler vom 28. 3. 1930
bis Ende Mai 1932. Im Dezember 1931 übernahm er auch das Auswär-
tige Amt. Entschloß sich im April 1932 unter Zustimmung des Reichspräsidenten zu entschiedenem Vorgehen gegen den Nationalsozialismus
(Verbot der SA). Übernahm im Mai 1933 die Führung des Zentrums,
sah sich jedoch gezwungen, die Partei anfangs Juli 1933 aufzulösen.
Entzog sich der Festnahme durch Emigration in die USA. Professor an
der Harvard-Universität. 1938 wurde er der deutschen Staatsangehörigkeit für verlustig erklärt. 1952 Rückkehr nach Deutschland, Professor an der Universität Köln.

4] *Präsident:* Max von Schillings (1868–23. 7. 1933). Komponist und
Dirigent. Löste Max Liebermann am 1. 10. 1932 von seinem Amte ab.
Unter seiner Leitung fand am 15. 2. 1933 die Sitzung statt, an der Heinrich Mann und Käthe Kollwitz der Austritt aus der Akademie nahege-
legt wurde (vgl. Inge Jens, ›Dichter zwischen rechts und links‹,

411

S. 181 ff.). Am 22. 3. 1933 schrieb Max von Schillings an Thomas
Mann, der fünf Tage vorher seinen Austritt aus der Akademie erklärt
hatte:
Sehr verehrter Herr Professor,
ich bestätige Ihnen den Eingang Ihres eingeschriebenen Briefes vom
17. d. Mts. aus Lenzerheide. Ich muß aus ihm ersehen, daß Sie nicht
gesinnt sind, weiter der Akademie anzugehören. Eine Stellungnahme
zu Ihrem Entschluß steht mir bei der Entschiedenheit Ihrer Absage
nicht zu. Ich möchte aber Ihren Abschied sich nicht vollziehen lassen,
ohne Ihnen meinen Dank für Ihre Zugehörigkeit zur Akademie und
Ihre Tätigkeit als Senator auszusprechen.
In vorzüglicher Hochachtung
Ihr ganz ergebener Max v. Schillings
(Das Original des Briefes liegt im Thomas-Mann-Archiv der ETH
Zürich.)

2. 6. 1932

172 1] *Alfons Paquet* (1881–1944): Schriftsteller. Bereiste Sibirien, die USA,
Syrien, Kleinasien; seine Reiseberichte waren zum Teil von Whitman
beeinflußt. Lebte in Dresden-Hellerau, zuletzt als freier Schriftsteller in
Frankfurt, wo er während eines Luftangriffs infolge Herzanfalls starb.
In seinen erzählerischen und dramatischen Werken stehen soziale
Probleme und weltpolitische Strömungen im Vordergrund. Das Stück
›Fahnen‹ wurde 1924 von Erwin Piscator an der Berliner Volksbühne
aufgeführt. Unter seinen Werken: ›Lieder und Gesänge‹ (1902); ›Held
Namenlos‹, Gedichte (1911); ›Kamerad Fleming‹, Roman (1911–1926);
›Prophezeiungen‹, Erzählungen (1922); ›Fahnen‹, Drama (1923);
›Sturmflut‹, Drama (1926). – Paquet verließ 1933 die Preußische Aka-
demie der Künste aus Protest. Vgl. die biographische Einleitung zu
seinen ›Gesammelten Werken‹ (1971) und Inge Jens, ›Dichter zwischen
rechts und links‹, S. 212.

1. 11. 1932

173 1] *Dr. Fiedler:* Vgl. Brief vom 27. 9. 1936, Anm. 1, und ›Blätter der
Thomas-Mann-Gesellschaft‹, Nr. 11/12, Zürich 1971/72.

2] *mein letztes Wort über den Nationalismus:* Heinrich Mann, ›Das Be-
kenntnis zum Übernationalen‹, Die Neue Rundschau, Jg. 43, Bd. 2,
Heft 12, Berlin, Dezember 1932, S. 721–746. Vgl. Thomas Manns Brief
vom 7. 12. 1932 an Wilhelm Herzog: »Haben Sie schon den großen
Essay meines Bruders in der Neuen Rundschau gesehen? Er ist ein
Ereignis, so sonderbar es ist, daß das Aussprechen aller dieser offenkun-
digen Wahrheiten als Ereignis empfunden werden kann. Wut und
Genugtuung darüber, beides wird stark sein in Deutschland.«

3] *Hans Heinrich Lammers* (1879–1962): Jurist, Politiker. 1921 bis 1933 im Reichsministerium des Innern; 1933 bis 1945 Chef der Reichskanzlei; 1939 bis 1945 war er zugleich Mitglied und Geschäftsführer des Ministerrats für die Reichsverteidigung. Im »Wilhelmstraßenprozeß« wurde er 1949 in Nürnberg zu zwanzig Jahren Haft verurteilt; 1952 entlassen.

4] *Roman:* Heinrich Mann, ›Ein ernstes Leben‹, Berlin u. a.: Zsolnay   *174*
1932 (konzipiert in Nizza 1931; beendet in Berlin 1932).

26. 11. 1932
1] *Dein Brief:* Im Thomas-Mann-Archiv Zürich nicht vorhanden.   *174*

2] *Roman:* ›Ein ernstes Leben‹.

3] *Bäuerlein:* Rechtsanwalt Bäuerlein, Figur aus Heinrich Manns neuem Roman.

4] *Festwoche:* Thomas Mann hielt am 11. 11. 1932 an der Feier von Ger-   *175*
hart Hauptmanns 70. Geburtstag (15. 11. 1932) im Münchener Nationaltheater seine Rede ›An Gerhart Hauptmann‹ (Vossische Zeitung, Berlin, 15. 12. 1932; X 331). Auch in Berlin wurde Hauptmanns Geburtstag ausgiebig gefeiert.

5] *Deines weltgeschichtlichen Romans:* ›Joseph und seine Brüder‹.

6] *Aufsatz:* Heinrich Mann, ›Das Bekenntnis zum Übernationalen‹, Die Neue Rundschau, Jg. 43, Bd. 2, Heft 12, Berlin, Dezember 1932, S. 721–746.

7] *Vertrag von Verdun:* Im Jahr 843.   *176*

8] *Heinrich Sahm* (1877–1939): Politiker. 1931 bis 1935 Oberbürgermeister von Berlin; 1936 bis 1939 Gesandter in Oslo.

9] *Joseph-Arthur Gobineau* (1816–1882): Diplomat, Schriftsteller. Sein Werk ›La Renaissance. Savonarola, César Borgia, Jules II, Léon X, Michel-Ange, Scènes historiques‹ (1877) gehörte zu den Quellen von Heinrich Manns ›Göttinnen‹ und Thomas Manns ›Fiorenza‹. Durch seinen ›Essai sur l'inégalité des races humaines‹ (1853–1855) wirkte Gobineau auf Nietzsche, Wagner, Chamberlain und Barrès. Im Roman ›Les Pléiades‹ (1874) gestaltete er seine These von der Überlegenheit des Herrenmenschen.

29. 1. 1933
1] *Kursivtext:* Von Thomas Mann mit Bleistift unterstrichen oder am   *178*
Rande angestrichen.

2] *Paul Fechter* (1880–1958): Schriftsteller, Journalist. Studium in Berlin   *179*
und Erlangen. 1911 bis 1915 Feuilletonredakteur der ›Vossischen Zeitung‹, 1918 bis 1933 Redakteur an der ›Deutschen Allgemeinen Zeitung‹. Seither Theaterkritiker und Kunstreferent der Zeitschrift ›Deutsche Zukunft‹. Unter seinen Werken: ›Der Expressionismus‹ (1914);

›Frank Wedekind‹ (1920); ›Die Tragödie der Architektur‹ (1921); ›Gerhart Hauptmann‹ (1922); Erzählungen und Dramen. – Vgl. Brief vom 9. 2. 1933, Anm. 1.

9. 2. 1933

180 1] *Kundgebung:* Am 6. 12. 1932 hatte Franz Werfel den Antrag gestellt, die Sektion für Dichtkunst müsse vor Paul Fechters Literaturgeschichte, von der die Deutsche Buchgemeinschaft damals gerade eine Millionenauflage verbreitete, öffentlich warnen. In der Sektionssitzung vom 6. 2. 1933 – der letzten von Heinrich Mann geleiteten – wurde auf eine Kundgebung gegen Fechter verzichtet. Seine Literaturgeschichte erfuhr in der Nazizeit noch größere Verbreitung (vgl. Inge Jens, ›Dichter zwischen rechts und links‹, S. 176–180).

2] *Rudolf Olden* (1885–1940): Schriftsteller und Journalist. Bis 1933 politischer Redaktor des ›Berliner Tageblattes‹. Emigrierte 1933 nach Prag, 1934 nach Paris, von dort nach England. Ertrank bei der Versenkung des englischen Evakuierungsschiffes »City of Benares« auf der Überfahrt nach Kanada. Unter seinen späteren Werken: ›Hitler. Der Agent der Macht‹ (1935); ›The History of Liberty‹ (1939); ›Is Germany a Hopeless Case?‹ (1940).

15. 4. 1933

181 1] *Madame Bertaux:* Céline Bertaux-Piquet, Frau von Félix Bertaux.

2] *Professor:* Alfred Pringsheim (1850–1941), Thomas Manns Schwiegervater.

3] *›La Croix‹:* Quotidien catholique d'information, Paris. (Der erwähnte Artikel wurde nicht ermittelt.)

4] *Scene mit Göring:* Vgl. Heinrich Mann, ›Goering zittert und schwitzt‹, in ›Der Haß‹, Amsterdam 1933, S. 115–123.

5] *James Louis Garvin* (1868–1947): Englischer Publizist. Schrieb hauptsächlich für den ›Daily Telegraph‹, später (1908–1942) für den ›Observer‹. 1926 bis 1929 Herausgeber der Encyclopedia Britannica, 14. Auflage. Unter seinen Werken: ›The Life of Joseph Chamberlain‹, 3 Bände (1932–1934). – Der erwähnte Artikel wurde nicht ermittelt.

21. 4. 1933

182 1] *Aufsatz:* Thomas Manns Aufsatz ›Leiden und Grösse Richard Wagners‹ erschien, übersetzt von Félix Bertaux, unter dem Titel ›Souffrances et grandeur de Richard Wagner‹ in ›Europe‹, Bd. 31, Paris 1933, S. 305–338.

2] *Karl Häusser* (1842–1907): Schauspieler.

3] *Ernst Ritter von Possart* (1841–1921): Vgl. Brief vom 5. 12. 1903, Anm. 23.

8. 10. 1933

1] *Hans Frank* (1900–1946): 1927 Mitglied der NSDAP. 1930 Mitglied *184* des Reichstags. 1933 bayrischer Justizminister und Reichsleiter der NSDAP für Rechtsangelegenheiten. 1939 Generalgouverneur der besetzten polnischen Gebiete; Terrorregime, Massenvernichtung, Deportation. 1946 in Nürnberg vom internationalen Militärgerichtshof zum Tod durch den Strang verurteilt.

2] *Leipziger Prozess:* Prozeß gegen die angeblichen Urheber des Reichstagsbrandes. Er dauerte vom 21. 9. bis 23. 12. 1933. Das Gericht verurteilte den (schwachsinnigen) van der Lubbe zum Tode, sprach aber die Mitangeklagten frei. Göring rühmte sich später, er wisse am besten, wer den Brand verursacht habe, da er es selber gewesen sei.

3] *Anwalt:* Gemeint ist wohl Valentin Heins (1894–1971), Thomas Manns Münchner Rechtsanwalt.

4] *Heinrich Hauser* (1901–1955): Schriftsteller. Als Seekadett und Leichtmatrose in Hamburg. Schrieb zur Hauptsache Reiseberichte und Seefahrtserzählungen. Mit dem irischen Erzähler Liam O' Flaherty befreundet; Hauser übersetzte von ihm ›Die Bestie erwacht‹ und ›Verdammtes Gold‹. Bekannte sich 1933 zu den Nazis, wandte sich nachher von Hitler ab. 1938 bis 1948 in den USA. Dann Chefredaktor der Wochenillustrierten ›Stern‹. Unter seinen Werken: ›Brackwasser‹ (1928); ›Donner überm Meer‹ (1929); ›Noch nicht‹ (1932); ›Männer an Bord‹ (1936); ›Notre Dame von den Wogen‹ (1937); ›Gigant Hirn‹ (1958); Berichte: ›Schwarzes Revier‹, Ruhrgebietsreportage (1929); ›Die letzten Segelschiffe‹ (1930); ›Feldwege nach Chicago‹ (1931); ›Kampf‹, Autobiographie (1934). Bücher über den Balkan, Kanada, Australien. – Zu Heinrich Manns Aussetzungen vgl. Peter de Mendelssohn, ›S. Fischer und sein Verlag‹ (Frankfurt 1970, S. 1279 f.): »Nur ein Autor bereitete dem Verlag eine ernste Unzuträglichkeit. Heinrich Hauser lieferte im Januar 1933 das Manuskript seines neuen Buches ›Ein Mann lernt fliegen‹ ab, das sofort in die Druckerei ging und im Mai erscheinen sollte. Im April verlangte er plötzlich, daß dem Buch eine Widmung an den vormaligen Kampfflieger und jetzigen nationalsozialistischen preußischen Ministerpräsidenten Hermann Göring vorangestellt werde. Eine Ablehnung dieses Ansinnens hätte, wie Bermann Fischer zu Recht befürchtete, die Schließung oder Enteignung des Verlags und Maßnahmen gegen die Familie Fischer und ihre Mitarbeiter zur Folge haben können; die Annahme hätte wie ein jämmerlicher ›Kniefall‹ ausgesehen, den der Verlag alle Sympathien unter den Gegnern des Regimes innerhalb und außerhalb Deutschlands gekostet hätte. Bermann Fischer sann auf einen Ausweg. Er verlangte von Hauser die Einholung von Görings ausdrücklicher Genehmigung, in der Überzeugung, daß Göring sie einem

›jüdischen‹ Verlag selbstverständlich verweigern werde. Doch Göring war geschmeichelt und nahm sie an; das Buch mußte mit der Widmung an einen ›unserer Erzfeinde und Verfolger‹ erscheinen. Nicht genug damit, veröffentlichte Hauser im gleichen Maiheft 1933 der ›Neuen Rundschau‹, in dem Suhrkamps Aufsatz ›März 33‹ erschien, eine hymnische Schilderung der nationalsozialistischen Maikundgebung auf dem Tempelhofer Feld:

›Die Hände der Millionen wuchsen in langsamer Bewegung über die Köpfe hinaus und verharrten wie der Schaum einer Brandung über einer heranrollenden Woge. Die Batterien der Selterswasserflaschen, an den Rändern des Heerlagers aufgefahren, glitzerten. Zehntausend Banner in unaufhaltsamem Anmarsch wehten wie ein Wald im Sturm. Die wehenden Fahnen leuchteten wie strömendes Blut ... Eine seltsame Entrückung und Erhebung lagerte über dem Meer. Es war das Gefühl der eigenen Masse und Unendlichkeit, das jedes Atom in ihr erhob ... Niemand, der dabei war, wird diesen Tag jemals vergessen.‹

Der Verlag trennte sich von Heinrich Hauser; Eugen Diederichs übernahm den Vertrag für drei Bücher, die Hauser noch nicht geliefert hatte, auf die er aber bereits eine beträchtliche Vorauszahlung erhalten hatte [...].«

Vgl. ferner Gottfried Bermann Fischer, ›Bedroht – bewahrt‹ (Frankfurt 1967, S. 293 f.).

5] *mein Buch:* Heinrich Mann, ›Der Haß. Deutsche Zeitgeschichte‹, Amsterdam: Querido 1933.

6] *Deinen ersten Band:* Thomas Mann, ›Die Geschichten Jaakobs‹, Berlin: S. Fischer 1933. Der erste Band des Josephromans erschien am 10. 10. 1933.

17. 10. 1933

185   1] *Dein Buch:* ›Die Geschichten Jaakobs‹.

2] *Widmung:*
An Heinrich
Zum Gedenken an den Austausch
eines Sommers, den sie uns gönnen mussten.
Zürich-Küsnacht, den 12. x. 1933   T.

(Vgl. Heinz Saueressig, »Die gegenseitigen Buchwidmungen von Heinrich und Thomas Mann, Eine Dokumentation«, in: ›Betrachtungen und Überblicke‹. Zum Werk Thomas Manns, hrsg. von Georg Wenzel, Berlin und Weimar 1966, S. 485.)

3] *Austritt Deutschlands:* Deutschland trat am 19. 10. 1933 aus dem Völkerbund aus.

3. 11. 1933

1] *Erfolg:* Von den ›Geschichten Jaakobs‹ wurden noch 1933 das 11. bis   *186*
15. und das 16. bis 20. Tausend aufgelegt.

2] *Lion Feuchtwanger* (1884–1958): Vgl. Brief vom 3. 10. 1935, Anm. 8.

3] *Ernst Torgler* (1893–1963): Damals Vorsitzender der KPD-Fraktion
im Reichstag, wurde nach dem Reichstagsbrand (27. 2. 1933) als angeblicher Mitbrandstifter verhaftet, aber mangels Beweisen wieder freigesprochen. Gleich nach dem Freispruch nahmen ihn die Nazis jedoch in
»Schutzhaft« und schoben ihn in ein Konzentrationslager ab. Vgl. Thomas Mann, ›Leiden an Deutschland. Tagebuchblätter aus den Jahren
1933–1934‹ (XII 688, 724).

4] *Oswald Spengler* (1880–1936): Geschichtsphilosoph. 1908 bis 1911
Gymnasiallehrer in Hamburg, dann freier Schriftsteller. Sein Hauptwerk, ›Der Untergang des Abendlandes‹, erschien 1918 bis 1922. Unter
seinen übrigen Werken: ›Preußentum und Sozialismus‹ (1920); ›Neubau
des deutschen Reiches‹ (1924); ›Politische Pflichten der deutschen Jugend‹ (1924); ›Der Mensch und die Technik‹ (1931); ›Politische Schriften‹ (1932); ›Jahre der Entscheidung‹ (1933); ›Reden und Aufsätze‹
(1937).

5] *Franz von Papen* (1879–1969): Politiker. Wurde am 1. 6. 1932 als
Nachfolger Brünings zum Reichskanzler gewählt. Das Zerwürfnis mit
Reichswehrminister von Schleicher veranlaßte ihn am 3. 12. 1932 zur
Aufgabe seines Amtes. Schleicher übernahm anfangs Dezember das
Amt des Reichskanzlers. Von Papen hatte am 4. 1. 1933 in Köln eine
Aussprache mit Hitler und trug in den folgenden Wochen maßgebend
zum Sturz Schleichers bei. Er wurde am 30. 1. 1933 Vizekanzler unter
Hitler. Versuchte vergeblich, gegen die totale Machtergreifung durch
die Nationalsozialisten zu wirken. Nach dem Röhm-Putsch vom
30. 6. 1934 trat er, persönlich gefährdet, aus Hitlers Kabinett aus. Ende
Juli 1934 als Hitlers Gesandter in Wien. Später Botschafter in der Türkei.
1946 im Nürnberger Prozeß freigesprochen, im Spruchkammerverfah-
ren jedoch zu acht Jahren Arbeitslager verurteilt. 1949 entlassen. Unter
seinen Werken: ›Appell an das deutsche Gewissen‹, Reden (1933); ›Der
Wahrheit eine Gasse‹, Erinnerungen (1952).

6] *Kurt von Schleicher* (1882–1934): Berufsoffizier und Politiker, aus al-   *188*
ter preußischer Offiziersfamilie. Seit 1913 im Generalstab, 1918/19
politischer Referent im Stabe Groeners, dann im Truppenamt als enger
Mitarbeiter von Seeckts. 1926 Abteilungsleiter im Reichswehrministe-
rium; 1929 Chef des neu errichteten Ministeramts unter Groener. An
der Vorbereitung des Kabinetts Brüning maßgebend beteiligt. Wurde
im Juni 1932 Reichswehrminister. Als Reichskanzler (Dezember 1932
bis Januar 1933) versuchte er vergeblich, durch Spaltung der National-

sozialisten sowie durch ein Bündnis von Reichswehr und Gewerkschaften aller Richtungen der Gefahr der Bildung einer nationalsozialistischen Regierung zu begegnen. 1934 wurde er von der SS ermordet.

7] *88 »Dichter«:* Ende Oktober/Anfang November erschien in verschiedenen Zeitungen Deutschlands und der Schweiz folgende »Treuekundgebung deutscher Schriftsteller« (im genauen Wortlaut, mit teilweise entstellten Namen wiedergegeben):

»88 deutsche Schriftsteller haben durch ihre Unterschrift dem Reichskanzler Adolf *Hitler* das folgende Treuegelöbnis abgelegt: ›Friede, Arbeit, Ehre und Freiheit sind die heiligsten Güter jeder Nation und die Voraussetzung eines aufrichtigen Zusammenlebens der Völker untereinander. Das Bewußtsein der Kraft und der wiedergewonnenen Einigkeit, unser aufrichtiger Wille, dem inneren und äußeren Frieden vorbehaltlos zu dienen, die tiefe Überzeugung von unsern Aufgaben zum Wiederaufbau des Reichs und unsere Entschlossenheit, nichts zu tun, was nicht mit unserer und des Vaterlandes Ehre vereinbar ist, veranlassen uns in dieser ernsten Stunde, vor Ihnen, Herr Reichskanzler, das Gelöbnis treuester Gefolgschaft feierlichst abzulegen.‹

Friedrich Ahrenhövel, Gottfried Benn, Werner Beumelburg, Rudolf G. Binding, Walter Bloem, Max Karl Böttcher, Hans Fr. Blunck, Rudolf Brandt, Arnold Bronnen, Otto Brües, Alfred Brust, Carl Bulcke, Hermann Claudius, Hans Martin Cremer, Marie Dies, Peter Dörfler, Max Dreyer, Franz Dülberg, Ferdinand Eckardt, Richard Euringer, Ludwig Finkh, Hans Franck, Otto Flake, Heinrich von Gleichen, von Gleichen-Rußwurm, Gustav Frenssen, Friedrich Griese, Max Grube, Johannes Günther, Max Halbe, Ilse Hamel, Agnes Harder, Carl Haensel, Hans Ludwig Held, Karl Heinl, Friedrich W. Herzog, Rudolf Herzog, Hans von Hülsen, Paul Oskar Höcker, Rudolf Huch, Bruno W. Jahn, Hanns Johst, Max Jungnickel, Hans Knudsen, Ruth Köhler-Irrgang, Gustav Kohne, Karl Lange, Joh. von Leers, Heinrich Lilienfein, Heinrich Lersch, Oskar Loerke, Herybert Menzel, Gerhard Menzel, Alfred Richard Meyer, Agnes Miegel, Walter von Molo, Börries Frhr. von Münchhausen, Müller-Partenkirchen, Mühlen-Schulte, Eckart von Naso, Helene von Nostiz-Wallwitz, Josef Ponten, Rudolf Presber, Hofrat Rehbein, Ilse Reicke, Hans Richter, Heinz Schauwecker, Johannes Schlaf, Anton Schnack, Friedrich Schnack, Rich. Schneider-Edenkoben, Wilhelm von Scholz, Lothar Schreyer, Gustav Schröer, Schussen (Wilhelm), Ina Seidel, Prof. Heinrich Sohnrey, Dr. Willy Seidel, Diedrich Speckmann, Heinz Steguweit, Lulu v. Strauß u. Torney, Eduard Stucken, Will Vesper, Magnus Wehner, Leo Weißmantel, Bruno Werner, Heinrich Zerkaulen, Hans Caspar von Zobeltitz.«

8] Rebecca Christine *Caroline* Claudius (1819–1900) und Emilie *Rebecca* Claudius (1828 bis 1900), zwei Enkelinnen des Hamburger Dichters Matthias Claudius, die um 1890 einige Jahre in der Beckergrube 48, also zwei Häuser von der Beckergrube 52, wohnhaft waren. Modelle zu Lea Gerhardt und Schwester in den ›Buddenbrooks‹. Thomas Mann gab ihnen wohl den Namen Paul Gerhardts, weil ihm die literarische Herkunft der beiden Schwestern bekannt war. (Nach der freundlichen Mitteilung Hans Bürgins.)

9] *Kursivtext:* Von Thomas Mann mit Bleistift unterstrichen und/oder *189* am Rande angestrichen.

10] *Paul Zsolnay* (1895–1961)*:* Verleger. Gründete 1923 den Paul-Zsolnay-Verlag (Berlin und Wien). Zu seinen Autoren zählten Werfel, Meier-Graefe, Däubler, Schnitzler und Salten. Von 1925 bis 1933 war er Heinrich Manns Verleger. (Vorher hatte Mann seine Werke zur Hauptsache bei Langen, Cassirer und Wolff in Verlag gegeben; in den Exiljahren übernahm Querido den Verlag seiner Werke.)

11] *Beermann:* Der Verleger Gottfried Bermann Fischer.

18. 11. 1933

1] *Nice:* Heinrich Mann und Käthe Kollwitz waren am 15. 2. 1933 aus *190* der Preußischen Akademie der Künste ausgeschlossen worden, weil sie, zusammen mit Albert Einstein, einen Aufruf zur Einigung der Linksparteien und damit zur Abwendung der faschistischen Gefahr unterzeichnet hatten. Heinrich Mann nahm den Ausschluß als eine Warnung und floh am 21. 2. 1933 nach Frankreich; Nelly Kröger folgte ihm bald nach Nizza. Im August 1933 wurde ihm die deutsche Staatsangehörigkeit aberkannt. – Vgl. Thomas Manns Brief vom 26. 2. 1933 an Alfred Döblin.

2] ›*Vorspiel‹:* ›Höllenfahrt‹, Einleitung zur ›Joseph‹-Tetralogie, deren erster Band, ›Die Geschichten Jaakobs‹, am 10. 10. 1933 bei S. Fischer erschienen war.

3] *Anatole France*, eigentlich Jacques-Anatole Thibault (1844–1924)*:* Heinrich Mann bezieht sich hier wohl vor allem auf den Roman ›La révolte des anges‹ (1914). Von France hatte er ›Histoire comique‹ (1903) übersetzt (›Komödiantengeschichte‹, München: Langen 1904).

4] *Robert Aron* (1898–1975)*:* Französischer Schriftsteller. 1922–1939 *191* Mitarbeit bei den editions de la N.R.F. Unter seinen Werken: ›La Révolution nécessaire‹, in Zusammenarbeit mit Arnaud Dandieu (1934); ›Victoire à Waterloo‹ (1937); ›Le piège ou nous a pris l'Histoire‹ (1950); ›Histoire de Vichy‹ (1954); ›Histoire de la Libération de la France‹ (1959); ›De Gaulle‹ (1964).

5] *André Gide* (1869–1951) hatte sich Anfang der dreißiger Jahre den französischen Kommunisten angeschlossen, distanzierte sich aber wieder nach einer Reise in die Sowjetunion (1935).

6] *Schweizer Tournée:* 28. 1.–9. 2. 1934. Thomas Mann las meist seinen Vortrag über Wagner oder ›Das bunte Kleid‹ aus ›Joseph‹.

7] *Meine beiden Bücher:* Vermutlich Heinrich Mann, ›Das Bekenntnis zum Übernationalen‹, Berlin u. a.: Zsolnay 1933; ›Der Haß. Deutsche Zeitgeschichte‹, Amsterdam: Querido 1933.

8] *Nelly Kröger* (1898–1944)*:* Spätere Frau Heinrich Manns (Heirat am 9. 9. 1939; vgl. Thomas Manns Brief vom 26. 11. 1939).

25. 12. 1933

192 1] *einige Seiten Deines Buches:* ›Die Geschichten Jaakobs‹.

2] *Im Sommer:* Thomas Mann hatte sich im Mai 1933 in Bandol an der Côte d'Azur niedergelassen. Im Juni zog er nach Sanary-sur-Mer um, das damals zum Sammelpunkt emigrierter Schriftsteller wurde. Im Oktober 1933 nahm er in Küsnacht bei Zürich Wohnsitz.

3] *Ferdinand Bruckner*, eigentlich Theodor Tagger (1891–1958)*:* Dramatiker und Dramaturg. 1917 Herausgeber der Monatsschrift ›Marsyas‹. 1923 Oberspielleiter des Renaissancetheaters in Berlin. Emigrierte 1933 nach Frankreich, 1939 nach New York. Unter seinen Werken: ›Die Vollendung eines Herzens‹, Novelle (1917); ›1920 oder Die Komödie vom Untergang der Welt‹ (1920); ›Krankheit der Jugend‹, Schauspiel (1928); ›Die Verbrecher‹, Schauspiel (1929); ›Die Kreatur‹, Schauspiel (1930); ›Elisabeth von England‹, Schauspiel (1930); ›Timon‹, Tragödie (1932); ›Die Marquise von O.‹, Schauspiel (1933); ›Napoleon I.‹, Drama (1936); ›Die Befreiten‹, Schauspiel (1945); ›Simon Bolivar‹, Schauspiel (1945); ›Fährten‹, Schauspiel (1948). – Gemeint ist hier vermutlich das Schauspiel ›Die Rassen‹ (1933).

4] *Golo Mann* (geb. 1909)*:* Zweiter Sohn Thomas Manns. Historiker. 1933–1936 Lehrer für deutsche Literatur und Geschichte an der Ecole Normale Supérieure, St. Cloud. 1937–1940 Dozent an der Universität Rennes. Mitredakteur der von Thomas Mann und Konrad Falke herausgegebenen Zeitschrift ›Mass und Wert‹ in Zürich. Ging im Mai 1940 als Kriegsfreiwilliger nach Frankreich; im Spätherbst Flucht in die USA. Dort Professor an den Colleges von Olivet/Michigan und Claremont/Californien. 1958–1959 Gastprofessor in Münster. 1960–1964 Professor für Politische Wissenschaft an der Technischen Hochschule in Stuttgart. Gegenwärtig als Privatgelehrter und Publizist in Kilchberg am Zürichsee. Unter seinen Werken: ›Friedrich von Gentz, Geschichte eines europäischen Staatsmannes‹ (1947); ›Vom Geist Amerikas, Eine Einführung in amerikanisches Denken und Handeln im 20. Jahrhundert‹ (1954); ›Deutsche Geschichte des 19. und 20. Jahrhunderts‹ (1958);

›Geschichte und Geschichten‹, Essays (1961); ›Wallenstein‹ (1971). Herausgeber der Propyläen-Weltgeschichte. 1963–1980 Mitherausgeber der ›Neuen Rundschau‹.

25. 1. 1934

1] *Paul Graetz* (1890–1937): Kabarettist, Schauspieler. Trat in den 193 zwanziger Jahren im Berliner Kabarett ›Schall und Rauch‹ auf (Friedrich Holländer/Kurt Tucholsky). Gehörte um 1930 zur Equipe des ›Kabaretts der Komiker‹ (mit Curt Bois, Paul Morgan, Siegfried Arno). Wirkte 1927 im Ufa-Stummfilm ›Monna Vanna‹ mit (Regie: Richard Eichberg), 1927 im Sportlustspiel ›Der große Sprung‹ (zusammen mit Luis Trenker). Emigrierte 1933 nach England, wo er in der englischen Verfilmung des Feuchtwanger-Romans ›Jud Süß‹ auftrat (Regie: Lothar Mendes); Veit Harlan stellte später die berüchtigte NS-Version des gleichen Stoffes her. Um 1935 ging Graetz nach Hollywood, wo er in ›Mr. Cohn Takes a Walk‹ (Regie: Irving Asher) mitwirkte. Offenbar war er von Ernst Lubitsch für den Garbo-Film ›Ninotschka‹ (1938/39) als Mitakteur vorgesehen, doch starb er unmittelbar vor Beginn der Dreharbeiten.

2] *Pressechef des Circus Busch:* Karl Lemke (1895–1969), Publizist und Schriftsteller. (Schrieb unter den Pseudonymen Fr. Massan, Charles Scott, Role.) 1918 Redakteur an der Königsberger ›Ostpreußischen Zeitung‹. Seit 1924 freier Schriftsteller, 1930 in Freiburg im Breisgau, 1936 in Breisach am Rhein, von wo aus er über die Postämter Colmar und Basel mit einigen emigrierten Schriftstellern in Verbindung blieb. 1939 Übersiedlung nach München. Seit 1946 Redaktor an den ›Jüdischen Nachrichten‹. Lemke lernte Heinrich Mann in den späten zwanziger Jahren in Berlin kennen. Er setzte sich noch 1933, nach Heinrichs Flucht, mit einer Flugschrift ›Damit Heinrich Mann gelesen wird‹ für den Freund ein. 1946 erschien sein Essay über ›Heinrich Mann‹; vgl. Heinrich Mann, ›Briefe an Karl Lemke und Klaus Pinkus‹, hrsg. von der Deutschen Akademie der Künste (Berlin), Hamburg: Claassen 1964. Unter seinen Werken: ›Samo und Sämlinde‹, Novelle (1917); ›Claus, der Seemann‹, Roman (1938); ›Ambra‹, Roman (1940); ›Die Reise ins Glück‹, Roman (1940); ›Zug der Zeit‹, Gedichte (1943); ›Meister des Wortes‹, Essays (1946); ›Erlebnis in Paris‹, Reisebericht (1961).

3] *Balder Olden* (1882–1949): Schriftsteller. Bruder von Rudolf Olden. Emigrierte 1933 über die Tschechoslowakei, Frankreich, Argentinien nach Uruguay. Mitglied im Ehrenpräsidium des Lateinamerikanischen Komitees ›Freies Deutschland‹, dem auch Heinrich Mann angehörte. Starb in Montevideo. Zahlreiche Erlebnis- und Liebesromane: ›Kilimandscharo‹ (1922); ›Ich bin Ich‹ (1927); ›Das Herz mit einem Traum genährt‹ (1929).

194 4] *Arbeit Golo's:* Wohl Golo Mann, ›Ernst Jünger‹, in: Die Sammlung, Literarische Monatsschrift unter dem Patronat von André Gide, Aldous Huxley, Heinrich Mann, hrsg. von Klaus Mann, Jg. 1, Heft 5, Amsterdam (Januar) 1934, S. 249–259. Es könnte sich aber auch um den Aufsatz ›Wallenstein und die deutsche Politik‹ handeln, der in Heft 10, S. 509–517, erschienen ist. (Wiederabdruck der ›Sammlung‹ durch Kraus Reprint, Nendeln/Liechtenstein 1970.)

5] *Dein Buch:* Thomas Mann, ›Die Geschichten Jaakobs‹. 1934: 1. bis 25. Tausend.

6] *meinem grossen König:* Heinrich Mann, ›Die Jugend des Königs Henry Quatre‹, Amsterdam: Querido 1935.

7] *Geistesfreiheit:* Vgl. Heinrich Mann, ›Denken nach Vorschrift‹, Die Neue Weltbühne, Prag, Zürich, Paris, 8. 3. 1934. Die amerikanische Zeitschrift konnte nicht ermittelt werden.

195 8] *Vorgang eines Systemwechsels:* Heinrich Mann, ›Changement de régime‹, La Dépêche, Toulouse, 7. 3. 1934.

5. 3. 1934

195 1] *30. Januar:* Der Brief ist nicht ermittelt.

2] *Mein Roman:* ›Henri Quatre‹.

3] *»Um etwas Bleibendes zu machen . . .«:* Nicht ermittelt. Heinrich Mann zitiert den Satz auch in ›Nietzsche‹, Mass und Wert, Jg. 2, Heft 3, Zürich, Januar/Februar 1939, S. 302.

196 4] *Der 3. Band:* Thomas Mann, ›Joseph in Ägypten‹, Wien: Bermann Fischer 1936.

5] *Essai-Band:* Thomas Mann, ›Leiden und Größe der Meister‹, Berlin: S. Fischer 1935.

6] *Ligue:* Die gegen die Hugenotten gerichtete Heilige Liga wurde 1576 von den Guise gegründet.

7] *Georges Boulanger* (1837–1891): Französischer General und Politiker. 1888 aus der Armee entfernt. Unterstützt von den Boulangisten und den Monarchisten, forderte er eine Revision der Verfassung, wurde aber 1889 wegen seiner Staatsstreichpläne angeklagt und floh nach Brüssel.

197 8] *Heinz Liepmann* (1905–1966): Schriftsteller und Journalist. 1934 nach Holland, dort wegen seines in Holland veröffentlichten antifaschistischen Buches ›Das Vaterland‹ verhaftet und wegen »vorsätzlicher Beleidigung eines mit Holland befreundeten Staates« zu einem Monat Gefängnis verurteilt; nach der Haft nach Belgien abgeschoben. 1935 Frankreich, 1936 England. Mitarbeiter der ›Neuen Weltbühne‹. 1937 bis 1947 USA. Mitarbeiter an verschiedenen amerikanischen Zeitschriften.

Später in Hamburg. Unter seinen Werken: ›Das Vaterland‹, Roman (1933); ›... wird mit dem Tode bestraft‹, Roman (1935); ›Death from the Skies‹ (1938).

9] *der junge Hans:* Hans Schickele, der zweite Sohn René Schickeles, der damals an der Ecole des beaux-arts in Nizza Architektur studierte und heute mit seiner Familie in Berkeley/Kalifornien wohnt.

10] *Klaus Pinkus:* Bekannt durch seine Briefwechsel mit Robert Musil *198* und Heinrich Mann (vgl. ›Briefe an Karl Lemke und Klaus Pinkus‹, Hamburg 1964). Wohnt heute in Worpswede.

11] *Hjalmar Schacht* (1877–1970): Bankier und Politiker. 1924 bis 1929 Reichsbankpräsident. Förderte später die Bildung der Regierung Hitler. 1933 bis 1939 erneut Reichsbankpräsident, 1934 bis 1937 Reichswirtschaftsminister, dann Reichsminister ohne Geschäftsbereich. 1944/45 im Konzentrationslager. 1946 im Nürnberger Prozeß freigesprochen. 1948 von den deutschen Behörden verhaftet. 1953 Mitinhaber eines privaten Bankhauses in Düsseldorf. Unter seinen Werken: ›Abrechnung mit Hitler‹ (1948); ›76 Jahre meines Lebens‹ (1953).

12] *»Dr. Paul Aron«:* Nähere Angaben waren nicht zu ermitteln. Gemeint ist möglicherweise Robert Aron, der 1933–1938 mit Arnaud Dandieu die Zeitschrift ›L'ordre nouveau‹ herausgab.

19. 4. 1934
1] Anlage dieses Briefes ist ein Zeitungsausschnitt: ›Révolutions vraies *199* et fausses‹ von Guglielmo Ferrero; nach einer handschriftlichen Anmerkung Heinrich Manns vermutlich aus der ›Dépêche de Toulouse‹ vom 15. 4. 1934.

2] *Theodor Tagger:* Ferdinand Bruckner (vgl. Heinrich Manns Brief vom 25. 12. 1933, Anm. 3).

3] *Gustav Hartung* (1887–1946): Regisseur. Wirkte als Oberspielleiter oder Schauspieldirektor u. a. in Köln und Darmstadt. Gründer der Heidelberger Festspiele (1926, mit R. K. Goldschmit). 1927–1933 Intendant des Berliner Renaissancetheaters. Emigrierte über Zürich nach Basel, wo er als Regisseur am Stadttheater tätig war.

4] *von meinem Roman:* ›Die Jugend des Königs Henri Quatre‹.

5] *Sanary:* Der gemeinsame Aufenthalt kam nicht zustande. Thomas Mann reiste im Mai erstmals nach den Vereinigten Staaten. Im Juli nahm er am Internationalen Kunst-Kongreß in Venedig teil.

13. 5. 1934
1] *Amerika:* Thomas Mann reiste im Mai 1934 erstmals nach den Ver- *200* einigten Staaten.

2] *In Deinem Brief:* Nicht erhalten.

3] *Oscar Levy:* Vgl. Brief vom 24. 8. 1936, Anm. 4.

201 4] *Arnold Zweig* (1887–1968): Schriftsteller. Studierte in München Germanistik. 1914 Kleist-Preis. Ließ sich nach Kriegsende am Starnberger See als freier Schriftsteller nieder. 1923 bis 1933 in Berlin. 1933 Emigration nach Haifa. 1948 Rückkehr nach Ostberlin, wo er Präsident der Deutschen Akademie der Künste wurde. – Unter seinen Werken: ›Novellen um Claudia‹ (1912); ›Abigail und Nabal‹, Tragödie (1913); Romanzyklus, in dem die Zeit des ersten Weltkriegs analysiert werden sollte: ›Der Streit um den Sergeanten Grischa‹ (1927); ›Junge Frau von 1914‹ (1931); ›Erziehung vor Verdun‹ (1935); ›Einsetzung eines Königs‹ (1937).

27. 6. 1934

201 1] *New York Herald:* Dorothy Thompson, ›The most eminent living man of letters, Thomas Mann gives an old tale new beauty and significance: Joseph and his Brothers‹, New York Herald Tribune, 10. 6. 1934.

202 2] *Hartung:* Vgl. Brief vom 19. 4. 1934, Anm. 3.

3] *Carl von Ossietzky* (1889–1938): Journalist. Sekretär der »Deutschen Friedensgesellschaft«. 1927 Hauptschriftleiter der »Weltbühne« als Nachfolger Siegfried Jacobsohns. Kritisierte als Pazifist die deutsche Rüstung. 1931 wegen Landesverrats zu einer Gefängnisstrafe verurteilt, 1932 amnestiert. Seit 1933 in Konzentrationslagern. Erhielt 1936 den Friedens-Nobelpreis, worauf die nationalsozialistische Regierung allen Reichsdeutschen die Annahme des Nobelpreises verbot. Heinrich und Thomas Mann haben eine Reihe von Artikeln über Ossietzky geschrieben (vgl. Brief vom 26. 10. 1935, Anm. 1). Zu Ossietzky vgl. Kurt R. Grossmann, ›Ossietzky, Ein deutscher Patriot‹, München 1963.

2. 7. 1934

202 1] *Max Pallenberg* (1877–1934): Schauspieler. Als Charakterkomiker in Wien, München und Berlin tätig. Seit 1918 mit Fritzi Massary verheiratet. Starb bei einem Flugzeugabsturz in Karlsbad.

2] *Berliner Greuel:* Ernst Röhm, Stabschef der SA, wurde am 30. 6. 1934 nach Hitlers Weisung zusammen mit andern SA-Männern von der SS erschossen; Daß er einen Putsch geplant hatte, ist nicht zu erweisen.

3] *Fritzi Massary*, eigentlich Masareck (1882–1969): Operettensängerin und Schauspielerin. In Wien geboren, mit Max Pallenberg verheiratet. Berühmt durch ihre Auftritte in Berlin (bis 1933) und Wien. Hauptrollen in Operetten von Lehár, Kálmán, Fall, Oscar Straus, Offenbach. Später in Beverly Hills/Kalifornien.

6. 9. 1934

1] *in Deinen dritten Band vertieft:* ›Joseph in Ägypten‹.   *203*

2] *in meinen ersten [Band]:* ›Die Jugend des Königs Henri Quatre‹.

3] *King Vidor* (1896–1982): Filmregisseur. Drehte bis 1935 folgende Filme: ›Turn in the Road‹ (1920); ›The Sky Pilot‹ (1921); ›Three Wise Fools‹ (1923); ›The Big Parade‹ (1925); ›La Bohème‹ (1926); ›The Crowd‹ (1928); ›Hallelujah‹ (1929); ›Billy the Kid‹ (1930); ›The Champ‹ (1931); ›Bird of Paradise‹ (1932); ›Our Daily Bread‹ (1935).

20. 9. 1934

1] *Artikel:* Vielleicht: ›Une nation tragique‹, La Dépêche, Toulouse,   *204*
7. 10. 1934, oder ›Verfall einer geistigen Welt‹, Die Neue Weltbühne, Prag u. a. 6. 12. 1934.

2] *Victor-Henri de Rochefort* (1830–1913): Republikanischer Politiker. Nach der Revolution vom 4. 9. 1871 Mitglied der Regierung der nationalen Verteidigung; nahm am Aufstand der Commune teil. Bekämpfte seit 1880 in seiner Zeitschrift ›L'Intransigeant‹ die Politik Gambettas und Ferrys. Schloss sich 1887 Boulanger an. – Zitat nicht ermittelt.

3] *in der französischen Zeitung:* Vermutlich Heinrich Mann, ›Liberté et nation‹, La Dépêche, Toulouse, 30. 10. 1934.

4] *»Sammlung«:* Heinrich Mann, ›Sammlung der Kräfte‹, Die Sammlung, Amsterdam, Jg. 2, Heft 1, September 1934. S. 1–9 (geschrieben in Bagnères de Bigorre, 25. 7. bis 2. 8. 1934).

17. 12. 1934

1] *mit Deinen Artikeln:* Thomas Mann, ›Meerfahrt mit Don Quijote‹.   *205*
Neue Zürcher Zeitung, 5.–15. 11. 1934.

2] *Basler Auftreten:* Zum Gedenken an den Waffenstillstand von 1918 veranstaltete die Ortssektion Basel der Europaunion am 11. 11. 1934 im roten Saal der Mustermesse eine Kundgebung, an der neben andern Rednern auch Thomas Mann das Wort ergriff. (Das Typoskript der Rede befindet sich im Thomas-Mann-Archiv, Zürich.)

3] *Zwischenfall mit der Nationalen Front:* Die Zürcher Aufführungen von Erika Manns Kabarett ›Die Pfeffermühle‹ wurden wiederholt von Frontisten gestört.

4] *Reise:* Im Januar 1935 unternahm Thomas Mann eine Vortragstournee nach Prag, Brünn, Wien und Budapest. Er las in der Regel den Vortrag ›Leiden und Größe Richard Wagners‹.

5] *Roman:* Heinrich Mann, ›Die Jugend des Königs Henri Quatre‹, Amsterdam: Querido 1935.

6] *›Sieg und Auflösung‹:* Der zweite Band des Königs-Romans kam 1938 unter dem Titel ›Die Vollendung des Königs Henri Quatre‹ heraus. Das Manuskript wurde am 16. 8. 1938 in Nizza abgeschlossen. Ein Vorabdruck erschien in der ›Internationalen Literatur‹, Moskau (Vgl. Thomas Manns Brief vom 4. 11. 1937, Anm. 4).

7] *Arnoldo Mondadori:* Mailänder Verleger. Brachte Thomas Manns Werke in italienischer Übersetzung heraus.

206 8] *dritten Band:* Thomas Mann, ›Joseph in Ägypten‹, Wien: Bermann-Fischer 1936.

9] *Essaysammlung:* Thomas Mann, ›Leiden und Größe der Meister‹, Berlin: Fischer 1935.

10] *mein Kind:* Leonie (Goschi) Mann.

30. 3. 1935

207 1] *Denkschrift:* Thomas Mann, ›La formation de l'homme moderne‹ (deutsch später unter dem Titel ›Achtung, Europa!‹), in: Entretiens: ›La formation de l'homme moderne‹, éd. par la Société des Nations, Paris: Institut International de Coopération Intellectuelle 1935. – Thomas Mann nahm an der Tagung des Comité de la Coopération Intellectuelle vom 1. bis 3. April 1935 nicht teil. Er besuchte Heinrich Mann und René Schickele im Mai.

2] *Geburtstag:* Thomas Mann beging seinen 60. Geburtstag in Zürich. Heinrich Mann ließ in der ›Sammlung‹ einen Geburtstagsartikel erscheinen: ›Der Sechzigjährige‹ (Jg. 2, Heft 10, Amsterdam, Juni 1935, S. 505–509; vgl. S. 211 ff.).

208 3] *Teilnahme:* Thomas Mann, ›Vom Beruf des deutschen Schriftstellers in unserer Zeit‹, Ansprache an den Bruder, gehalten am 27. 3. 1931 anläßlich von Heinrich Manns 60. Geburtstag in der Preußischen Akademie der Künste zu Berlin (vgl. S. 155 ff.).

8. 4. 1935

208 1] *Reise über See:* Zweite Reise in die Vereinigten Staaten, 9. 6. bis 13. 7. 1935.

209 2] *Dein Buch:* Thomas Mann, ›Leiden und Größe der Meister‹, Berlin: S. Fischer 1935. Inhalt: ›Goethe als Repräsentant des bürgerlichen Zeitalters‹, ›Goethes Laufbahn als Schriftsteller‹, ›Leiden und Größe Richard Wagners‹, ›August von Platen‹, ›Theodor Storm‹, ›Meerfahrt mit Don Quijote‹.

3] *dasselbe Gedicht:* August von Platen, ›Tristan‹.

4] *Vortrag:* Wohl ›La Formation de l'homme moderne‹, Thomas Manns Beitrag für die Tagung des Comité de la Coopération Intellectuelle vom 1. bis 3. 4. 1935 in Nizza, an der Thomas Mann selbst nicht teilnahm. (Deutsch später unter dem Titel ›Achtung, Europa!‹ veröffentlicht.)

24. 5. 1935

1] *Arzt:* Zusammenhang unbekannt.   *210*

2] *A. M. Frey* (1881–1956): Schriftsteller. Emigrierte 1933 von München nach Österreich, 1938 nach Basel. Ausgedehnte Korrespondenz
mit Thomas Mann. – Unter seinen Werken: ›Dunkle Gänge‹, Erzählungen (1913); ›Solneman [Namenlos] der Unsichtbare‹, Roman (1918);
›Kastan und die Dirnen‹, Roman (1918); groteske und skurrile Erzählungen: ›Spuk des Alltags‹ (1920); ›Sprünge‹ (1922); ›Der unheimliche
Abend‹ (1923); ›Phantastische Orgie‹ (1924); ›Phantome‹ (1925); ›Ro-
binsonade zu zwölft‹, Roman (1925); ›Das abenteuerliche Dasein‹,
Roman (1930); ›Hölle und Himmel‹, Roman (1945); ›Kleine Menage-
rie‹, eingeleitet von Thomas Mann (1955); ›Verteufeltes Theater‹, Roman (1957).

3] *Oprecht:* Vgl. Brief vom 4. 5. 1936, Anm. 1.

3. 6. 1935

1] *Zitate:* ›Die Jugend des Königs Henri Quatre‹, S. 674.   *210*

2] *Landshoff:* Vgl. Brief vom 1. 3. 1936, Anm. 3.   *211*

16. 7. 1935

1] *Kongress:* Heinrich Mann hielt am internationalen Schriftstellerkon- *217*
greß zur Verteidigung der Kultur, der vom 21. bis 25. 6. 1935 in der
Pariser Mutualité stattfand, das Hauptreferat unter dem Titel ›Probleme
des Schaffens und Würde des Denkens‹. Henri Barbusse, Romain Rolland, André Gide und André Malraux waren Mitteilnehmer. Vgl.
Heinrich Manns Bericht über den Kongreß: ›Wir sind da‹, Pariser Tageblatt, 30. 6. 1935. Ferner: ›Ein denkwürdiger Sommer‹, Internationale Literatur, Jg. 6, Nr. 1, Moskau 1936, S. 21/22. Der Text dieses
Aufsatzes ist wieder abgedruckt in: Der Bienenstock, Blätter des Auf-
bau-Verlages, Nr. 91, Frühjahr 1971:
»Der Sommer des Jahres 1935 wird mir denkwürdig bleiben durch den
Internationalen Schriftstellerkongreß, der Ende Juni in Paris abgehalten
wurde. Es war etwas völlig Neues: so viele schaffende Intellektuelle aus
vielen Ländern, mehreren Erdteilen, aber alle von derselben Front, alle
zur ›Verteidigung der Kultur‹ entschlossen. Die Knechtung des Geistes
ist herrschend in einem Teil der Welt. Das mußte erst kommen, damit
wir alle zusammenfanden und Marxisten sowie bürgerliche Schriftsteller ihre tiefe Verwandtschaft entdeckten. Beide wollten eine denkende
Gesellschaft anstatt einer verdummten.
Die geknechteten Länder glauben durch die Abschaffung des Denkens
die Gesellschaft zu retten. Alle in Paris Versammelten waren dagegen
überzeugt, daß eine Gesellschaft mit dem Denken jedes Recht auf ihr

Bestehen verliert. Es gibt gar keinen Grund, weshalb Menschen sich ihr innerlich noch verbunden fühlen sollten, sobald die Gesellschaft die Erkenntnisse unterdrückt und ihre Verwirklichungen mit Gewalt verhindert. Die Menschen haben an jeder Gesellschaft nur gerade das Interesse, daß sie Erkenntnisse verwirklicht. Die richtigen Erkenntnisse stimmen bemerkenswerterweise immer überein mit einer Verbesserung der menschlichen Lage.

Ein ehrlicher Demokrat wird, wie die Dinge sich nun gewendet haben, erkennen müssen, daß nur der Marxismus die Voraussetzungen schafft für wirkliche Demokratie. Auch der ernste Religiöse sieht die Verwirklichung seines Glaubens im Sozialismus. Auf der anderen Seite muß ein siegreicher Sozialismus, im sicheren Besitz eines großen Teiles der Erde, seiner menschlichen Sendung bewußt werden. Demokratie, die politische Gleichberechtigung aller, ist starken Völkern erlaubt. Solange noch jemand da ist, der sich wirtschaftlich, und damit politisch, zum Herrn aufwerten konnte, verzichte man auf die Demokratie. Auch den Humanismus darf sich mit Recht nur beimessen, wer ein gesichertes Volk hinter sich hat. Auf Grund vollzogener Tatsachen des wirklichen Lebens, die dieses gerecht und wahr gemacht haben, läßt sich erst richtig menschlich und in gesunder Art hochherzig sein.

Hieraus ergab sich auf jenem Kongreß, daß die Teilnehmer aus der Sowjetunion und die aus den kapitalistischen Ländern sehr wohl befähigt waren, dieselbe oder eine verwandte Sprache zu reden. Die einen hatten sie erlernt durch den Versuch ihres Landes, besser zu werden. Den anderen, besonders den Deutschen, war sie beigebracht durch den schändlichen Druck, der ihr Land immer tiefer erniedrigt. Die Tausende der Zuhörer verstanden diese wie jene und ehrten in beiden den Kampf, so verschieden er hier und dort auch stand. Das ist es aber, worauf es ankommt: vielen und eigentlich allen Menschen verständlich zu sein, ja, ihnen ein Beispiel zu geben. Der Kongreß der Schriftsteller, als erster in großer Öffentlichkeit abgehalten, hat einer außerordentlichen Zahl von Menschen Mut gemacht. Alle diese Menschen haben entschlossene Freunde ihrer Sache gesehen und gehört.

Humanisten taugen erst dann etwas, wenn sie, anstatt nur zu denken, auch zuschlagen. Henri Barbusse, der, als letzte seiner irdischen Taten, den Pariser Kongreß, Juni 1935, erfand und durchsetzte, war streitbar, und das sollen wir sein. Er hatte den Sinn für das Wirkliche als Werkzeug der geistigen Zwecke, und für die greifbare Macht. Ich selbst habe zu Ende dieses Sommers 1935 meinen Roman ›Die Jugend des Königs Henri Quatre‹ erscheinen lassen. Darin verstehen die Humanisten des 16. Jahrhunderts auch zu reiten und zuzuschlagen. In Frankreich hatten sie einen Fürsten, er war der Fürst der Armen und Unterdrückten, wie er der Fürst der Denkenden war. Der junge Henri hat allerdings das Leben erfahren wie ein mittlerer Mensch. Aus seinen Abenteuern, Taten, Leiden habe ich eine lange Reihe von Bildern und Szenen gemacht, bunt zu lesen und anzusehen. Alle zusammen haben den Sinn, daß das Böse und Furchtbare überwunden werden kann durch Kämpfer, die das Unglück zum Denken erzog, wie auch durch Denkende, die gelernt haben, zu reiten und zuzuschlagen. Sogar noch aus der Bartholomäusnacht gehen sie gestärkt hervor. Auch ich konnte erst nach harten Erlebnissen mein Buch vom menschlichsten, weil geprüftesten der Könige schreiben. Es erschien im Sommer 1935 und trägt bei, daß er mir denkwürdig bleibt.«

2] *Ilja Ehrenburg* (1891–1967): Russischer Schriftsteller und Journalist. 1908 wegen revolutionärer Umtriebe verhaftet; Flucht nach Paris. Kehrte 1917 nach Rußland zurück. Nach Zerwürfnis mit den Bolschewisten 1921 Korrespondent in Paris, dann in Belgien. Von 1923 an zeitweise, von etwa 1930 an ständig in der Sowjetunion; viele Auslandreisen. 1936 Kriegsberichterstatter in Spanien. Schrieb von 1940 an für ›Prawda‹ und ›Krasnaja Swesdja‹. Seit 1959 im Präsidium des sowjetischen Schriftstellerverbandes. Verfasser zahlreicher Romane, Erzählungen und Essays. Unter seinen Werken: ›Die ungewöhnlichen Abenteuer des Julio Jurenito‹ (1923); ›Moskau glaubt nicht an Tränen‹ (1933); ›Der Fall von Paris‹ (1945); ›Der Sturm‹ (1948).

3] *Alexej N. Tolstoi* (1883–1945): Russischer Schriftsteller. Aus alter Adelsfamilie. Bis 1908 Studium am Technologischen Institut in Petersburg. Erste literarische Versuche 1905; beschreibt in seinen Werken oft den Verfall von Landadelsgeschlechtern. Während des ersten Weltkriegs Kriegsberichterstatter. Emigrierte 1918 nach Paris. Kehrte 1923 nach Moskau zurück; schrieb zunächst in der Weise des ihm befreundeten H. G. Wells phantastische und naturwissenschaftlich-utopische Romane, ferner satirische Romane über die Emigranten. Vollendete 1941 die Romantrilogie ›Der Leidensweg‹, eine Darstellung der russischen Intelligenz in der Vorkriegs-, Kriegs- und Revolutionszeit, die in die Anerkennung des Bolschewismus mündet. Unter seinen Werken: ›Nikitas Kindheit‹, Roman (1921); ›Der Leidensweg‹, Romantrilogie (1921–1941); ›Das Geheimnis der infraroten Strahlen‹, Roman (1925); ›Peter der Große‹, Roman (1929–1945).

4] *Michail Jefimowitsch Kolzow* (1898–1942): Vorsitzender des sowjetischen Schriftstellerverbandes, 1922–1938 Feuilletonredakteur der ›Prawda‹.

5] *Telegramm* (Paris, 28. 6. 1935): CONGRES INTERNATIONAL ECRIVAINS POUR DEFENSE CULTURE VOUS A NOMME PAR ACCLAMATIONS UNANIMITE MEMBRE PRESIDIUM ASSOCIATION INTERNATIONALE ECRI-

VAINS FONDEE FIN CONGRES AUX COTES GIDE BARBUSSE ROLLAND HEIN-
RICH MANN GORKI FORSTER HUXLEY SCHAW SINCLAIR LEWIS LAGERIOFF
VALLE INCLAN [sic].

6] *nach einem amerikanischen Bericht:* Am 30. 6. 1935 hatte Thomas
Mann der ›Washington Post‹ ein Interview gewährt. Es wurde am 1. 7.
1935 publiziert. In der Ausgabe vom 6. 7. 1935 zitierte das ›Pariser
Tageblatt‹ daraus die folgenden Sätze: »Ich bin nicht Kommunist, aber
ich bin der Meinung, daß der Kommunismus das einzige System ist,
das dem Faschismus entgegengestellt werden kann. Wenn es gilt, zwischen Kommunismus und Faschismus zu wählen, ziehe ich den Kommunismus vor.« Thomas Mann dementierte diese Äußerung. In einem
Brief an den S. Fischer Verlag vom 5. 9. 1935, der vom Verlag zu Thomas Manns Entlastung an das Reichsministerium des Inneren weiterge-
leitet wurde, heißt es: »Das in Washington geführte Gespräch ist
natürlich ... nicht sehr exakt wiedergegeben worden ... Es war ein
Gespräch, wie man es überall in der Welt unter gebildeten Leuten führt
über die nachliberalen Staatsformen. Ich habe erklärt, daß ich kein
Kommunist sei und mich auch unter dem Kommunismus nicht glücklich fühlen würde; so viel aber sei zugegeben, daß der Kommunismus,
wenn wirklich die Freiheit tot sei, die einzige positive Idee sei, die man
dem Faschismus entgegenstellen könne.« Siehe hierzu die detaillierte
Darstellung der Zusammenhänge in Paul Egon Hübinger, ›Thomas
Mann, die Universität Bonn und die Zeitgeschichte‹, S. 476 ff.

7] *›Weltbühne‹:* ›Die Neue Weltbühne‹ vom 11. 7. 1935. In dieser Nummer erschien unter dem Titel ›Die Verteidigung der Kultur‹ ein Auszug
aus Heinrich Manns Referat am internationalen Schriftstellerkongreß.

27. 7. 1935

219   1] *›Wackeln‹:* Heinrich Mann, ›Wackeln‹, Pariser Tageblatt, 2. 8.
1935.

2] *Tante Minna:* Zusammenhang unbekannt. Vermutlich verschlüsselte
Auskunft über Zustände im nationalsozialistischen Deutschland.

2. 9. 1935

220   1] *Das Buch:* ›Die Jugend des Königs Henri Quatre‹; am 8. 6. 1935 beendet.

221   2] *Sanary:* Sanary war zum Treffpunkt deutscher Emigranten gewor-
den. Neben Lion Feuchtwanger waren dort: Bert Brecht, Wilhelm
Herzog, Hermann Kesten, Ludwig Marcuse, Fritzi Massary, Balder
Olden, Erwin Piscator, Ernst Toller, Franz Werfel, Arnold Zweig.
Heinrich Mann und René Schickele ließen sich in Nizza nieder, Julius
Meier-Graefe in Saint-Cyr.

3. 10. 1935

1] *Artikel:* Anlage dieses Briefes ist ein Zeitungsausschnitt von Hein- 221
rich Mann: ›Kastendeutschland‹, Pariser Tageblatt, 3. 10. 1935. Hand-
schriftliche Bemerkung von Heinrich Mann: »So was erscheint alle
8 Tage.«

2] *›Der Tod und die Amme‹:* Abschnitt im Kapitel ›Die Schule des Unglücks‹ (›Die Jugend des Königs Henri Quatre‹, S. 408). Vgl. Br. I 403.

3] *›Moralités‹:* Einzelnen Kapiteln seines Romans hatte Heinrich Mann 222
›Moralités‹ beigefügt, kurze moralisierende Betrachtungen in französischer Sprache, in denen das Vorgefallene zusammengefaßt und gewertet
wird. Die ›Moralités‹ waren als Huldigung an Montaigne gedacht, dessen ›Essais‹ auf den Roman gewirkt haben und der – in einer von
Heinrich Mann erfundenen Episode – persönlich darin auftritt.

4] *Félix Bertaux* (1881–1948): Französischer Germanist und Übersetzer.
Mit Heinrich und Thomas Mann befreundet. Übersetzte 1925 den ›Tod
in Venedig‹, 1933 ›Leiden und Größe Richard Wagners‹. Vgl. Heinrich
Mann, ›Ein Zeitalter wird besichtigt‹, Berlin: Aufbau-Verlag 1947,
S. 237 ff.

5] *Rosette:* Die rote Knopfloch-Rosette des Kreuzes der Légion d'hon-
neur.

6] *Vorstand des Weltkomitees gegen Krieg und Fascismus:* Henri Barbusse
(1873–1935), Romain Rolland (1866–1944), Paul Langevin (1872 bis
1946).

7] *Gottfried Bermann Fischer* (geb. 1897): Dr. med., Verleger, Schwiegersohn Samuel Fischers. Übernahm 1934 die Leitung des S. Fischer-
Verlags. Autobiographie: ›Bedroht – Bewahrt‹, Frankfurt 1967.

8] *Lion Feuchtwanger* (1884–1958): Schriftsteller. Emigrierte 1933 nach 223
Südfrankreich, 1940 in die USA. Mit Bert Brecht und Thomas Mann
befreundet. Vgl. Thomas Manns Aufsatz: ›Freund Feuchtwanger‹ (x
533). Unter seinen Werken: ›Die häßliche Herzogin‹, Roman (1923);
›Jud Süss‹, Roman (1925); ›Erfolg‹, Roman (1930).

26. 10. 1935

1] *Brief nach Oslo:* Thomas Mann, ›Nobelpriset och Carl von Os- 224
sietzky‹, Göteborgs Handels- och Sjöfarts-Tidning, 11. 7. 1936.
Deutsch: ›An das Nobel-Friedenspreis-Comité, Oslo‹, in: Felix Burger,
Kurt Singer, ›Carl von Ossietzky‹, Zürich: Europa-Verlag 1937,
S. 117–121.

2] *Pierre Laval* (1883–1945): Sozialistischer Politiker. 1931/32 französischer Ministerpräsident, nachher Außenminister. Juni 1935 bis Januar
1936 Ministerpräsident. Wurde unter Pétain wieder Ministerpräsident.
1945 wegen Kollaboration mit Deutschland hingerichtet.

3] *Juden:* Vgl. Heinrich Mann, ›Die Deutschen und ihre Juden‹, Die Neue Weltbühne, Prag, Zürich, Paris, Jg. 4, Nr. 49, 5. 12. 1935, S. 1532–1536.

20. 11. 1935

224 1] *französischen Artikel:* Heinrich Mann, ›L'Olympiade‹ [später: ›Hochglanz‹, in: ›Es kommt der Tag‹], La Dépêche, Toulouse, 14. 1. 1936.

225 2] *Wilhelm Koenen* (1886–1963): Politiker und Schriftsteller. 1926 bis 1932 Mitglied des preußischen Staatsrats. Nach 1945 Mitglied des Zentralkomitees der SED.

3] *Völkerbund:* Vgl. Heinrich Mann, ›Rede vor dem Völkerbund‹, Die Neue Weltbühne, Prag, Zürich, Paris, Jg. 4, Nr. 51, 19. 12. 1935, S. 1599–1601.

6. 2. 1936

225 1] *Paris:* Heinrich Mann leitete eine Reihe von Beratungen, die die Schaffung einer deutschen Volksfront zum Ziele hatten. Die Teilnehmer (Kommunisten, Sozialdemokraten, aber auch Katholiken und bürgerliche Oppositionelle) bildeten den sogenannten ›Lutetia-Kreis‹, nach dem Namen des Hotels, in dem Heinrich Mann zu wohnen pflegte.

2] *»Nation«:* Thomas Mann, ›Das beste Buch des Jahres‹, Die Nation, Jg. 3, Nr. 47, Bern, 28. 11. 1935. Thomas Mann bespricht in dem Artikel neben Heinrich Manns Roman ›Die Jugend des Königs Henri Quatre‹ noch zwei weitere Bücher: ›Der Erkenntnistrieb als Lebens- und Todesprinzip‹ von Jakob Klatzkin und ›Briefe Napoleons‹, eine Neuerscheinung bei S. Fischer. Vgl. Tagebuch vom 4. 11. 1935.

226 3] *Korrodi:* Thomas Mann protestierte am 3. 2. 1936 in einem offenen Brief an Eduard Korrodi gegen dessen Artikel ›Deutsche Literatur im Emigrantenspiegel‹. Diese öffentliche Solidaritätserklärung mit dem Emigrantentum bedeutete den endgültigen Bruch mit dem nationalsozialistischen Regime (Br. I 409–413).

4] *Korrekturen:* Heinrich Mann, ›Es kommt der Tag, Deutsches Lesebuch‹, Zürich: Europa-Verlag 1936.

1. 3. 1936

226 1] *dem ernsten jungen Gelehrten:* Golo Mann hatte zu Heinrich Manns ›Lesebuch‹ einige Texte beigesteuert.

2] *›Lesebuch‹:* Heinrich Mann, ›Es kommt der Tag, Deutsches Lesebuch‹, Zürich: Europa-Verlag 1936.

3] *Fritz Landshoff* (geb. 1901): Verleger. Leitete die Deutsche Abteilung des Querido-Verlags in Amsterdam. Mit ihm zusammen gründete Gottfried Bermann-Fischer nach der Emigration in die USA die L. B. Fischer Corp. in New York.

4] *Entscheidung:* Thomas Mann am 26. 2. 1936 im Tagebuch: »Nach- 227
mittags handschriftlich an Heinrich: Idee eines von der Kulturwelt
Europas und Amerikas unterzeichneten Aufrufs an das deutsche Volk.«
5] *Artikel:* Im Nachlaß nicht vorhanden.

29. 3. 1936

1] *Geburtstags-Artikel:* ›Dem Fünfundsechzigjährigen‹, Die Neue Welt- 228
bühne, Prag, Zürich, Paris, 26. 3. 1936.
2] *AIZ:* In der ›Arbeiter-Illustrierten-Zeitung‹, Prag, publizierte Heinrich Mann am 15. 7. 1936 den Artikel ›Der Welt-Friedenskongress‹.
Weitere Artikel folgten.

3. 4. 1936

1] *Emigrantenblatt:* Thomas Manns Artikel zu Heinrichs 65. Geburtstag 229
erschien am 26. 3. 1936 in der ›Neuen Weltbühne‹ (x 483).
2] *Bomst:* Ehemalige Kreisstadt in der Grenzmark Posen-Westpreußen.
Seit 1945 unter polnischer Verwaltung (Babimost).
3] *Kongreß:* Internationaler PEN-Kongreß vom 5. bis 16. September
1936 in Buenos Aires.
4] Wohl *Benjamin Crémieux* (1888–1944): Französischer Kritiker. Leitete längere Zeit die ›Nouvelle Revue Française‹, übersetzte Pirandello.
Starb in einem deutschen Konzentrationslager.
5] *Liebesgeschichte:* Mut-em-enets Leidenschaft für Joseph, dargestellt in 230
›Joseph in Ägypten‹.
6] *Henri-Gabrielle d'Estrées:* ›Die Vollendung des Königs Henri Quatre‹, »Wechselfälle der Liebe«, S. 91 ff.
7] *Artikel:* Heinrich Mann, ›Fin de régime?‹, La Dépêche, Toulouse, 231
31. 3. 1936. Deutsch: ›Hitler bedeutet Krieg!‹, Pariser Tageblatt,
5. 4. 1936 (gekürzt).
8] *Artikel:* Heinrich Mann, ›Der Vertragsbruch‹, Die Neue Weltbühne,
Prag, Zürich, Paris, Jg. 5, Nr. 12, 19. 3. 1936, S. 364–367.
9] *Artikel:* Heinrich Mann, ›Ein schwerer Anfall‹, Die Neue Weltbühne, Prag, Zürich, Paris, Jg. 5, Nr. 15, 9. 4. 1936, S. 452–457.

26. 4. 1936

1] *Friedrich Burschell* (1889–1970): Schriftsteller, Biograph. Mitarbeiter 231
an der ›Frankfurter Zeitung‹, der ›Neuen Rundschau‹, den ›Weißen
Blättern‹. Emigrierte 1933 nach Frankreich, dann nach Spanien, in die
Tschechoslowakei. 1938 nach England. Seit 1954 in München. Unter
seinen Werken: ›Jean Paul‹ (1925); ›Heine und Boerne in Exile‹ (1943);
›Schiller‹ (1958). – Burschell war damals Sekretär der in Prag gegründeten Thomas-Mann-Gesellschaft.

232 1] *Emil Oprecht* (1895–1952): Zürcher Verleger und Buchhändler. Gründete 1924 die Buchhandlung Dr. Oprecht AG, 1933 den Europa-Verlag. Verlegte ›Mass und Wert‹, brachte 1937 Thomas Manns ›Briefwechsel‹ mit dem Dekan der Universität Bonn heraus. Präsident der Neuen Schauspiel AG (Zürcher Schauspielhaus). Jahrelang aktiver Sozialdemokrat. Selbstloser Helfer der intellektuellen Flüchtlinge aus Deutschland. Gehörte mit seiner Frau Emmie, geb. Fehlmann, zu Thomas Manns engstem Zürcher Freundeskreis. – Oprecht hatte sich entschlossen, Heinrich Manns Lesebuch ›Es kommt der Tag‹ herauszubringen (vgl. Thomas Manns Brief vom 20. 7. 1936).

2] *Weltbühnen-Aufsätze:* Die zahlreichen Aufsätze, die Heinrich Mann in jenen Jahren in der ›Neuen Weltbühne‹ (Prag, Zürich, Paris) veröffentlichte, sind jetzt in Edith Zenkers ›Heinrich-Mann-Bibliographie‹ zusammengestellt. Mit der »Vernichtung des Reiches« ist vielleicht gemeint: ›Verfall einer geistigen Welt‹, Die neue Weltbühne, Jg. 3, Nr. 49, 6. 12. 1934.

3] *zu Freuds 80. Geburtstag:* Thomas Mann hielt am 8. 5. 1936 in Wien den Vortrag ›Freud und die Zukunft‹ (IX 478). Da Freud damals schon zu krank war, um der offiziellen Feier im Akademischen Verein für medizinische Psychologie beizuwohnen, las Thomas Mann am folgenden Tag den Vortrag im Hause Freuds der Familie und einigen Freunden nochmals vor.

4] *Kurt von Schuschnigg* (1897–1977): 1934–1938 österreichischer Bundeskanzler. 1938–1945 in verschiedenen Gefängnissen und Konzentrationslagern interniert; von den Amerikanern befreit. 1948 Professor an der St.-Louis-Universität, USA. Seit 1967 wieder in Österreich (Mutters bei Innsbruck).

233 1] *Eduard Beneš* (1884–1948): 1935–1938 Präsident der Tschechoslowakischen Republik. Mit seiner Hilfe erhielten Heinrich und Thomas Mann das tschechische Bürgerrecht.

2] *Arthur Neville Chamberlain* (1869–1940): 1937–1940 britischer Premierminister. Unterzeichnete 1938 das Münchner Abkommen.

234 3] *Stelle über das Leben Jesu:* ›Freud und die Zukunft‹, IX 496 f.

4] *Antonio Aita:* Sekretär des PEN-Clubs in Argentinien, Buenos Aires.

5] *Beendigung meines III. Bandes:* Thomas Mann arbeitete damals an den Schlußkapiteln von ›Joseph in Ägypten‹.

6] *Reise:* Vgl. Thomas Manns Brief vom 2. 7. 1936, Anm. 2.

7] *Sommer:* Vgl. Heinrich Manns Brief vom 7. 8. 1936, Anm. 2.

2. 7. 1936

1] *dort oben:* Heinrich Mann wohnte damals in Briançon (Hautes Al-   *234*
pes), Hôtel du Cours.

2] *Reise:* 5.–18. 6. 1936 Reise zur Tagung des Institut International de
Coopération Intellectuelle in Budapest.

3] *Lajos Hatvany* (1880–1961): Ungarischer Schriftsteller. Nach dem   *235*
Ersten Weltkrieg führend in der radikalen Partei. Er floh vor dem Hor-
thy-Regime; wurde bei seiner Rückkehr in Haft genommen. Exil in
Oxford. Kehrte später nach Budapest zurück. Vgl. Thomas Manns
›Brief an den Verteidiger L. Hatvany's‹ (XI 773).

4] *Rede:* Vgl. Brief vom 18. 7. 1936, Anm. 1.

5] *Wien:* Am 13. 6. 1936 las Thomas Mann im mittleren Konzerthaus-
saal aus ›Joseph in Ägypten‹.

6] *Bruno Walter* (1876–1962): Dirigent. Von 1913–1922 Generalmusikdirektor in München und seither mit Thomas Mann nah befreundet.
1933 Emigration nach Österreich. 1934–1936 Leiter der Staatsoper
Wien. 1940 in die USA. Seine Autobiographie, ›Thema und Variationen‹, erschien 1947 im Bermann-Fischer-Verlag in Stockholm. Vgl.
Thomas Mann, ›Musik in München‹ (XI 339); ›Für Bruno Walter‹ [Zum
sechzigsten Geburtstag] (X 479); ›An Bruno Walter zum siebzigsten Geburtstag‹ (X 507).

7] *›Joseph in Aegypten‹:* Wurde am 23. 8. 1936 abgeschlossen. Der Band
erschien Mitte Oktober bei Bermann-Fischer in Wien. Das Exemplar
für Heinrich trägt die Widmung: »Dies war meine Art, lieber Heinrich,
den letzten drei Jahren die Stirn zu bieten. Möge auch sie nicht ganz
verworfen sein! Küsnacht 18. x. 36. Dein Bruder T.«

8] *Frankreich:* Hitler hatte die durch den Versailler Vertrag demilitari-
sierte Zone des Rheinlandes besetzen lassen. Frankreich traf Anstalten
zum Widerstand, ergab sich aber in das Fait accompli, als es sah, daß es
von den anderen Vertragsmächten nicht unterstützt wurde.

18. 7. 1936

1] *Rede über militanten Humanismus:* Thomas Mann, ›Der Humanismus   *236*
und Europa‹, Pester Lloyd, 11. 6. 1936. Aus der Rede, gehalten am
9. 6. 1936 auf der Tagung des Comité International de Coopération Intellectuelle in Budapest (XIII 633). Vgl. Thomas Mann, ›Humaniora und
Humanismus‹ (X 339).

2] *Fleischmann:* Vgl. Brief vom 20. 7. 1936, Anm. 4.

3] *mein Buch:* ›Es kommt der Tag‹.   *237*

4] *dem hilfreichen jungen Gelehrten:* Golo Mann.

435

20. 7. 1936

237 1] *Lesebuch:* ›Es kommt der Tag, Deutsches Lesebuch‹.

2] *Kundgebung Niemöllers:* Der evangelische Theologe Martin Niemöller (1892–1984) war der markanteste Vertreter der ›Bekennenden Kirche‹. Er setzte sich gegen Eingriffe des faschistischen Staats in kirchliche Angelegenheiten zur Wehr. 1937–1945 in den Konzentrationslagern Dachau und Buchenwald. Vgl. Thomas Mann, ›Niemöller‹, 1941 (XII 910–918).

238 3] *»Abschweifung«:* Thomas Mann, ›Freud und die Zukunft‹, Wien: Bermann-Fischer 1936.

4] *Rudolf Fleischmann:* Setzte sich dafür ein, daß Heinrich und Thomas Mann das Bürgerrecht der tschechischen Gemeinde Proseč erhielten. (Vgl. Gertrude Albrecht, ›Thomas Mann – Staatsbürger der Tschechoslovakei‹, in: ›Vollendung und Größe Thomas Manns‹, Halle/Saale 1962, S. 118–129.)

2. 8. 1936

238 1] *'s ist Krieg:* Matthias Claudius, ›Kriegslied‹. Vgl. Heinrich Mann, ›Kriegslied‹, Pariser Tageszeitung, 28. 10. 1936.

2] *gegen das spanische Volk:* Am 17. 7. 1936 fand in Spanisch-Marokko die von Franco geleitete Militärrevolte statt, die sich zum spanischen Bürgerkrieg auswuchs. Auf der Regierungsseite kämpfte die ›Internationale Brigade‹. Franco wurde seit dem Juli 1936 durch italienische Freiwillige und die deutsche ›Legion Condor‹ unterstützt.

239 3] *Goschi:* Heinrich Manns Tochter, Carla Maria Henriette Leonie (Goschi) Mann, spätere Aškenazi-Mann, wurde am 10. 9. 1916 geboren. Seit 1933 mit ihrer Mutter in Prag, dann einige Zeit in Paris. 1968 verließ sie Prag und wohnt heute mit ihrer Familie in München. Vgl. auch: Aschermann.

4] *Mutter:* Maria (Mimi) Mann-Kanova (1886–1946), Schauspielerin. Von 1914 bis 1930 mit Heinrich Mann verheiratet. Sie verließ 1933 die Münchner Wohnung und zog zu ihren Eltern nach Prag. Durch Vermittlung Masaryks gelangten damals Heinrich Manns Bibliothek und eine Reihe von Manuskripten nach Prag.

4. 8. 1936

240 1] *Sils Maria:* Thomas Mann hatte sich Ende Juli ein paar Tage in Sils (Engadin) aufgehalten.

241 2] *Küste:* Vgl. Thomas Manns Brief vom 19. 5. 1936, Anm. 7.

3] *Broschüre:* ›Freud und die Zukunft‹.

7. 8. 1936

1] *Rede:* ›Freud und die Zukunft‹. *241*

2] *herzukommen:* Auf seiner Südfrankreichreise vom 27. 8. bis *242*
23. 9. 1936 besuchte Thomas Mann in Saint-Cyr-sur-Mer René Schikkele und hielt sich anschließend mit Heinrich und dessen Tochter Leonie
(Goschi) in Aiguebelle-Le Lavandou an der Côte d'Azur auf. Er zog
sich dort eine Angina zu. Nach seiner Rückkehr erkrankte er an Gür-
telrose.

24. 8. 1936

1] *Brüsseler Kongreß:* Weltkongreß der Weltfriedensbewegung, 3. bis *242*
6. 9. 1936.

2] *Meinen Band:* Thomas Mann, ›Joseph in Ägypten‹, Wien: Bermann-
Fischer 1936.

3] *Frankreich:* Vgl. Thomas Manns Brief vom 19. 5. 1936, Anm. 7. *243*

4] *Oskar Ludwig Levy* (1867–1946): Nietzsche-Forscher; Herausgeber
von: ›The Complete Works of Friedrich Nietzsche‹, 18 Bde, Edinburgh
and London 1909–1913. Mit Heinrich Mann befreundet, auch mit Thomas Mann gut bekannt.

21. 9. 1936

1] *das trotz allem gute Zusammensein:* Thomas Mann war an einer Angina *243*
erkrankt.

27. 9. 1936

1] *Kuno Fiedler* (1895–1973): Protestantischer Pfarrer. Mit Thomas *244*
Mann seit dem Ersten Weltkrieg bekannt; hatte Elisabeth, Thomas
Manns jüngste Tochter, getauft. Wurde wegen seines Widerstands gegen die Gleichschaltung der protestantischen Kirche verhaftet; entfloh
aus dem Würzburger Polizeigefängnis und fand in Küsnacht, im Hause
Thomas Manns, erste Unterkunft. Später Pfarrer in St. Antönien/Grau-
bünden. Lebte dann in Purasca/Tessin. Unter seinen Werken: ›Der An-
bruch des Nihilismus‹ (1923); ›Die Stufen der Erkenntnis‹ (1929);
›Glaube, Gnade und Erlösung nach dem Jesus der Synoptiker‹ (1939;
vgl. Thomas Manns Besprechung in ›Mass und Wert‹, Jg. 3, H. 4, Zürich 1940); ›Bekennen und Bekenntnis‹ (1943). – Vgl. Hans Wysling
(Hrsg.), ›Aus dem Briefwechsel Thomas Mann – Kuno Fiedler‹, Blätter
der Thomas Mann Gesellschaft Nr. 11/12, Zürich 1971/1972.

12. 12. 1936

1] *Deine schöne Äusserung:* Thomas Mann war am 12. 12. 1936 mit sei- *244*
ner Familie ausgebürgert worden. Heinrich Mann veröffentlichte dar-

auf den Artikel ›Begrüssung des Ausgebürgerten‹ (Die Neue Weltbühne, Prag u. a. 10. 12. 1936).

245 2] *Kurt Hiller* (1885–1972)*:* Publizist, Schriftsteller. Studium der Rechte
in Berlin und Freiburg im Breisgau. Mitarbeiter der ›Weltbühne‹, des
›Sturms‹ und der ›Aktion‹; seit 1915 Herausgeber der ›Ziel‹-Jahrbücher.
1918 Vorsitzender des politischen Rats geistiger Arbeiter. 1920 Eintritt
in die Deutsche Friedensgesellschaft. 1926 bis 1933 Gründer und Präsident der Gruppe revolutionärer Pazifisten. 1933/34 Konzentrationslager. September 1934 Flucht nach Prag. In Paris Mitarbeiter des
Internationalen Sozialistischen Kampfbunds und der ›Editions Nouvel-
les Internationales‹. Dezember 1938 Übersiedelung nach London; von
1938 bis 1946 Vorsitzender der dortigen Gruppe unabhängiger deutscher Autoren. 1955 Rückkehr nach Deutschland. Unter seinen Werken: ›Die Weisheit der Langeweile‹ (1913); ›Geist, werde Herr‹ (1920);
›Aufbruch zum Paradies‹ (1922); ›Verwirklichung des Geistes im Staat‹
(1925); ›Presse und politische Kultur‹ (1927); ›Der Sprung ins Helle‹
(1931); ›Profile, Prosa aus einem Jahrzehnt‹ (1937); ›Köpfe und Tröpfe‹
(1950); ›Rote Ritter‹ (1951); ›Ratioaktiv‹, Reden (1966); ›Leben gegen
die Zeit‹ (1969). – Vgl. Kurt Hiller, ›Für Thomas Mann‹, Die Neue
Weltbühne, Jg. 32, Nr. 49, Prag 1936, S. 1540–1543.

3] *Ernst Bloch* (1885–1977)*:* Philosoph und Schriftsteller. Promovierte
1908 in Würzburg mit einer Arbeit über den Neukantianer Heinrich
Rickert. Als freier Schriftsteller in Berlin, Heidelberg und München.
Emigrierte 1915 nach Bern, unterstützte die pazifistischen Bestrebungen von Zweig, Rolland und Hesse. Nach dem Ersten Weltkrieg wieder
in Berlin; regelmäßiger Mitarbeiter der ›Frankfurter Zeitung‹ und der
›Vossischen Zeitung‹. Kehrte 1933 von einem Aufenthalt in der Schweiz
nicht mehr nach Deutschland zurück. 1936 Exil in der Tschechoslowakei; Mitarbeiter der ›Neuen Weltbühne‹. Ging 1938 nach Paris, dann
nach New York; Mitbegründer des ›Aurora-Verlags‹. 1949 folgte er
einem Ruf der Leipziger Universität; wurde als »Verfechter revisionisti-
scher Bestrebungen« emeritiert. 1957 Rückkehr nach Westdeutschland.
Ab 1961 Ordinarius für Philosophie an der Universität Tübingen. Unter
seinen Werken: ›Geist und Utopie‹ (1918, erw. 1923); ›Erbschaft dieser
Zeit‹ (1935); ›Das Prinzip Hoffnung‹ (1954–1958); Gesamtausgabe,
15 Bde. (seit 1962). – Thomas Mann bezieht sich hier auf einen Artikel,
den Bloch in der ›Neuen Weltbühne‹ vom 10. 12. 1936 publiziert hatte:
›Nobelpreis und Ausbürgerung‹ (Ossietzky und Thomas Mann). Er hat
später (1939/40) mit Bloch über die Umfunktionierung mythischer Ge-
halte korrespondiert und in jener Zeit offenbar Blochs ›Geist der
Utopie‹ und ›Erbschaft dieser Zeit‹ sowie eine frühe Fassung von Teilen des ›Prinzips Hoffnung‹ im Manuskript gelesen. Bloch trug zu

438

›Mass und Wert‹ den Aufsatz ›Über das noch nicht bewußte Wissen‹ bei
(Jg. 3, H. 5/6, Zürich, 1940).

16. 12. 1936

1] *Die aufregenden Tage:* Thomas Mann war am 12. 12. 1936 ausgebür- 246
gert worden.

2] *Hiller:* Vgl. Kurt Hiller, ›Für Thomas Mann‹, Die Neue Weltbühne,
Jg. 32, Nr. 49, Prag 1936, S. 1540–1543.

3] *Hermann Budzislawski* (1901–1978): Publizist, Dr. rer. pol. Emi-
grierte über Prag und Paris in die USA (1940–1948). Rückkehr nach
Europa, Professor in Leipzig. – Von März 1934 bis 1939 Herausgeber
der ›Neuen Weltbühne‹. Zu Heinrich Manns Mitarbeit an der ›Neuen
Weltbühne‹ vgl. Hans-Albert Walter, ›Heinrich Mann im französischen
Exil‹, in: ›Text und Kritik‹, Sonderband Heinrich Mann, Stuttgart 1971,
S. 140.

4] *mein Roman:* Wohl »Der Todessprung«. ›Die Vollendung des Königs 247
Henri Quatre‹ weist in der Endfassung acht Teile auf.

5] *in dem Deinen:* ›Joseph in Ägypten‹.

6] *»Meditation«:* ›Die Vollendung des Königs Henri Quatre‹, S. 208 ff.

19. 1. 1937

1] *›Briefwechsel‹:* Thomas Mann, ›Ein Briefwechsel‹ (Brief des Dekans 247
der philosophischen Fakultät der Universität Bonn vom 19. 12. 1936
und Thomas Manns Antwort an den Dekan vom Neujahr 1936/37),
Neue Zürcher Zeitung, 24. 1. 1937.

2] *Joseph:* ›Joseph in Ägypten‹.

3] *Zeitung:* Nicht ermittelt. 248

4. 6. 1937

1] *Dein Vierter Band:* ›Joseph, der Ernährer‹. 248

23. 7. 1937

1] *des Klubs der Sauberen:* In diesem Klub suchten Leopold Schwarz- 249
schild und Konrad Heiden nicht- oder antikommunistische Emigranten
um sich zu versammeln. Es handelte sich vor allem um Mitarbeiter des
›Neuen Tagebuchs‹. Vgl. Brief vom 30. 7. 1937.

2] *Leopold Schwarzschild* (1891–1950): Publizist. Trat während des ersten Weltkriegs in der ›Europäischen Staats- und Wirtschaftszeitung‹
(Berlin) gegen Militarismus und Nationalismus auf. Gründete 1923 zusammen mit Stefan Grossmann den ›Montag-Morgen‹ (Berlin). 1925
Gründung des ›Magazins der Wirtschaft‹. Seit 1927 Herausgeber der
von Stefan Grossmann gegründeten Wochenschrift ›Das Tagebuch‹.

Emigrierte 1933 nach Paris. Redakteur des ›Neuen Tagebuchs‹. Vor-
übergehend Mitarbeit in der Volksfront. 1940 Emigration in die USA.
Kehrte 1950 nach Europa zurück. Starb in Santa Margherita. Unter
seinen Werken: ›Das Ende der Illusion‹ (1934); ›World in Trance‹ (1942);
›Hamilton‹ (1943); ›The Red Prussian, The Life and Legend of Karl
Marx‹ (1947); ›Von Krieg zu Krieg‹ (1947).

30. 7. 1937

250 1] *Verse:* Im ersten Band des ›Henri Quatre‹ (S. 234) deklamiert
Agrippa d'Aubigné: »Nicht fern ist uns der Tod. Erst dann ist uns
gegeben / ein Leben ohne Tod, nicht mehr ein falsches Leben. / Gerettet
ist das Leben, der Tod, er ist besiegt. / Wer will nicht sicher gehn, wer
möchte immer scheitern? / Wem macht die schwere Fahrt noch Lust, sie
zu erweitern, / Wer ist nicht froh, wenn er zuletzt im Hafen liegt?«
(Golo Mann, nach dem Zitat befragt, hat sich spontan an die Verse
erinnert.)

2] *Tschaikowsky:* Klaus Mann, ›Symphonie pathétique, Ein Tschai-
kowsky-Roman‹, Amsterdam: Querido 1935.

3] *Konrad Heiden* (1901–1966): Publizist und Schriftsteller. 1919 bis
1923 Studium der Rechts- und Wirtschaftswissenschaften in München.
Seit 1920 Studium der Hitler-Bewegung. Kam mit Hitler und anderen
Führern der NSDAP persönlich zusammen. 1923 bis 1930 Mitarbeiter
der ›Frankfurter Zeitung‹, danach freier Schriftsteller. Emigrierte 1933
ins Saargebiet. 1935 bis 1940 in Paris. 1940 über Portugal in die USA.
Starb in New York. – Unter seinen Werken: ›Adolf Hitler, eine Biographie‹ (1936/37); ›Europäisches Schicksal‹ (1937); ›The New Inquisition‹
(1939); ›Les Vêpres hitlériennes‹ (1939); ›Der Führer. Hitler's Rise to
Power‹ (1943). Vgl. Thomas Mann, ›Deutsche Hörer!‹, 28. 2. 1944 (XI
1094).

4] *Georg Bernhard* (1875–1944): Publizist. 1892 bis 1898 Bankbeamter,
Buchhalter und Börsenvertreter. 1898 in der Handelsredaktion der
›Berliner Zeitung‹. 1901 bis 1903 ständiger Mitarbeiter der ›Zukunft‹
Maximilian Hardens. 1904 eigene Zeitschrift unter dem Titel ›Plutus‹.
Seit 1909 redaktionelle Leitung der ›Vossischen Zeitung‹. 1914 Chefre-
dakteur und Geschäftsführer des Ullstein-Nachrichtendienstes. Seit 1916
Professor an der Berliner Handelshochschule für Bank-, Börsen- und
Geldwesen. 1928 Mitglied des Reichstags der Deutschen Demokra-
tischen Partei; Vorsitz im Reichsverband der deutschen Presse bis 1930;
Mitwirkung bei der Gründung der extrem pazifistischen Radikalde-
mokratischen Partei. 1933 Emigration nach Paris; gründete 1933 das
›Pariser Tageblatt‹ und 1936 die ›Pariser Tageszeitung‹; Mitarbeiter im
Pariser Volksfrontausschuß; 1940 bei Bordeaux interniert. Emigrierte

1941 in die USA. Starb in New York. Unter seinen Werken: ›Die deutsche Tragödie. Der Selbstmord einer Republik‹ (1933); ›Meister und Dilettanten am Kapitalismus im Reiche der Hohenzollern‹ (1936).

5] *Gide für antibolschewistische Zwecke zu benutzen:* Vgl. Brief vom 18. 11. 1933, Anm. 4.

6] *Otto Strasser* (1897–1974): Publizist und Politiker. Nahm als Kriegs- 251freiwilliger am ersten Weltkrieg teil. Bis 1920 Mitglied der SPD. Studium der Rechtswissenschaft. Mit Moeller van den Bruck befreundet. 1925 bis 1930 Mitglied der NSDAP. Gründung des Kampfverlages; Herausgeber der ›Berliner Arbeiterzeitung‹; betonte gegenüber Hitler die sozialistischen Ideen des Parteiprogramms. 1926 Auseinandersetzung mit Hitler in der Frage der Fürstenenteignung; 1930 Austritt aus der Partei. Emigrierte über Wien, Prag und Paris nach Kanada (1940). 1955 Rückkehr nach Deutschland. 1956 Gründung der Deutschen Sozialen Union. Seit 1957 Herausgeber der ›Vorschau‹. Werke: ›Exil‹, Autobiographie (1958); ›Deutschland und der 3. Weltkrieg‹ (1961); ›Der Faschismus, Geschichte und Gefahr‹ (1965).

7] Heinrichs Briefe vom 26. 7. und vom 21. 8. 1937 an Klaus Mann sind abgedruckt bei Dietzel, Brw. 468 ff. Am 24. 8. 1937 schrieb Klaus Mann seinem Onkel:

K.M.   Küsnacht/Zürich
den 24. VIII. 37.

Lieber Onkel Heinrich –

... auf Deinen Brief hin habe ich – wie in den letzten Tagen und Wochen übrigens häufig – die ganze Situation noch einmal gründlich überdacht. Nein, es geht wohl nicht: ich gehöre nicht in diese »Gruppe«, es wäre eine Halbheit und Schwachheit, aus äußeren Rücksichten dabei zu bleiben.

Ich schreibe also mit gleicher Post an Schwarzschild, an Heiden und das Sekretariat des Vereines, daß ich ausscheide. Mein Name darf nicht mehr genannt werden, wenn man die Mitglieder aufzählt.

Die letzte Rücksicht, die ich übe, ist die, daß ich auf eine Publizierung meines Entschlusses verzichte. Denen, deren Meinung in dieser Sache mir am wichtigsten ist, werde ich selber Mitteilung machen. Da ich nun einmal ein geschworener Feind aller »Eclats« innerhalb der Emigration bin, scheint es mir am richtigsten, in aller Stille auszuscheiden. Denen, die sich für diese Zusammenhänge interessieren, wird es ja mit der Zeit ohnedies auffallen, wenn mein Name nicht mehr in der Schwarzschild-Gruppe figuriert. Und ob ich nun im Neuen Tage-Buch noch weiter Figur machen werde, muß sich zeigen.

Dir danke ich für Deine schönen und eindringlichen Worte. Ich werde von jetzt ab vorsichtiger sein und es mir sieben mal siebzig mal überlegen, ehe ich irgendwo »eintrete« ...

Stets Dein getreuer Klaus

Der Brief ist auch abgedruckt in: ›Klaus Mann, Briefe und Antworten‹, Bd. I: 1922–1937. München 1975, S. 312 f. – Zu Schwarzschild und Bernhard vgl. nun auch: Hermann Hesse an Klaus Mann, Ende Januar 1936; an unbekannten Empfänger, etwa Februar 1936 (›Neue Rundschau‹, Berlin 1972, Jg. 83, Heft 2, S. 224 ff.).

15. 8. 1937

251   1] *Roman:* Thomas Mann, ›Lotte in Weimar‹, Ein kleiner Roman, Erstes Kapitel, Mass und Wert, Jg. 1, Heft 1, Zürich, September/Oktober 1937, S. 17–34.

2] *Volkszeitung Prag:* Nicht ermittelt.

3] *Sch.:* Leopold Schwarzschild.

252   4] *V.F.:* Volksfront.

5] *Karl Radek*, eigentlich Karl Sobelssohn (1885–1939?): Russischer Publizist und Politiker. Arbeitete seit 1918 in Berlin am Aufbau der KPD mit; wurde 1919 ausgewiesen. 1919 bis 1924 Mitglied des ZK der KPdSU und des Exekutivkomitees der Komintern. Versuchte als deren Vertreter 1923 in Deutschland die Politik der deutschen und der sowjetischen KP zu koordinieren. 1927 bis 1929 und wieder von 1937 bis 1939 als angeblicher Trotzkist und Verschwörer gegen die UdSSR (Stalin) inhaftiert. Seither verschollen. Vgl. ›Ein Zeitalter wird besichtigt‹, Stockholm 1945, S. 120.

6] *Edikt von Nantes:* Vgl. ›Die Jugend des Königs Henri Quatre‹, S. 725.

2. 10. 1937

253   1] Wortlaut des dem Brief beigelegten maschinengeschriebenen Durchschlags:

2. Okt. 1937
18, rue Rossini
Nice (A.M.)

Sehr verehrter Herr,

die neue freiheitlich-soziale Gruppe der Volksfront, deren Mitglied Sie sind, will zum ersten Mal an die Öffentlichkeit treten. Es ist von großer Bedeutung, daß besonders die deutschen Intellektuellen, aber auch das Ausland von dem Bestehen dieser geistigen Auslese der Volksfront erfahren. Inzwischen konnte man sich überzeugen, daß die Regierungen der großen Demokratien, zum mindesten die für Deutschland wichtigste, bereit wären, eine deutsche Freiheitsbewegung anzuerkennen. Die Bedingung ist gerade das Erscheinen einer Führung, die Vertrauen einflößt. Alle Parteien, sofern sie sich zur Demokratie bekennen, sind willkommen. Praktisch erwartet man, daß namhafte Persönlichkeiten die Ablösung des noch bestehenden Regimes vorbereiten.

Es wird beabsichtigt, die Propaganda für die »Liberal-sozialistische Vereinigung« derart zu beginnen, daß der Aufsatz, mit dem Thomas Mann seine Zeitschrift »Maß und Wert« eröffnet hat, in besonderer Ausgabe, Dünndruck und kleines Format, nach Deutschland eingeführt und außerhalb Deutschlands verbreitet wird. Eine bessere Fassung der humanen, zukunftssicheren Grundanschauungen des wahren Deutschlands stände schwerlich zur Verfügung. Die Genehmigung des Verfassers wird für die geplante Weitergabe seiner Schrift ausdrücklich eingeholt. Gleichzeitig ergeht an Sie die Bitte, zuzustimmen, daß

1. die Verbreitung des Aufsatzes von Seiten der Liberal-sozialistischen Vereinigung erfolgt und daß

2. auf der inneren Titelseite die Namen der Mitglieder, darunter der Ihre, aufgeführt werden.

Die beträchtlichen Mittel für diese erste propagandistische Aktion sind bereitgestellt. Damit sie beginnen kann, bedarf es Ihrer Ermächtigung, und ich bitte sie so schnell zu erteilen, wie die Umstände es verlangen.

2] *Aufsatz:* Thomas Mann, ›Mass und Wert‹, Vorwort zu ›Mass und Wert‹, Jg. 1, Heft 1, Zürich, September/Oktober 1937, S. 1–16.

4. 11. 1937

1] *Querido:* Emanuel Querido (1871–1943), holländischer Verleger. Gliederte 1933 seinem Verlag eine deutsche Abteilung an, die zu einem bedeutenden Zentrum der Exilliteratur wurde. Heinrich Mann veröffentlichte im Querido-Verlag den ›Henri Quatre‹ (1935/1938) und später den Roman ›Der Atem‹ (1949). Querido verlegte von 1933 bis 1935 auch Klaus Manns Zeitschrift ›Die Sammlung‹. Nach der Besetzung Hollands (1940) wurde Querido in ein Lager verschleppt, wo er den Tod fand. – Querido hatte Heinrich Mann offenbar die erweiterte Ausgabe der ›Bekenntnisse des Hochstaplers Felix Krull‹ zugestellt (Amsterdam 1937).

2] *›Mass und Wert‹:* Zweimonatsschrift für freie deutsche Kultur. Die Zeitschrift wurde im Verlag Oprecht, Zürich, von Thomas Mann und Konrad Falke herausgegeben. Sie erschien vom September 1937 bis November 1940. Redakteure: Ferdinand Lion (1937–1939), Golo Mann (1939–1940). – Das zweite Heft (November/Dezember 1937) enthielt ›Lotte in Weimar‹, Drittes Kapitel: Lottes Gespräch mit Riemer.

253

443

254 3] *Besprechung:* Hermann Kesten, ›Heinrich Mann und sein Henri Quatre‹, Mass und Wert, Jg. 2, H. 4, Zürich, März/April 1939.

4] *Fortsetzung:* ›Die Vollendung des Königs Henri Quatre‹, Internationale Literatur, Jg. 7, H. 1–9, 12; Jg. 8, H. 1–7, 11–12; Jg. 9, H. 1–4, Moskau 1937–1939.

5] *Amerika:* Thomas Mann hielt zwischen Februar und Juli 1938 seinen Vortrag ›The Coming Victory of Democracy‹ in 15 amerikanischen Städten. Die deutsche Fassung des Vortrags war im gleichen Jahr bei Oprecht in Zürich erschienen: ›Vom zukünftigen Sieg der Demokratie‹ (vgl. XI 910).

21. 4. 1938

255 1] *lecture-Tour:* 10. 2.–11. 7. 1938. Vierte Reise in die Vereinigten Staaten. Vgl. Thomas Manns Brief vom 4. 11. 1937, Anm. 5.

2] *Long Island:* Thomas Mann verbrachte im Mai/Juni 1938 einige Wochen im Landhaus von Miss Caroline Newton in Jamestown, Rhode Island. Er beendete dort den Essay über ›Schopenhauer‹ (Auftragsarbeit für The Living Thoughts Library, erschien 1939 in der Übersetzung von Helen T. Lowe-Porter) und nahm dann die Arbeit an ›Lotte in Weimar‹ wieder auf.

256 3] *Monika Mann-Lányi* (geb. 1910): Schriftstellerin. War mit dem Kunsthistoriker Jenö Lányi verheiratet, der 1940 bei der Versenkung der ›City of Benares‹ ums Leben kam. Autobiographisches Werk: ›Vergangenes und Gegenwärtiges‹ (1956).

4] *Ehren-Professur:* Sie wurde Thomas Mann von Harold W. Dodds, dem Präsidenten der Princeton University, angetragen.

10. 6. 1938

256 1] *Brief zum 6. Juni:* 63. Geburtstag von Thomas Mann.

2] *Arbeit:* Heinrich Mann, ›Die Vollendung des Königs Henri Quatre‹, Amsterdam: Querido 1938; Kiew: Staatsverlag der nationalen Minderheiten der USSR 1938.

6. 8. 1938

257 1] *Dein großes Werk:* ›Die Vollendung des Königs Henri Quatre‹.

2] *l'infâme:* Hitler war am 12. 3. 1938 in Österreich einmarschiert.

258 3] *Nietzsche-Einleitung:* Heinrich Mann, ›Nietzsche‹, Mass und Wert, Jg. 2, H. 3, Zürich, Jan./Febr. 1939. (Einleitung zu ›The Living Thoughts of Nietzsche. Presented by Heinrich Mann‹, New York: Longmans, Green 1939.)

4] *Schopenhauer:* Thomas Mann, ›Schopenhauer‹, Stockholm: Bermann-Fischer 1938.

444

9. 9. 1938

1] *Bruchstücke:* Heinrich Mann hatte in Küsnacht aus der ›Vollendung   *258*
des Königs Henri Quatre‹ vorgelesen.

2] *Entscheidung:* Am 12. 9. 1938 hielt Hitler vor dem Forum des Reichs-
parteitages eine Rede, in der er den tschechoslowakischen Staat und den
Präsidenten Beneš angriff und die Sache der Sudetendeutschen zu der
seinen machte.

22. 11. 1938

1] ›Nietzsche‹: Vgl. Brief Thomas Manns vom 6. 8. 1938, Anm. 3.   *259*

2] *Robert Ley* (1890–1945): Seit 1933 Reichsleiter der Deutschen Ar-
beitsfront.

3] *Buch:* Heinrich Mann, ›Mut‹, [hrsg. von der] Association internationale des écrivains, Paris: Ed. du 10 mai, 1939.

4] *Zeit des ägyptischen Abenteuers:* Napoleons Expedition nach Ägypten
1798/99.

5] *»erwünscht, da kömmt er«:* In Lessings ›Philotas‹ ruft König Aridäus   *260*
am Schluß des 7. Auftritts: »Gewünscht! da kömmt er!«

6] *Manifest:* Thomas Mann, ›Dieser Friede‹, Stockholm: Bermann-Fischer 1938. Vgl. Heinrich Manns Brief vom 29. 12. 1938, Anm. 1.

29. 12. 1938

1] *Schriften:* ›Dieser Friede‹. Widmung: »An Heinrich ›in sicherem   *260*
Bunde mit allen Besten‹. Princeton N. J. Weihnachten 1938. T.« – Tho-
mas Mann, ›Achtung, Europa!‹, Stockholm: Bermann-Fischer 1938.
Widmung: »An Heinrich in brüderlicher Verbundenheit. Princeton,
Weihnachten 1938. T.«

2] *»macht ihr euern Dreck alleene«:* Ausspruch des Königs Friedrich Au-   *261*
gust III. von Sachsen, als man 1918 seine Abdankung verlangte.

3] *meinen Roman:* ›Die Vollendung des Königs Henri Quatre‹.

4] *Dr Aschermann:* Schwiegersohn Heinrich Manns [Aškenazi]. Vgl.
Briefe vom 25. 1. 1939, 2. 3. 1939, 25. 5. 1939.

5] *Therese von Konnersreuth,* eigentlich Therese Neumann (1898–1962):
Seit der Fastenzeit 1926 stigmatisiert.

25. 1. 1939

1] ›Achtung Europa!‹: Vgl. Heinrich Manns Brief vom 29. 12. 1938,   *262*
Anm. 1.

2] *Meine nächste Sache:* Vermutlich ›Empfang bei der Welt‹. Vgl. Heinrich Manns Brief vom 15. 4. 1942, Anm. 1.

445

2. 3. 1939

263 1] *Dein Roman:* ›Die Vollendung des Königs Henri Quatre‹.

2] *Hermann Kesten* (geb. 1900): Schriftsteller. 1927–1933 erst Lektor, dann literarischer Leiter des Kiepenheuer-Verlags, Berlin. Emigrierte 1933 nach Paris, Brüssel, Nizza, London, Amsterdam; 1933–1940 Leiter des A. de Lange-Verlags für Emigrantenliteratur in Amsterdam. Seit Mai 1940 in New York; unterstützte dort – mit Thomas Mann u. a. zusammen – das Emergency Rescue Committee. 1949 Rückkehr nach Europa, jetzt freier Schriftsteller in Rom. Bekannt durch zahlreiche Romane, darunter ›Die Zwillinge von Nürnberg‹ (1947); ›Die fremden Götter‹ (1949); ferner durch ›Dichter im Café‹ (1959); ›Lauter Literaten‹ (1963). – Gemeint ist Kestens Aufsatz ›Heinrich Mann und sein Henri Quatre‹, Mass und Wert, Zürich, März/April 1939.

264 3] *die Sache mit Deinem Schwiegersohn:* Vgl. Heinrich Manns Brief vom 29. 12. 1938, Anm. 3.

265 4] *Vortragsreise:* 8. März bis Mitte April 1939. Thomas Mann las den Vortrag ›The Problem of Freedom‹ u. a. in Boston, New York, Detroit, Chicago, Baltimore.

14. 5. 1939

265 1] *Verpflichtungen:* Nach der Rückkehr von seiner lecture-tour las Thomas Mann in Princeton über Goethes ›Faust‹ (um den 20. April). Am 8. 5. 1939 hielt er in New York die ›Ansprache auf dem Weltkongreß der Schriftsteller‹ (Auszug in ›Literaturnaja gazeta‹, Moskau, 10. 6. 1939). Am 10. 5. 1939 las er in Princeton seine ›Einführung in den ‚Zauberberg‘‹.

266 2] *Aufsätze:* Heinrich Mann, ›Verfall eines Staates‹, Die Neue Weltbühne, Prag u. a., 2. 3. 1939; ›Die deutschen Soldaten‹, a. a. O., 13. 4. 1939.

3] *Gegenstand des Briefes:* Vgl. den folgenden Brief Thomas Manns, ebenfalls vom 14. 5. 1939.

14. 5. 1939

267 1] *November-Pogrome:* ›Kristallnacht‹ vom 9. 11. 1938.

268 2] *dem* ›*Schwarze Corps*‹*:* ›Das schwarze Korps‹. Wochenzeitung der SS.

3] *Frank Kingdon* (1894–1972): Universitätsprofessor und Radio-Kommentator. 1936–1940 Präsident der Universität Newark. Chairman des International Rescue and Relief Committee; New York Chairman des Committee to Defend America by Aiding the Allies; chairman des Fight for Freedom Committee und des Committee for Care of European Children. Außerdem Mitbegründer des Emergency Rescue Com-

446

mittee. Stand in enger Verbindung mit Thomas Mann. – Unter seinen Werken: ›That Man in the White House, You and Your President‹, Biographie von Roosevelt (1944); ›An Uncommon Man, Henry Wallace and 60 Million Jobs‹ (1945); ›Architects of the Republic‹ (1947).

4] *Wilhelm (William) Dieterle* (1893–1972): Schauspieler und Regisseur. Ging 1910 zum Theater (Heilbronn, Mainz, Zürich, München, Berlin). Seit 1932 in Hollywood. 1958 wieder in Deutschland, seit 1960 künstlerischer Leiter der Hersfelder Festspiele. Danach in Triesen, Liechtenstein. Unter seinen Filmen: ›Die Heilige und ihr Narr‹; ›A Midsummer Night's Dream‹; ›The Life of Emile Zola‹; ›Dr. Ehrlich's Magic Bullet‹; ›Portrait of Jennie‹.

5] *James Franck* (1882–1964): Physiker. Bis 1935 am Kaiser Wilhelm-Institut, Berlin. Emigrierte in die USA; lehrte zunächst an der Johns Hopkins University, Baltimore; seit 1938 Professor für physikalische Chemie an der Universität Chicago. Nobelpreis 1925.

6] *Leonhard Frank* (1882–1961): Schriftsteller. Wollte ursprünglich Maler werden, ging deshalb 1904 nach München. Seit 1910 in Berlin. Emigrierte 1914 in die Schweiz. 1918 in München, 1920–1933 freier Schriftsteller in Berlin. Floh 1933 nach Zürich, 1937 nach Paris; wurde in Frankreich mehrmals interniert. 1940 Flucht nach Lissabon und in die USA (Hollywood, ab 1945 New York). 1950 Rückkehr nach München. Unter seinen Werken: ›Die Räuberbande‹, Roman (1914); ›Der Mensch ist gut‹, Novellen (1918); ›Das Ochsenfurter Männerquartett‹, Roman (1927); ›Karl und Anna‹, Erzählung (1927; als Schauspiel 1929); ›Bruder und Schwester‹, Roman (1929); ›Links, wo das Herz ist‹, Lebensbericht (1952, 1967).

7] *Lotte Lehmann* (1888–1976): Lyrisch-dramatische Sängerin. 1910 am Hamburger Staatstheater, 1914–1938 an der Wiener Staatsoper, seit 1934 auch an der Metropolitan Opera, New York. Lehrte in Santa Barbara, Calif. Erste Christine in Richard Strauss' ›Intermezzo‹; wandte sich in späteren Jahren mehr dem Liedgesang zu. Als Schriftstellerin trat sie mit dem Roman ›Orplid, mein Land‹ (1937) hervor. Autobiographien: ›Anfang und Aufstieg‹ (1937); ›My Many Lives‹ (1948). Anleitung zur Liedinterpretation: ›More than Singing‹ (1945); ›Five Operas and Richard Strauss‹ (1963).

8] *Hermann Rauschning* (1887–1982): Publizist und Diplomat. Bis 1936 Präsident des Senats der Freien Stadt Danzig; galt zuerst als Vertrauensmann Hitlers, floh aber 1936 in die Schweiz; 1938 nach Frankreich, 1940 nach England, 1941 in die USA. Lebte seit 1948 als Farmer in Portland, Oregon. ›Revolution des Nihilismus‹ (1938); ›Gespräche mit Hitler‹ (1939); ›Die Zeit des Deliriums‹ (1944). Mitarbeiter von ›Maß und Wert‹.

9] *Ludwig Renn*, eigentlich Arnold Friedrich Vieth von Golssenau (1887 bis 1979): Schriftsteller. Verfasser des bekannten Romans ›Krieg‹ (1928). Schloß sich 1928 der Kommunistischen Partei an. Nach dem Reichstagsbrand wegen Hochverrats zu zweieinhalb Jahren Zuchthaus verurteilt. Floh 1936, nach seiner Entlassung, in die Schweiz. Nahm am spanischen Bürgerkrieg teil. Emigrierte 1939 über Frankreich, England und die USA nach Mexiko. 1940 Professor für moderne europäische Geschichte an der Universität Morelia; Präsident der Bewegung ›Freies Deutschland‹. Seit 1947 Professor für Anthropologie an der Technischen Hochschule in Dresden. Weitere Werke: ›Vor großen Wandlungen‹, Roman (1936); ›Adel im Untergang‹, Roman (1944). – Vgl. Heinrich Mann, ›Zu Ludwig Renns 50. Geburtstag‹, Internationale Literatur, Jg. 9, H. 5, Moskau 1939, S. 135.

10] *René Schickele* (1883–1940): Schriftsteller. Kindheit im Elsaß, Studium in Straßburg. Gründete 1902 mit Otto Flake und Ernst Stadler die Zeitschrift ›Der Stürmer‹. Arbeitete in München, Paris, Berlin als Journalist und Lektor. Herausgeber der Zeitschrift ›Das neue Magazin für Literatur‹. Reisen durch Europa, Nordafrika, Indien. Gab von 1915–1919 in Zürich die ›Weißen Blätter‹ heraus. 1920 bis 1932 in Badenweiler. 1932 erneute Emigration (Sanary-sur-Mer). Unter seinen Werken: ›Der Fremde‹, Roman (1909); ›Das Erbe am Rhein‹, Roman-Trilogie (1925–1931); ›Die Flaschenpost‹, Roman (1937); ›Die Heimkehr‹, Erzählung (dt. 1939).

11] *Erwin Schrödinger* (1887–1961): Physiker. Lehrte in Stuttgart, Breslau, Zürich, 1927 in Berlin als Nachfolger Plancks (Nobelpreis für Physik 1933). Emigrierte 1933 nach Oxford. 1936 in Graz, 1940 in Dublin, dann USA; seit 1956 in Wien.

12] *Paul Tillich* (1886–1965): Theologe. 1919 Privatdozent in Berlin. Lehrte in Marburg, Dresden, Frankfurt. Vertreter des »religiösen Sozialismus«. Emigrierte 1933 nach den USA, Prof. am Union Theological Seminary in New York. Seit 1955 an der Harvard Divinity School. Während der Vorarbeiten zum ›Doktor Faustus‹ bat ihn Thomas Mann um eine Beschreibung des Theologiestudiums. Tillichs Antwort vom 25. 5. 1943 ist in den ›Blättern der Thomas-Mann-Gesellschaft‹, Nr. 5, Zürich 1965, S. 48–52, abgedruckt. Unter seinen Werken: ›Kairos‹ (1926–1929); ›Die sozialistische Entscheidung‹ (1933); ›The Protestant Era‹ (1948); ›Systematic Theology‹ (1951–1957); ›The New Being‹ (1955); ›Auf der Grenze‹, Essays (1963).

13] *Fritz von Unruh* (1885–1970): Schriftsteller. Aus alter Offiziersfamilie, wurde durch das Erlebnis des Ersten Weltkriegs zum Pazifisten. Lebte in Diez/Lahn und in der Schweiz, emigrierte 1932 nach Italien und Frankreich. Dort 1940 interniert. Flucht nach New York. Seit 1948 teils in Deutschland, teils in den USA. Ließ sich 1952 wieder in Diez nieder. Ging 1955 nach New York zurück, dann nach Atlantic City. Seit 1962 in Frankfurt am Main. Unter seinen Werken ›Offiziere‹, Drama (1911); ›Louis Ferdinand, Prinz von Preußen‹, Drama (1913); ›Opfergang‹, Erzählung (1916); ›Ein Geschlecht‹, Tragödie (1918); ›The End is Not Yet‹ (1947); ›Die Heilige‹, Roman (1952); ›Der Sohn des Generals‹, Autobiogr. Roman (1957).

14] *Arbeit:* Möglicherweise handelt es sich um den Aufsatz ›Kultur und Politik‹ (XII 853).

25. 5. 1939 270

1] *Zeitschrift ›Life‹:* Marquis Childs, ›Thomas Mann, Germany's foremost literary exile speaks now for freedom and democracy in America‹, Life, vol. 6, nr. 16, New York 1939, p. 56–59, 74–76.

2] *Dünndruck-Manifeste:* Vgl. Edith Zenker, ›Heinrich-Mann-Bibliographie‹: Essays, Reden, Aufrufe.

3] *Rede:* Näheres unbekannt. Möglicherweise steht Heinrich Manns 271 Artikel ›Das andere Deutschland‹ (Deutsche Volkszeitung, Paris, 27. 8. 1939) mit dieser Rede in Zusammenhang.

4] *Meiner Frau kann ich helfen:* Heinrich Manns Trauung mit Nelly Kröger fand am 9. 9. 1939 in Nizza statt.

5] *meine Tochter:* Leonie (Goschi) Mann.

6] *Mimi:* Maria Kanova, Heinrich Manns erste Frau.

7] *der Sohn:* Dr. Aschermann.

19. 6. 1939

1] *erste Etappe unseres europäischen Sommers:* Europareise vom 6. Juni bis 272 Mitte September 1939. Die Brüder hielten sich vom 14.–17. 6. 1939 gemeinsam in Paris auf. Thomas Mann verbrachte anschließend einige Ferienwochen in Nordwijk aan Zee; am 7. 8. 1939 reiste er nach Zürich (Arbeit am 8. Kapitel von ›Lotte in Weimar‹). Nach einem Aufenthalt in London (21.–24. 8. 1939) flog Thomas Mann nach Stockholm, wo er vor dem PEN-Kongreß über ›Das Problem der Freiheit‹ hätte sprechen sollen. Wegen des Einmarsches der deutschen Truppen in Polen reiste er vorzeitig nach Princeton zurück.

2] *die alten Leute:* Prof. Alfred Pringsheim emigrierte im November 1939 mit seiner Frau in die Schweiz.

3] *Ida Springer:* Erzieherin im Hause des Senators Mann. 273

4] *Hans Meisel* (geb. 1900)*:* Schriftsteller. Emigrierte 1934 aus Deutschland, ging 1938 in die USA. 1938–1940 Thomas Manns Sekretär. Später Professor für politische Wissenschaften an der Michigan University. Unter seinen Werken: ›The Myth of the Ruling Class‹ (1958).

28. 6. 1939

273　1] ›Mut‹: Vgl. Heinrich Manns Brief vom 22. 11. 1938, Anm. 3.

5. 7. 1939

274　1] *Peter Grund*, Pseud. für Otto Mainzer (geb. 1903): Staatsrechtler und Rechtsphilosoph. 1929 erschien von ihm das Buch ›Gleichheit vor dem Gesetz, Gerechtigkeit und Recht‹. Emigrierte, bevor er sich habilitieren konnte, 1933 nach Paris, dann nach den USA. Begann im Exil, Dichtung zu veröffentlichen. Seine Erzählung ›Prometheus, das Werk ohne Ende‹ wurde von den Preisrichtern der American Guild for German Cultural Freedom, darunter Thomas Mann, mit einer besonderen Empfehlung zur Veröffentlichung ausgezeichnet. Als die Guild die Entscheidung anfocht, bat Otto Mainzer Heinrich Mann um Intervention. Unter seinen Werken: ›Der zärtliche Vorstoß‹, Gedichte (1939); ›Die sexuelle Zwangswirtschaft – Ein erotisches Manifest‹ (1981, geschrieben in den dreißiger Jahren); nicht erschienen: ›Prometheus-Trilogie‹, Roman; ›Astarte‹, ›Die olympische Krankheit‹, ›Hochzeit‹, Dramen; ›Die Eroberung des Geschlechts‹, Essay.

2] *Melantrich:* Prager Verlag, der seit etwa 1930 Thomas Manns Werke in tschechischer Sprache herausbrachte.

17. 7. 1939

274　1] *Rudolf Olden* (1885–1940): Vgl. Heinrich Manns Brief vom 9. 2. 1933, Anm. 2.

275　2] *Vortrag [...] für Stockholm:* Thomas Mann, ›Das Problem der Freiheit‹, Stockholm: Bermann-Fischer 1939. Vgl. Thomas Manns Brief vom 19. 6. 1939, Anm. 1.

3] *leider nichts zu machen:* Auf Heinrichs Wunsch hatte Thomas Mann versucht, der in Prag lebenden Leonie Mann Geld zu überweisen.

20. 7. 1939

275　1] *Anliegendes:* ›Botschaft an Deutschland‹, vorgelegt von Bruno Frank.

2] *Roman:* Thomas Mann, ›Lotte in Weimar‹, Stockholm: Bermann-Fischer [November] 1939.

3] ›*Vulkan‹:* Klaus Mann, ›Der Vulkan‹, Amsterdam 1939.

26. 11. 1939

276　1] *der Flug von Malmö nach Amsterdam:* Darüber berichtet Erika Mann in ›Das letzte Jahr‹ (Frankfurt 1956, S. 39).

2] *Vermählung:* Heinrich Mann heiratete am 9. 9. 1939 seine langjährige Lebensgefährtin Nelly Kröger.

3] *Hochzeit:* Elisabeth Mann heiratete am 23. 11. 1939 den Historiker und Schriftsteller Giuseppe Antonio Borgese (1882–1952), Professor für deutsche Literatur an den Universitäten Rom und Mailand. Er war seit 1931 Gastprofessor für italienische Literatur an der Berkeley University, 1932–1936 am Smith College, danach bis 1947 an der Universität Chicago, wo er auch politische Wissenschaft lehrte. 1946 bis 1951 Generalsekretär des Committee to Frame a World Constitution und Herausgeber der Monatsschrift ›Common Cause‹. 1951 kehrte er nach Italien zurück, wo er als Gastprofessor an der Universität Mailand wirkte. Lebte zuletzt in Florenz. Unter seinen Werken: ›Gabriele d'Annunzio‹ (1909); ›La vita e il libro‹, Essays, 3 Bde. (1910 bis 1913); ›Rubé‹, Roman (1921); ›I vivi e i morti‹, Roman (1923); ›Goliath, the March of Fascism‹ (1937); ›Common Cause‹ (1943); ›Foundation of the World Republic‹ (1953). Übersetzte Goethes ›Wahlverwandtschaften‹ ins Italienische.

4] *Gönnerin:* Miss Caroline Newton schenkte Thomas Mann den Pudel 277 Nico.

5] *Mit Hilfe [...] des Hauses Wahnfried:* Dazu Erika Mann: »Das Haus Wahnfried war durchaus unbeteiligt an der Ausreise des Ehepaares Pringsheim. Hilfreich ist Professor Haushofer gewesen, ein alter Freund-Kollege von der Universität.«

6] *Ich bin gesund, das heißt, ich bin nicht krank:* ›Tasso‹, III. Aufzug, I. Auftritt (Prinzessin zu Leonore).

7] *Goethe-Roman:* ›Lotte in Weimar‹ wurde im Oktober 1939 vollendet.

8] *Jean Giraudoux* (1882–1944): Französischer Diplomat und Schriftsteller. Unter seinen Dramen: ›Amphitryon 38‹ (1929); ›La guerre de Troie n'aura pas lieu‹ (1935); ›Ondine‹ (1939); ›La folle de Chaillot‹ (1945).

9] *Jules Romains,* eigentlich Louis Farigoule (1885–1972): Französischer 278 Schriftsteller. Setzte sich in jenen Jahren für deutsche Emigranten ein. Unter seinen Werken: ›La vie unanime‹ (1908); ›Mort de quelqu'un‹, Roman (1911); ›Knock, ou le triomphe de la médecine‹ (1923); ›Les hommes de bonne volonté‹, Zyklen-Roman von 28 Bänden (1932–1956).

17. I. 1940

1] *›Lotte in Weimar‹:* In ›Mass und Wert‹ waren von 1937–1939 die Ka- 278 pitel 1, 2, 3, 5, 6 und 7 erschienen. Offenbar hatte Heinrich Mann die Nummer vom November/Dezember 1939, in der ein Teil des ›Siebenten Kapitels‹ abgedruckt war, noch nicht gelesen.

2] *Charles-Augustin Sainte-Beuve* (1804–1869): Es handelt sich vermut- 279 lich um: Goethe, ›Werther; Hermann et Dorothée‹, Traductions de

Sevelinges et de Bitaubé, soigneusement revues et complétées par Er-
nest Grégoire, avec une préface de Sainte-Beuve, Paris 1880.

3. 3. 1940

279 1] *Vortragsreise:* Thomas Mann las im Februar 1940 seinen Vortrag ›The
Problem of Freedom‹ in einigen amerikanischen Städten, am 19. 2. in
Dallas, am 21. 2. in Houston. Vom 22. 2. an hielt er sich in San Antonio
auf, las aber am 26. noch in Denton, Texas.

280 2] *meinen Roman:* ›Lotte in Weimar‹.

3] *lectures:* Thomas Mann las im März über ›Goethe's Werther‹, am
10. 4. 1940 über ›Die Kunst des Romans‹ (beide erstmals abgedruckt in:
›Altes und Neues‹, Frankfurt: Fischer 1953), am 2./3. 5. 1940 ›On My-
self‹ (erstmals abgedruckt in den ›Blättern der Thomas-Mann-Gesellschaft‹, Nr. 6, Zürich 1966).

281 4] *Gegenstück zu* › *This peace*‹: Thomas Mann, ›This Peace‹, transl. by H.
T. Lowe-Porter. New York: Knopf 1938. Deutsche Ausgabe: ›Dieser
Friede‹, Stockholm: Bermann-Fischer 1938. – Thomas Mann, ›This
War‹, transl. by Eric Sutton, London: Secker & Warburg; New York:
Knopf 1940. Deutsche Ausgabe: ›Dieser Krieg!‹, Stockholm: Bermann-
Fischer 1940.

5] *Golo:* Ende 1939, nach dem Rücktritt von Ferdinand Lion, hatten
Golo Mann und Emil Oprecht die Redaktion von ›Mass und Wert‹
übernommen.

23. 7. 1940

282 1] *Alfred A. Knopf* (1892–1984): Thomas Manns amerikanischer Verleger.

283 2] *Valeriu Marcu* (1899–1942): Historisierender Schriftsteller rumäni-
scher Herkunft. Emigrierte 1933 nach Südfrankreich, dann in die USA.
Unter seinen Werken: ›Schatten der Geschichte, 15 europäische Profile‹
(1926); ›Lenin, 30 Jahre Rußland‹ (1927); ›Scharnhorsts großes Kom-
mando, Die Geburt einer Militärmacht in Europa‹ (1928); ›Männer und
Mächte der Gegenwart‹ (1930); ›Die Vertreibung der Juden aus Spanien‹
(1934); ›Machiavelli, Die Schule der Macht‹ (1937).

3] *Golo:* Über die Abenteuer seines Sohnes schrieb Thomas Mann im
August 1940 eine Reihe von Briefen an Agnes E. Meyer (vgl. Br. II
152–160).

4] *mit Hilfe seines Bruders:* Hans Oprecht (1894–1978). Sekretär des
Schweizerischen Verbandes des Personals öffentlicher Dienste, Präsident der Sozialdemokratischen Partei der Schweiz, Mitglied des Natio-
nalrats. – Oprecht wirkte eine Zeitlang als Sekretär des Schweizerischen
Hilfswerks für deutsche Gelehrte.

28. 8. 1940 [Testament]

1] Im September 1940 flohen Heinrich und Nelly Mann, Golo Mann, *284* Lion und Martha Feuchtwanger, Franz und Alma Werfel zu Fuß über die Pyrenäen nach Port Bou, Spanien, von dort mit der Eisenbahn nach Barcelona, Madrid und Lissabon. Mit vielen anderen deutschen Flüchtlingen schifften sie sich am 4. Oktober auf dem griechischen Schiff ›Nea Hellas‹ ein und erreichten New York am 13. Oktober 1940. Vgl. Heinrich Mann, ›Ein Zeitalter wird besichtigt‹, Berlin 1947, S. 427–437 und Alma Mahler-Werfel, ›Mein Leben‹, Frankfurt 1960, S. 312–321.

16. 11. 1940

1] *Chicago:* Thomas Mann hielt sich vom 15.–27. 11. 1940 bei den Bor- *285* geses in Chicago auf. Angelica Borgese, die Tochter von Elisabeth (Medi) Borgese-Mann, kam am 30. 11. 1940 zur Welt.

2] *Erik Charell:* Regisseur, Theaterleiter, ursprünglich Tänzer. Übernahm von Reinhardt das Große Schauspielhaus in Berlin. Inszenierte erfolgreiche Revuen und Filme (›Drei Musketiere‹, ›Der Kongreß tanzt‹).

3] *mich regelrecht einzuspannen:* Heinrich hatte mit Warner Brothers einen Jahresvertrag als Scriptwriter mit einem Gehalt von 6000 $ abgeschlossen, der ihm fürs erste den Lebensunterhalt sicherte. Da der Vertrag nicht erneuert wurde, sah sich Heinrich Mann gezwungen, das Haus in Beverly Hills aufzugeben und eine kleine Wohnung in Los Angeles zu beziehen. Er war von da an weitgehend auf die monatlichen Zuschüsse seines Bruders Thomas angewiesen.

4] *»Novelle«:* Es handelt sich vermutlich um ›Lidice‹.

5] *Liesl Frank* (geb. 1903)*:* Tochter von Fritzi Massary, Gattin von Bruno Frank. Sie emigrierte 1933 mit ihrem Gatten über London in die USA.

6] *Nacht des Wahltages:* Franklin D. Roosevelt wurde am 5. 11. 1940 *286* zum dritten Mal zum Präsidenten der Vereinigten Staaten gewählt.

7] *Herzogin von Windsor:* Der Herzog von Windsor und seine Gemahlin sympathisierten damals mit dem Faschismus.

8] *Princeton:* Thomas Mann hatte sich entschlossen, seine Gastprofessur in Princeton aufzugeben und sich in Kalifornien niederzulassen.

9] *Rescue Committee:* Ende Juni 1940, nach dem Waffenstillstand Frankreichs mit dem Dritten Reich, erfolgte die Gründung des Emergency Rescue Committee unter Leitung des Präsidenten der Newark University, Dr. Frank Kingdon, und unter Mitwirkung von Thomas und Erika Mann, später auch von Hermann Kesten. Das Komitee arbeitete eng mit dem President's Advisory Committee on Political Refugees zusammen.

10] *die beiden Rottenberg:* Sarah Rottenberg war eine Freundin von Nelly Mann. Näheres nicht bekannt.

6. 12. 1940

286 1] *das glückliche Ereigniß:* Geburt der Enkelin Angelica Borgese am 30. 11. 1940.

3. 2. 1941

288 1] *dieses neue Buch:* Thomas Mann, ›Die vertauschten Köpfe, Eine indische Legende‹, Stockholm: Bermann-Fischer 1940. Mit handschriftlicher Widmung: »Für Heinrich und Nelly eine kleine Unterhaltung. Princeton, 9. Jan. 1941. T.«

2] *Bermann-Fischer zeigt an:* Thomas Mann, ›Adel des Geistes‹, erschien erst 1945 bei Bermann-Fischer in Stockholm. – ›Das Problem der Freiheit‹, Stockholm: Bermann-Fischer 1939. – ›Die schönsten Erzählungen‹, Stockholm: Bermann-Fischer; Amsterdam: Querido und de Lange 1939.

23. 2. 1941

289 1] *nach Mexico:* Um die gesetzlich vorgeschriebenen Einwanderungspapiere zu erlangen, war eine neue, legale, Einreise in die USA erforderlich.

2] *Dein Buch:* Thomas Mann ›Die vertauschten Köpfe, Eine indische Legende‹, Stockholm 1940.

3] *Jahrestag:* Heinrich Mann beging am 27. 3. 1941 seinen 70. Geburtstag.

4] *Joseph Marie de Maistre* (1753–1821): Französischer Philosoph.

28. 2. 1941

290 1] *Roman:* Frederick Hollander, ›Those Torn from Earth‹, Preface by Thomas Mann, New York 1941.

2] *Filmroman:* Vgl. Heinrich Manns Brief vom 16. 11. 1940, Anm. 3, 4.

21. 3. 1941 [Telegramm]

291 1] Im Nachlaß Heinrich Manns befindet sich ein Telegramm gleichen Wortlauts vom 22. 3. 1941.

2] *Geburtstags-Dinner:* Statt am 27. März fand die Geburtstagsfeier am 2. Mai 1941 statt. Alfred Döblin berichtet am 24. 7. 1941 an Hermann Kesten: »Als wir neulich den 70. Geburtstag von H. Mann feierten bei der Salka Viertel, war es wie einstmals: Th. Mann zückte ein Manuskript und gratulierte daraus. Dann zückte der Bruder sein Papier und dankte auch gedruckt daraus, wir saßen beim Dessert, etwa 20 Mann und Weib, und lauschten deutscher Literatur unter sich. Da waren noch Feuchtwanger, Werfel, Mehring, die Reinhardts, einige vom Film.«

Thomas Manns ›Ansprache zu Heinrich Manns siebzigstem Geburtstag‹ war für Klaus Manns Zeitschrift ›Decision‹ bestimmt, wurde aber nicht veröffentlicht (Manuskript im Thomas-Mann-Archiv, Zürich; vgl. S. 291–297). Das Manuskript zu Heinrichs ›Tischrede bei Frau Viertel‹ befindet sich im Heinrich-Mann-Archiv, Berlin (vgl. Findbuch, Nr. 400; erstmals abgedruckt in: Aufbau, Jg. 14, H. 5–6, Berlin 1958).

3] *jedenfalls sehen wir uns am 26.:* Am 26. März hielt Thomas Mann in Los Angeles den Vortrag ›The War and the Future‹ in neuer Fassung. Anschließend Zusammentreffen mit Heinrich Mann und Bruno Frank.

19. 10. 1941

1] *von einer Station unseres Kalvarienberges:* Große Vortragsreise vom   *297*
14. Oktober bis Ende November 1941. Thomas Mann las am 18. 10. 1941 in New Orleans seinen Vortrag ›The War and the Future‹ (erstmals publiziert in ›Decision‹, New York, Februar 1941).

30. 12. 1941

1] *J. E. Davies* (1876–1958): Amerikanischer Diplomat. 1936–1938   *298*
Botschafter in Moskau.

2] *mein Schwager:* Peter Pringsheim (1881–1964), Physiker.

3] *Enkelsöhnchen:* Fridolin Mann (geb. 1940), Sohn von Michael Mann. Modell zu Nepomuk (Echo) Schneidewein im ›Doktor Faustus‹.

4] *nach Deutschland gebroadcastet:* Vgl. Thomas Mann, ›Deutsche Hörer! 55 Radiosendungen nach Deutschland‹ (XI 983–1123).

5] *Schicklgruber:* So hieß bis zu seinem 40. Lebensjahr Hitlers Vater, der uneheliche Sohn der Maria Anna Schickelgruber.

4. 4. 1942

1] *Checks:* Vgl. Heinrich Manns Brief vom 16. 11. 1940, Anm. 3.   *299*

15. 4. 1942

1] *drei unfertige Arbeiten:* In Frage kommen: Heinrich Mann, ›Lidice‹,   *301*
Mexico: El Libro Libre 1943. (Erhalten sind Notizen von 1940 bis 1942; Manuskript abgeschlossen am 27. 9. 1942; vgl. Findbuch, Nr. 115–117.) ›Ein Zeitalter wird besichtigt‹, Stockholm: Neuer Verlag 1945. (Auf Aktendeckel das Datum ›1940‹; Notizen auf der Rückseite von Briefen aus der Zeit vom 5. 4. 1942 bis 25. 8. 1943; Manuskript abgeschlossen am 23. 6. 1944; die Korrekturbogen sind datiert: Stockholm, 16. 5. 1945; vgl. Findbuch, Nr. 222–232.) ›Empfang bei der Welt‹, Berlin: Aufbau-Verlag 1956. (Erster Entwurf 10. 4. 1941, erste Ausarbeitung 22. 4. 1941; Manuskript abgeschlossen am 8. 6. 1945;

vgl. Findbuch, Nr. 98–107, und Brief an Karl Lemke vom 31. 1. 1948.)
– Erst später nahm er in Arbeit: ›Der Atem‹, Amsterdam: Querido
1949. (Notizen auf der Rückseite eines Briefes vom 30. 11. 1945; Manuskript abgeschlossen am 25. 10. 1947; »Korrekturen zu Ende gelesen
Mittwoch 2. März 1949 11¹/₄ Uhr vormittags«; vgl. Findbuch,
Nr. 1–7.) ›Die traurige Geschichte von Friedrich dem Großen‹ wurde
wohl erst 1947–1949 bearbeitet (vgl. Findbuch, Nr. 65–84).

302　2] *Maxim M. Litwinow* (1876–1951): 1941–1943 Botschafter der UdSSR
in den USA. Er übermittelte Heinrich Mann die Honorare für dessen
Veröffentlichungen in der Sowjetunion (vgl. ›Die Entstehung des Doktor Faustus‹, XI 150).

25. 10. 1942

304　1] *Dein Buch:* Thomas Mann, ›Order of the Day, Political Essays and
Speeches of Two Decades‹, translated by H. T. Lowe-Porter, A. E.
Meyer, Eric Sutton, New York: Knopf 1942. (Darin u. a.: Foreword,
Europe Beware!, A Brother, Niemöller.)

2] *Vorrede:* ›Foreword‹ (dated: Pacific Palisades, California, June 11,
1942).

3] *Europe beware:* ›Achtung Europa!‹. Deutsch erstmals in: Neues Wiener Journal, 15. und 22. 11. 1936.

4] *Worte über Niemöller:* Erstmals als ›Preface‹ in Martin Niemöllers
›God is My Führer‹, New York 1941. Deutsch in: Deutsche Blätter,
Santiago de Chile 1943.

5] *A Brother:* Thomas Mann, ›Bruder Hitler‹. Erstmals in: Das neue
Tagebuch, Jg. 7, H. 13, Paris 1939.

305　6] *Genghis Khan:* Tschingis Chan (1155 oder 1167–1227), Begründer
des Mongolischen Weltreichs.

7] *des armen Wilhelm:* Wilhelm II. (1859–1941), deutscher Kaiser 1888
bis 1918. Starb im Exil in Holland.

6. 4. 1943

305　1] *Brief aus Brasilien:* Von dem österreichischen Schriftsteller Karl Lustig-Prean (1892–1965). Dieser emigrierte 1939 nach Brasilien, leitete
dort die Bewegung der ›Freien Deutschen‹. Kehrte 1948 nach Wien
zurück. Unter seinen Werken: ›Der Krieg‹ (1914); ›Kultur‹ (1916);
›Blutgerüst‹ (1918); ›Die Krise des deutschen Theaters‹ (1929); ›Lustig-
Preans lachendes Panoptikum‹ (1952). – Vgl. Thomas Manns Brief vom
8. 4. 1943 (Br. II 306).

11. 9. 1943, Thomas Mann und andere (Telegramm)

306　1] *Telegramm:* Die deutsche Übersetzung lautet: »Dürfen wir im Einvernehmen mit dem amerikanischen Finanzministerium Ihre Hilfe in

Anspruch nehmen und Sie bitten, zur Unterstützung der dritten Kriegsanleihe-Kampagne das Originalmanuskript eines schon veröffentlichten Werks beizusteuern, damit es an einer Kriegsanleihe-Veranstaltung versteigert werden kann? Das Finanzministerium wird es sich angelegen sein lassen, die Gaben, die es von Ihnen und andern bedeutenden eingewanderten Autoren, Künstlern, Wissenschaftlern u. ä. erhält, als Ihren besondern Beitrag zum Erfolg der dritten Kriegsanleihe-Kampagne der ganzen amerikanischen Öffentlichkeit bekanntzugeben. Für Ihre möglichst baldige Antwort wären wir dankbar. Melden Sie bitte, was Sie beizusteuern gedenken, durch Telegramm (auf Rechnung des Empfängers) an Mr. Julian Street, jr., dritte Kriegsanleihe-Kampagne. Room 3005. RKO Building. 1270 sixth avenue New York City. Senden Sie Ihren Beitrag durch eingeschriebenen Luftpostbrief oder durch vom Empfänger zu bezahlende Luftpost-Eilfracht an Mr. Street –«.

2] *Elisabeth Bergner* (geb. 1897): Schauspielerin. Gattin des Bühnenschriftstellers und Regisseurs Paul Czinner. Spielte in Innsbruck, Zürich, Wien, München und Berlin. Emigrierte 1933 nach London, dann in die USA. Nach Kriegsende auch wieder Gastspiele in Deutschland. 1962 Schiller-Preis der Stadt Mannheim, 1963 Bundesfilmpreis.

3] *Emil Ludwig* (1881–1948): Schriftsteller und Journalist. Sohn des Augenarztes H. Cohn, der 1883 den Namen Ludwig annahm. Seit 1906 in der Schweiz, seit 1914 in London, während des Ersten Weltkrieges als Journalist in Konstantinopel und Wien, später freier Schriftsteller in Ascona. Verfasser von romanhaften Biographien, wie ›Goethe‹ (1920); ›Napoleon‹ (1925); ›Wilhelm II.‹ (1926); ›Bismarck‹ (1926); ›Michelangelo‹ (1930); ›Lincoln‹ (1930); ›Cleopatra‹ (1937); ›Roosevelt‹ (1938); ›Beethoven‹ (1943); ›Stalin‹ (1945).

21. 12. 1943

1] *Brief Bruckners:* Vgl. Ferdinand Bruckners Brief vom 16. 11. 1943 an 306 Heinrich Mann (abgedruckt bei Dietzel, Brw. 1977, S. 484): »In allen Besprechungen beschäftigte uns natürlich die Frage, wie Sie und Ihr Bruder, an den ich gleichzeitig schreibe, sich zu einer Gründung des Schutzverbandes stellen würden. Überflüssig zu sagen, daß er ohne Ihre Förderung seine Aufgabe nicht erfüllen kann. Das soll nicht heissen, dass Sie mit jeder Vereinssache geplagt werden sollen! Aber wenn sich die Gründung als durchführbar erweist – wären Sie bereit, zusammen mit Thomas Mann das Ehrenpräsidium anzunehmen? Ihre beiden Namen würden nicht nur hier dem Verband einen legitimen Charakter geben, sie würden auch die schönste Fahne bilden, wenn die freien deutschen Schriftsteller einmal werden zurückkehren können.«

307 2] *Barthold Fles:* Literarischer Agent, aus Holland in die USA emigriert.

24. 3. 1944

307 1] *Botschaft:* Heinrich Mann, ›Verehrte Zuhörer!‹, The German-American, New York, vol. 2, nr. 11, March 1944. (Grußadresse an die Teilnehmer der Feier in der New Yorker Times Hall anläßlich des 73. Geburtstages von Heinrich Mann.)

2] *Louis Bromfield* (1896–1956): Amerikanischer Schriftsteller. Verfasser der Erfolgsromane ›Early Autumn‹ (1926) und ›The Rains Came‹ (1937).

3] *Töchterchen:* Domenica Borgese, geb. 6. 3. 1944.

308 4] *1925:* Sollte wohl heißen: 1952.

29. 7. 1944

308 1] *Handexemplar:* Thomas Mann, ›Joseph der Ernährer‹, Stockholm: Bermann-Fischer 1943. – Das Exemplar für Heinrich trägt die Widmung: »Meinem Bruder Heinrich ein Spiel in Worten für Stunden der Rast. Pacif. Palisades 30. Juli 1944. T.«

2] *über die alten und neuen Tage:* Heinrich Mann hatte vermutlich aus ›Ein Zeitalter wird besichtigt‹ öffentlich vorgelesen.

3] *meinen Musiker-Helden:* Adrian Leverkühn im ›Doktor Faustus‹.

4] *Palestrina:* Vgl. Thomas Manns Brief vom 18. 2. 1905, Anm. 4.

309 5] *Bibi und Gret:* Michael Mann (geb. 1919) und seine Frau, geb. Moser aus Zürich.

2. 9. 1944

309 1] *Dein Buch:* ›Josef der Ernährer‹.

2] *»Aber die Witwe Pittelkow!«:* Heinrich Mann bezieht sich hier auf Fontanes Widmungsgedicht zu ›Stine‹ (1890):

> Will dir unter den Puppen allen
> Grade ›Stine‹ nicht recht gefallen,
> Wisse, ich finde sie selbst nur soso,
> Aber die Witwe Pittelkow!
>
> Graf, Baron und andere Gäste,
> Nebenfiguren sind immer das Beste,
> Kartoffelkomödie, Puppenspiel,
> Und der Seiten nicht allzuviel.
> Was auch deine Fehler sind,
> Finde Nachsicht, armes Kind!

3] »*der ruhige Mann*«: Mai Sachme, der »Amtmann über das Gefängnis« in ›Joseph der Ernährer‹ (v 1304).

4] *Eugène Sue* (1803–1857): Französischer Romanschriftsteller. Unter seinen Werken: ›Le Juif errant‹ (1844 f.).

5] *William Beveridge* (1879–1963): Britischer Nationalökonom. Der von 310 ihm 1942 vorgelegte Plan (Beveridge-Plan) wurde zur Grundlage des britischen Sozialversicherungsgesetzes von 1948.

6] *Mein eigenes Buch:* Heinrich Mann, ›Ein Zeitalter wird besichtigt‹, Stockholm: Neuer Verlag 1945.

19. 5. 1945

1] *Lektüre deines Vortrages:* Thomas Mann, ›Deutschland und die Deut- 310 schen‹, Die Neue Rundschau, Stockholm, Oktober 1945.

2] *Glückwünsche:* Vgl. Heinrich Manns Brief vom 3. 6. 1945, 311 Anm. 2.

3. 6. 1945

1] *Artikel über Dich:* Marquis Childs, ›Inspiration in Thomas Mann's 323 Career‹, St. Louis Post-Dispatch, 1. 6. 1945.

2] *Feststellungen in der Neuen Rundschau:* Heinrich Mann, ›Mein Bru- der‹, Die Neue Rundschau, Sonderausgabe zu Thomas Manns 70. Ge- burtstag, 6. Juni 1945, Stockholm 1945, S. 3–12 (Vorabdruck aus: ›Ein Zeitalter wird besichtigt‹).

9. 6. 1945

1] *Aufsatz:* Vgl. Briefe vom 19. 5. und 3. 6. 1945. 323

2] »*Spiel und Anspiel aufs Heil*«: Vgl. ›Joseph der Ernährer‹ (v 324 1804).

3] »*Wer hätt' es gedacht*«: ›Joseph der Ernährer‹ (v 1798).

Frühjahr 1946 [handschriftliches Konzept eines Telegramms]

1] Die deutsche Übersetzung lautet: »Doktor Rosenthal schickte mir 324 genauen Bericht. Ich bemühe mich, zuversichtlich zu sein, und ich bitte Tommy, seinen bewundernswerten Mut aufrechtzuerhalten. Mein ge- liebter Bruder, Du mußt und wirst die Kraft zum Leben haben. Du bist unentbehrlich für Deine großen Vorhaben und für alle, die Dich lieben. Da ist einer, dem es sinnlos vorkäme, ohne Dich weiterzumachen. Dies ist der Augenblick, Dich meiner unbedingten Anhänglichkeit zu versi- chern. Mögen meine innigen Wünsche Dir helfen, die Gefahr zu überstehen und die Gesundheit wiederzuerlangen. Mit herzlichen Grü- ßen Heinrich.«

2] *Doctor [Frederick] Rosenthal:* Auf seinen Rat hin unterzog sich Tho-

mas Mann im April 1946 im Billings Hospital, Chicago, einer Lungen-
operation (vgl. seinen Bericht in der ›Entstehung des Doktor Faustus‹,
XI 255–269). Als er sich im Oktober 1946 anschickte, Krankheit und
Tod des kleinen Echo darzustellen, bat er Dr. Rosenthal um Auskunft
über den Ablauf der Hirnhautentzündung (vgl. ›Entstehung des Doktor
Faustus‹, XI 290; ›Doktor Faustus‹, VI 627–636).

22. 5. 1947

325 1] *Nietzsche-Vortrag:* Thomas Mann, ›Nietzsche's Philosophie im Lichte
unserer Erfahrung‹, Die Neue Rundschau, Stockholm 1947, S. 359–389.
Thomas Mann hielt den Vortrag am 20. Mai im Senate House der London University, am 3. Juni vor dem XIV. Internationalen PEN-Kongreß in Zürich.

326 2] *Harold George Nicolson* (1886–1968): Englischer Diplomat und
Schriftsteller. 1935–1945 Parlamentsmitglied. Unter seinen Werken:
›Peace-Making‹ (1919); ›Public Faces‹ (1932); ›Curzon, the Last Phase,
1919–1925‹ (1934); ›Diplomacy‹ (1939); ›Some People‹ (1944); ›The
Congress of Vienna‹ (1946); ›The English Sense of Humour‹ (1946);
›King George V, His Life and his Reign‹ (1952); ›The Evolution of
Diplomatic Method‹ (1954); ›Diaries and Letters 1930–1939, 1939 to
1945, 1946–1964‹ (1966–1968). Deutsche Ausgabe in zwei Bänden: ›Ta-
gebücher und Briefe‹ Bd. 1: ›1930–1941‹; Bd. 2: ›1942–1962‹, Frankfurt
am Main 1969 und 1971.

14. 7. 1949

326 1] *Weimar:* Thomas Mann hielt am 1. 8. 1949 im Nationaltheater Weimar seine ›Ansprache im Goethejahr‹ (vgl. Anm. 3).
2] *seit »dem Außenbleiben meines Sohnes«:* Klaus Mann nahm sich am
22. 5. 1949 das Leben. Goethe hatte am 10. 12. 1830 anläßlich des Todes
seines Sohnes August an Zelter geschrieben: »Das Außenbleiben meines
Sohnes drückte mich [...].«
3] *Rede für Frankfurt:* ›Ansprache im Goethejahr‹, gehalten am
25. 7. 1949 in der Paulskirche. Erstmals publiziert in: Neue Zeitung,
München, 26. 7. 1949.
4] *Besprechung:* Friedrich S. Großhut, ›Heinrich Manns Senaste‹, Expressen, 25. 6. 1949. Über Heinrich Manns Roman ›Der Atem‹. – Der
Schriftsteller Großhut (geb. 1906) emigrierte 1933 nach Palästina,
weilte 1948–1949 als Journalist in Stockholm, später in den USA.
5] *Etwas Einziges und Unvergleichliches:* Im Brief vom 5. 9. 1949 an A.
M. Frey schreibt Thomas Mann über den ›Atem‹: »Dank für die Besprechung. Mein Bruder besitzt sie schon und schien nicht sehr entzückt. Aber ich finde doch, Sie haben sich mit gebührender Ehrerbie-

tung, Anteilnahme und Würde geäußert. Die sprachliche Über-Konzentration, die wirklich oft, auch wenn man scharf aufpaßt, bis zur Unverständlichkeit geht – und damit auch die Handlung – ist ja nicht zu leugnen, und als öffentlicher Kritiker müßte ich sie auch vermerken.«

6] *Über den Sprachen ist die Sprache:* Vgl. ›Der Erwählte‹, VII 14.

7] *Georg Lukács* (1885–1971): Ungarischer Literarhistoriker. Emigrierte 327 1933 aus Deutschland in die UdSSR, später freier Schriftsteller in Budapest. Die Gestalt Naphtas ist teilweise nach ihm gezeichnet. Vgl. Thomas Manns Aufsatz über Georg Lukács, erstmals in: Aufbau, Jg. 11, H. 4, Berlin 1955 (X 545).

[1950]
Am 29. 3. 1950 schrieb Thomas Mann den ›Brief über Heinrich Mann‹; erstmals in: Germanic Review, vol. 25, nr. 4, New York, December 1950 (vgl. X 521). – Vgl. auch Bürgin V, 718.

ZU DIESER AUSGABE

In der vorliegenden Auflage sind erstmals alle gegenwärtig bekannten Briefe der Brüder Mann abgedruckt. Es handelt sich um insgesamt 230 Briefe und Briefentwürfe, 145 von Thomas Mann, 85 von Heinrich Mann.

Die Hauptmasse der Thomas-Mann-Briefe befand sich im Prager Nachlass seines Bruders, im Besitze von Frau Leonie Aškenazi-Mann. Ein Teil davon wurde in den fünfziger Jahren vom Heinrich-Mann-Archiv der Deutschen Akademie der Künste in Berlin-Ost übernommen (vgl. dazu Alfred Kantorowicz, ›Briefe an Heinrich Mann‹, in: Aufbau, Jg. 11, H. 6, Berlin 1955, S. 532; ›Heinrich und Thomas Mann‹, Berlin 1956, S. 55; und Hugo Huppert, ›Nachgeholte Beiordnungen‹, in: Sinn und Form, Sonderheft Thomas Mann, Berlin 1965, S. 118–120). Ein anderer Teil des Prager Nachlasses – 50 Briefe und Karten Thomas Manns – gelangte 1957 auf uns unbekanntem Wege an eine Hauswedell-Auktion; das Konvolut wurde von dem Genfer Sammler Louis Glatt erworben und 1967 an das Schiller-Nationalmuseum zu Marbach verkauft. Die Akademie der Künste, Berlin/DDR, erwarb im selben Jahr 10 weitere Thomas-Mann-Briefe aus dem Besitz von Maria Melichar, Wien und München. Die Briefe vom 24. 10. 1900 und vom 2. 11. 1900 befinden sich in einer Privatsammlung und werden mit Bewilligung des Besitzers erstmals abgedruckt (vgl. Paul Schroers: ›Heinrich und Thomas Mann und ihre Verleger‹, in: Philobiblon, Jg. 2, H. 4, Dezember 1958, S. 310–314; Sammlung Dr. Ernst L. Hauswedell, Auktion 252, 23. und 24. Mai 1984, Nr. 982). Die Briefe vom 5. 12. 1903 und vom 8. 1. 1904 tauchten 1981 in einem Berliner Antiquariat auf; sie wurden vom Thomas Mann-Archiv der Eidgenössischen Technischen Hochschule Zürich erworben.

Im Kilchberger Nachlaß befanden sich 30 Briefe Heinrich Manns (1933–1945). 1973 wurden im Verlagshaus Oprecht 45 weitere aufgefunden (1922–1937). Die frühen Briefe Heinrich Manns sind zusammen mit Thomas Manns Manuskripten aus der Münchner Zeit dem Zweiten Weltkrieg zum Opfer gefallen. Hingegen sind erhalten geblieben: 1 Briefentwurf von Ende 1903, 3 Briefentwürfe von 1914–1918.

Seit 1955 sind mehrere Teilpublikationen erschienen:

Thomas Mann, Briefe an Heinrich Mann aus den Jahren 1900–1927, Einführung und Anmerkungen von Alfred Kantorowicz, in: Aufbau, Kulturpolitische Monatsschrift, Jg. 11, H. 6, Berlin, Juni 1955 [38 Briefe und Karten].

Thomas Mann, Briefe an Heinrich Mann aus den Jahren 1900–1927, hrsg. von Alfred Kantorowicz, in: Geist und Zeit, Eine Zweimonatschrift für Kunst, Literatur und Wissenschaft, Nr. 3, Düsseldorf 1956 [38 Briefe und Karten].

Alfred Kantorowicz, Heinrich und Thomas Mann. Die persönlichen, literarischen und weltanschaulichen Beziehungen der Brüder, Berlin: Aufbau-Verlag 1956 [42 Briefe].

Heinrich Mann, Fünf Briefe an Thomas Mann, in: Sinn und Form, Jg. 13, H. 5/6, Berlin 1961, S. 845–851, 959.

Thomas Mann, Briefe, 3 Bde., hrsg. von Erika Mann, Frankfurt 1961, 1963, 1965 [insgesamt 42 Briefe aus den Jahren 1900–1949].

Thomas Mann – Heinrich Mann, Briefwechsel 1900–1949, hrsg. von der Deutschen Akademie der Künste zu Berlin, Redaktion: Ulrich Dietzel, Berlin und Weimar 1965 [125 Briefe, mit einem Nachwort und Anmerkungen von Ulrich Dietzel].

Thomas Mann, Briefe an Heinrich Mann, in: Sinn und Form, Jg. 19, H. 4, Berlin 1967 [10 Briefe, die erst nach 1965 vom Heinrich-Mann-Archiv der Deutschen Akademie der Künste beigebracht worden sind].

Thomas Mann – Heinrich Mann, Briefwechsel 1900–1949, hrsg. von Hans Wysling, Frankfurt 1968.

Thomas Mann – Heinrich Mann, Briefwechsel 1900–1949, hrsg. von der Deutschen Akademie der Künste zu Berlin, Redaktion und Nachwort: Ulrich Dietzel, Berlin 1969 [172 Briefe].

Heinrich Mann an seinen Bruder. Neuaufgefundene Briefe (1922–1937), hrsg. von Hans Wysling in Thomas-Mann-Studien III, Bern und München 1974, S. 101–146, 196–214 [45 zusätzliche Briefe Heinrich Manns, die 1973 im Verlagshaus von Emmie Oprecht aufgefunden wurden].

Thomas Mann – Heinrich Mann, Briefwechsel 1900–1949, hrsg. von Ulrich Dietzel, (Veröffentlichung der Akademie der Künste der Deutschen Demokratischen Republik), 3. erweiterte Auflage, Berlin 1977 [222 Briefe].

Hans Wysling (Hrsg.), »... eine sehr ernste und tiefgehende Korrespondenz mit meinem Bruder ...«. Zwei neuaufgefundene Briefe Thomas Manns an seinen Bruder Heinrich, in: Deutsche Vierteljahrsschrift für Literaturwissenschaft und Geistesgeschichte, Tübingen 1981, Jg. 55, H. 4, S. 645–664 [Thomas Manns Briefe vom 5. 12. 1903 und 8. 1. 1904, ein Briefentwurf von Heinrich Mann].

Orthographie und Interpunktion der Brieforiginale wurden beibehalten. Ergänzungen des Herausgebers stehen in eckigen Klammern.

In der Nachbemerkung zur Ausgabe von 1968 haben wir geschrieben: »Unser Dank gilt Frau Erika Mann und Frau Leonie Aškenazi-Mann, die den Abdruck der Briefe bewilligt und großzügig gefördert haben. Museumsdirektor Dr. Bernhard Zeller hat mir die im Schiller-Nationalmuseum zu Marbach liegenden Briefe zugänglich gemacht; Herr Dr. Werner Volke und Frau Anneliese Hofmann waren mir bei der Prüfung der Manuskripte behilflich. Die Zusammenarbeit mit dem Heinrich-Mann-Archiv der Deutschen Akademie der Künste zu Berlin kam leider nicht zustande; von den dort liegenden Briefen besitzen wir, von zwei Ausnahmen abgesehen, Photokopien. Miss Ida Herz, London, seit Jahren Thomas Mann und seinem Werk verbunden, hat die Anmerkungen durchgesehen und aufgrund ihres reichen Wissens wesentlich ergänzt. Wertvolle Hinweise gaben Herr Dr. Hans Bürgin, der Thomas Mann-Bibliograph, Herr Richard Lemp, Leiter der Monacensia-Abteilung der Stadtbibliothek München, Herr Heinz Saueressig, der Thomas Mann-Sammler aus Biberach an der Riß, und Herr J. Hellmut Freund, Lektor im S. Fischer Verlag, Frankfurt. Für Auskünfte danken wir ferner Herrn Prof. Pierre Bertaux, Paris; Herrn Prof. Dr. Walter Clauss, Küsnacht; Herrn Prof. Dr. Klaus W. Jonas, Pittsburgh; Frau Elisabeth Mann-Borgese, Santa Barbara; Herrn Prof. Dr. Golo Mann, Kilchberg; Herrn Dr. Peter Pütz, Bonn; Frau Anna Schickele, Badenweiler; Herrn Prof. Dr. Walter Siegfried, Zürich; Herrn Dr. Werner Weber, Zürich; der Akademie der Künste, Alfred Kerr-Archiv, Berlin; der Deutschen Staatsbibliothek, Berlin; der Staatsbibliothek Bremen, der Deutschen Presseforschung, Bremen; dem Archiv der Hansestadt Lübeck; der Bayerischen Staatsbibliothek, München; der Internationalen Jugendbibliothek, München; der Intendanz der Münchner Kammerspiele; der Österreichischen Nationalbibliothek, Wien; den Standesämtern von Bad Blankenburg, Berlin, Lübeck, Mülheim-Ruhr und München. Fräulein Marianne Fischer, die Bibliothekarin, und Fräulein Rosmarie Hintermann, die Sekretärin des Zürcher Thomas-Mann-Archivs der Eidgenössischen Technischen Hochschule in Zürich, haben mich bei den Recherchen und der Herstellung des Manuskripts unterstützt. Die Register bearbeitete Herr Knut Beck, S. Fischer Verlag, Frankfurt.« Das gilt auch heute noch. Für Auskünfte zu den 1973 aufgefundenen Heinrich Mann-Briefen möchten wir danken: Frau Anna Schickele, Badenweiler; Frau Else Stahl-Lemke, Ludwigshafen; Herrn Hans-Peter Manz, Zürich; Herrn Dr. Arthur Strässle, Zürich; Herrn Prof. Dr. Siegfried Sudhof, damals in Frankfurt. Die Register zur 2. Auflage hat Wolfgang Kloft erstellt.

1. Januar 1984   H. W.

REGISTER

Die kursiv gesetzten Ziffern verweisen auf die Anmerkungen

WERKE UND FIGUREN

472

ALLGEMEINES VERZEICHNIS

INHALT